Przerwanki 2011

D1234986

WOJNA O PIENIĄDZ

Song Hongbing

WOJNA O PIENIĄDZ

Prawdziwe źródła kryzysów finansowych

Z chińskiego przełożył Tytus Sierakowski

货币战争

Edytor
Józef Białek

Przekład
Tytus Sierakowski

Redakcja
Zbigniew Nowicki

Konsultacja merytoryczna
Tomasz Cukiernik

Korekta
Mirosława Zmysłowska

Projekt okładki
Roman Konik

Skład i łamanie
Rafał Łapiński

Copyright © 宋鸿兵, Polish Language translation rights arranged with
Firma Wektory Jozef Bialek
through China Industry & Commerce Associated Press Co., Ltd.

All rights reserved

ISBN 978-83-60562-45-1

Druk:
„Kontra"
ul. Chabrowa 5
52-200 Wysoka

WYDAWNICTWO „WEKTORY"
ul. Atramentowa 7
Bielany Wrocławskie
55-040 Kobierzyce

www. WydawnictwoWektory.pl

Dystrybucja:
tel. 71 339 43 07; e-mail: info@WydawnictwoWektory.pl

Spis treści

Nota redakcyjna

Wszystkie cytaty oraz odnośniki podano w formie zgodnej z chińskim oryginałem. Tam, gdzie cytaty udało się zlokalizować, wykorzystano istniejące polskie tłumaczenia. Odnośniki autora zostały uzupełnione przypisami tłumacza oraz redakcji wydania polskiego.

Wstęp

W roku 2006, tuż przed zaplanowaną wizytą w Chinach, sekretarz skarbu USA Henry Paulson udzielił wywiadu telewizyjnej stacji CNBC. W wywiadzie tym nawiązał do jednej z wielkich gospodarek świata: „Oni są liderami gospodarki światowej. Inne kraje świata nie dadzą im wiele czasu". Nie ma cienia wątpliwości, że „oni" oznaczało Chiny.

Dzisiejsze Chiny wyraźnie i raptownie zmieniły się w kraj odgrywający jedną z decydujących ról w światowej gospodarce. Wiele wskaźników i indeksów ekonomicznych pokazuje, że niczym wielki lotniskowiec, chińska gospodarka właśnie wyruszyła w świat.

Gdyby trzy lata temu chińskie Biuro Polityczne zaprosiło do Pekinu grupę uczonych, ci bez wątpienia wygłosiliby wykład na temat szybkiego wzrostu państwowej potęgi, podejmując problem z perspektywy możliwego rozwoju Chin. Dziś zmiana sposobu myślenia o przyszłości, przejście od „szybkiego wzrostu potęgi" do „rozwoju", wystarczająco pokazuje, że rośnie zarówno pewność siebie Chińczyków, jak i tempo rozwoju chińskiej gospodarki, które jest większe niż to, z jakim CCTV przygotowuje film dokumentalny *Tak szybko powstaje potęga*.

Cały świat kieruje swój wzrok na Chiny: „Wiek XXI będzie należał do Chin", „około 2040 roku chińska gospodarka wyprzedzi amerykańską". Te i podobne głosy słychać tak często, że panuje niemal stuprocentowa pewność, iż Chiny zdobędą pozycję lidera światowej gospodarki.

A mimo to nasuwa się wątpliwość, czy gospodarka chińska, niczym wielki lotniskowiec, który wypłynął w morze, będzie nawigować bez przeszkód. Czy w ciągu najbliższych 50 lat uda jej się utrzymać owo tempo i odważnie podążać naprzód? Jakie nieprzewidywalne czynniki mogą wpłynąć na kierunek i prędkość ruchu tego wielkiego lotniskowca?

Analizując problem w sposób konwencjonalny, można powiedzieć, że największym wyzwaniem dla kursu chińskiego okrętu jest bezpieczne pokonanie Cieśniny Tajwańskiej i zdobycie kontroli nad morzami Azji Wschodniej. Osobiście jednak uważam, że największej i jednocześnie ukrytej przeszkody na drodze do chińskiego sukcesu gospodarczego należy szukać w miejscu, w którym mało kto się jej spodziewa: w możliwej wielkiej wojnie finansowej. Od chwili przystąpienia

Chin do WTO w 2001 roku i otwarcia chińskiego sektora finansowego na świat zagrożenie to z dnia na dzień rośnie. Powstaje więc pytanie: czy chiński system finansowy, funkcjonując w gospodarce coraz bardziej otwartej na świat, ma wystarczającą siłę, doświadczenie, narzędzia i metody finansowe, by skutecznie obronić się przed potencjalnym atakiem?

Porównując tę sytuację do wojny na morzu, można powiedzieć, że 10 lat temu chińska łódź podwodna zmusiła do zmiany kursu amerykański lotniskowiec klasy Nimitz; pod koniec października 2006 roku chińska łódź podwodna klasy Song „przykleiła się" do USS „Little Hawk" na długości około pięciu mil morskich. W sytuacji, gdy Chiny wciąż nie są zdolne do skutecznego oporu militarnego wobec Stanów Zjednoczonych, ich strategia odstraszania i powstrzymywania amerykańskiej marynarki wojennej i jej lotniskowców jest oparta na zastosowaniu łodzi podwodnych. Dziś, w obliczu szybkiego rozwoju gospodarczego Chin, nie możemy ufać we własne bezpieczeństwo. Istnieją przecież kraje, które – sądząc, że potężne Chiny są zagrożeniem dla ich żywotnych interesów – mogą, niczym łódź podwodna, przypuścić na polu gospodarczym finansowy atak na chiński okręt, zmuszając chińską gospodarkę do zmiany tempa i kursu.

Przekonanie, że Chiny staną się potęgą w XXI wieku, opiera się jedynie na standardowych prognozach, które nie biorą pod uwagę nagłych konfliktów i dramatycznych wydarzeń, mogących spowodować zniszczenia i zahamować ów proces. Takim wydarzeniem mogłaby być właśnie wojna finansowa.

Otwarcie sektora finansowego dla kapitału zagranicznego stanowi niebezpieczeństwo znacznie większe niż, przykładowo, obecność amerykańskiej marynarki wojennej, z lotniskowcami włącznie, u brzegów Chin. Atak militarny może zniszczyć infrastrukturę, budynki, zabić ludzi, jednakże, biorąc pod uwagę olbrzymi obszar Chin, konwencjonalna wojna nie jest w stanie całkowicie unicestwić chińskiej gospodarki. Natomiast wojna finansowa – z natury ukryta, o której przy okazji niewiele wiemy, gdyż brak nam niezbędnych do jej analizy przykładów z przeszłości – to wojna, której obce jest okrucieństwo tradycyjnych walk. Mówimy tu o ogromnym wyzwaniu dla systemu obronnego Chin. W chwili, gdy porządek gospodarczy danego kraju staje się celem finansowego ataku, jego sytuacja wewnętrzna ulega błyskawicznemu pogorszeniu, wymykając się spod kontroli. Kraj jest targany zamieszkami i wstrząsami społecznymi. Zagrożenie zewnętrzne uruchamia bowiem destrukcyjne siły wewnętrzne.

Historia i rzeczywistość są bezwzględne: upadek Związku Radzieckiego, dewaluacja rubla, kryzys azjatycki, tymczasowy paraliż gospodarek tzw. czterech azjatyckich tygrysów (Korei Południowej, Singapuru, Hongkongu i Tajwanu); fatalna sytuacja japońskiej gospodarki, niezdolnej do tego, by podnieść się po katastrofie. Czy rzeczywiście przemyśleliśmy dokładnie wszystkie te wydarzenia? Czy były to jedynie przypadki, zbiegi okoliczności? A jeśli nie, to kim są ich faktyczni, ukryci za kurtyną sprawcy? Jaki będzie następny cel ataku? Na przestrzeni ostatnich miesięcy dawni oficerowie radzieckich sił specjalnych, magnaci energetyczni i europejscy bankierzy stali się ofiarami skrytobójczych zamachów. Czy ma to związek z upadkiem Związku Radzieckiego? Czy główną przyczyną rozpadu ZSRR była reforma polityczna, czy też raczej atak finansowy?

Wszystkie te wydarzenia nie mogą być obojętne dla kogoś, kto ma na uwadze bezpieczeństwo i zdolności obronne chińskiego systemu finansowego oraz perspektywy rozwoju chińskiej gospodarki. Odłóżmy na chwilę na bok kwestię kursu renminbi (RMB)* i nie wspominajmy o rezerwie walutowej wynoszącej bilion RMB. Spójrzmy raczej na to, co toczy się na powierzchni, poza zwykłym porządkiem finansowym – na polityczną grę w szachy gorącymi pieniędzmi. Obecna sytuacja Chin wymaga ogromnej uwagi. Czy zawarte w chińskiej kulturze współczucie i tolerancja oraz idea pokojowego rozwoju wystarczą, by obronić kraj przed wkroczeniem doń ewidentnie ofensywnego, skierowanego na podważenie istniejącego porządku, kapitału z „Nowego Imperium Rzymskiego"? Czy współczesne Chiny posiadają odpowiednie zasoby ludzkich talentów, które, w teorii i w praktyce, byłyby zdolne skutecznie powstrzymać skrytą ofensywę finansową? Czy w przypadku niewidzialnego finansowego „szantażu nuklearnego", a nawet „ataku nuklearnego", wśród Chińczyków rozproszonych w globalnej sieci finansowej pojawi się osobistość na miarę Qian Xue Lina lub Deng Jia Xiana**, by wesprzeć kraj w tych trudnych chwilach?

Udając się do Chin, Henry Paulson pragnie nawiązać „strategiczny dialog gospodarczy"; wraz z nim zjawić się ma Ben Bernanke. Oto szef Departamentu Skarbu i szef Rezerwy Federalnej przybywają do Pekinu. Jakie jest rzeczywiste, zakulisowe znaczenie tego niecodziennego posunięcia? Czy poza rozmowami o kursie renminbi i relacjach między dwoma państwami istnieją inne, nieznane światu problemy, o których zamierzają pertraktować obie strony? Podczas wywiadu dla CNBC Paulson położył nacisk na nowe, długoterminowe wyzwania, będące rezultatem szybkiego wzrostu potęgi gospodarczej Chin, dodając, że zamierza dyskutować o nich przez całe dwa dni swojej wizyty w Chinach. Czy owe „długoterminowe wyzwania" niosą w sobie zarzewie wielkiej wojny finansowej?

Celem tej książki jest ukazanie, poczynając od XVIII stulecia, dziejów wielkich machinacji i oszustw w świecie międzynarodowych finansów, a także ujawnienie sprawców tych wydarzeń, ich strategicznych celów i użytych metod. Chodzi zarazem o próbę odpowiedzi na pytanie, jak będzie wyglądał ewentualny atak finansowy na Chiny, oraz w jaki sposób Chińczycy mogliby stawić czoła próbom narzucenia obcej kontroli.

Choć wciąż nie widać dymu z pól bitewnych, wojna już się rozpoczęła.

---

* Oficjalna nazwa chińskiej waluty oznaczająca dosłownie „waluta ludowa", używana zamiennie z tradycyjnym terminem „yuan" (przyp. tłum.).

** Pierwszy to „ojciec" chińskiego programu rakietowego, podejrzewany o komunizm i na własne żądanie deportowany z USA do Chin w latach pięćdziesiątych. Wcześniej był jednym z członków zespołu badającego niemieckie technologie rakietowe podczas II wojny światowej (i wkrótce po niej). Ukazywany jest jako przykład patriotyzmu: porzucił Amerykę i wrócił, by budować nowe Chiny. Natomiast Deang Jia Xian to „ojciec" chińskiej bomby atomowej. Studiował w Stanach Zjednoczonych i podobnie jak Qian zrezygnował z kariery w USA, by powrócić do nowych Chin (przyp. tłum.).

ROZDZIAŁ I

Rodzina Rothschildów: „niewidzialna droga" najbogatszej rodziny świata

Dopóki jestem w stanie kontrolować emisję pieniądza w danym kraju, nie dbam o to, kto w nim stanowi prawo[1].

Mayer Rothschild

---

[1] Cyt. za: Edward Griffin, *The Creature from Jekyll Island*, Westlake Village 2002, s. 218.

Klucz do rozdziału

Światowe media bezustannie spekulują na temat rodziny Gatesów i jej pięćdziesięciomiliardowej fortuny, sam Gates zaś, raz po raz, umieszczany jest na pierwszym miejscu w rankingu najbogatszych ludzi na Ziemi. Jednakże ci, którzy w to wierzą, pozwalają na to, aby jawnie ich oszukiwano, albowiem w owym rankingu miliarderów próżno szukać choćby cienia największych bogaczy, ludzi, którym udaje się prowadzić „niewidzialne" interesy. Dlaczego? Powód jest prosty: owi bogacze ściśle i skutecznie kontrolują najważniejsze media na Zachodzie.

Mamy tu do czynienia z realnym istnieniem w ukryciu przed światem. Weźmy choćby rodzinę Rothschildów, która wciąż prowadzi poważne interesy bankowe. Załóżmy, że na jednej z pekińskich lub szanghajskich ulic przepytamy 100 chińskich przechodniów: prawdopodobnie 99 z nich wie o istnieniu Citibanku, natomiast mało prawdopodobne, aby choć jeden słyszał o banku Rothschildów.

Kim są Rothschildowie? Ktoś, kto próbuje robić karierę w sektorze bankowym, a nigdy nie słyszał nazwiska Rothschild, jest niczym zawodowy żołnierz, który nigdy nie słyszał o Napoleonie, lub fizyk, który nic nie wie o Einsteinie. Jest rzeczą dziwną – ale nieprzypadkową – że nazwisko Rothschild jest obce większości Chińczyków, chociaż właśnie osoby je noszące odgrywały, odgrywają i zapewne będą odgrywać ogromna rolę w życiu Chińczyków i obywateli innych państw. Ta powszechna nieznajomość Rothschildów oraz ich perfekcyjna wręcz zdolność do ukrywania informacji na swój temat budzą zarazem podziw i zdumienie.

Pozostaje jeszcze najważniejsze pytanie: jak bogata jest rodzina Rothschildów? Tutaj natykamy się na tajemnicę. Umiarkowane szacunki mówią o majątku wartym około 50 bilionów dolarów! W jaki sposób Rothschildowie zgromadzili ten zdumiewający majątek? W rozdziale tym spróbuję przedstawić dzieje tej fortuny.

Na sukces Rothschildów składa się wiele czynników: ścisła kontrola rodziny nad operacjami finansowymi, ich utajnienie, doskonała harmonizacja wszystkich elementów układanki, niestrudzona zdolność do zdobywania informacji z wyprzedzeniem, rozsądek i wyrachowanie, a wreszcie nigdy niezaspokojona i nieznająca granic żądza władzy i złota. Dzięki genialnej umiejętności przewidywania i głębokiej znajomości mechanizmów rządzących bogactwem i pieniądzem, w ciągu ponad dwustu lat okrutnych wojen i zawirowań politycznych rodzina Rothschildów zbudowała, istniejące aż do dziś, największe i najpotężniejsze imperium finansowe w historii ludzkości.

Waterloo Napoleona i tryumf Rothschildów

Nathan był trzecim synem starego Rothschilda, ale spośród wszystkich swych braci (miał ich czterech) wyróżniał się wiedzą i odwagą. W 1798 roku został wysłany przez ojca z rodzinnego Frankfurtu do Anglii, by tam rozpocząć rodzinną działalność bankową. Nathan był niezwykle bystrym, subtelnym i zdecydowanym bankierem.

Nikt nigdy do końca nie był w stanie zrozumieć jego wewnętrznego, osobistego świata. W oparciu o zdumiewający talent do interesów i całkowicie nieprzewidywalne metody przed rokiem 1815 Nathan stał się pierwszym oligarchą bankowym w Londynie.

Najstarszy brat Nathana, Amschel, kierował działalnością Domu Rothschildów (NM Rothschild & Sons) we Frankfurcie, jego starszy brat, Salomon, zbudował gałąź Domu w Wiedniu, młodszy brat, Karl, kierował kolejnym bankiem w Neapolu, najmłodszy zaś brat, Jakob, otworzył bank w Paryżu (Messieurs Rothschild Frères). W ten sposób Rothschildowie zbudowali pierwszą międzynarodową grupę bankową. W roku 1815 zaczęli uważnie przyglądać się trwającej w Europie wojnie.

Była to jedna z wojen decydujących o losach kontynentu. W przypadku zwycięstwa Napoleona, Francja bez wątpienia stałaby się głównym mocarstwem europejskim. Gdyby zaś zatryumfował hrabia Wellington, rozbijając w puch francuską armię, rolę państwa odpowiedzialnego za zachowanie równowagi sił na kontynencie zaczęłaby odgrywać Wielka Brytania.

Przed wybuchem wojny przewidujący Rothschildowie zbudowali własny strategiczny system przekazywania informacji i depesz. System ów, składający się z rzeszy agentów, tworzył rozległą, zakonspirowaną sieć, niewiele różniącą się od sieci szpiegowskich. Członkowie systemu, nazywani zdrobniale „dziećmi", byli wysyłani do najważniejszych stolic, miast, centrów komunikacyjnych i handlowych Europy. Każda ważna i poufna informacja dotycząca handlu czy polityki była błyskawicznie przekazywana między Londynem, Paryżem, Frankfurtem, Wiedniem i Neapolem. Szybkość, dokładność i skuteczność tego systemu wymiany informacji budzić może podziw i zdumienie. W owych czasach zdecydowanie przewyższał on pod każdym względem inne systemy przepływu informacji stworzone przez istniejące państwa lub konkurencję handlową[2].

> Karety należące do Rothschildów pędzą po drogach Europy. Ich promy nieustannie kursują między brzegami cieśnin, a ich szpiedzy są wszędzie, w każdym mieście, na każdej ważnej ulicy. Rothschildowie szacują, liczą ogromne ilości gotówki, obligacji, analizują otrzymane depesze i informacje. Najnowsze, poufne, nieznane światu wiadomości, płynące z giełd czy rynków towarowych, są im błyskawicznie przekazywane. Żadna z nich nie była dla nich tak bezcenna, jak informacja o wyniku bitwy pod Waterloo[3].

18 czerwca 1815 roku na przedmieściach Brukseli rozegrała się bitwa, która przeszła do historii jako bitwa pod Waterloo. Nie było to jedynie starcie na śmierć i życie pomiędzy armiami Napoleona i Wellingtona, lecz również wielka gra o olbrzymie pieniądze, do której przystąpiły rzesze inwestorów. Zwycięzcy mieli zgarnąć zyski, jakich świat dotąd nie widział, przegrani zaś ponieść potworne, wręcz nieodwracalne starty. Napięcie na londyńskiej giełdzie sięgało zenitu. Inwestorzy niecierpliwie oczekiwali na wiadomości o wyniku bitwy. W przypadku

---

[2] Des Griffin, *Descent into Slavery*, South Passadena 1980, rozdz. 5.

[3] *Ibid.*, s. 94.

klęski armii Wellingtona, cena obligacji rządu Wielkiej Brytanii spadłaby na łeb na szyję, w przypadku jej zwycięstwa – poszybowałaby ostro w górę.

Podczas gdy obie armie zwarły się w śmiertelnej walce, pracowici szpiedzy Rothschildów zbierali precyzyjne informacje pochodzące z poufnych źródeł obu walczących stron, mogące dać wskazówki na temat dalszego rozwoju sytuacji. Część agentów pełniła funkcje posłańców, których zadaniem było jak najszybsze przekazanie informacji o wydarzeniach z pola bitwy do znajdującej się najbliżej Rothschildowskiej „stacji przekazywania informacji".

O zmierzchu bitwa była rozstrzygnięta, a klęska Napoleona nieunikniona. Jeden z pracujących dla Rothschildów agentów nazwiskiem Rothworth był naocznym świadkiem sytuacji na polu walki. Błyskawicznie dosiadł wierzchowca i pędem pogalopował do Brukseli, stamtąd zaś do portu w Ostendzie. Gdy tam przybył, była już późna noc. Bez chwili zwłoki wskoczył na pokład szybkiej łodzi należącej do Rothschildów, która, co istotne, posiadała specjalną przepustkę pozwalającą na zawijanie do portu i opuszczanie go bez zbędnych formalności. W tym czasie na wodach Kanału La Manche panował sztorm. Wiatr i wysoka fala skłaniały marynarzy do pozostania w porcie. Nikt nie był na tyle nierozsądny, by ryzykować życiem żeglugę przez wzburzone morze. Agent Rothschilda dopiero po zaoferowaniu dwóch tysięcy franków znalazł sternika, który zgodził się pożeglować do Anglii[4]. Wczesnym rankiem 19 czerwca Rothworth dotarł do Foxton na brytyjskim wybrzeżu, gdzie oczekiwał nań osobiście Nathan Rothschild. Nathan pospiesznie otworzył kopertę, rzucił wzrokiem na raport z pola bitwy, następnie wskoczył na konia i popędził na londyńską giełdę.

Kiedy Nathan w pośpiechu wszedł na parkiet, tłum ludzi w zgiełku i napięciu oczekujących na wiadomości z pola bitwy, momentalnie się uspokoił. Oczy wszystkich skierowały się na zimne, pozbawione uczuć, enigmatyczne oblicze Nathana. Nathan zwolnił krok, spokojnie podszedł do wykwintnego i szykownego krzesła, zwanego Kolumną Rothschildów. Jego twarz wciąż nie zdradzała żadnych uczuć, wszystkie mięśnie zastygły niczym na kamiennym reliefie. Na wielkim parkiecie giełdy próżno by szukać wrzawy poprzednich dni: wszyscy zawierzyli swój chwalebny sukces lub hańbiącą porażkę pobawionemu uczuć spojrzeniu Nathana. Po krótkiej chwili Nathan rzucił swoim maklerom, otaczającym Kolumnę Rothschildów, wymowne spojrzenie. Maklerzy w milczeniu przepchnęli się w pobliże stołu transakcyjnego i tablicy notowań, rozpoczynając sprzedaż dużych ilości obligacji rządu Wielkiej Brytanii. Na parkiecie zawrzało. Niektórzy zaczęli szeptem przekazywać sobie informację, większość zaś wciąż stała bezradnie, nie wiedząc, co czynić dalej. W tym momencie rządowe obligacje, warte kilkaset tysięcy dolarów, niespodziewanie zostały wrzucone na stół giełdowy. Nastąpił spadek ich ceny. Chwilę później kolejne wielkie oferty sprzedaży, pędząc jedna za drugą niczym morskie fale, lądowały na stole giełdowym. Cena obligacji rządowych zaczęła raptownie spadać. Zbliżał się krach.

---

[4] Eustace Mullins, *The Secrets of the Federal Reserve – The London Connection*, Staunton 1985, rozdz. 5.

Nathan, wciąż nie okazując żadnych emocji, stał spokojnie oparty o Kolumnę Rothschildów. Na parkiecie giełdowym rozległ się w końcu długo wyczekiwany głos: „Rothschild wie! Rothschild wie!”, „Wellington przegrał bitwę!”. Znajdujący się w budynku ludzie, niczym rażeni prądem, naparli na stół transakcyjny. Wyprzedaż zamieniła się w chaos. Zapanowała panika. Ludzie nagle stracili resztki zdrowego rozsądku, zaczęli instynktownie robić to, co wszyscy wokoło. Każdy z obecnych na parkiecie pozbył się wszystkich, teraz już nic nie wartych, obligacji rządowych, by odzyskać choć małą część ich pierwotnej wartości. W ciągu kilku godzin szaleńczej wyprzedaży obligacje rządu Wielkiej Brytanii zamieniły się w stertę śmieci. Z ich ceny nominalnej pozostało jedynie pięć procent[5].

Nathan obserwował te wydarzenia z najwyższą obojętnością. Nagle w jego spojrzeniu pojawił się subtelny błysk, którego człowiek pozbawiony długiej praktyki życia giełdowego nigdy nie byłby w stanie zrozumieć. Tym razem sygnał, który Nathan dał swoim ludziom, był zdecydowanie inny. Otaczający go maklerzy błyskawicznie ruszyli do stołów transakcyjnych, rozpoczynając skup wszystkich obligacji rządu Wielkiej Brytanii, na jakie tylko zdołali natrafić.

21 czerwca 1915 roku o godzinie jedenastej wieczorem, długo wyczekiwany wysłannik lorda Wellingtona, Henry Percy, przybył do Londynu z wiadomością: po trwającej osiem godzin bitwie wielka armia Napoleona została doszczętnie rozbita, tracąc ponad jedną trzecią żołnierzy. Francja była na kolanach!

Anglia poznała tę wiadomość o całą dobę później niż Nathan Rothschild, który w ciągu owego pamiętnego dnia, w szalony sposób zdołał powiększyć swój majątek ponad dwudziestokrotnie! Było to więcej niż łączna suma zysków[6], które udało mu się zdobyć przez kilkanaście lat konfliktu między Napoleonem a Anglią.

Dzięki Waterloo, Nathan za jednym posunięciem stał się największym wierzycielem rządu Wielkiej Brytani, od tego momentu zdobywając pełną kontrolę nad emisją obligacji rządowych i Bankiem Anglii. Obligacje rządu Wielkiej Brytanii były niczym innym, jak wekslem wystawionym na poczet przyszłych podatków pobieranych przez rząd. Cały dochód wniesiony do skarbu państwa przez mieszkańców Wielkiej Brytanii zmienił się w ukryty podatek, który ściągał od ludzi bank Rothschildów. Wydatki budżetowe rządu brytyjskiego były zależne od emisji nowych obligacji skarbowych i możliwych do zebrania dzięki temu pieniędzy. Innymi słowy, ponieważ rząd Wielkiej Brytanii nie posiadał prawa do emisji własnej waluty, był zmuszony pożyczać pieniądze od prywatnych banków i płacić im odsetki w wysokości około ośmiu procent. Wszystkie odsetki i kapitał były rozliczane w złocie. Gromadząc w swoich rękach większość obligacji rządowych, Nathan Rothschild w rzeczywistości zdobył możliwość kontrolowania i stymulowania ich cen, praktycznie nadzorując całą podaż pieniądza. Los gospodarczy Wielkiej Brytanii znalazł się w twardym uścisku klanu Rothschildów.

---

[5] Griffin, *Descent into Slavery*, rozdz. 5.

[6] Ignatius Balla, *The Romance of Rothschilds*, London 1913. „New York Times” z 1 kwietnia 1915 roku donosił, że w 1914 roku baron Nathan Mayer de Rothschild pozwał Ballę przed sąd, twierdząc, że historia o Waterloo jest nieprawdziwa. Sąd nie uznał jego zarzutów i oddalił jego skargę, każąc mu pokryć wszystkie koszty procesu.

W pełni zadowolony z siebie Nathan wcale nie ukrywał dumy z faktu uzyskania kontroli nad Imperium Brytyjskim:

> Nie dbam o to, jaka marionetka jest umieszczana na tronie królewskim, by panować nad tym wielkim imperium, nad którym nigdy nie zachodzi słońce. Ten, kto kontroluje podaż pieniądza w Imperium Brytyjskim, ten kontroluje Imperium Brytyjskie. A tym człowiekiem jestem ja![7]

Historyczne tło fortuny Rothschildów

> *Tylko mniejszość potrafi zrozumieć zasady działania tego systemu* [kredytowego]. *Owa mniejszość to albo ludzie ogromnie zainteresowani płynącymi zeń korzyściami finansowymi, albo ludzie (politycy) uzależnieni od jałmużny, którą system ów zapewnia. Ludzie z tych dwóch grup społecznych nigdy nam się nie przeciwstawią. Natomiast zdecydowana większość ludzi nie jest w stanie zrozumieć i pojąć owej władzy i wyższości nad innymi, jaką daje kapitał wytworzony i pomnożony w tym systemie. Ludzie ci znoszą ucisk bez słowa skargi, bez cienia świadomości, bez żadnych podejrzeń wobec systemu, który przynosi szkodę ich interesom.*
>
> list braci Rothschildów do bankierów z Nowego Jorku, 1863 rok

Stary Rothschild dorastał w czasach gdy w Europie, przechodzącej gwałtowne zmiany związane z rewolucją przemysłową, nastąpił niespotykany dotąd rozwój i czas prosperity usług bankowych. Nowe praktyki, nowe myślenie o bankowości rodem z Holandii i Anglii rozprzestrzeniło się na całą Europę. Wraz z powstaniem Banku Anglii w 1694 roku narodziło się nowe, zdecydowanie bardziej skomplikowane – zarówno w teorii, jak i w praktyce – rozumienie istoty pieniądza i jego zastosowania, opracowane przez nie lękających się ryzyka bankierów.

W ciągu całego XVII wieku teoria pieniądza uległa głębokim przemianom. Od 1694 roku do roku 1776, w którym opublikowano pracę Adama Smitha *Badania nad naturą i przyczynami bogactwa narodów*, ilość papierowych pieniędzy emitowanych przez banki po raz pierwszy przewyższyła pozostające w obrocie monety i metale szlachetne[8]. Rewolucja przemysłowa oznaczała przede wszystkim błyskawiczny rozwój linii kolejowych, górnictwa, przemysłu stoczniowego i mechanicznego, włókiennictwa, przemysłu zbrojeniowego i energetycznego. Te nowo powstałe sektory przemysłowe wymagały dopływu pieniądza, tworząc ogromny popyt, którego nie były w stanie zaspokoić tradycyjne, mało wydajne

---

[7] Cyt. za: Mullins, *The Secrets of the Federal* Reserve, rozdz. 5.

[8] Glyn Davies, *History of Money From Ancient Times to The Present Day*, Cardiff 2002, s. 257-258.

i mające ograniczoną zdolność kredytową, banki złotników. Konflikt między nowymi gałęziami przemysłu a starym system bankowym stawał się z dnia na dzień coraz ostrzejszy.

Rothschildowie, reprezentując pokolenie nowych bankierów, uchwycili tę jakże ważną, historyczną szansę i – w sposób najkorzystniejszy dla własnych interesów – pokierowali rozwojem nowoczesnego sektora finansowego, który zdecydował o losie pozostałych, mniej lub bardziej świadomych swojej sytuacji ludzi.

W wyniku wojen domowych i zawirowań politycznych wstrząsających Wielką Brytanią od roku 1625, brytyjski skarbiec świecił pustkami. Gdy w 1689 roku Wilhelm III Orański przybywał do Wielkiej Brytanii, by objąć tron królewski (dzięki małżeństwu z Marią Stuart, córką Jakuba II Stuarta), napotkał straszliwy bałagan i kompletne bankructwo. Sytuację pogarszała dodatkowo prowadzona z Ludwikiem XIV i Francją wojna. Wilhelm był zmuszony do poszukiwania pieniędzy, o które desperacko prosił kogo tylko się dało. Próbując uchronić finanse państwa przed całkowitym bankructwem, William Paterson, rzecznik i przywódca społeczności bankierów, zaproponował królowi nowe rozwiązanie: wprowadzenie pochodzącej z Holandii organizacji systemu finansowego. Jej istota polegała na stworzeniu prywatnego banku centralnego, Banku Anglii, który zapewniłby królowi ciągły kredyt na jego gigantyczne wydatki.

Ten prywatny bank udzielił rządowi brytyjskiemu pożyczki na sumę 1,2 miliona funtów w gotówce, która stała się tzw. wiecznym długiem. Roczne oprocentowanie pożyczki dla rządu wynosiło osiem procent, a koszt jego obsługi cztery tysiące funtów rocznie. W ten sposób rząd szybko uzyskał kredyt w wysokości ponad miliona funtów, płacąc jedynie 100 tysięcy rocznie; co więcej, bez konieczności spłaty całej pożyczonej sumy. Oczywiście rząd musiał dodatkowo wyświadczyć bankowi kilka przysług, w tym nadać Bankowi Anglii wyłączne prawo do emisji poświadczonych przez państwo kwitów bankowych[9].

Było powszechnie wiadome, że najlepszym interesem dla złotniczych banków była emisja kwitów bankowych, będących wekslami wystawianymi na złoto deponowane w bankach przez klientów. Ponieważ przenoszenie dużych ilości złota było niewygodne i niepraktyczne, dlatego takie rozwiązanie dawało ludziom możliwość korzystania z weksli zamiast „fizycznego" złota w transakcjach handlowych, jak też ich wymianę na złoto w bankach.

Czas upływał i ludzie stwierdzili, że nie jest konieczne ciągłe deponowanie i wycofywanie złotych monet z banków. Z czasem więc owe weksle przekształciły się w środek płatniczy – walutę. Sprytni bankierzy zdali sobie sprawę, że niewielu klientom w danym dniu zdarza się wycofać swoje zdeponowane złoto, tak więc zaczęli z wolna w tajemnicy wystawiać weksle w formie oprocentowanych pożyczek potrzebującym klientom. Gdy klienci zwracali całą pożyczoną sumę wraz z odsetkami, bankierzy odbierali weksle, a następnie w ukryciu niszczyli je. Wyglądało to tak, jak gdyby nic się nie stało, a jedynie odsetki spokojnie i stale wpływały do

---

[9] Mullins, *The Secrets of the Federal Reserve*, rozdz. 5.

bankierskiego portfela. Im większy był zasięg i rozpowszechnienie kwitów (weksli) z danego banku, tym większy był odsetek akceptowanych wniosków o pożyczkę oraz osiągane zyski. W przypadku Banku Anglii, zasięg jego kwitów i liczba udzielanych pożyczek zdecydowanie przewyższały to, co robiły inne działające banki. Zatwierdzone przez państwo, a wydawane przez Bank kwity bankowe stały się oficjalną walutą państwa.

Gotówkowe udziały Banku Anglii zostały publicznie wystawione na sprzedaż. Każdy, kto zakupił udziały za kwotę większą niż dwa tysiące funtów, otrzymywał prawo do objęcia funkcji dyrektora w radzie nadzorczej Banku. Łącznie 1330 osób zostało udziałowcami banku; 14 z nich objęło funkcję dyrektora w radzie nadzorczej – wśród nich znalazł się William Paterson[10].

W roku 1694 król Wilhelm I nadał Bankowi Anglii państwową koncesję. Tak oto narodził się pierwszy nowoczesny bank.

Podstawowym powodem, dla którego w ogóle stworzono Bank Anglii, była chęć zamiany prywatnego długu króla i jego dworu w wieczny dług państwowy pod hipotekę wpływów uzyskiwanych z podatków. W wyniku istnienia długu, Bank Anglii uzyskał wyłączne prawo do emisji państwowej waluty. W rezultacie król miał pieniądze na wojny i zabawy, rząd miał pieniądze na to, by robić to, co chce, a bankierzy udzielali gigantycznych, ale dobrze przemyślanych pożyczek, uzyskując znaczące wpływy z odsetek. Praktycznie wszystkich ten system zadowalał, skoro na koszty całej operacji składały się podatki ściągane od obywateli.

Jednakże w wyniku uruchomienia tego nowego i potężnego narzędzia deficyt budżetowy rządu zaczął gwałtownie rosnąć. W latach 1670-1685 wpływy rządu

Wykres 1. Dług skarbowy Wielkiej Brytanii w latach 1855-2002

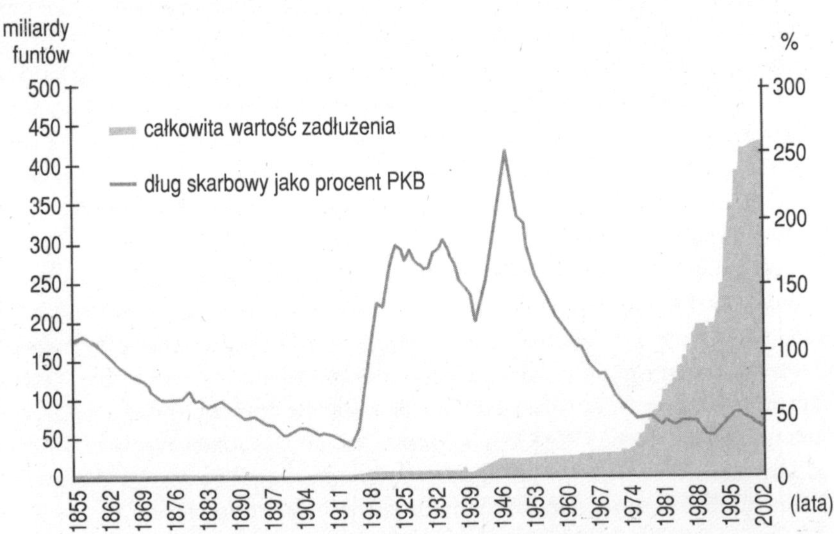

[10] *Ibid.*

Wielkiej Brytanii wyniosły 24,8 miliona funtów. W latach 1685-1700 wpływy budżetowe zwiększyły się ponad dwukrotnie, osiągając 55,7 miliona funtów, ale łączna suma pożyczek udzielonych rządowi przez Bank Anglii wzrosła ponad siedemnastokrotnie, z 800 tysięcy do 13,8 miliona funtów[11].

Wyjątkowość tego projektu polegała na bezwzględnym związaniu ze sobą emisji państwowej waluty i długu państwa. Kiedy powstawała potrzeba emisji nowych pieniędzy, jedynym wyjściem był wzrost zadłużenia państwa, co oznaczało, że całkowita spłata państwowego długu równałaby się zniszczeniu państwowej waluty. Rynek pozostałby bez pieniądza. W ten sposób rząd na zawsze został pozbawiony możliwości pełnej spłaty owego zadłużenia. Konieczność spłacania odsetek, a także potrzeby wzrostu gospodarczego, w nieunikniony sposób doprowadziły do ogromnego wzrostu popytu na pieniądz. Pieniądze, w formie pożyczek, pobierane były w bankach. W rezultacie dług państwa mógł jedynie rosnąć, a zyski płynące z odsetek płaconych za pobierane pożyczki lądowały w portfelach bankierów. Natomiast ciężar spłaty owych odsetek ponosili jedynie zwykli ludzie.

Nic dziwnego więc, że rząd Wielkiej Brytanii nigdy nie spłacił całego długu. Do końca 2005 roku dług publiczny tego kraju wzrósł z 1,2 miliona funtów w 1694 roku do 525 miliardów, stanowiąc 42,8 procent brytyjskiego PKB[12].

Czy w sytuacji, w której w grę wchodziła tak gigantyczna suma, ktokolwiek z rządzących miałby odwagę stanąć na drodze prywatnych banków – zwłaszcza jeśli konsekwencją mogłoby się stać ścięcie królewskiej głowy lub zamach na prezydenta?

Pierwsza sztaba złota „Starego" Rothschilda

23 lutego 1744 roku w żydowskiej dzielnicy we Frankfurcie na Menem przyszedł na świat Mayer Amschel Bauer. Jego ojciec, Mojżesz, był wędrownym złotnikiem i lichwiarzem. Przez długie lata prowadził interesy i zarabiał na życie w Europie Wschodniej. Po narodzinach syna zdecydował się osiąść na stałe we Frankfurcie. Już od dzieciństwa Mayer wyróżniał się nadzwyczajną inteligencją, toteż ojciec poświęcał mu całą swoją uwagę, starannie i precyzyjnie przekazując wiedzę związaną ze złotym pieniądzem i działalnością kredytową. Kilka lat później, kiedy Mojżesz zmarł, zaledwie trzynastoletni Mayer, zachęcony przez wuja, przybył do Hanoweru, by terminować w banku rodziny Oppenheimów[13].

Mayer, wykorzystując swoje nieprzeciętne zdolności i cechy charakteru – inteligencję i pracowitość – bardzo szybko opanował podstawowe umiejętności dotyczące działalności banku. W ciągu siedmiu lat pobytu w Hanowerze, niczym gąbka nasiąkająca wodą, błyskawicznie przyswoił sobie powstałe w Anglii najbardziej zaawansowane i użyteczne techniki oraz sposoby zarządzania bankiem.

---

[11] Davies, *History of Money From Ancient Times to The Present Day*, s. 239.

[12] www.statistics.gov.uk [w 2010 roku dług ten wynosił prawie 900 miliardów funtów, a więc ponad 60 procent PKB – przyp. red.].

[13] Griffin, *Descent into Slavery*, rozdz. 5.

Dzięki wzorowej pracy, Mayer został awansowany na młodszego partnera banku, co pozwoliło mu poznać wielu wpływowych klientów, między innymi generała von Estorffa, który w przyszłości odegra wielką rolę w rozwoju kariery Mayera. W owym czasie Mayer uświadomił sobie, że odsetki i bezpieczeństwo kredytów udzielanych rządom czy władcom są znacznie wyższe od pożyczek udzielanych indywidualnym klientom. Nie tylko łączna suma pożyczanych pieniędzy była wyższa, ale, co najważniejsze, zastawem dla udzielanych kredytów były podatki ściągane przez rząd. Ten nowy, brytyjski system kredytowy, dał Mayerowi wiele do myślenia. W jego umyśle pojawiła się całkowicie nowa wizja przyszłego systemu bankowego.

Minęło kilka lat i młody Mayer powrócił do rodzinnego Frankfurtu, by prowadzić, jak jego ojciec, interes kredytodawcy. Jednocześnie zmienił swoje nazwisko na Rothschild (*Rot* w niemieckim oznacza kolor czerwony, *schild* – tarczę). Niedługo potem doszły doń radosne wieści. Otóż jego dawny klient, generał von Estorff, również powrócił do Frankfurtu, by objąć pozycję na dworze księcia Wilhelma. Generał von Estorff był kolekcjonerem drogich monet, a tak się złożyło, że Mayer posiadał, przekazywaną z pokolenia na pokolenie, głęboką wiedzę numizmatyczną. O starożytnych monetach potrafił rozprawiać tak swobodnie i zajmująco, jakby mówił o członkach własnej rodziny, czym całkowicie uwiódł generała. Jednak najbardziej uradował von Estorffa fakt, że Mayer, zgodził się sprzedać mu po niskiej cenie kilka rzadko spotykanych, złotych monet. W rezultacie bardzo szybko stał się jednym z najbardziej zaufanych ludzi generała. Kalkulacje Mayera okazały się trafne: w niedługim czasie, dzięki przyjaźni z generałem, poznał wiele ważnych osobistości książęcego dworu. Wreszcie nadszedł dzień, w którym, dzięki podszeptom generała, na audiencję wezwał go sam książę Wilhelm IX, landgraf Hesji-Kassel. Okazało się, że książę również był zapalonym kolekcjonerem monet. Używając wypróbowanej metody, Mayer bez trudu zdobył jego zaufanie.

Po kilkakrotnym zakupie od Mayera rzadko spotykanych złotych monet po bardzo niskich cenach, książę poczuł się w obowiązku w jakiś sposób odwzajemnić się bankierowi. Nie namyślając się długo, wprost zapytał go, czy potrzebuje jakiejś pomocy w interesach. Nie tracąc rzadko spotykanej okazji, Mayer bez wahania zaproponował swoją osobę jako przyszłego, oficjalnego, finansowego przedstawiciela dworu. Jego marzenia w końcu się spełniły. Wkrótce, 21 września 1769 roku mógł umieścić herb książęcy na tablicy z własnym imieniem. Wypisany złotymi literami napis brzmiał: „M.A. Rothschild, przedstawiciel dworu książęcego"[14]. Reputacja Mayera niepomiernie wzrosła, a interesy zaczęły iść coraz lepiej.

Sam książę Wilhelm kochał pieniądze niczym własne życie. W osiemnastowiecznej Europie znany był jako człowiek interesu, posiadający najemną armię, którą każdy mógł wypożyczyć za odpowiednią kwotę, „w celu zachowania pokoju". Wilhelm utrzymywał bliskie kontakty z wieloma panującymi dworami Europy; szczególnie upodobał sobie stosunki handlowe z dworem brytyjskim. Wielka Brytania prowadziła rozległe interesy na całym świecie i często potrzebowała wojska, aby zapewnić ich bezpieczeństwo. Armia brytyjska była nieliczna, a prawdopodo-

[14] *Ibid.*

bieństwo wysłania jej do zamorskich posiadłości małe. Jednak pieniądze, którymi dysponowała Wielka Brytania, były olbrzymie. Brytyjski rząd płacił więc regularnie, bardzo rzadko zalegając z należnościami. Jako taki, był idealnym partnerem w interesach księcia Wilhelma. Warto wiedzieć, że w latach późniejszych Stany Zjednoczone dużo częściej walczyły z niemieckimi żołnierzami w służbie króla Anglii niż z wojskiem brytyjskim. Książę Wilhem zdołał zgromadzić ogromny majątek, odpowiadający dzisiejszym 20 miliardom dolarów. Nie powinno więc dziwić przezwisko, jakim określali go jemu współcześni: „europejski, zimny jak stal, rekin finansowy"[15].

Pod skrzydłami księcia Wilhelma Mayer Rothschild pracowicie i skutecznie prowadził swoją działalność. Był w stanie załatwić nawet najtrudniejsze sprawy, dzięki czemu zdobył pełne zaufanie księcia. Nie upłynęło wiele lat, kiedy wybuchła rewolucja we Francji. Rewolucyjna fala stopniowo dotarła do pobliskich, rządzonych przez monarchów krajów. Wilhelm zaczął się niepokoić coraz bardziej, obawiając się reakcji, którą rewolucja mogła wywołać w Niemczech. Przede wszystkim lękał się fali przemocy i zamieszek, bandytów i rabusiów, którzy mogliby splądrować jego majątek. Mayer, w przeciwieństwie do księcia Wilhelma, z radością powitał wiadomości o wybuchu rewolucji, albowiem powstała w jej wyniku panika sprzyjała jego interesom – handlowi złotymi monetami. Gdy ostrze rewolucji skierowało się przeciw Świętemu Cesarstwu Narodu Niemieckiego, przecięło nić wymiany gospodarczej. Pojawił się problem blokady w handlu pomiędzy Niemcami a Wielką Brytanią. Ceny artykułów importowanych gwałtownie poszybowały w górę, a Mayer zarobił fortunę na sprzedawanych w Niemczech towarach przemycanych z Wielkiej Brytanii.

Mayer Rothschild zawsze był aktywnym członkiem społeczności żydowskiej. „Każdej soboty, po zakończonych modłach w synagodze, Mayer zapraszał najmądrzejszych i najbardziej oczytanych członków wspólnoty do swojego domu. Siadali razem i aż do północy, popijając wino, dyskutowali szczegóły swoich kolejnych posunięć"[16]. Mayer jest autorem słynnego zdania: „Tylko rodzina, która wspólnie się modli, jest naprawdę zwarta". Być może jest to odpowiedź na pytanie, które wielu ludzi zadaje sobie do dziś, o źródła zdolności Rothschildów do zdobywania kontroli i władzy.

Do roku 1800 rodzina Rothschildów stała się jedną z najbogatszych żydowskich rodzin żyjących we Frankfurcie. W tym samym roku Mayer uzyskał tytuł Agenta Dworu Imperialnego przyznany mu przez Cesarza Świętego Cesarstwa Rzymskiego. Tytuł ten dał mu prawo do swobodnego prowadzenia działalności gospodarczej na terenie całego Cesarstwa, jednocześnie zwalniając go z podatków i opłat, które płacili inni Żydzi. Pracownicy jego firmy uzyskali przywilej-prawo do noszenia broni.

W 1803 roku związki finansowe pomiędzy Mayerem Rothschildem i księciem Wilhelmem były bardzo bliskie, co umożliwiło Mayerowi wejście na kolejny

---

[15] Frederic Morton, *The Rothschilds*, London 1961, s. 40.

[16] *Ibid*. s. 31.

szczebel w swojej karierze. Pomogło mu w tym następujące wydarzenie. Jednym z kuzynów księcia Wilhelma był król Danii, który poprosił Wilhelma o pożyczkę. Wilhelm, z obawy przed niewypłacalnością kuzyna, wymigiwał się od konkretnych obietnic. Gdy Mayer dowiedział się o całej sprawie, uznał, iż oto nadarza się znakomita okazja na zrobienie dobrego interesu. Zaproponował księciu następujące wyjście z sytuacji: książę wykłada pieniądze, Mayer osobiście negocjuje umowę z królem Danii, a pożyczka jest udzielana w imieniu rodziny Rothschildów, którzy zyskują prawo do udziału w części odsetek. Książę, po dokładnym przemyśleniu całej sytuacji, doszedł do wniosku, że jest to dobre rozwiązanie, skoro gwarantuje mu ono zysk, a więc odsetki, a zarazem brak ryzyka utraty pożyczonych pieniędzy. Dla Mayera udzielenie kredytu rodzinie królewskiej było spełnieniem długoletnich marzeń. Była to okazja nie tylko do zapewnienia sobie stabilnych zwrotów (odsetek od kredytu), ale również niepowtarzalna szansa na podniesienie własnego prestiżu. Sprawa pożyczki dla króla Danii zakończyła się wielkim sukcesem. W następnych latach w ten sam sposób Rothschild udzielił kolejno sześciu pożyczek dworowi Danii. Reputacja Rothschilda ogromnie wzrosła, a o jego szczególnych, bliskich związkach z dworami królewskimi i książęcymi zaczęło być głośno w całej Europie.

Gdy Napoleon zdobył władzę we Francji, spróbował przeciągnąć księcia Wilhelma na swoją stronę. Wilhelm wahał się, odwlekał decyzję, pragnąc wpierw przekonać się, który z walczących obozów jest silniejszy i dopiero wtedy zgłosić doń akces. Zniecierpliwiony Napoleon ostatecznie ogłosił, że rodzinę Hessen-Kassel należy wymazać z listy monarchów europejskich. Natychmiast po tej deklaracji armia francuska wkroczyła do Hesji. Książę Wilhelm, zmuszony do poszukiwania azylu w Danii, tuż przed wyjazdem powierzył opiece Mayera Rothschilda znaczną sumę pieniędzy, równowartość dzisiejszych trzech milionów dolarów[17]. Te pieniądze dały Mayerowi siłę i prestiż, której nigdy dotąd nie posiadał, stając się pierwszą symboliczną sztabą złota, fundamentem przyszłego imperium finansowego.

Ambicje Mayera daleko wykraczały poza założenie banku na wzór Banku Anglii. Zaraz po otrzymaniu książęcych pieniędzy, działając niczym w obliczu wojny, Mayer rozpoczął werbunek ludzi i wysyłanie armii na pola bitewne. Niczym pięć ostrych strzał rozesłał pięciu swoich synów do pięciu najważniejszych centrów gospodarczych Europy. Najstarszy, Amschel, pozostał we Frankfurcie, Salomon otworzył nową linię frontu w Wiedniu, Nathan wyruszył do Anglii, by tam nadzorować rodzinne interesy, Karl do Neapolu, gdzie stworzył bazę dla dalszych działań, a najmłodszy z braci, Jakob, sprawując pieczę nad paryskimi interesami rodziny, stał się jednocześnie odpowiedzialny za komunikację pomiędzy braćmi. Tak oto dokonał się pierwszy akt budowy niemającego odpowiednika w historii, wielkiego imperium finansowego.

[17] Griffin, *Descent into Slavery*, rozdz. 5.

Nathan Rothschild przejmuje władzę nad londyńskim City

Oni [Rothschildowie] *zdominowali światowe rynki pieniężne, można by rzec, że w istocie nadzorują wszelkie interesy. Rothschildowie wykorzystują całą sumę wpływów podatkowych w południowych Włoszech jako kapitał hipoteczny. Królowie i ministrowie ze wszystkich krajów Europy postępują tak, jak dyktują im Rothschildowie*[18].

Benjamin Disareli, premier Wielkiej Brytanii, 1844 rok

Londyńskie City, serce tego ogromnego miasta, zajmuje powierzchnię ponad 2,5 kilometra kwadratowego. Poczawszy od XVIII wieku, City jest finansowym centrum Anglii i jednym z centrów świata. Posiada niezależny system prawny i, podobnie jak Watykan, przypomina państwo w państwie. Na tym maleńkim terytorium znajdują się centrale najważniejszych grup finansowych świata, włączając w to Bank Anglii. To tam jest wytwarzana jedna szósta PKB Wielkiej Brytanii. Ten, kto jest w stanie ustanowić kontrolę nad City, ten kontroluje całą Wielką Brytanię.

Gdy Nathan przybywał do Wielkiej Brytanii, długi konflikt brytyjsko-francuski właśnie się rozpoczynał. Oba kraje wprowadziły blokadę handlową. Ceny towarów brytyjskich poszły w górę. Nathan i jego przebywający we Francji młodszy brat rozpoczęli na szeroką skalę przemyt towarów z Anglii do Francji, czerpiąc z tego olbrzymie zyski. Jakiś czas później Nathan poznał Johna Harrisa, urzędnika z brytyjskiego Ministerstwa Skarbu, uzyskując odeń informacje o ciężkiej sytuacji armii brytyjskiej w Hiszpanii. W tym czasie armia Lorda Wellingtona była przygotowana do ofensywy przeciwko Francji. Jedynym kłopotem była jej fatalna sytuacja aprowizacyjna. Mimo iż Wellington posiadał gwarancje rządu Wielkiej Brytanii, wciąż nie potrafił przekonać bankierów z Hiszpanii i Portugalii do przyjęcia weksli bankowych, które im oferował. Armia Wellingtona pilnie potrzebowała złota[19].

Nathan wpadł na niesamowity pomysł. Postanowił za wszelką cenę na zaistniałej sytuacji zarobić duże pieniądze. Wpierw sprawdził, jak aktualnie wygląda sytuacja podaży złota. Szczęśliwym zbiegiem okoliczności właśnie przybył transport złota należący do Kompanii Wschodnioindyjskiej. Złoto było przygotowywane do sprzedaży. Rząd Wielkiej Brytanii chciał dokonać zakupu, powstrzymywała go jednak zbyt wysoka cena, postanowił więc nieco poczekać, licząc na jej spadek. Gdy Nathan uświadomił sobie w czym rzecz, błyskawicznie wyłożył jako zastaw trzy miliony, które powierzył Rothschildom książę Wilhelm, a także pozostałe pieniądze zarobione na przemycie, i zawarł umowę o sprzedaży złota z Kompanią Wschodnioindyjską.

---

[18] Benjamin Disareli, *Coningsby*, New York 1968, s. 225 (pierwsze wydanie z 1844 roku).

[19] Griffin, *The Creature from Jekyll Island*, s. 224.

Kupił cały transport, wart 800 tysięcy funtów[20]. Tuż po zakupie podniósł cenę. Rząd brytyjski, widząc, że cena złota nie spada, ponaglany do działania rozpaczliwą sytuacją armii w Hiszpanii, nie miał wyjścia. Musiał kupić złoto od Nathana Rothschilda po jeszcze wyższej niż pierwotna cenie. Na tej transakcji Nathan zarobił gigantyczne pieniądze.

Aby całą transakcję zakończyć ostatecznym sukcesem, należało rozwiązać jeszcze jeden problem - dostarczyć złoto armii Wellingtona. Był to czas ścisłej blokady kontynentalnej prowadzonej przez napoleońską Francję. W takiej sytuacji transport złota do Hiszpanii wiązał się z olbrzymim ryzykiem i rząd brytyjski był gotów zapłacić ogromną sumę za dostarczenie złota do celu. Nathan postanowił rozwiązać również ten problem i dowieźć złoto na miejsce przeznaczenia. Skontaktował się ze swoim najmłodszym bratem, dziewiętnastoletnim Jakobem przebywającym wówczas w Paryżu. Działając zgodnie z instrukcjami Nathana, Jakob spotkał się z francuskimi urzędnikami, informując ich, że Nathan planuje przetransportować złoto do Francji. Gdyby rząd brytyjski dowiedział się o planach Rothschilda, z pewnością wpadłby w furię. Transport tak dużej ilości kruszcu do Francji ogromnie osłabiłby brytyjskie finanse i tym samym zdolność do prowadzenia wojny. Za to Francuzi, poznawszy zamiary Rothschilda, niezmiernie się ucieszyli. Natychmiast wydano odpowiednie rozkazy. Pod eskortą francuskiej policji transport bezpiecznie dotarł do Francji. Biorący udział w całym tym „przekręcie" francuscy urzędnicy otrzymali za swoje milczenie wysokie łapówki.

W ten sposób Nathan sprytnie uzyskał pomoc od walczących ze sobą rządów Wielkiej Brytanii i Francji. I gdy z wielką pompą transport zmierzał do paryskich banków, Nathan, korzystając z zaproszenia, na bankiecie zorganizowanym przez francuski rząd, wydawał swoim współpracownikom dyskretne polecenie wymiany złota na monety, które mogły być zaakceptowane przez księcia Wellingtona. Po cichu, w sposób niezauważalny dla nikogo, poprzez sieć finansową Rothschildów, złoto ostatecznie dotarło do znajdującej się w Hiszpanii brytyjskiej armii. Cała historia i wyrafinowane metody użyte do realizacji tej misji warte są hollywoodzkiego filmu.

Pewien pracujący w Wielkiej Brytanii pruski dyplomata powiedział: „Siła, z jaką Rothschildowie oddziałują na miejscowy rynek finansowy, jest zdumiewająca. Są zdolni do kontroli cen wymiany walut w londyńskim City. Władza, którą posiadają jako bankierzy, jest ogromna. Gdy Nathan wpada w gniew, Bank Anglii trzęsie się ze strachu".

Pewnego razu, otrzymawszy od starszego brata Amschela czek wystawiony przez bank Rothschildów we Frankfurcie, Nathan udał się do Banku Anglii, prosząc o jego wymianę na gotówkę. Bank odmówił, uzasadniając swoją decyzję przepisami stanowiącymi, że tylko czeki wystawione przez sam bank mogą podlegać wymianie na gotówkę. Nathan wpadł w gniew. Rankiem następnego dnia, wraz z dziewięcioma pracownikami przyniósł do Banku Anglii stertę wystawionych przez ów bank czeków, domagając się ich natychmiastowej wymiany na złoto.

[20] Morton, *The Rothschilds*, s. 45.

Tylko w tym jednym dniu rezerwy złota Banku Anglii istotnie się zmniejszyły. Następnego dnia Nathan powrócił z jeszcze większą liczbą czeków. Drżącym głosem, jeden z dyrektorów banku zapytał Nathana, jak długo planuje wymieniać czeki na złoto. Ten zimno odpowiedział: „Bank Anglii nie uznaje moich czeków. Do czego jest mi więc potrzebny?". Bank zwołał nadzwyczajną naradę. Zaraz po niej, jeden z wysoko postawionych dyrektorów bardzo grzecznie poinformował Nathana, że począwszy od dziś, Bank Anglii uzna za wielki zaszczyt wymianę i akceptację czeków wystawianych przez banki rodziny Rothschildów.

Dzięki bitwie pod Waterloo, za jednym posunięciem Nathan zdobył dominującą pozycję w londyńskim City i pochwycił główną arterię gospodarczą Wielkiej Brytanii. Odtąd emisja pieniądza, ustalanie ceny złota i inne najważniejsze uprawnienia bankowe znalazły się w rękach rodziny Rothschildów.

Jakob Rothschild podbija Francję

Gdy dany rząd jest zależny od pieniędzy bankierów, to właśnie bankierzy, a nie przywódcy rządu kontrolują przebieg wydarzeń. Ręka, która daje pieniądze, zawsze jest ważniejsza od ręki, która je bierze. Pieniądz nie ma ojczyzny, finansiści nie wiedzą, czym jest cnota i miłość ojczyzny, ich jedynym celem jest osiąganie zysków[21].

Napoleon Bonaparte, 1815 rok

Piąty syn Mayera Rothschilda, Jakob, w napoleońskiej Francji był odpowiedzialny za organizację lokalnej siatki Rothschildów i utrzymanie kontaktów z Anglią – przez co należy także rozumieć przemyt brytyjskich towarów. Po pomyślnej finalizacji transportu złota oraz wykupie obligacji rządu brytyjskiego, Jakob stał się we Francji znaną osobistością. W Paryżu powołał do życia bank Rothschildów, za pomocą którego sekretnie wspierał rewolucję w Hiszpanii.

W 1817 roku, po bitwie pod Waterloo, Francja utraciła wiele ziem niegdyś podbitych przez Napoleona. W polityce nastąpiło skostnienie, a sytuacja gospodarcza kraju ulegała stopniowemu pogarszaniu. Rząd Ludwika XVIII poszukiwał nowych kredytów, licząc, że dzięki nim ustabilizuje sytuację finansową skarbu państwa. W tym czasie, jeden z francuskich banków wraz z brytyjskim Barings Bank otrzymały prawo do udziału w wielkim projekcie finansowym rządu. Niespodziewanie bank Rothschildów, który cieszył się wspaniałą reputacją, został pominięty. Jakob Rothschild był oburzony.

W roku 1818, w wyniku wzrostu cen wyemitowanych rok wcześniej obligacji, zarówno w Paryżu, jak i w innych europejskich miastach, francuski rząd

[21] R. McNair Wilson, *Monarchy or Money Power*, London 1933, s. 68.

poczuł słodki smak pieniędzy i zaczął planować drugą emisję obligacji. Tym razem również projekt miał być realizowany przez dwa wspomniane wyżej banki. Mimo usilnych prób, bracia Rothschildowie nie zdołali zdobyć nawet pół procenta zysków. Okazało się że francuska arystokracja, przykładająca szczególną wagę do kwestii krwi i pochodzenia, uważa Rothschildów za kolejną z licznej rzeszy nowobogackich rodzin. Uprzedzeni do Rothschildów arystokraci nie życzyli sobie wchodzić z nimi w żadne stosunki biznesowe. Tak więc, mimo sławy, pieniędzy i luksusowego trybu życia, pozycja społeczna Rothschildów w Paryżu wciąż nie była wysoka, co doprowadzało bezradnego Jakoba do wściekłości.

Jakob i jego bracia rozpoczęli intensywne poszukiwanie możliwości zablokowania rządowych i arystokratycznych planów. Zadanie ułatwił im fakt, że wyniosłość francuskiej szlachty była mało roztropna i wynikała z lekceważenia nadzwyczajnych zdolności i możliwości finansowych Rothschildów. Można by rzec, że talent Rothschildów do strategicznego planowania operacji finansowych i wynikające stąd sukcesy w niczym nie ustępowały zdolnościom Napoleona do prowadzenia operacji wojennych.

Niespodziewanie, 5 listopada 1818 roku stabilnie rosnąca cena obligacji rządu Francji, z niewyjaśnionych przyczyn zaczęła gwałtownie spadać. Bardzo szybko nie tylko kursy rządowych papierów wartościowych, ale też innych obligacji zaczęły odnotowywać różnej wielkości spadki. Inwestorzy giełdowi rozpoczęli niekończące się dyskusje na temat przyczyn tego stanu rzeczy. Czas upływał, a sytuacja nie ulegała poprawie. Wręcz przeciwnie, pogarszała się z dnia na dzień[22]. W budynku giełdy teorie wyjaśniające wypadki z ostatnich dni stopniowo przerodziły się w zbiór najbardziej dziwacznych domysłów i plotek. Ktoś powiedział, że Napoleon przygotowuje się do kolejnego powrotu, ktoś inny, że dochody skarbu z tytułu podatków nie wystarczają na pokrycie odsetek, jeszcze inny zamartwiał się, że zbliża się nowa wielka wojna.

Atmosfera na dworze Ludwika XVIII była napięta. Wszyscy zdawali sobie sprawę, iż utrzymujący się spadek kursu rządowych obligacji groził brakiem środków na pokrycie przyszłych wydatków budżetowych. Na twarzach francuskich arystokratów pojawił się cierpki uśmiech. Każdy zastanawiał się nad przyszłością kraju. Tylko dwoje ludzi chłodno obserwowało przebieg wypadków: byli to Jakob i jego starszy brat Karl.

Wiedza o wydarzeniach, które wcześniej miały miejsce w Anglii, powoli zaczęła skłaniać niektórych do podejrzewania właśnie Rothschildów o sterowanie rynkiem obligacji. Prawdziwy przebieg wypadków wyglądał następująco: od października 1818 roku Rothschildowie, wykorzystując swoje obfite zasoby finansowe, rozpoczęli cichy skup francuskich obligacji na wszystkich ważnych giełdach Europy. Cena obligacji rządu Francji szła w górę. Następnie, poczynając od 5 listopada, Rothschildowie nagle uruchomili wielką wyprzedaż, rzucając na rynki ogromną liczbę zakupionych wcześniej obligacji i doprowadzając tym samym do wielkiej paniki giełdowej.

[22] Griffin, *Descent into Slavery*, rozdz. 5.

Widząc, jak cena obligacji rządowych, niczym kamień rzucony w przepaść, gwałtownie spada, Ludwik XVIII zaczął zdawać sobie sprawę, że wraz z ceną obligacji na dno przepaści zmierza również jego korona. Wówczas jeden z agentów rodziny Rothschildów przekazał królowi list. W liście tym Rothschild zasugerował królowi proste rozwiązanie: czemu nie spróbować i nie wykorzystać pomocy bogatego domu Rothschildów, by uratować sytuację? Targany rozterkami Ludwik XVIII porzucił arystokratyczne uprzedzenia i zapominając o swojej królewskiej pozycji wezwał Rothschildów na audiencję. Atmosfera w Pałacu Elizejskim zmieniła się całkowicie. Po długim okresie ostracyzmu ze strony arystokracji, Rothschildowie byli teraz witani z uśmiechem i traktowani z szacunkiem.

Tak jak można było się spodziewać, Jakob i jego bracia wkrótce podjęli stosowne kroki. Zatrzymując spadek cen obligacji i ratując je od pewnego krachu, stali się swego rodzaju centrum, na które skierował się pełen wdzięczności i uznania wzrok całego kraju. Wszyscy byli przekonani, że to właśnie Rothschildowie uratowali osłabioną militarną klęską Francję przed nieuchronnym kryzysem gospodarczym. Tysiące pochwał i pachnących bukietów wprawiały Jakoba i jego braci w stan upojenia. Rothschildowie zmienili swój zewnętrzny wizerunek, od tej pory ubierając się gustownie, zgodnie z najnowszymi trendami paryskiej mody. Ich bank stał się miejscem, gdzie klienci prześcigali się w staraniach o pożyczki.

W ten sposób rodzina Rothschildów zdobyła całkowitą kontrolę nad francuskimi finansami. Majątek Jakoba Rothschilda osiągnął zawrotną kwotę 60 miliardów franków. Tylko jeden człowiek we Francji posiadał więcej niż Rothschild – tym człowiekiem był sam król, którego majątek sięgał 80 miliardów franków. Łączny majątek pozostałych francuskich bankierów był mniejszy o około 150 milionów franków od majątku Rothschilda. Rzecz jasna, tak ogromne pieniądze zagwarantowały Rothschildom posiadanie trudnej do opisania władzy, która pozwalała im odwoływać nawet gabinety rządowe. Było na przykład powszechnie wiadomo, że za dymisją rządu Louisa Thiersa stał Jakob Rothschild[23].

---

[23] David Druck, *Baron Edmond de Rothschild*, New York 1850.

Salomon zdobywa władzę w Austrii

W ich oczach nie ma wojny, nie ma pokoju, brak jest sloganów, brak deklaracji, nie ma też ani ofiar, ani chwały. Nie przykładają wagi do wartości, które tak silnie kłopoczą żyjących. W ich oczach istnieją tylko kamienne schody prowadzące ku ludziom władzy – książę Wilhelm był jednym z nich, a następnym był Metternich.

Frederic Morton[24]

Salomon był drugim synem Mayera Rothschilda. Przez długi czas pełnił funkcję koordynatora w komunikacji pomiędzy poszczególnymi bankami rodziny. Posiadał talent, wyróżniający go spośród braci. Był urodzonym dyplomatą, zwracał wielką uwagę na język, którym się posługiwał, był ekspertem w prawieniu komplementów. Tak oto oceniał Salomona jeden z utrzymujących z nim kontakty bankierów: „Ludziom robiło się nieprzyjemnie, tracili dobry nastrój, gdy opuszczali jego towarzystwo". To właśnie posiadanie tych zdolności przesądziło o decyzji braci. Salomon został wysłany do Austrii, Wiednia, serca Europy, z misją otwarcia banku rodziny.

W owym czasie Wiedeń był politycznym centrum Europy, a praktycznie wszystkie ważniejsze dwory spokrewnione były z panującą w Austrii dynastią Habsburgów, dworem panującym Świętego Cesarstwa Rzymskiego. Habsburgowie rządzili na terytoriach dzisiejszej Austrii, Niemiec, północnych Włoch, Szwajcarii, Belgii, Holandii, Luksemburga, Czech, Słowenii i wschodniej Francji przez długi okres około 400 lat. Była to wówczas najstarsza z europejskich dynastii.

Wojny napoleońskie położyły kres istnieniu Świętego Cesarstwa Rzymskiego, jednakże jego spadkobiercy w Austrii wciąż sprawowali kontrolę na środkową Europą i z wyższością spoglądali na pozostałe, panujące dwory. Obraz ów należy uzupełnić o bardzo silną pozycję katolicyzmu w Austrii, który czynił system społeczny w monarchii habsburskiej bardziej skostniałym niż w przypadku Anglii, gdzie dominującą pozycję zdobył protestantyzm. Nawiązywanie kontaktów i współpracy z tak dumną, przekonaną o własnej wyższości i pełną pogardy dla ludzi niższych stanów cesarską arystokracją wydawało się znacznie trudniejsze niż, na przykład, kontakty z księciem Wilhelmem. Mimo że Rothschildowie kilkakrotnie wchodzili w kontakty handlowe z dworem Habsburgów, wciąż jednak pozostawali poza kręgiem zaufania. Drzwi na salony władzy nadal pozostawały przed nimi zamknięte.

Po zakończeniu wojen napoleońskich, gdy Salomon postanowił ponownie spróbować wejść do świata wiedeńskiej finansjery, działał już w odmiennej sytuacji. Rothschildowie zdobyli w tym czasie mocną pozycję w Europie. O ich sile finansowej i wykorzystaniu konfliktu francusko-brytyjskiego było głośno na całym kontynencie. Mimo to, Salomon nie odważył się na bezpośrednią próbę kontaktu z Habsburgami. Użył innej metody, pośrednika – tzw. kamiennych schodów – by

[24] Morton, *The Rothschilds*.

nawiązać ten upragniony kontakt. Tymi „schodami" okazał się znany dziewiętnastowieczny dyplomata austriacki, hrabia Klemens von Metternich.

Po zakończeniu Wojen Napoleońskich, Europa weszła w najdłuższy w XIX stuleciu okres pokoju, którego gwarantem był System Wiedeński z Metternichem w roli głównego architekta. W tym czasie, otoczona przez potężnych nieprzyjaciół Austria, słabła militarnie i ekonomicznie. By ratować jej zagrożoną pozycję na kontynencie, Metternich maksymalnie wykorzystał tzw. politykę równowagi. Posługując się resztkami prestiżu cesarskiego dworu Habsburgów, zdołał przyciągnąć w orbitę swoich wpływów Rosję i Prusy, by zawrzeć z nimi Święte Przymierze. Celem Przymierza było nie tylko powstrzymanie ewentualnej francuskiej ekspansji na wschód, ale również zdobycie kontroli nad rosnącym wpływem Rosji, której obawiały się Austria i Prusy, oraz stworzenie systemu skutecznie hamującego wzrost fali nastrojów wolnościowych i niepodległościowych. Metternich kalkulował, że dzięki Przymierzu konflikty narodowościowe w Austrii nie wymkną się spod kontroli, a kraj zachowa integralność terytorialną.

W roku 1818 w Akwizgranie odbyła się jedna z wielu konferencji dyplomatycznych, dotyczących przyszłości Europy. Przedstawiciele Wielkiej Brytanii, Rosji, Austrii, Prus i Francji zadecydowali o wysokości reparacji wojennych, które miała zapłacić Francja, oraz o wycofaniu wojsk sojuszniczych z jej terytorium. Salomon i Karl Rothschildowie również wzięli udział w tej konferencji. Wykorzystując bliską znajomość z prawą ręką Matternicha, Friedrichem von Gentzem, Salomon został przedstawiony temu pierwszemu. Bardzo szybko zaprzyjaźnili się ze sobą, czerpiąc nieskrywaną przyjemność ze wspólnych rozmów na każdy możliwy temat. W istocie Metternich, świadom siły finansowej domu Rothschildów, zamierzał poprosić ich o dużą pożyczkę. Jeszcze bliższe stosunki nawiązał Salomon z samym Gentzem, z którym niemal się nie rozstawał.

Dzięki rekomendacji Metternicha i Gentza, jak również powszechnie znanym w świecie wielkich finansów i polityki bliskim relacjom handlowym z księciem Hesji Wilhelmem czy królem Danii, Salomonowi ostatecznie udało się przeskoczyć nad wysokim murem oddzielającym go od Habsburgów. Dwór cesarski rozpoczął stałe, systematyczne zaciąganie pożyczek i emitowanie obligacji w banku Rothschildów. W niedługim czasie Salomon stał się jednym z zaufanych członków wewnętrznego kręgu cesarskich przyjaciół. W 1822 roku dwór cesarski nadał Rothschildom (z wyjątkiem Nathana) tytuły szlacheckie.

Pożyczane od Rothschildów pieniądze pozwoliły Metternichowi zwiększyć rolę Austrii w polityce europejskiej. Hrabia często wysyłał armię w zapalne punkty kontynentu, by w ten sposób cementować pokój i stabilizację. Te działania doprowadziły do tego, że skarb Austrii wpadł w głębokie i grząskie bagno długu. Odtąd Habsburgowie jeszcze bardziej potrzebowali Rothschildowskiej pomocy. Tak więc, choć lata 1814-1848, przeszły do historii jako epoka Metternicha, faktyczną kontrolę nad jego działaniami sprawowali Rothschildowie.

W 1822 roku Metternich, Gentz, a także Salomon, Jakob i Karl Rothschildowie wzięli udział w zwołanej w Weronie konferencji. Tuż po jej zakończeniu, Rothschildowie otrzymali gwarantujące im obfite zyski prawo do subsydiowania nowego projektu budowy linii kolejowych w środkowej Europie. Mieszkańcy Austrii stawali się coraz bardziej świadomi obecności Rothschildów i ich rosnących wpływów. Z ust do ust powtarzano sobie następujący dowcip: „Austria ma cesarza Ferdynanda i króla Salomona". W 1843 roku Salomon przejął kompanie górnicze w Vitkowicach oraz austro-węgierskie zakłady hutnicze. W owym czasie obie firmy znajdowały się w pierwszej dziesiątce największych zakładów przemysłowych świata. Do roku 1848 Salomon zdominował finanse i gospodarkę Austrii.

Tarcza Rothschildów nad Niemcami i Włochami

Po wycofaniu armii napoleońskich z Niemiec nastąpił proces łączenia się ze sobą istniejących dotąd 300 małych feudalnych państewek, czego efektem było 30 stosunkowo dużych państw, które sformowały federację. Mieszkający na stałe we Frankfurcie stary Amschel Rothschild został mianowany pierwszym sekretarzem skarbu federacji, a w roku 1822 otrzymał tytuł szlachecki z rąk cesarza Austrii. Frankfurcki bank Rothschildów stał się centrum finansowym Niemiec. Amschela trapił jednak poważny problem - brak męskiego potomka - toteż obdarzał szczególnym uczuciem i wsparciem utalentowaną młodzież. Jednym z faworytów Amschela był przyszły Żelazny Kanclerz Niemiec, Otto von Bismarck.

Relacje pomiędzy Amschelem i Bismarckiem przypominały stosunki ojciec-syn. Po śmierci Amschela Bismarck podtrzymywał bliskie związki z rodziną Rothschildów. Jednym z bankierów, który zdobył sławę i władzę dzięki bliskim związkom z Rothschildami, był, pozostający w cieniu Bismarcka, Samuel Bleichroder[25].

Karl wydawał się najbardziej przeciętny spośród braci Rothschildów. Pełnił funkcje związane przede wszystkim z przekazywaniem wiadomości i przesyłek na terenie całej Europy. Zaraz po udzieleniu pomocy najmłodszemu bratu, Jakobowi, który osiągnął spektakularne zwycięstwo w bitwie o obligacje rządu francuskiego, Karl otrzymał od Nathana nowe zadanie – stworzenie banku rodziny we włoskim Neapolu. We Włoszech Karl, ku zaskoczeniu pozostałych braci, błysnął talentem. Nie tylko pomógł Metternichowi w wysłaniu do tego kraju kontyngentu armii austriackiej, który zdusił ruchy rewolucyjne, ale, wykorzystując nadzwyczajne metody nacisku politycznego, zmusił lokalne rządy do pokrycia wszystkich kosztów działań i pobytu okupacyjnej armii. Pomógł też swojemu przyjacielowi Luigiemu de Medici w zdobyciu funkcji ministra skarbu w lokalnym neapolitańskim rządzie. Stopniowo Karl stawał się głównym filarem finansowym dworu Włoch, a jego wpływ rósł na całym Półwyspie Apenińskim. Nawiązał również kontakty handlowe ze Stolicą Apostolską. Pewnego dnia, podczas audiencji w Watykanie, papież Grzegorz XVI złamał obowiązującą etykietę, podając Karlowi dłoń z papieskim pierścieniem do pocałunku. W takiej sytuacji papież zazwyczaj wyciągał do gości stopę.

[25] Griffin, *Descent into Slavery*, rozdz. 5.

Finansowe Imperium Rothschildów

Tak długo, jak wy, bracia działacie wspólnie, nie ma na świecie nawet jednego banku, który mógłby stanowić dla was konkurencję, wyrządzić wam krzywdę, czy też zarobić na was duże pieniądze. Razem stanowicie nadzwyczajną siłę, z którą nie może się równać żaden z istniejących na świecie banków.

Henry Davidson w liście do Nathana Rothschilda, 6 czerwca 1814 roku[26]

W 1812 roku, tuż przed śmiercią, stary Rothschild pozostawił ścisły testament, który obejmował następujące punkty:

1) We wszystkich bankach rodziny funkcje kierownicze muszą być sprawowane przez zaufanych członków wewnętrznego kręgu, zatrudnianie ludzi spoza niego jest zakazane. Tylko męscy członkowie rodziny mogą prowadzić jej interesy.
2) Małżeństwa członków rodziny mogą być zawierane tylko między kuzynami, aby uniknąć rozproszenia i odpływu majątku [z początku ta zasada była ściśle przestrzegana, później nieco ją złagodzono, dopuszczając związki małżeńskie z rodzinami ważnych żydowskich bankierów].
3) Obowiązuje absolutny zakaz ujawniania wartości i środków trwałych istniejącego majątku.
4) W trakcie spraw spadkowych obowiązuje zakaz zatrudniania prawników.
5) Najstarszy syn z każdej z rodzin ma być jej przywódcą. Sytuacja ta może ulec zmianie i młodszy syn może przejąć tę funkcję tylko wówczas, jeśli cały klan wyrazi na to zgodę.

Każdy, kto ośmieli się złamać którąś z powyższych zasad, ma zostać pozbawiony prawa do spadku[27].

Istnieje w Chinach powiedzenie, które brzmi: „Jeśli bracia wspólnie dążą do celu, są w stanie przełamać metalową monetę"*. Poprzez ścisłą kontrolę zawieranych małżeństw, Rothschildowie skutecznie chronili przed rozproszeniem majątek rodzinny. W ciągu kolejnych 100 lat w rodzinie Rothschildów zawarto 18 małżeństw, z czego 16 między kuzynami pierwszego stopnia.

Według szacunków, około 1850 roku łączna wartość majątku zgromadzonego przez Rothschildów wynosiła równowartość sześciu miliardów dolarów. Jeśliby wartość tę pomnożyć o roczną stopę zysków, wynosząca sześć procent, po 150 latach majątek Rothschildów bez problemu przekroczyłby wartość 50 bilionów dolarów. Wedle niektórych szacunków na początku XX wieku łączna wartość majątku kontrolowanego przez Rothschildów wynosiła połowę wartości całego majątku świata[28].

---

[26] N.M.V. Rothschild, *The Shadow of a Great Man*, London 1982, s. 6.

[27] Griffin, *Descent into Slavery*, rozdz. 5.

* Oznacza to zdolność dokonania rzeczy pozornie niemożliwych (przyp. tłum.).

[28] Ted Flynn, *Hope of the Wicked*, Herndon 2000, s. 38.

Banki Rothschildów znajdowały się we wszystkich ważnych miastach Europy. Ich własny, niezależny system zbierania i obiegu informacji działał szybko i wydajnie. Tak wydajnie, że nawet dwory panujące czy wysoko postawieni arystokraci korzystali z niego, aby sekretnie i szybko przekazać przesyłki bądź wiadomości. Rothschildowie stworzyli pierwszy międzynarodowy system rozliczeniowy, korzystając z możliwości kontroli cen złota na światowych rynkach, system niewymagający fizycznego transportu złota.

Rothschildowie, jak nikt inny na świecie, dogłębnie zrozumieli prawdziwe znaczenie złota. Gdy w 2004 roku ogłosili wycofanie się z systemu ustalania cen złota na londyńskiej giełdzie, w istocie, uniezależniając się od cen złota, po cichu cofali się przed zbliżającym się, niemającym precedensu w historii świata, finansowym tsunami. Istniejące zagrożenia są bowiem poważne: ciężko zadłużona gospodarka dolarowa, ryzyko wynikające z nadchodzącego kryzysu, który może dotknąć światowy system walutowy, możliwość wyczyszczenia światowego systemu rezerw walutowych, wykorzystanie nagromadzonego w ostatnich latach i ulokowanego w rezerwach złota bogactwa krajów azjatyckich w celu jego „redystrybucji" wśród przyszłych zwycięzców, ponowny atak na fundusze giełdowe, którego celem nie będzie tym razem funt czy waluty azjatyckie, ale główny filar światowej wymiany gospodarczej – dolar amerykański.

Mówiąc wprost: dla bankierów wojna to dar niebios, gdyż wymagająca długiej budowy infrastruktura i kosztowne zasoby w czasie wojny potrafią momentalnie ulotnić się niczym dym z popiołu. Walczące strony gotowe są zapłacić dowolną cenę, byle tylko osiągnąć zwycięstwo, toteż gdy konflikt dobiega końca, bez względu na końcowy wynik, każdy rząd wpada w pułapkę gigantycznego długu. W ciągu 121 lat, jakie minęły od czasu powołania Banku Anglii aż do końca wojen napoleońskich (1694-1815), Wielka Brytania przez 56 lat toczyła wojny, a przez połowę pozostałego czasu przygotowywała się do nich.

Planowanie i wspieranie konfliktów zbrojnych leży w fundamentalnym interesie bankierów – i nie inaczej jest w przypadku Rothschildów. Poczynając od rewolucji francuskiej aż do I wojny światowej, przez wszystkie nowożytne konflikty zbrojne, na zapleczu zmagań wojennych prawie zawsze pojawia się ich cień. Aż do dziś Rothschildowie są największymi wierzycielami głównych rozwiniętych państw Zachodu. Żona starego Rothschilda, Gutle Schnaper, tuż przed śmiercią powiedziała: „Gdyby moi synowie nie chcieli wojen, nie byłoby nikogo, kto by je kochał".

W połowie XIX wieku, w krajach takich jak Wielka Brytania, Francja, Niemcy, Austria czy Włochy, prawo do emisji znalazło się pod kontrolą rodziny Rothschildów. Święta władza szlachty została wyparta przez świętą władzę złota. W tym czasie, drugi brzeg Oceanu Atlantyckiego – piękny, prosperujący i bogaty kontynent – budził coraz większe zainteresowanie rodziny.

ROZDZIAŁ II

Wojna stuletnia: bankierzy kontra prezydenci USA

Mam dwóch potężnych wrogów: stojącą przed moim obliczem armię Południa oraz znajdujące się za moimi plecami instytucje finansowe. Z tych dwóch nieprzyjaciół, drugi jest zdecydowanie bardziej niebezpieczny. Widzę, jak zbliża się przyszły kryzys, na myśl o którym wstrząsają mną dreszcze. Żyję pod ciężarem obaw, lękając się o bezpieczeństwo kraju. Pieniądz wciąż rządzi, czyniąc krzywdę zwykłym ludziom, a w chwili, gdy całe bogactwo zostanie skupione w ręku małej grupki, los naszej Republiki będzie przypieczętowany. Mój niepokój o bezpieczeństwo tego państwa jest większy niż kiedykolwiek i przewyższa obawy o wynik wojny.

Abraham Lincoln, szesnasty prezydent USA[29]

[29] Abraham Lincoln, list do Williama Elkinsa, 21 listopada 1864 roku.

Klucz do rozdziału

Gdyby przyjąć, że historia Chin koncentruje się i rozwija wokół konfliktu o władzę polityczną, to nieznajomość intencji i planów cesarskich uniemożliwiałaby prawdziwy wgląd w istotę chińskich dziejów. A ponieważ współczesna historia państw Zachodu ściśle związana jest z rolą pieniądza, zatem brak wiedzy o manewrach stosowanych przez tych, od których pieniądz zależy, nie pozwalałby zrozumieć dziejów Zachodu.

Historia Stanów Zjednoczonych pełna jest spisków i interwencji potęg międzynarodowych, w tym międzynarodowej finansjery, której działania, takie choćby jak wnikanie do systemu finansowego USA czy podważanie porządku społecznego i politycznego, budzą niepokój i zdumienie, tym bardziej że wiedza na ich temat jest bliska zeru.

Proces projektowania i budowy demokracji koncentrował się przede wszystkim wokół skutecznego oporu wobec niebezpieczeństwa powrotu dawnych, despotycznych elit feudalnych. I – można by rzec – pod tym względem Amerykanie odnieśli sukces. Jednakże ustrój demokratyczny nie miał odporności na nowo powstałego, śmiertelnego wirusa, jakim jest władza pieniądza.

Nowo powstały system musiał zmierzyć się z groźbą, polegającą na tym,że międzynarodowa finansjera może zdobyć, poprzez wykorzystanie prawa do emisji waluty, pełną kontrolę nad całym państwem. Niestety, istniały poważne błędy w ocenie tego niebezpieczeństwa i formułowaniu strategii zapobiegania mu. W ciągu 100 lat historii USA, również w trakcie wojny secesyjnej, potężne grupy finansowe i wybrany demokratycznie rząd USA toczyły ze sobą zażarty konflikt, którego sednem było ustanowienie systemu finansowego opartego o prywatny bank centralny. W tym czasie przeprowadzono serię zamachów na życie siedmiu prezydentów USA, życie straciło też wielu członków Kongresu. Jeden z badaczy historii USA stwierdził, że liczba zamachów na życie prezydentów USA jest większa od liczby żołnierzy poległych na pierwszej linii podczas lądowania w Normandii.

Wraz z postępującym pełnym otwarciem finansowym Chin na świat, międzynarodowi bankierzy przenikają do świata chińskich finansów. Czy historia, która wczoraj rozegrała się na Zachodzie, dziś powtórzy się w Chinach?

Zamach na Lincolna

W piątkowy wieczór, 14 kwietnia 1865 roku, po czterech latach okrutnej i wyczerpującej wojny, prezydent Abraham Lincoln powitał radosne wieści o zwycięstwie. Pięć dni wcześniej, dowodzona przez generała Roberta Lee armia Południa skapitulowała przed armią Północy generała Ulyssesa Granta. Żyjący w nieustannym napięciu Lincoln mógł wreszcie pozwolić sobie na chwilę odprężenia. W dobrym nastroju przybył do teatru Forda w Waszyngtonie, aby obejrzeć wieczorne przedstawienie. O 22:15 zabójca wszedł do niestrzeżonej loży prezydenckiej i z odległości nie większej niż pięć centymetrów, z pistoletu o dużym kalibrze, oddał strzały w tył głowy prezydenta. Postrzelony Lincoln runął na podłogę. Następnego dnia wcześnie rano prezydent zmarł.

Zabójcą był znany aktor John Wilkes Booth, który zaraz po zamachu uciekł z miejsca zbrodni. Mówi się, że 26 kwietnia zabójca został zastrzelony podczas próby ucieczki. W jego karecie znaleziono wiele zapisanych szyfrem depesz oraz przedmioty osobiste należące do człowieka o nazwisku Judah Benjamin. Benjamin w przeszłości pełnił funkcję ministra obrony, a następnie sekretarza stanu w rządzie Południa. Prócz tego, był znaną i wpływową osobistością w kręgach finansowych Południa, z racji swoich bliskich i poufnych kontaktów z wielkimi bankierami Europy. Judah Benjamin zbiegł do Anglii.

Za zamachem na życie Lincolna stała rozległa sieć konspiratorów. Z dużym prawdopodobieństwem można postawić hipotezę, że w spisek zaangażowani byli członkowie prezydenckiego gabinetu oraz bankierzy z Nowego Jorku i Filadelfii, a także wysoko postawieni członkowie rządu Południa, wydawcy gazet z Nowego Jorku i radykałowie z Północy.

W tamtym czasie krążyła następująca wersja wydarzeń: Booth nie został zabity, lecz wypuszczono go. Odnalezione i pochowane ciało należało do jego wspólnika. Potężny minister obrony Edwin Santon, wykorzystując swoje prerogatywy, roztoczył nad śledztwem ścisłą kontrolę, starając się nie dopuścić, aby prawda ujrzała światło dzienne. Z czasem powyższą wersję zaczęto traktować jako jedną z wielu fantastycznych teorii spiskowych. Jednakże, kiedy w latach dwudziestych i trzydziestych XX wieku odtajniono i odszyfrowano część materiałów Departamentu Obrony, historycy odkryli zaskakującą zbieżność między opisaną tu obiegową wersją wydarzeń, a tym, co stało się naprawdę.

Pierwszym z historyków, który rozpoczął prace nad tymi zaskakującymi dokumentami, był Otto Eisenschmil. Jego opublikowana w latach czterdziestych XX wieku książka *In the Shadow of Lincoln's Death* wywołała bardzo żywe reakcje. Jakiś czas później Theodore Roscoe w głośnych pracach opublikował wyniki własnego śledztwa dotyczącego śmierci Lincolna*. Roscoe pisał:

> Wiele dziewiętnastowiecznych badań historycznych dotyczących zabójstwa Lincolna przedstawia tragiczne wydarzenia, do których doszło w teatrze Forda, niczym akty w rozgrywającej się przed oczami widzów sztuki scenicznej... Tylko mała grupka ludzi traktowała owe wydarzenia jako rzeczywisty spisek mający na celu zabójstwo człowieka: Lincoln poniósł śmierć z rąk bezwzględnego przestępcy... przestępcę spotkała klasyczna kara: teorie spiskowe zostały zduszone; cnota ostatecznie zatryumfowała, a Lincoln należał już do przeszłości.
>
> Wyjaśnienia dotyczące zamachu na życie prezydenta są dalece nieprzekonujące i niezadowalające. Fakty mówią prawdę: przestępcy uciekli za granicę[30].

---

* Rascoe opublikował na ten temat dwie prace: *The Web of Conspiracy, The Complete Story of the Men Who Murdered Abraham Lincoln* (1960) oraz *The Lincoln Assassination, April 14, 1865: Investigation of a President's Murder Uncovers a Web of Conspiracy* (1971) (przyp. red.).

[30] Cyt. za: Griffin, *The Creature from Jekyll Island*, s. 393.

Wnuczka mordercy, Izola Forrester, w swoich wspomnieniach zatytułowanych *This One Mad Act* pisze, że odkryty tajemniczy zapis o istnieniu grupy zwanej Rycerze Złotego Kręgu został przez rząd ostrożnie zagrzebany w archiwum i, na polecenie sekretarza obrony Edwina Stentona, wraz z aktami sprawy oznaczony klauzulą „ściśle tajne". Po zabójstwie Lincolna nikt nie posiadał dostępu do owych dokumentów. Dzięki bezpośredniemu pokrewieństwu z Boothem oraz charakteru swojej pracy (była pisarką), Izola Forrester, jako pierwsza, uzyskała prawo do wglądu w utajnione dotąd akta. W swojej książce pisze ona tak:

> Owa tajemnicza, stara teczka z aktami znajdowała się ukryta w stojącym w rogu pomieszczenia sejfie, wraz z innym materiałami dotyczącymi tzw. sądowych procesów nad spiskami. Gdyby nie fakt, że pięć lat wcześniej przez przypadek uklękłam właśnie w tym miejscu, by przejrzeć kilka innych dokumentów, a mój wzrok padł na ten sejf, nigdy nie miałabym okazji odkryć tych tajnych dokumentów.
>
> Te materiały mają związek z moim dziadkiem. Wiem, że był on członkiem tajnego stowarzyszenia Rycerze Złotego Kręgu, którego przywódcą był Klee Bickley. Mam zdjęcia dziadka, na których jest w towarzystwie tych właśnie ludzi. Wszyscy są ubrani w jednakowe uniformy. To zdjęcie odkryłam w Biblii, która kiedyś należała do mojej babci... pamiętam, jak kiedyś babcia, mówiąc o mężu [Booth], powiedziała: „on był narzędziem w rękach innych ludzi"[31].

Jaki był związek pomiędzy Rycerzami Złotego Kręgu a elitą finansową z Nowego Jorku? Ilu członków gabinetu prezydenckiego było zaangażowanych w spisek na życie Lincolna? Czemu śledztwo w sprawie morderstwa Lincolna, w sposób systematyczny, przez długi czas było prowadzone w błędnym kierunku? Śmierć Lincolna bardzo przypomina dokonane 100 lat później zabójstwo Kennedy'ego. Te same elementy: wielka organizacja sterująca śledztwem, zapieczętowanie i utajnienie dowodów, systematyczne prowadzenie śledztwa w ślepe uliczki i prawda ukryta w gęstej mgle historii.

Aby zrozumieć prawdziwe motywy i plany zabójców Lincolna, musimy wpierw wejść głębiej w historię Stanów Zjednoczonych, poczynając od samego ich powstania, ujmując ją z perspektywy stałej, strategicznej i brutalnej rywalizacji o prawo do emisji i kontroli pieniądza pomiędzy demokratycznie wybieranym rządem a elitą finansową.

Prawo do emisji pieniądza a wojna o niepodległość USA

Większość podręczników dotyczących wojny o niepodległość Stanów Zjednoczonych, analizując przyczyny jej wybuchu, postrzega tę kwestię z punktu widzenia abstrakcyjnej walki o wartości. W tej książce proponuję spojrzeć na nią z całkiem innej perspektywy, opisując finansowe tło rewolucji amerykańskiej oraz inne zasadnicze czynniki.

[31] Izola Forrester, *This One Mad Act*, Boston 1937, s. 359.

Na początku kolonizacji większość mieszkańców Ameryki stanowili ludzie biedni, którzy często prócz towarzyszącej im walizki nie posiadali nic więcej – ani złota, ani wartościowych przedmiotów. W tym czasie w Ameryce Północnej nie odkryto jeszcze złóż metali szlachetnych, tak więc miejscowy rynek cierpiał na brak złotej i srebrnej waluty w obiegu. Poza tym olbrzymi deficyt w wymianie handlowej z Wielką Brytanią, który powodował odpływ kruszców do tego kraju, znacznie powiększał chroniczny brak pieniądza na rynku[32].

Imigranci zasiedlający Amerykę Północną dzięki ciężkiej pracy wytwarzali wielką ilość towarów i usług. Niestety, brak pieniądza w obiegu uniemożliwiał przeprowadzanie efektywnej wymiany handlowej, co z kolei hamowało dalszy rozwój gospodarczy kolonii. By stawić czoła temu problemowi, ludzie byli zmuszeni do wykorzystywania pewnych towarów jako substytutów pieniądza, aby wymiana handlowa była w ogóle możliwa. Tymi substytutami były takie artykuły, jak skóry, muszle, tytoń, ryż, pszenica i kukurydza. Były one powszechnie akceptowane i w wielu miejscach funkcjonowały na zasadzie pieniądza. Tylko w Północnej Karolinie około 1715 roku aż 17 różnych artykułów było uznanych za oficjalne środki płatnicze. Rząd i mieszkańcy za ich pomocą regulowali obowiązki podatkowe, udzielali prywatnych i publicznych pożyczek, rekompensat i płacili za usługi handlowe. Ceny tych artykułów były oparte o księgowe rozliczenia w funtach szterlingach. Jednakże, mimo użyteczności w rzeczywistym obrocie, ich kolor, kształt, wymiary, stopień akceptacji oraz możliwość magazynowania czyniły z nich bardzo nieefektywny środek płatniczy. Istniały duże trudności w utrzymaniu standardów dla kalkulacji. Podsumowując, mimo iż w pewnym stopniu paląca potrzeba posiadania waluty była zaspokajana, to wciąż było to tylko, blokujące szybki rozwój gospodarczy, wąskie gardło[33].

Brak pieniądza w obiegu oraz niewygody związane z jego substytutami skłoniły lokalny rząd do porzucenia tradycyjnego sposobu myślenia i sięgnięcia po zupełnie nowe rozwiązania. Takim rozwiązaniem okazał się druk i dystrybucja rządowych, papierowych pieniędzy (banknotów) zwanych Colonial Scripts. W oparciu o ujednolicony standard Colonial Scripts stały się legalnym środkiem płatniczym w koloniach. Największą różnicą między nimi a pozostającymi w obiegu w Europie kwitami bankowymi był brak jakiegokolwiek metalu szlachetnego stanowiącego zastaw hipoteczny. Był to pieniądz, którego wartość opierała się całkowicie na zaufaniu do rządu. Każdy pracujący członek społeczeństwa był zobowiązany do płacenia podatków, toteż dopóki rząd przyjmował należności wypłacane w tej papierowej walucie, dopóty stanowiło to kluczowy element gwarantujący ich użyteczność w obiegu rynkowym.

Jak można było oczekiwać, nowy pieniądz bardzo przyspieszył rozwój i przemiany gospodarczo-społeczne, a handel towarami prosperował z dnia na dzień.

Żyjący w tamtym okresie Adam Smith zwrócił uwagę na Colonial Scripts używane przez lokalne rządy w koloniach amerykańskich. Smith zdawał sobie

[32] Davies, *History of Money From Ancient Times to The Present Day*, s. 458.

[33] *Ibid.*, s. 459.

sprawę, że papierowy pieniądz stymulował handel, szczególnie w wypadku pozbawionej złotej czy srebrnej monety Ameryki Północnej. „W wyniku sprzedaży i kupna kredytów, kupcy mogą w okresie miesięcznym bądź rocznym rozliczać wzajemne należności, co bardzo zmniejsza niedogodności. Dobrze zarządzany system papierowych banknotów jako obowiązującej waluty nie tylko nie dostarcza nowych trudności, ale w pewnych sytuacjach nawet okazuje swoją wyższość”[34].

Niestety, pieniądz pozbawiony zastawu hipotecznego stał się śmiertelnym wrogiem bankierów. Gdy brak jest długu rządowego, który stanowi zastaw dla pobierania kredytów, a rząd nie musi zwracać się do bankierów o pożyczkę, wówczas w jednej chwili tracą oni swoje zasadnicze atuty.

Gdy Benjamin Franklin odwiedzał Wielką Brytanię w 1763 roku, jeden z dyrektorów Banku Anglii zapytał go o przyczynę tak szybkiego wzrostu gospodarczego w koloniach amerykańskich. Franklin odpowiedział: „to bardzo proste: w koloniach emitujemy własny pieniądz, zwany kwitem kolonialnym. Drukujemy go zgodnie z wymogami branży handlowej i przemysłowej. W ten sposób produkty bardzo łatwo przechodzą od producentów do konsumentów. Dzięki tej metodzie tworzenia własnego pieniądza oraz zapewnieniu mu siły nabywczej, nasze rządy nie muszą spłacać żadnych odsetek”[35].

Nieuniknionym skutkiem wprowadzenia tego nowego pieniądza było stopniowe uwalnianie się kolonii amerykańskich spod kontroli Wielkiej Brytanii. W takiej sytuacji wściekli i oburzeni bankierzy brytyjscy natychmiast przystąpili do działania. Znajdujący się pod ich kontrolą parlament brytyjski w 1764 roku przyjął w głosowaniu *Currency Act* bezwzględnie zakazujący koloniom amerykańskim emisji własnego papierowego pieniądza i wymuszający na lokalnych rządach użycie złota lub srebra jako środka, w którym mają być wypłacane zobowiązania podatkowe koloni wobec rządu metropolii.

Benjamin Franklin z bólem opisywał szkody, które wszystkim stanom kolonialnym wyrządził ów akt prawny. „Tylko w ciągu roku sytuacja w koloniach diametralnie zmieniła się na gorsze, czas prosperity minął. Ciężka recesja gospodarcza wypełniła ulice i zaułki rzeszami bezrobotnych”[36].

Gdyby Anglia nie odebrała koloniom prawa do emisji pieniądza, koloniści radośnie płaciliby liśćmi herbaty czy innymi towarami dodatkowe podatki. *Currency Act* sprowadził na kolonie bezrobocie, doprowadzając do powszechnego niezadowolenia. Niezdolne do emisji własnego pieniądza kolonie nie mogły odtąd wymykać się spod kurateli rządu króla Jerzego III i międzynarodowych bankierów. To jedna z głównych przyczyn wybuchu wojny o niepodległość Stanów Zjednoczonych[37].

---

[34] Adam Smith, *Wealth of Nations*, 1776, ks. IV, rozdz. I (wyd. pol. *Badania nad naturą i przyczynami bogactwa narodów*, t. 1-2, tłum. zbior., Warszawa 1954).

[35] Charles G. Binderup, *How Benjamin Franklin Made New England Prosperous*, 1941 (przemówienie radiowe kongresmana z Nebraski Charlesa G. Binderupa przedrukowane w jego *Unrobing the ghosts of Wall Street*).

[36] *Ibid.*

[37] *Ibid.*

Ojcowie Założyciele Stanów Zjednoczonych doskonale zdawali sobie sprawę z ucisku, w jakim żyją mieszkańcy kolonii, a którego sprawcami są Bank Anglii i rząd Wielkiej Brytanii. Młody, zaledwie trzydziestotrzyletni autor nieśmiertelnej *Deklaracji Niepodległości* i trzeci prezydent Stanów Zjednoczonych Thomas Jefferson przekazał światu takie oto ostrzeżenie:

> Jeśli naród amerykański pozwoli prywatnemu bankowi centralnemu na kontrolę nad emisją państwowego pieniądza, to bank ten, stosując inflację, będzie zabierał ludziom ich majątek aż do momentu, kiedy pewnego ranka ich dzieci zbudzą się, a ich dom rodzinny i odziedziczona po przodkach ziemia będą na zawsze stracone[38].

Gdy po ponad 200 latach wsłuchujemy się w słowa wypowiedziane przez Jeffersona, zdumiewa nas trafność tej przepowiedni. Dziś pieniądz emitowany przez prywatny bank centralny w Stanach Zjednoczonych to 97 procent całej pozostającej w obiegu waluty, a naród amerykański winny jest bankom astronomiczną kwotę około 50 bilionów dolarów. Jest bardzo prawdopodobne, że Amerykanie pewnego dnia znów utracą swoje rodzinne domy i cały majątek, tak jak to zdarzyło się w 1929 roku.

Ojcowie Założyciele USA, dzięki głębokiej wiedzy i umiejętności przewidywania, rozumieli historię i nadchodzącą przyszłość. W 8 artykule I rozdziału Konstytucji Stanów Zjednoczonych dali jasny tego dowód, ustalając, że „Kongres posiada uprawnienia do tworzenia monety i regulacji jej wartości"[39].

Pierwsza kampania bankierów: Pierwszy Bank Centralny w USA (1791-1811)

> *Jestem głęboko przekonany, że niebezpieczeństwo dla naszej wolności, które stanowią międzynarodowe instytucje bankowe, jest daleko większe niż groźba ze strony wrogich armii. Bankierzy stworzyli już nową arystokrację pieniądza, lekceważąc lokalne rządy. Prawo do emisji pieniądza musi być wydarte z bankierskich rąk; musi ono należeć do właściwego suwerena – narodu.*
>
> Thomas Jefferson, 1802 rok[40].

Aleksander Hamilton był ważną osobistością powiązaną bardzo bliskimi i poufnymi koneksjami z rodziną Rothschildów. Urodził się w brytyjskich Indiach Zachodnich. Ukrywając prawdziwe miejsce urodzenia, przybył do Ameryki, gdzie poślubił córkę nowojorskiego arystokraty. Rachunki zebrane w British Museum dowodzą, że Hamilton otrzymywał pieniądze od Rothschildów[41].

---

[38] Wypowiedź z 1787 roku.

[39] Konstytucja Stanów Zjenoczonych, artykuł 1, sekcja 8.

[40] Cyt. za: Albert Gallatin, *Letter to the Secretary of the Treasury*, 1802.

[41] Allan Hamilton, *The Intimate Life of Alexander Hamilton*, New York 1910.

W 1789 roku Hamilton, który od początku był gorącym zwolennikiem utworzenia w USA banku centralnego, został mianowany przez prezydenta USA Pierwszym Sekretarzem Skarbu. W 1790 roku, stojąc przed koniecznością rozwiązania wynikłych z wojny o niepodległość poważnych problemów gospodarczych i kryzysu budżetowego związanego z ogromnym zadłużeniem, Hamilton sugerował Kongresowi konieczność powołania prywatnego banku centralnego na wzór Banku Anglii i powierzenia mu obowiązku emisji pieniądza. Jego rozumowanie w głównych punktach wyglądało tak: bank centralny ma być prywatny, jego siedziba znajdować się ma w Filadelfii, a oddziały we wszystkich pozostałych miastach, ponadto bank ów ma przejąć kontrolę nad państwową walutą oraz ściąganymi podatkami. Bank ma mieć prawo do emisji waluty, tak by wyjść naprzeciw potrzebom rozwijającej się gospodarki, ma udzielać rządowi USA oprocentowanych pożyczek. Kapitał założycielski banku powinien wynieść 10 milionów dolarów, z czego 80 procent powinno należeć do rąk prywatnych, a pozostałe 20 do rządu państwa. Zarząd winien liczyć 25 osób, z czego 20 powinni wybierać prywatni udziałowcy, a pięć rząd.

Reprezentujący elitę finansową i jej interesy Hamilton twierdził: „każde społeczeństwo można podzielić na mniejszość i większość. Ta pierwsza ma przywilej dobrego urodzenia i posiada majątek, ta druga to wielka rzesza zwykłych ludzi. Tłum jest zmienny, łatwo ulega wstrząsom, rzadko jest zdolny do wypowiadania właściwych sądów i podejmowania właściwych decyzji".

Thomas Jefferson, reprezentujący interesy większości narodu, tak oto odnosił się do poglądów Hamiltona: „Uważamy, że owe prawdy są proste i czytelne: Ludzie od urodzenia są równi, Bóg obdarzył ich niezbywalnymi prawami, włączając w to prawo do przetrwania, wolności i dążenia do szczęścia".

Obie strony zażarcie ścierały się o problem prywatnego banku centralnego.

Hamilton twierdził: „Jeśli nie skoncentrujemy interesów, majątku i zaufania najbogatszych grup społecznych, to takie społeczeństwo nie będzie miało szans na osiągnięcie sukcesu"[42]. „Wystarczy niewielki dług, który byłby błogosławieństwem dla naszego kraju"[43].

Jefferson odrzucał tezy Hamiltona: „Prywatny bank centralny z prawem do emisji publicznego pieniądza zagraża wolności ludzi bardziej niż wroga armia"[44]. „Nie wolno nam pozwolić, by rządzący siłą zrzucili wieczny dług na barki zwykłych ludzi"[45].

W grudniu 1791 roku, podczas debaty nad projektem ustawy Hamiltona, w Kongresie rozpętała się zażarta polemika na niespotykaną dotąd skalę. Ostatecznie kongresmani większością kilku głosów przyjęli projekt Hamiltona, który następnie został zaakceptowany przez Senat większością głosów: 39 do 20. W tym

---

[42] Cyt. za: Arthur Schlesinger Jr., *The Age of Jackson*, New York 1945, s. 6-7.

[43] List z 30 kwietnia 1781 roku do Roberta Morrisa. Cyt. za: John H. Makin, *The Global Crisis: America's Growing Involvement*, New York 1984, s. 246.

[44] *The Writings of Thomas Jefferson*, New York 1899, t. X, s. 31.

[45] *The Basic Writings of Thomas Jefferson*, New York 1944, s. 749.

czasie, uginający się pod ciężarem gigantycznego długu, „ledwie zipiący" prezydent Washington wpadł w przygnębienie i pełen wahań zastanawiał się nad przyjętą w obu izbach ustawą. Washington poprosił o opinie Jeffersona i Jamesa Madisona. Obaj podkreślili, że ustawa jest sprzeczna z Konstytucją. Konstytucja nadaje prawo do emisji pieniądza Kongresowi, ale nie upoważnia Kongresu do przekazania tego prawa prywatnemu bankowi. Washington był głęboko poruszony i zdecydował się zawetować ustawę Hamiltona.

Dowiedziawszy się o tej decyzji, Hamilton błyskawicznie ruszył na spotkanie z prezydentem. Nawet jeśli sam nie był na tyle wymowny, by skłonić prezydenta do zmiany decyzji, to jego rachunki księgowe z pewnością posiadały wielką siłę przekonywania. Ich wymowa była jasna: „jeśli nie ustanowimy banku centralnego i w ten sposób nie pozyskamy płynącego z zagranicy kapitału, rząd w krótkim czasie upadnie".

Ostatecznie, szarpany rozterkami, pełen obaw o przyszłość, trapiony kryzysem prezydent Washington 25 lutego 1791 roku podpisał ustawę i tym samym upoważnienie do powołania pierwszego banku centralnego w historii USA. Ustawa przewidywała dwudziestoletni okres pracy banku[46].

Międzynarodowi bankierzy wreszcie odnieśli pierwsze zwycięstwo. Do 1811 roku kapitał zagraniczny wykupił w kapitale założycielskim banku, liczącym 10 milionów, udziały na sumę siedmiu milionów, Bank Anglii i Nathan Rothschild stali się głównymi udziałowcami Pierwszego Banku Stanów Zjednoczonych[47].

Hamilton wzbogacił się ogromnie. Jakiś czas później Pierwszy Bank wraz z nowojorskim Manhattan Co Ltd Arona Paula stworzyły pierwszy bank na Wall Street, który w 1955 roku przeprowadził fuzję z Rockefeller Bank, tworząc wielki Chase Manhattan Bank.

Na gwałt potrzebujący pieniędzy rząd oraz niecierpliwie wyczekujący pierwszych pożyczek i powstania rządowego długu bankierzy bardzo szybko znaleźli wspólny język. W ciągu pięciu lat od założenia banku (1791-1796) dług rządu federalnego zwiększył się o ponad osiem milionów dolarów.

W 1798 roku, poirytowany Jefferson pisał: „Mam wielką nadzieję, że uda nam się wprowadzić poprawki do Konstytucji i zlikwidować prawo rządu federalnego do zaciągania pożyczek"[48].

Po wyborze na urząd prezydencki na okres dwóch kadencji (1801-1809) Thomas Jefferson nie szczędził prób i wysiłków w celu pozbycia się Pierwszego Banku. Gdy w 1811 roku zapisany w ustawie dwudziestoletni czas funkcjonowania Banku dobiegł końca, konflikt wokół jego dalszych losów rozgrzał scenę polityczną do czerwoności. Kongres USA większością jednego głosu (65 do 64 głosów) odrzucił nową ustawę przedłużającą czas funkcjonowania banku, podczas gdy w Senacie doszło do remisu: 17 głosów za i 17 przeciw. Wtedy wiceprezydent USA George

---

[46] Davies, *History of Money From Ancient Times to The Present Day*, s. 474.

[47] *Ibid*. s. 479.

[48] Thomas Jefferson, *Letter to John Taylor of Caroline*, 26 listopada 1798 [w:] *The Writings of Thomas Jefferson*, t. X.

Clinton oddał rozstrzygający głos przeciw proponowanej nowelizacji. Kraj obiegła radosna wiadomość. 3 marca 1811 roku Pierwszy Bank Stanów Zjednoczonych został oficjalnie zamknięty[49].

Przebywający w Londynie Nathan Rothschild był na bieżąco informowany o wydarzeniach za oceanem. Grożąc, stawiał Amerykę przed następującym wyborem: albo Ameryka przedłuży kadencję banku centralnego, albo będzie musiała stawić czoła niszczycielskiej wojnie. Gdy amerykański rząd zignorował groźby Nathana, ten obiecał Amerykanom lekcję, która zepchnie ich z powrotem do czasów kolonialnych.

Po kilku miesiącach, w roku 1812 wybuchła wojna brytyjsko-amerykańska. Wojna trwała trzy lata, a cel Rothschilda był bardzo czytelny – wpędzić rząd amerykański w spiralę długu i rzucić go na kolana, by nie pozostało mu inne wyjście niż kapitulacja i ponowne uruchomienie banku centralnego. W wyniku wojny dług rządu USA z 45 milionów dolarów wzrósł do 127 milionów. W 1815 roku rząd amerykański ustąpił i 5 grudnia 1815 roku prezydent Madison złożył w zgromadzeniu narodowym wniosek o powołanie Drugiego Banku Stanów Zjednoczonych, co nastąpiło rok później.

Powrót bankierów: Drugi Bank Centralny Stanów Zjednoczonych (1816-1832)

Wszystkie formy kontroli nad ludzką świadomością, jakie są w dyspozycji struktur bankowych, powinny zostać zniszczone, w przeciwnym razie ta kontrola zniszczy nas.

Thomas Jefferson w liście do Jamesa Monero,
piątego prezydenta USA, 1815 rok[50]

Drugi Bank Stanów Zjednoczonych otrzymał dwudziestoletnią licencję na działalność finansową. Tym razem kapitał założycielski zwiększono do 35 milionów dolarów, 80 procent udziałów nadal należało do inwestorów prywatnych, a 20 do rządu[51]. Tak jak w przypadku poprzedniego banku, Rothschildowie sprawowali nad Drugim Bankiem twardą kontrolę.

W 1828 roku Andrew Jackson stanął do wyborów prezydenckich. Pewnego dnia, słuchając wystąpienia jednego z bankierów, z pasją odpowiedział: „Jesteście gromadą jadowitych węży. Mamy plan, by was całkowicie wykorzenić. W Imię Boże, pozbędę się was. Gdyby naród wiedział, jak niesprawiedliwy jest system wiążący walutę z bankami, to jutro, o świcie, wybuchłaby rewolucja".

---

[49] Davies, *History of Money From Ancient Times to The Present Day*, s. 475-6.

[50] Thomas Jefferson, *Letter to James Monroe*, 1 stycznia 1815.

[51] Davies, *History of Money From Ancient Times to The Present Day*, s. 476.

Gdy w 1828 roku Jackson został wybrany na urząd prezydenta, z determinacją przystąpił do realizacji swoich obietnic – likwidacji Drugiego Banku Stanów Zjednoczonych. „Skoro Konstytucja upoważnia Kongres do emisji pieniądza – twierdził – w takim razie jest to prawo, które tylko Kongres może stosować, i nie znaczy to, że Kongres może przekazać prawo to osobie prywatnej czy firmie". Z jedenastu tysięcy urzędników federalnych, Jackson zwolnił ponad dwa tysiące za ich powiązania z bankami.

W 1832 roku Jackson walczył o drugą kadencję. Gdyby mu się powiodło, miałby szansę zrealizować swe zapowiedzi. Licencja Drugiego Banku Stanów Zjednoczonych dobiegała końca w 1836 roku, a więc w czasie jego ewentualnej drugiej kadencji. Jego opinia o bankach była w tym czasie powszechnie znana, a slogan wyborczy Jacksona brzmiał „Chcemy Jacksona, a nie bank". W takiej sytuacji banki, w celu ochrony swoich interesów i zagwarantowania bezproblemowego przedłużenia koncesji dla Drugiego Banku na kolejne 20 lat, wyłożyły gigantyczną kwotę sięgającą trzech milionów dolarów, by wesprzeć kampanię kontrkandydata Jacksona – Henry'ego Claya. Jackson wygrał jednak z miażdżącą przewagą.

Projekt nowelizacji ustawy, przedłużający czas koncesji dla Drugiego Banku Stanów Zjednoczonych, został przyjęty przez Kongres przy 160 głosach za i 5 głosach przeciw, a następnie przez Senat (28 głosów za i 20 przeciw)[52]. Prezes Drugiego Banku, Bekadle, miał wsparcie potężnego imperium finansowego Rothschildów z Europy i niespecjalnie przejmował się niechętnym bankom prezydentem. Słysząc, że Jackson może skorzystać z prawa weta, Beadle z brutalną szczerością stwierdził: „Jeśli Jackson zawetuje nowelizację, ja zawetuję Jacksona".

Prezydent Jackson bez wahania zawetował nowelizacje ustawy o Drugim Banku Stanów Zjednoczonych. Co więcej, nakazał sekretarzowi skarbu natychmiastowe wycofanie z niego wszystkich rządowych rezerw, a następnie przelanie ich na konta poszczególnych banków stanowych. 8 stycznia 1835 roku Jackson spłacił ostatni rządowy dług. Był to pierwszy i jedyny raz w historii USA, gdy dług rządowy wynosił dokładnie zero, co więcej, rząd dysponował nadwyżką budżetową w wysokości 35 milionów dolarów. Historycy uważają, że ten sukces jest punktem szczególnej chwały dla prezydenta i jego największym wkładem w dobro kraju. „Boston Times" przyrównał sukces prezydenta do opisanego w Ewangelii momentu, w którym Chrystus wyrzuca lichwiarzy ze świątyni.

„Banki pragną mnie zabić, ale to ja zabiję banki"

Zimą, 30 stycznia, 1835 roku, siódmy prezydent Stanów Zjednoczonych, Andrew Jackson, przybył na Capitol Hill, by wziąć udział w pogrzebie jednego z kongresmanów. Za prezydentem, jak cień, podążał pochodzący z Anglii, bezrobotny malarz Richard Lawrence. Lawrence w kieszeniach ukrywał dwa naładowane pistolety.

Gdy prezydent wszedł do sali, w której odbywała się uroczystość pogrzebowa,

---

[52] *Ibid.*, s. 479.

Lawrence znajdował się już bardzo blisko, mimo to wciąż cierpliwie czekał na lepszą okazję. Ceremonia zakończyła się. Lawrence stał pomiędzy dwiema kolumnami, w miejscu, przez które musiał przejść opuszczający salę prezydent. I gdy Jackson mijał kolumny, Lawrence wyciągnął pistolet i z odległości około dwóch metrów strzelił do prezydenta. Ku jego zaskoczeniu, broń nie wypaliła. Nabój wybuchł, niszcząc komorę. Tak szybki przebieg wypadków sparaliżował otaczających prezydenta ludzi. Sam Jackson, mimo swoich 67 lat, nie dał się wytrącić z równowagi i, stawiając czoła mordercy, wyciągnął pięści gotów do obrony. Morderca bez wahania wyciągnął drugi pistolet i strzelił, jednak i tym razem broń nie wypaliła. Los uśmiechnął się do Jacksona, gdyby bowiem nie łut szczęścia, stałby się pierwszym zamordowanym prezydentem USA. Prawdopodobieństwo dwóch następujących sobie niewypałów wynosi 1 do 125 tysięcy.

Trzydziestodwuletni zamachowiec twierdził, że posiada legalne prawo do dziedziczenia tronu Wielkiej Brytanii, a prezydent w przeszłości zabił jego ojca i odmówił wypłacania mu jakiegokolwiek odszkodowania. Po pięciominutowym posiedzeniu sąd zdecydował o niepoczytalności i chorobie umysłowej Lawrence'a i zrezygnował z postawienia mu zarzutów. W przyszłości choroba umysłowa stała się najlepszą wymówką, którą wykorzystywano do przedstawiania motywów działań zamachowców.

8 stycznia 1835 roku Jackson uregulował ostatni dług państwowy. 30 stycznia ktoś próbował go zabić. W związku z osobą Richarda Lawrence'a, Edward Griffin w książce *The Creature from Jekyll Island* napisał: „ów zamachowiec albo naprawdę był szalony, albo użył szaleństwa, by uciec przed surową karą. Jakiś czas później Lawrence w rozmowach z ludźmi chwalił się, że posiada wysoko postawionych przyjaciół w Europie, którzy obiecali mu zapewnienie bezpieczeństwa w przypadku, gdyby został schwytany"[53].

8 czerwca 1845 roku zmarł prezydent Jackson. Na jego nagrobku umieszczono epitafium o treści „Zabiłem banki".

Amerykański Bank Centralny został rozwiązany, bankierzy natychmiast zwrócili się o pomoc do Wielkiej Brytanii, by ta zastosowała retorsje. Stało się to faktem. Wielka Brytania zamroziła wszystkie udzielane Stanom Zjednoczonym pożyczki oraz brutalnie zacisnęła pętlę wokół kontroli podaży złota dla USA. W tym czasie system finansowy Wielkiej Brytanii znajdował się pod kontrolą rodziny Rothschildów, którzy poprzez silną ingerencję w cyrkulację pieniądza oraz kontrolę nad kredytami kierowali bankiem centralnym Stanów Zjednoczonych, w pełni nadzorując podaż pieniądza w USA.

Gdy nowelizacja dotycząca przedłużenia koncesji dla Drugiego Banku Stanów Zjednoczonych została zawetowana przez prezydenta, prezes Beadle rozpoczął wprowadzanie w życie swojego planu „zawetowania" prezydenta. Bank centralny błyskawicznie zażądał zwrotu wszystkich zaciągniętych kredytów oraz zamroził wypłacanie nowych. Rothschildowie, poprzez kontrolę nad europejskimi bankami, wstrzymali podaż pieniądza do USA. Amerykę dotknął kryzys deficytu środków

---

[53] Griffin, *The Creature from Jekyll Island*.

płatniczych, co doprowadziło do wielkiej paniki w 1837 roku. Gospodarka wpadła w blisko pięcioletnią recesję. Skala zniszczeń była bezprecedensowa. Był to największy kryzys gospodarczy w historii USA przed Wielkim Kryzysem z 1929 roku.

„Panika 1837" oraz późniejsza „panika 1857" i „panika 1907" potwierdziły znane słowa Rothschildów: „Dopóki jestem w stanie kontrolować emisję pieniądza w danym kraju, nie dbam o to, kto w nim stanowi prawo".

Nowa lina frontu: niezależny system finansów publicznych

W 1837 roku Jackson z wielką energią włączył się w kampanię kandydata na prezydenta Martina Van Burena. Największym wyzwaniem pozostawało przezwyciężenie ogromnego kryzysu, jakim był deficyt podaży pieniądza wynikający z działań międzynarodowych banków. W tym celu Buren planował stworzenie Niezależnego Systemu Bankowego i przeniesienie prawa do emisji waluty z prywatnego banku centralnego do, pozostającego pod kontrolą Departamentu Skarbu, rządowego systemu finansowego. Historycy określają ów proces mianem rozwodu banku z Departamentem Skarbu.

Bezpośrednią przyczyną powstania Niezależnego Systemu Finansowego było zawetowanie przez prezydenta Jacksona przedłużenia koncesji dla Drugiego Banku Stanów Zjednoczonych i wyprowadzenie zeń wszystkich rządowych aktywów, by przetransferować je do banków stanowych. Nikt w tym czasie nie przypuszczał, że unikając diabelskiego uścisku Rothschildów, prezydent sprowadzi na kraj inne nieszczęście. Okazało się, że banki stanowe wcale nie myślą o dobru wspólnym. Korzystając ze świetnej okazji - pokaźnych świeżych rezerw rządowych - banki uruchomiły szeroki program udzielania kredytów. Owa polityka kredytowa była inną przyczyną wielkiej paniki z 1837 roku. Martin Van Buren postulował oderwanie pieniędzy rządowych od systemów finansowych. Kierował się w tym wypadku troską o bezpieczeństwo rządowych pieniędzy, mając pewność, że banki, wykorzystując pieniądze podatników, uruchomią spiralę kredytów, prowadząc do powstania społecznych nierówności.

Inną charakterystyczną cechą Niezależnego Systemu Finansowego była akceptacja tylko złota i srebra jako waluty deponowanej w systemie. W ten sposób rząd zyskiwał możliwość kontrolowania podaży złota i srebra niezależnie od nacisków europejskich banków. Z dłuższej perspektywy ten sposób myślenia można uznać za nadzwyczajną i skuteczną strategię, jednakże w krótkim okresie wywołał on poważny kryzys kredytowy w bankach, a jeśli uzupełnimy sytuację o gospodarczy sabotaż wykonany przez Drugi Bank, powstały w ten sposób kryzys wymknął się całkowicie spod kontroli.

W tym czasie Henry Clay był arcyważną figurą polityczną. Był spadkobiercą poglądów Hamiltona, zwolennikiem funkcjonowania prywatnego banku centralnego i ulubieńcem bankierów. Był zarazem człowiekiem niesłychanie elokwentnym, inteligentnym i posiadał siłę perswazji zdolną do podburzania tłumów. Otaczała go spora grupa wspieranych przez banki kongresmanów, którzy pod jego przywództwem stworzyli Partię Wigów, ostro zwalczającą finansową politykę Jacksona, usilnie pracując nad powrotem do systemu finansowego z prywatnym bankiem centralnym w roli głównej.

W kampanii prezydenckiej 1840 roku Partia Wigów wysunęła na swojego kandydata bohatera wojennego Williama Henry'ego Harrisona. Wykorzystując tematy gospodarcze jako podstawę dla swojej kampanii, Harrison zdobył poparcie większości wyborców i wygrał wybory, stając się dziewiątym prezydentem Stanów Zjednoczonych.

Jako lider Wigów, Henry Clay kilka razy „udzielał nauk" Harrisonowi, tłumacząc mu, jak należy prowadzić politykę państwa. Po wyborach, konflikt między oboma politykami szybko się zaostrzał. Podczas spotkania w domu Lexingtonów Clay „wezwał" do siebie na rozmowę przyszłego prezydenta kraju. Harrison, biorąc pod uwagę szerszy kontekst polityczny, zacisnął zęby i przybył. Obaj panowie przeprowadzili gorącą dyskusję. Na skutek fundamentalnych różnic w kwestiach polityki bankowej, Niezależnego Systemu Finansowego i kilku innych spraw mniejszej wagi, nastąpiło między nimi polityczne zerwanie. Clay był przekonany o swojej politycznej sile i bez zgody Harrisona znalazł ludzi, którzy przygotowali prezydencką mowę inauguracyjną. Harrison odrzucił ów dokument i sam, własnoręcznie przygotował wystąpienie. W miejscu poświęconym sprawie banku centralnego zaproponował coś zupełnie innego niż postulowane przez Claya rozwiązanie Niezależnego Systemu Finansowego i ponowne powołanie prywatnego banku centralnego. Harrison z wielką siłą uderzył w bankierów i ich interesy[54].

4 marca 1841 roku pogoda była zła, panowało przenikliwe zimno. W podmuchach lodowatego wiatru, prezydent Harrison wygłaszał swoją mowę inauguracyjną. Jak to się często zdarza przy takiej aurze, prezydent przeziębił się. Dla samego Harrisona, przyzwyczajonego do życia w siodle i spartańskich warunków, przeziębienie powinno być jedynie drobną niedogodnością. Któż mógł przypuszczać, że niewinna z pozoru choroba zacznie się rozwijać, a stan pacjenta pogarszać z każdym upływającym dniem. Miesiąc później, 4 kwietnia niespodziewanie Harrison umarł. Dziwna sytuacja: oto prezydent, znany z żelaznego zdrowia, zaraz po objęciu urzędu, przygotowując plany i strategię przyszłych posunięć, przeziębia się i po miesiącu choroby nagle umiera. Bez wątpienia cała ta sprawa była bardzo podejrzana. Niektórzy historycy sądzą, że Harrisona otruto za pomocą arszeniku, a prawdopodobny czas podania trucizny to 30 marca. Kilka dni później Harrison już nie żył.

Po śmierci prezydenta Harrisona konflikt związany z Niezależnym Systemem Finansowym i prywatnym bankiem centralnym jeszcze bardziej się zaostrzył. W 1841 roku Clay i Partia Wigów dwukrotnie przeforsowywali nowelizacje ustaw o porzuceniu Niezależnego Systemu Bankowego i powrocie do prywatnego banku centralnego. Obie próby zostały zawetowane przez następcę Harrisona, byłego wiceprezydenta Johna Tylera. Zły i sfrustrowany Clay wydał polecenie wyrzucenia Tylera z Partii Wigów. Tak oto John Tyler stał się pierwszym i jedynym prezydentem „sierotą", usuniętym z szeregów własnej partii.

[54] *Inaugural Address of President William Henry Harrison*, 4 marca 1841.

W roku 1849 na urząd prezydencki został wybrany inny członek Partii Wigów, Zachary Taylor. Wraz z tym wyborem wzrosły nadzieje na powrót banku centralnego. Konstrukcja wzorowanego na Banku Anglii prywatnego banku centralnego w USA była marzeniem bankierów, którzy rozumieli, że dawało im to możliwość decydowania o losie kraju i jego obywateli. Wyciągając wnioski z losu swojego poprzednika, Taylor w sprawie banku centralnego wypowiadał się dwuznacznie, unikając zajęcia jasnego stanowiska. Nie zamierzał wszakże być marionetką w rekach Claya. Historyk Micheal Holt twierdzi, że w prywatnych rozmowach ze współpracownikami Taylor dawał do zrozumienia, że sprawę wskrzeszenia banku centralnego uznaje za zamkniętą. „Idea budowy banku centralnego umarła. Nie widzę możliwości, abym rozważał ją ponownie w czasie mojej kadencji”[55]. W rezultacie jednak umarła nie idea banku centralnego, lecz prezydent Taylor.

4 lipca 1850 roku prezydent brał udział w uroczystościach państwowych, świętując Dzień Niepodległości u stóp pomnika Washingtona. Tego dnia panował wyjątkowy upał. Chcąc nieco się ochłodzić, Taylor wypił szklankę zimnego mleka i zjadł kilka wiśni. W rezultacie nabawił się ostrej niestrawności. Parę dni później, 9 lipca, ten zdrowy, silny i dobrze zbudowany człowiek zmarł w dziwnych okolicznościach.

Trudno zrozumieć, jak możliwe jest, by tak drobne dolegliwości, jak przeziębienie i niestrawność, były w stanie zabić dwóch silnych mężczyzn, którzy służyli wiernie przez wiele lat swojej ojczyźnie. Te dwa przypadki od ponad 100 lat są nieustannym przedmiotem zainteresowania badaczy i pasjonatów historii. W 1991 roku, za zgodą spadkobierców prezydenta Taylora, jego szczątki zostały ekshumowane, a paznokcie i włosy poddane badaniom laboratoryjnym. Zgodnie z oczekiwaniami znaleziono w nich ślady arszeniku, choć laboratorium błyskawicznie wydało oświadczenie, że ilość wykrytego arszeniku jest zbyt mała, by można było podtrzymać hipotezę o otruciu prezydenta. Zaraz potem sprawę zamknięto. Nikt nie udzielił odpowiedzi na pytanie, skąd w ogóle wzięły się ślady arszeniku w szczątkach prezydenta.

Kontratak bankierów: panika 1857 roku

Zamknięcie Drugiego Banku Stanów Zjednoczonych w 1836 roku doprowadziło do interwencji międzynarodowych bankierów, którzy brutalnie zaburzyli obieg monety w USA, doprowadzając do trwającego przez ponad pięć lat kryzysu gospodarczego. Dwie podjęte przez przedstawicieli międzynarodowej finansjery próby ponownego otwarcia prywatnego banku centralnego w 1841 roku zakończyły się fiaskiem. Nastąpił pat, a sytuacja na rynku monetarnym w USA dopiero od 1848 roku zaczęła się powoli poprawiać.

Przyczyną poprawy sytuacji nie była, rzecz jasna, wspaniałomyślność i łaska światowych bankierów, ale fakt, ze w 1848 roku w Kalifornii odkryto wielkie złoża złota – San Francisco.

[55] Michael F. Holt, *The Rise and Fall of the American Whig Party: Jacksonian Politics and the Onset of Civil War*, Oxford 1999, s. 272.

Poczynając od 1848 roku, przez dziewięć kolejnych lat, podaż złota w Stanach Zjednoczonych uległa zwiększeniu na niespotykaną dotąd skalę – sam stan Kalifornia wyprodukował złote monety o wartości ponad 500 milionów dolarów. W 1851 roku odkryto złoto w Australii i podaż złota na świecie zaczęła rosnąć w zawrotnym tempie: podczas gdy wartość wydobywanego złota w 1851 roku wynosiła 144 miliony funtów, już 10 lat później – 376 milionów funtów. W Stanach Zjednoczonych łączna wartość złota w obiegu wynosiła 83 miliony dolarów w 1840 roku. W 1860 roku wynosiła już 253 miliony dolarów[56].

Odkrycie złota w Ameryce i Australii przełamało totalną kontrolę nad podażą złota, która dotąd znajdowała się w rękach europejskiej finansjery. Dławiony brakiem monety rząd USA mógł wreszcie odetchnąć. Wielka ilość wysokowartościowej waluty podniosła zaufanie na rynkach, a banki rozluźniły politykę kredytową i liczba udzielanych kredytów zaczęła rosnąć. To właśnie w owym „złotym" okresie powstały najważniejsze i najefektywniejsze gałęzie amerykańskiego przemysłu: przemysł ciężki, górnictwo, transport, przemysł maszynowy itd.

Nadchodził czas, gdy dalsza polityka ograniczania podaży pieniądza miała się stać całkowicie bezużyteczna. Jednak bankierzy mieli w zanadrzu nowy plan pozwalający utrzymać kontrolę finansową i wykorzystać podziały polityczne.

Bardzo wcześnie, jeszcze przed zakończeniem kryzysu, rozpoczęli stopniowy wykup tanich aktywów o wysokiej jakości. Do roku 1853, gdy gospodarka amerykańska z każdym dniem rozwijała się coraz szybciej, kapitał zagraniczny, w tym głównie kapitał pochodzący z Wielkiej Brytanii, miał już w swoich rękach 46 procent długu federalnego, 58 procent długów stanowych oraz 26 procent obligacji wyemitowanych przez amerykańskie koleje[57]. Jeśli więc tylko zostałby przywrócony system z prywatnym bankiem centralnym, gospodarka amerykańska, tak jak i gospodarki krajów europejskich, znalazłaby się pod całkowitą kontrolą banków.

Światowe banki miały ponownie zastosować swoją najlepszą i unikatową strategię, polegającą na energicznym rozruszaniu polityki kredytowej, nadmuchaniu bańki spekulacyjnej, pozwalając ludziom, firmom i instytucjom na wytrwałe pomnażanie majątku, by pod sam koniec raptownie zahamować i wstrzymać udzielanie kredytów, w ten sposób doprowadzając do fali upadłości i bankructw, w trakcie których banki znów zgarniałyby wysokie zyski. Tak jak można się było spodziewać, gdy bankierzy doszli do wniosku, że właściwy czas właśnie nadszedł, banki światowe i ich lokalni przedstawiciele nagle usztywnili politykę kredytową, doprowadzając do paniki w 1857 roku. Tym razem jednak wydarzyło się coś, czego nie przewidzieli. W porównaniu z okresem sprzed ćwierćwiecza, ten kryzys potrwał tylko rok. Gospodarka szybko odzyskała wigor i siłę.

Widząc rosnącą potęgę Ameryki i stopniowe słabnięcie możliwości wpływania na procesy w amerykańskiej gospodarce, dla światowych bankierów palącym zadaniem stało się rozbicie Stanów Zjednoczonych i sprowokowanie wojny domowej.

---

[56] Davies, *History of Money From Ancient Times to The Present Day*, s. 484.

[57] *Ibid.*, s. 486.

Europejscy bankierzy i wojna secesyjna

Bez wątpienia rozbicie Ameryki na Północ i Południe, dwie względnie słabe federacje, zostało postanowione przez potężną europejską elitę finansową na długi czas przed wybuchem wojny domowej.

Otto von Bismarck

Historia Stanów Zjednoczonych pełna jest przykładów międzynarodowych interwencji i spisków. Szczególne miejsce zajmują tu działania międzynarodowej finansjery. Stopień penetracji amerykańskiego rynku finansowego przez międzynarodowe banki i ich zdolność do podważania istniejącego ładu może budzić przerażenie, zwłaszcza, że najważniejsze fakty wciąż pozostają nieznane większości ludzi.

Najbardziej niszczycielska wojna, do której doszło na terytorium Ameryki, to wojna secesyjna. Ten krwawy, czteroletni konflikt pochłonął życie 600 tysięcy ludzi, a trudno zliczyć, ilu zostało rannych i jak wielki majątek obrócono w pył. Obie strony zmobilizowały do walki około trzech milionów ludzi, co stanowiło w owym czasie około 10 procent populacji kraju. Rany, które zostawiła po sobie wojna secesyjna, wciąż, po blisko półtora wieku, nie zostały całkowicie zagojone.

Obecnie większość badań i dyskusji dotyczących faktycznych przyczyn wybuchu wojny secesyjnej koncentruje się wokół problemów moralności i sprawiedliwości, sięgając po przykład uzasadnionego moralnie obalenia systemu niewolnictwa na Południu. Sydney Ahlstorm powiedział: „bez systemu niewolniczego nie byłoby wojny. Nie byłoby jej bez moralnego potępienia niewolnictwa”[58].

W rzeczywistości, w połowie XIX wieku w Ameryce dyskusje o niewolnictwie, po pierwsze, koncentrowały się wokół tematów gospodarczych, po drugie zaś, wokół problemów etycznych. W tym czasie podstawą gospodarki Południa była produkcja bawełny i właśnie system niewolniczy zapewniał stały dopływ siły roboczej. Obalenie niewolnictwa zmusiłoby plantatorów do płacenia byłym niewolnikom rynkowych stawek za pracę. To doprowadziłoby całą branżę do stanu, w którym dalsza produkcja przynosiłaby jedynie straty. Struktura gospodarczo-społeczna Południa musiałaby wówczas ulec rozpadowi.

Jeśli przyjąć, że wojna to kontynuacja polityki innymi środkami, to za konfliktem interesów politycznych stoją interesy ekonomiczne i ich sprzeczności. Na pierwszy rzut oka teoria konfliktu interesów ekonomicznych jest potwierdzona przez sprzeczne interesy gospodarcze Północy i Południa, w istocie jednak to strategia *dziel i rządź* stosowana przez międzynarodową finansjerę doprowadziła do rozbicia młodej Unii Amerykańskiej.

Znawca Rothschildów, człowiek, który posiadł rzadką zdolność rozumienia ich działań i intencji, kanclerz Niemiec Otto von Bismarck powiedział: „Bez wątpienia, rozbicie Ameryki na Północ i Południe, dwie względnie słabe federacje, zostało postanowione przez potężną europejską elitę finansową na długi czas przed

[58] Sydney E. Ahlstorm, *A Religious History of the American People*, New Haven 1972, s. 649.

wybuchem wojny domowej". To bankierzy tworzący oś Londyn-Paryż-Frankfurt byli prawdziwymi, pozostającymi w ukryciu, sprawcami wojny secesyjnej.

Międzynarodowi bankierzy, od dawna już analizując problem, stworzyli szczegółowy plan, mający na celu doprowadzenie do wojny domowej w USA. Po zakończeniu wojny o niepodległość Stanów Zjednoczonych, brytyjski przemysł włókienniczy nawiązał bardzo bliskie relacje handlowe z klasą plantatorów z Południa. Europejscy bankierzy dostrzegli tę okazję, powoli budując własną sieć agentów, która w przyszłości miała doprowadzić do zaostrzenia konfliktu Północ-Południe. W owym czasie na całym Południu można było spotkać przybyłych z Wielkiej Brytanii przedstawicieli handlowych, reprezentujących przeróżne banki i klany bankierskie. Ludzie ci, wraz z lokalnymi siłami politycznymi, zaplanowali wystąpienie Południa z Unii. Manipulowali lokalnymi politykami, dostarczając im wielu sfabrykowanych informacji i opinii. Perfekcyjnie wykorzystując związany z funkcjonowaniem systemu niewolniczego konflikt interesów ekonomicznych Północ-Południe, agenci światowej finansjery bezustannie zaogniali i tak już napięte relacje, by ostatecznie doprowadzić do stanu, gdy konflikt między obu stronami osiągnął skrajną postać.

Świadoma konsekwencji swoich działań światowa finansjera spokojnie oczekiwała na wybuch wojny, aby wówczas móc wspierać obie strony transferem pieniędzy. Planując ów wielki konflikt, bankierzy nie zakładali zwycięstwa żadnej ze stron. Ich kalkulacje były proste: ogromne zniszczenia i wydatki wojenne będą wymagały olbrzymich nakładów finansowych, a to zmusi rządy do zaciągania wysokich kredytów, które będą najsmakowitszym i najbardziej obfitym daniem na bankierskim stole.

Jesienią 1859 roku, znany paryski bankier, Salomon Rothschild (syn Jakoba Rothschilda), w przebraniu podróżnika wyruszył w podróż z Francji do Ameryki. W istocie był głównym koordynatorem bankierskich planów. Salomon zwiedził wiele miejsc na Północy i Południu, nawiązał kontakty z miejscowymi kręgami politycznymi i finansowymi oraz przesłał długą rzekę poufnych informacji wywiadowczych do mieszkającego w Londynie kuzyna Nathaniela Rothschilda. Podczas spotkań z miejscowymi elitami, Salomon otwarcie obiecywał Południu poparcie i potężną finansową pomoc, gwarantował też pełne wsparcie w procesie uznania niepodległości Południa przez państwa europejskie[59].

Przedstawicielem światowej finansjery na Północy był – zwany w Nowym Jorku Królem Piątej Alei – żydowski bankier August Belmont, reprezentujący bank Rothschildów z Frankfurtu. Belmont stał się członkiem rodziny poprzez małżeństwo. W 1829 roku, piętnastoletni August rozpoczął swoją bankową karierę, najpierw pracując we frankfurckim banku Rothschildów, gdzie bardzo szybko ujawnił swój nadzwyczajny talent w dziedzinie finansów i bankowości. W 1832 roku został awansowany w hierarchii bankowej i wysłany do Neapolu, gdzie, pracując w miejscowym banku, zdobywał doświadczenie w międzynarodowej bankowości, biegle mówiąc po francusku, angielsku i włosku. W 1837 roku został przeniesiony za ocean do Nowego Jorku. Dokonując zakupu wielkiej ilości obligacji rządowych, August Belmont bardzo szybko stał się jedną z ważnych osobistości

[59] *Jewish History in Civil War*, Jewish-American History Documentation Foundation 2006.

w lokalnym świecie finansów, a także oficjalnie nominowanym finansowym doradcą prezydenta. Wówczas, w imieniu brytyjskich i frankfurckich Rothschildów obiecał Lincolnowi wsparcie Północy i ogromną pomoc finansową.

W celu wzmocnienia nacisku militarnego na rząd Północy, pod koniec 1861 roku Wielka Brytania zwiększyła swój kontyngent zbrojny w Kanadzie o osiem tysięcy żołnierzy. Armia Brytyjska była gotowa w każdej chwili na marsz na południe, zagrażając rządowi Lincolna od północy. W 1862 roku Wielka Brytania, Francja i Hiszpania dokonały desantu na wybrzeżach Meksyku, koncentrując swoje oddziały wzdłuż południowej granicy USA, by w razie potrzeby błyskawicznie ją przekroczyć i bezpośrednio zaangażować się w wojnę po stronie Południa. 10 marca 1863 roku francuski generał Charles de Lorencez zwiększył kontyngent w Meksyku o 30 tysięcy żołnierzy, zajmując stolicę kraju, Mexico City.

Zaraz na początku wojny Południe odnotowało serię militarnych zwycięstw, a Wielka Brytania i Francja utworzyły wokół Północy nieprzyjazny kordon. Lincoln znalazł się w bardzo poważnej sytuacji. Bankierzy dokładnie przeliczyli aktywa rządu, szybko zdając sobie sprawę, że skarbiec jest pusty, a bez przeprowadzenia ogromnych kapitalizacji i pozyskania wielkich środków finansowych dalsze prowadzenie wojny jest niemożliwe. Od zakończenia wojny z Wielka Brytanią w 1812 roku, skarbiec rządowy co roku odnotowywał deficyt budżetowy. Przed objęciem urzędu przez Lincolna, szacowany deficyt budżetowy, w formie obligacji sprzedawany był przez rząd bankom, a następnie przez amerykańskie banki transferowany do brytyjskich banków Rothschildów czy Barings Banku, którym rząd USA zmuszony był płacić wysokie odsetki. Nagromadzony przez wiele lat dług stanowił dla rządu bardzo poważny kłopot.

Bankierzy zaproponowali rządowi Lincolna plan dofinansowania, ale postawili drakońskie warunki. Gdy Lincoln usłyszał, że żądają lichwiarskich odsetek wysokości od 24 do 36 procent zaniemówił, a następnie wskazał im drzwi, każąc im opuścić gabinet. Był to bezlitosny podstęp mający na celu doprowadzenie rządu USA do bankructwa i Lincoln doskonale zdawał sobie sprawę, że ten astronomiczny dług nigdy nie będzie mógł zostać przez naród spłacony.

Nowa polityka walutowa Lincolna

Nie można prowadzić wojny bez pieniędzy, a pożyczka od światowych bankierów nie jest niczym innym, jak owinięciem pętli wokół własnej szyi. Lincoln rozmyślał nad wyjściem z sytuacji. Wówczas jego przyjaciel z Chicago, Dick Taylor, przedstawił mu następujący pomysł. Czemu rząd sam nie zacznie emisji własnej waluty?

„Pozwól Zgromadzeniu Narodowemu – mówił Taylor – na przyjęcie ustawy, która da ministerstwu skarbu rządu federalnego prawo do druku i dystrybucji całkowicie legalnej, mającej moc prawną waluty, dzięki której zapłacisz żołd wojsku, a następnie wygrasz twoją wojnę". Lincoln zapytał, czy naród amerykański zaakceptuje taka walutę.

Taylor odpowiedział: „Wszyscy znajdujemy się w sytuacji bez wyjścia. Dopóki będziesz gwarantował legalność i moc prawną tej waluty, dopóty rząd będzie ją wspierał i traktował na równi z realnym pieniądzem, zgodnie z zapisem Konstytucji mówiącym, że Zgromadzenie Narodowe posiada prawo do emisji i dystrybucji pieniądza".

Lincolnowi bardzo spodobał się ten pomysł, natychmiast poprosił też Taylora, by przystąpił do przygotowania szczegółowych planów wprowadzenia na rynek nowej waluty. To zaskakujące rozwiązanie uratowało rząd przed zaciąganiem wysokooprocentowanych pożyczek w prywatnych bankach. Nowy pieniądz wyróżniał się spośród innych emitowanych przez banki banknotów zielonym kolorem i wkrótce zaczęto go nazywać „zielonym" (*greenback*). Unikatowość tej waluty polegała na fakcie, że nie była drukowana ani pod zastaw złota czy srebra, ani jakiegokolwiek innego towaru; co więcej, dostarczała pięcioprocentowych odsetek w okresie 20 lat.

Dzięki emisji tego pieniądza rząd Północy zdołał przezwyciężyć trudną sytuację, wynikającą z braku twardej waluty, umożliwiając efektywne wykorzystanie surowców, w które zasobna była Północ, co okazało się kluczowe dla zwycięstwa w konflikcie zbrojnym z Południem. W tym samym czasie ów tani, ale posiadający wartość prawną pieniądz stał się głównym elementem rezerw walutowych deponowanych w bankach Północy, co z kolei doprowadziło do rozluźnienia polityki kredytowej. Dzięki temu przemysł zbrojeniowy, firmy budowlane zaangażowane w rozwój linii kolejowych, rolnictwo i handel uzyskały nieznany dotąd w historii kraju dostęp do taniego kredytu i wsparcia finansowego.

Od 1848 roku i odkrycia złóż złota finanse Stanów Zjednoczonych uniezależniły się całkowicie od radykalnej i szkodliwej kontroli finansowej europejskich bankierów, a ogromna ilość dobrej waluty, stanowiącej podstawę zaufania ludzi do rządu, była powszechnie akceptowana przez społeczeństwo. W ten sposób położono finansowe podwaliny pod przyszłe zwycięstwo. Zaskakujące przy tym jest to, że emisja nowego pieniądza Lincolna nie doprowadziła do wybuchu inflacji, która pojawiła się podczas wojny o niepodległość. Od wybuchu wojny secesyjnej w 1861 roku, aż do jej zakończenia w roku 1865, indeks cen podstawowych artykułów na Północy stabilnie wzrósł ze 100 do 216 punktów. Biorąc pod uwagę skalę wojny i spowodowane przez nią straszliwe zniszczenia, a także porównując ją z innymi, podobnymi konfliktami w świecie, trudno nie dojść do wniosku, że dokonał się w tym wypadku finansowy cud. Dla porównania, Południe również wprowadziło do obiegu papierowe banknoty, jednak rezultaty tego posunięcia były zdecydowanie odmienne. Indeks cen podstawowych artykułów konsumpcyjnych na Południu wzrósł ze 100 do 2776 punktów[60].

Przez cały okres wojny secesyjnej rząd Lincolna wyemitował 450 milionów dolarów nowej waluty. System emisji nowego papierowego pieniądza działał tak dobrze, że Lincoln całkiem poważnie zastanawiał się nad długookresową legalizacją nowego tzw. pieniądza wolnego od długu. Ten punkt niewątpliwie silnie uderzał w fundamentalne interesy międzynarodowych oligarchów bankowych. Załóżmy, że każdy rząd,

---

[60] Davies, *History of Money From Ancient Times to The Present Day*, s. 489.

bez konieczności pobierania kredytów bankowych, może w prosty sposób emitować swój pieniądz. Skutki, jakie miałoby to dla bankierów, są jasne: utrata monopolu emisji pieniądza. Czy wtedy banki nie pozostałyby z niczym, „cierpiąc zimno i głód"?

Nie dziwi więc reakcja wobec planów Lincolna reprezentującej brytyjskich bankierów gazety „London Times". Czytamy w niej:

> Jeśli owa pochodząca z Ameryki, budząca w ludziach odrazę nowa polityka skarbowa [„zielony" Lincolna] zostanie utrzymana w długiej perspektywie, umożliwi to rządowi emisję własnego, nie opartego o dług pieniądza. Rząd będzie miał możliwość zwrotu wszystkich długów i już nie będzie nikomu nic winny. Rząd uzyska potrzebne środki pieniężne na wsparcie rozwoju handlu. Dzięki tym działaniom, północne stany USA staną się bogate, ich gospodarka będzie prosperować, a z całego świata zaczną napływać ludzie obdarzeni talentami i ogromne bogactwo. Ten kraj musi zostać zniszczony, w innym wypadku unicestwi wszystkie istniejące monarchie.

Oburzony rząd Wielkiej Brytanii wraz z Nowojorskim Stowarzyszeniem Banków zapowiedział zastosowanie retorsji. Dnia 28 grudnia 1861 roku nowojorskie banki ogłosiły wstrzymanie wszystkich płatności wobec rządu USA rozliczanych w złocie; niektóre z nich posunęły się nawet do zamrożenia znajdujących się w ich skarbcach rezerw złota, deklarując kasację zakupu rządowych obligacji za złoto. Banki z całego kraju odpowiedziały na kryzys. Ich prezesi zjawili się w Waszyngtonie, przedstawiając prezydentowi Lincolnowi plan ratunkowy. Zaproponowali zwrócenie się ku dawnym rozwiązaniom i sprzedaż wysoko oprocentowanych obligacji państwowych europejskim bankom; zdeponowanie zapasów złota rządu amerykańskiego w prywatnym banku jako rezerwy dla udzielanych kredytów. Banki będą pomnażać bogactwo, a rząd USA będzie wspierał wojnę za pomocą ściąganych od przemysłu i ludzi podatków.

Lincoln zdecydowanie odrzucił te żądania bankierów. Jego dotychczasowa polityka cieszyła się sporym uznaniem wśród Amerykanów, którzy z entuzjazmem wykupywali rządowe papiery wartościowe, by, zgodnie z prawem, wykorzystywać je jako gotówkę.

Widząc fiasko tego planu, bankierzy zaproponowali inne rozwiązanie. Zauważyli, że w ustawie o emisji Lincolnowskiego nowego pieniądza, przyjętej przez Zgromadzenie Narodowe, brakuje wzmianki o formie, w której mają być wypłacane odsetki od rządowego długu. Czy mają być płacone złotem? W rezultacie bankierzy zawarli z członkami Kongresu kompromis, godząc się na zakup długu rządowego za nowe pieniądze, ale zarazem wymagając, aby część odsetek była spłacona za pomocą złota. Był to pierwszy etap całego planu, polegającego na tym, aby najpierw związać cenę nowego pieniądza Lincolna z ceną złota, a następnie, wykorzystując funt szterling jako podstawową walutę dla światowych rezerw, rzucić na rynek jego ilości znacznie większe od ilości amerykańskiej złotej monety. Kompromis pomiędzy amerykańskim bankierami a parlamentem umożliwiał międzynarodowym bankom kontrolę nad ilością importowanego i eksportowanego amerykańskiego złota, co doprowadziło do zdobycia pośredniej kontroli nad amerykańską walutą.

Rosja sojusznikiem Lincolna

Gdy w 1861 roku, w wigilię wybuchu wojny secesyjnej, europejscy monarchowie wysyłali swoje armie do Ameryki, przygotowując się do ewentualnego podziału USA, Lincoln przypomniał sobie o istnieniu państwa będącego odwiecznym wrogiem europejskich monarchów – Rosji.

Lincoln wysłał ambasadora do cara Aleksandra II z prośbą o pomoc. Car odebrał z rąk prezydenckiego wysłannika list, ale nie rozerwał w pośpiechu koperty, lecz przez kilka chwil ważył ją w ręku, aby następnie powiedzieć: „Przed otwarciem koperty i zapoznaniem się z treścią listu chcę oświadczyć, że zgadzam się na wszystkie zawarte w nim żądania"[61].

Było kilka przyczyn, dla których car zdecydował się na militarną demonstrację, angażując się w amerykańską wojnę domową. Po pierwsze, wynikało to z poważnej obawy przed wpływami, które zyskiwała w Rosji wszechobecna w Europie finansjera. Bankierzy usilnie prosili cara, by ten, jak wskazywało doświadczenie najbardziej rozwiniętych państw i systemów gospodarczych Europy, podjął decyzje o stworzeniu prywatnego banku centralnego. Car, od dawna rozumiejąc intencje i ukryte zamiary banków, zdecydowanie odmówił. Widząc, w jak trudnej sytuacji znalazł się prezydent Lincoln, próbujący przeciwstawić się sile międzynarodowej finansjery, Aleksander II doszedł do wniosku, że odmowa udzielenia pomocy oznaczać może, iż to właśnie on, car, stanie się kolejnym celem. Drugą przyczyną udzielenia pomocy był fakt, że tuż przed wybuchem wojny domowej w Ameryce, 3 marca 1861 roku, car wydał dekret o zniesieniu pańszczyzny. Tak więc w walce o likwidację systemu niewolniczego Lincolna i Aleksandra II łączyło posiadanie wspólnych wrogów i w związku z tym wzajemne zrozumienie swojej sytuacji i sympatia. Jeszcze inną przyczyną decyzji cara było pragnienie zmycia hańby klęski w wojnie krymskiej, zadanej Rosji przez Wielką Brytanie i Francję.

24 września 1863 roku, bez wypowiedzenia wojny, rosyjska flota pod dowództwem admirała Livskiego wyruszyła w rejs do Nowego Jorku. W niedługim czasie, 12 października 1863 roku, rosyjska Flota Pacyficzna, pod dowództwem admirała Popowa, przybyła do San Francisco. Tak oto opisał działania Rosji Jim Welsh: „Przybyli, gdy Południe odnosiło sukcesy, zdobywając przewagę nad Północą. Pojawienie się Rosjan wywołało liczne rozterki i wahania w gabinetach rządów Francji i Wielkiej Brytanii. W sumie działania Rosji dały Lincolnowi czas na odwrócenie sytuacji na froncie".

Po zakończeniu wojny rząd Stanów Zjednoczonych zobowiązał się do pokrycia wynoszących ponad siedem milionów dolarów kosztów misji rosyjskiej floty. Ponieważ Konstytucja USA nie upoważniała prezydenta do realizacji płatności pokrywającej koszty działań wojennych poniesionych przez zagraniczny rząd, ówczesny prezydent Johnson osiągnął z Rosją porozumienie o zakupie, należącej formalnie do Rosji, Alaski. Koszty wojenne zostały zwrócone. Owa umowa przeszła do historii pod nazwą Szaleństwa Stewarda. Steward pełnił wówczas funkcję

[61] Griffin, *Descent into Slavery*.

sekretarza obrony USA. Opinia publiczna w Ameryce poddała decyzję rządu ostrej krytyce, uważając, że skarb państwa nie powinien marnować pieniędzy podatników na zakup bezwartościowego pustkowia za miliony dolarów.

Z tego samego powodu w 1867 roku doszło do nieudanego zamachu na życie Aleksandra II. Aleksander II ostatecznie poniósł śmierć z ręki zamachowca 1 marca 1881 roku.

Kto jest prawdziwym zabójcą Lincolna?

Żelazny Kanclerz Niemiec, Bismarck, brutalnie przechodząc do sedna sprawy, powiedział:

> [Lincoln] uzyskał upoważnienie Zgromadzenia Narodowego, aby poprzez publiczną emisję rządowych obligacji uzyskać potrzebne kredyty. W ten sposób i rząd, i kraj wyskoczyły z pułapki zastawionej przez zagranicznych bankierów. Kiedy ci zdali sobie sprawę, że Ameryka wymknęła się z ich uścisku, dni Lincolna były już policzone.

Lincoln uwolnił niewolników i zjednoczył kraj. Zaraz po zakończeniu wojny ogłosił likwidację całego wojennego długu zaciągniętego przez rząd Południa. W rezultacie tej decyzji międzynarodowi bankierzy, którzy przez cały okres wojny udzielali wielkiego finansowego wsparcia Południu, ponieśli koszmarne starty. By dokonać zemsty na osobie Lincolna i, co ważniejsze, obalić nową politykę walutową prezydenta, zaczęli gromadzić wszystkie, niezadowolone z polityki rządowej siły polityczne, planując w ukryciu zamach na życie prezydenta. Ostatecznie zorientowali się, że odnalezienie i wysłanie kilku szalonych radykałów, aby dokonali zabójstwa, nie było specjalnie skomplikowane.

Po śmierci Lincolna, kontrolowany przez światową finansjerę Kongres ogłosił rezygnację z Lincolnowskiej polityki nowej waluty i zamrożenie emisji papierowego pieniądza, aby jego wartość w obiegu nie przekraczała limitu 400 milionów dolarów.

W 1972 roku zapytano sekretarza skarbu USA, jak dużo oszczędności – biorąc pod uwagę same tylko odsetki – przyniosła przeprowadzona przez rząd Lincolna emisja 450 milionów nowych dolarów. Po bardzo dokładnych, trwających kilka tygodni kalkulacjach, podano odpowiedź: w rezultacie emisji własnego pieniądza rząd USA zaoszczędził łącznie na odsetkach cztery miliardy dolarów[62].

Korzeniem wojny secesyjnej w Ameryce była zacięta walka między elitami światowych finansów – ich przedstawicielami i agentami – a rządem Stanów Zjednoczonych o zyski związane z uzyskaniem prawa do emisji pieniądza. Przez kolejne 100 lat po zakończeniu wojny obie strony tej finansowej batalii stoczyły wiele desperackich potyczek, zmagając się o kwestię budowy centralnego systemu bankowego. W tym czasie siedmiu prezydentów USA poniosło śmierć z rąk zamachowców. Podobny los spotkał wielu kongresmanów i senatorów. Walki trwały

---

[62] Melvin Sickler, *Abraham Lincoln and John F. Kennedy*, „Michael", 4 (2003).

aż do roku 1913 i utworzenia Rezerwy Federalnej, co było znakiem, że światowi bankierzy osiągnęli decydujące zwycięstwo. Bismarck pisał szczerze:

> Śmierć Lincolna to ogromna strata dla chrześcijańskiego świata. Prawdopodobnie Ameryka nie będzie w stanie kontynuować jego wielkiej linii politycznej, a światowi bankierzy ponownie zdobędą kontrolę nad zamożnymi obywatelami USA. Martwi mnie fakt, że bankierzy, wykorzystując swoje skuteczne i okrutne metody, ostatecznie zdobędą bogactwo Stanów Zjednoczonych, by wykorzystać je jako żyzny grunt w celu systematycznego korumpowania współczesnej cywilizacji.

Śmiertelne ustępstwo: 1863 rok i Państwowe Prawo Bankowe

Rola, jaką odegrałem w promowaniu i ustanowieniu Państwowego Prawa Bankowego, to mój największy błąd w życiowej karierze zawodowej. Monopol [podaży pieniądza] *stworzony przez to prawo negatywnie wpływa na każdy element gospodarki kraju. Prawo to powinno zostać zlikwidowane, zanim kraj rozpadł się na dwa obozy, jeden – obóz narodowy, drugi – obóz bankierów. Taka sytuacja w historii tego kraju jeszcze się dotąd nie zdarzyła.*

Salomon Chale, sekretarz skarbu USA, 1861-1865

Po wybuchu wojny secesyjnej i odrzuceniu przez Lincolna finansowej opcji-pętli polegającej na pobraniu wysokooprocentowanych (24-36 procent) kredytów od Rothschildów i ich przedstawicieli, Departament Skarbu został upoważniony do emisji obligacji rządu Stanów Zjednoczonych nazwanyh „zielonymi". W lutym 1862 roku, nastąpiło uchwalenie *Legal Tender Act* (ustawy o legalnym środku płatniczym) upoważniającego Departament Skarbu do wypuszczenia w obieg 150 milionów „zielonych". W lipcu 1862 roku i marcu roku następnego Departament Skarbu, zgodnie z ustawami, dokonał dwóch kolejnych emisji nowego pieniądza. Podobnie jak w przypadku pierwszej emisji, w obu tych wypadkach wpuszczono w obieg po 150 milionów „zielonych" dolarów Lincolna. Łącznie, podczas wojny, rząd wydrukował i wpuścił w obieg 450 milionów dolarów.

Emisja „zielonych" dolarów Lincolna była niczym kij wbity w mrowisko międzynarodowej finansjery. Bankierzy od samego początku nie kryli swej niechęci do nowej waluty, podczas gdy zwykli obywatele i ludzie związani z przemysłem witali jego emisję z nadzieją i nieskrywaną radością. Pieniądz Lincolna funkcjonował w obiegu pieniężnym USA aż do 1994 roku.

W najbardziej krytycznym momencie wojny, w 1863 roku, Lincoln potrzebował do zwycięstwa jeszcze większej ilości dolarów. W tym celu, aby uzyskać po raz trzeci zgodę na emisję „zielonych", musiał pójść na ustępstwa i schylić głowę przed finansową elitą. Tym ustępstwem było podpisanie w 1863 roku ustawy o Państwowym Prawie Bankowym. Ustawa ta upoważniała rząd do zatwierdzania emisji papierów wartościowych przez Bank Narodowy w ujednoliconym standardzie (poza emisją innych, wystawianych w imieniu banków). W rzeczywistości owe banki emitowały państwową walutę. Najważniejszy był fakt, że banki te mogły wykorzystywać obligacje rządowe jako fundusz rezerwowy dla emisji bankowych papierów wartościowych, co prowadziło do faktycznego związania ze sobą emisji pieniądza i długu rządowego. Rząd na zawsze utracił możliwość spłaty długu.

Znany amerykański ekonomista, John Kenneth Galbraith, przechodząc bezpośrednio do rzeczy pisał: „W ciągu wielu lat, które upłynęły od zakończenia wojny secesyjnej, rząd federalny każdego roku odnotowywał wielkie nadwyżki budżetowe. Ale pozbawiony był możliwości pełnej spłaty swoich długów oraz należności płynących ze wszystkich wyemitowanych rządowych papierów wartościowych, ponieważ ten krok oznaczałby brak papierów rządowych, które mogłyby być użyte jako zastaw pod państwowy pieniądz. Zwrot całego długu oznaczałby unicestwienie obiegu pieniężnego".

Tak więc wreszcie międzynarodowi bankierzy odnieśli sukces. Zrealizowali swój plan i skopiowali system Banku Anglii w Stanach Zjednoczonych. Odtąd spłata przez rząd amerykański wiecznego długu i jego stale rosnących odsetek, niczym pętla, zaciskała się na szyjach Amerykanów, a im bardziej próbowano ją rozluźnić, tym stawała się ciaśniejsza. Do 2006 roku rząd amerykański był winny wierzycielom astronomiczną sumę ponad ośmiu i pół biliona dolarów*. Innymi słowy, część długu przypadającego na przeciętną czteroosobową amerykańską rodzinę wynosiła 112 tysięcy dolarów, a sama łączna wartość długu państwowego rosła z szybkością 20 tysięcy dolarów na sekundę! Wydatki rządu federalnego na obsługę zadłużenia, ustępujące jedynie wydatkom na ochronę zdrowia i obronę, w 2006 roku osiągnęły zawrotną sumę 400 miliardów dolarów.

Począwszy od 1864 roku, światowi bankierzy, pokolenie po pokoleniu, mogą cieszyć się obfitym posiłkiem z uzyskanych odsetek. Prawda jest bardzo banalna: ponieważ na pierwszy rzut oka nie widać różnicy między bezpośrednią emisją przez rząd waluty lub obligacji, a następnie emisją waluty przez banki, powstał najbardziej niesprawiedliwy system w historii ludzkości. Ludzie są zmuszani do pośredniego płacenia podatków – czyli ich ciężko wypracowanych pieniędzy – bankom!

Aż do dziś, Chiny są jednym z nielicznych krajów, w których rząd bezpośrednio emituje walutę. W ten sposób zarówno rząd, jak i społeczeństwo oszczędzają ogromne pieniądze na braku konieczności spłaty odsetek od długu. Jest to jeden z powodów, którego nie można ignorować, analizując przyczyny szybkiego wzrostu gospodarczego Chin. Jeśli ktoś zaproponuje sięgnąć po „sprawdzone wzory zagraniczne", zgodnie z którymi Bank Chin miałby wykorzystywać obligacje rządowe jako zastaw pod wydruk waluty, chiński naród powinien zareagować na to z najwyższą ostrożnością.

Lincoln rozumiał to stałe zagrożenie, jednak – niestety – został zmuszony przez grożący mu kryzys do podejmowania tymczasowych, prowizorycznych decyzji.

Lincoln planował, w przypadku reelekcji, kasację tego aktu prawnego wprowadzającego w życie Państwowe Prawo Bankowe, w rezultacie na 41 dni przed

---

* W czerwcu 2010 roku dług ten przekroczył 13 bilionów dolarów (przyp. red.).

wyborami został zamordowany. Siła bankierów w Kongresie wzrosła, kontynuowali więc ofensywę, a ich celem stała się likwidacja „zielonego" dolara Lincolna. Nastąpiło to bardzo szybko. 12 kwietnia 1866 roku Kongres uchwalił tzw. *Contraction Act*, którego celem był skup wszystkich znajdujących się w obiegu „zielonych", a następnie ich wymiana na złote monety, tak by ostatecznie całkowicie pozbyć się „zielonego" dolara z obiegu pieniężnego kraju i w ten sposób powrócić do systemu, w którym światowi bankierzy posiadają pozycje absolutnej dominacji – standardu złota.

W kraju, gdzie dopiero zakończyła się bezprecedensowa, okrutna i wyniszczająca wojna domowa, nie było bardziej absurdalnej polityki gospodarczej niż ograniczanie podaży pieniądza. Łączna wartość pozostającego w obiegu gospodarczym pieniądza z 1,8 miliarda dolarów w 1866 roku (50,46 dolara na osobę) spadła do 1,3 miliarda dolarów w 1867 (44 dolary na osobę), a następnie do 600 milionów dolarów w 1876 roku (14,6 dolara na osobę) i ostatecznie do 400 milionów dolarów w roku 1886 (6,67 dolara na osobę). Zaraz po wojnie Amerykańska gospodarka oczekiwała na terapię, która pozwoliłaby jej zaleczyć zadane przez wojnę rany. Gospodarka potrzebowała szybkiego powrotu do stanu normalności i dalszego wzrostu. W tym samym czasie populacja kraju ulegała szybkiemu zwiększeniu. Sztuczne ograniczenie podaży pieniądza w tej sytuacji doprowadziło do jego poważnego deficytu na rynku. Większość ludzi sądzi, że przechodzenie przez cykle wzrostu i recesji jest zasadą, której podlega gospodarka, ale w istocie fundamentalną przyczyną tego problemu jest, znajdująca się w rękach światowych bankierów, kontrola nad podażą pieniądza. Czasem ją rozluźnią, czasem zacisną, zależnie od tego, co im się opłaca.

Zimą 1872 roku bankierzy wysłali z Wielkiej Brytanii do Stanów Zjednoczonych, zaopatrzonego w pokaźną sumę pieniędzy, agenta, Ernesta Seyda. Seyd, wykorzystując posiadane pieniądze, wręczając łapówki, wypromował i doprowadził do uchwalenia nowego aktu prawnego tzw. *Coinage Act*, który do historii przeszedł pod nazwą Zbrodniczej Ustawy 1873 (*Crime Act* 1873). Seyd osobiście opracował tekst ustawy. Prawo to doprowadziło do wycofania z obiegu srebrnej monety, tak więc złoto stało się jedynym, bezkonkurencyjnym środkiem płatniczym. Bez wątpienia owo prawo jeszcze bardziej powiększyło panujący na rynku pieniężnym deficyt środków płatniczych. Dumny z siebie Seyd mówił: „Zimą 1872 roku wyjechałem do Ameryki, gdzie dopilnowałem przegłosowania i wprowadzenia ustawy o wycofaniu srebra z obiegu pieniężnego. W tym przedsięwzięciu reprezentowałem interesy rady nadzorczej Banku Anglii. W roku 1873 złoto stało się jedyną akceptowaną walutą".

W istocie, przyczyną usunięcia srebrnej monety ze światowego obiegu pieniężnego była chęć bankierów do zapewnienia sobie absolutnej kontroli nad światową podażą pieniądza. W tym czasie, po przejęciu przez bankierów kontroli nad światowym przemysłem wydobywczym złota i eksploracją jego potencjalnych złóż, nastąpiła znacząca redukcja jego wydobycia. W tej sytuacji względnie duża liczba nowych kopalń srebra zagrażała interesom światowej finansjery, która nie życzyła sobie, by tak trudna do kontroli podaż pieniądza wpływała negatywnie na jej interesy, osłabiając jej dominującą pozycję w światowym systemie finansowym. Poczynając od 1871 roku w Niemczech, Wielkiej Brytanii, Holandii, Austrii i Skandynawii srebro przestało być używane jako środek płatniczy, co doprowadziło do znaczącego skurczenia się obiegu pieniężnego w tych krajach. W efekcie nastąpiła w Europie długa, dwudziestoletnia recesja w latach 1873-1896.

W Stanach Zjednoczonych *Contraction Act* i *Coinage Act* bezpośrednio doprowadziły do recesji gospodarczej w latach 1873-1879. W ciągu trzech lat stopa bezrobocia w USA osiągnęła poziom trzydziestu procent. Amerykańska opinia publiczna ostro domagała się powrotu do czasów skonstruowanej przez Lincolna i banki polityki „zielonego" dolara. Był to gorący okres, powstała złożona z obywateli US Silver Commission (Amerykańska Komisja Srebra) oraz Greenback Party (Partia Zielonego Dolara), które silnie naciskały na powrót do dawnego systemu, w którym w obiegu było zarówno złoto, jak i srebro. Chodziło wszakże przede wszystkim o to, by znów uruchomić emisję cieszących się dobrą opinią wśród ludzi „zielonych" dolarów.

Raport przygotowany przez Silver Commission wskazywał: „Mroki średniowiecza to efekt braku pieniądza w obiegu i dużych spadków cen. Bez pieniądza nie mogłaby powstać cywilizacja, redukcja podaży pieniądza doprowadzi do śmierci cywilizacji. W epoce chrześcijańskiego Cesarstwa Rzymskiego w obiegu pieniężnym imperium znajdowały się monety warte w przybliżeniu 1,8 miliarda dolarów. Pod koniec XV wieku w Europie w obiegu pozostały monety warte jedynie dwieście milionów dolarów. Historia pokazuje, że żadna katastrofalna zmiana nie może być porównywana z upadkiem Imperium Rzymskiego w mroki średniowiecza".

Powyższym poglądom bardzo ostro i wyraźnie przeciwstawiało się nowo założone The American Bankers Association (Stowarzyszenie Amerykańskich Bankierów). Stowarzyszenie w liście do swoich członków głosiło:

> Sugerujemy byście ze wszystkich sił wspierali znane dzienniki i tygodniki, a głównie prasę związaną z rolnictwem i religią, z determinacją przeciwstawiając się emisji „zielonego" dolara przez rząd. Powinniście natychmiast wstrzymać wszelkie dotacje pieniężne dla tych kandydatów, którzy nie wyrażają się jasno i nie potępiają w ostrych słowach emisji „zielonego" dolara. Likwidacja systemu emisji waluty państwowej przez banki lub powrót do emisji pieniądza przez rząd doprowadzi do sytuacji, w której państwo będzie dostarczać ludziom pieniądze, co wyrządzi szkody nam, bankierom oraz pośrednikom kredytowym, a tym samym zaszkodzi naszym żywotnym interesom. Spotkajcie się jak najszybciej z kongresmanami z waszych okręgów wyborczych, zażądajcie od nich gwarancji ochrony dla naszych interesów. W ten sposób będziemy mogli sprawować kontrole nad legislatywą[63].

W 1881 roku, podczas ostrej recesji gospodarczej, obejmujący właśnie urząd, 20. prezydent Stanów Zjednoczonych James Garfield w pełni rozumiał problem i wynikające stąd zagrożenie:

---

[63] Fragment okólnika rozesłanego przez stowarzyszonych bankierów Nowego Jorku, Filadelfii i Bostonu, podpisanego przez sekretarza, Jamesa Buela, wysłanego z 247 Broadway, New York w 1877 roku do bankierów wszystkich stanów.

> W każdym kraju ten, kto kontroluje podaż pieniądza, w ostatecznym rozrachunku jest absolutnym właścicielem przemysłu i handlu. W chwili, gdy zdamy sobie sprawę, że ów system [pieniężny] znajduje się pod kontrolą zdecydowanej mniejszości społeczeństwa, która zarządza nim tak bądź inaczej, nie będziemy już musieli odpowiadać na pytania o przyczyny inflacji lub deflacji.

Kilka tygodni po wypowiedzeniu tych słów, 2 lipca 1881 roku prezydent Garfield został postrzelony przez chorego umysłowo Charlesa Guitaeu. Guiteau oddał do prezydenta dwa strzały, ciężko go raniąc. Prezydent zmarł 19 września.

W XIX wieku światowi bankierzy najpierw z wielkim sukcesem zastąpili w Europie „świętą władzę królewską" „świętą władzą pieniądza", aby następnie dążyć do tego, by w Ameryce „święta władza pieniądza" krok po kroku ograniczała „święte swobody obywatelskie". Światowi bankierzy, po blisko stuletnich zaciętych zmaganiach z wybieranymi przez naród prezydentami Stanów Zjednoczonych, zdobyli ostateczną przewagę. W 1863 roku z zadowoleniem witali uchwalenie i przegłosowanie Państwowego Prawa Bankowego, wiedząc, że od ostatecznego tryumfu – dokładnego skopiowania w USA systemu brytyjskiego z Bankiem Anglii w roli głównej – dzielił ich tylko krok. Widmo prywatnego banku centralnego, mającego całkowitą kontrolę nad podażą pieniądza, pojawiło się już na horyzoncie.

ROZDZIAŁ III

Rezerwa Federalna: prywatny bank centralny

Ten ogromny, uprzemysłowiony kraj znajduje się pod twardą kontrolą wysoce scentralizowanego systemu kredytowego. Rozwój kraju oraz wszelka nasza aktywność gospodarcza znajdują się w rękach mniejszości. Właśnie wpadliśmy w najgorszy z możliwych reżimów, wszechobejmujący system całkowitej kontroli. Rząd nie dysponuje ani prawem wolności opinii, ani prawem do sądowego określania, co jest przestępstwem, nie jest też wybierany przez większość obywateli, albowiem działa pod naciskiem małej grupki ludzi wykorzystujących swoją zdolność kontroli. W kraju tym wielu przedsiębiorców, ludzi przemysłu i handlu obawia się jednej rzeczy. Wszyscy oni wiedzą, że filarem owej niewidzialnej władzy jest niewidoczna, nieprzenikalna, zorganizowana grupa, z którą są związani, będąc częściami jednego, absolutnego systemu. To sprawia, że nie mają oni odwagi publicznie potępić owej władzy.

Woodrow Wilson,
dwudziesty ósmy prezydent Stanów Zjednoczonych[64].

[64] Cyt. za: *National Economy and Banking System*, dokumenty Senatu (Co. 3 No. 23, 76th Congress, First Session, 1939).

Klucz do rozdziału

Nie będzie przesadą stwierdzenie, że w Chinach próżno dziś szukać ekonomistów świadomych faktu, że amerykański Bank Rezerwy Federalnej jest w istocie prywatnym bankiem centralnym. Ów rzekomy „Bank Rezerwy Federalnej" nie tylko nie jest bankiem „federalnym", ale tym bardziej nie jest żadną „rezerwą" i w ogóle trudno byłoby go nazwać „bankiem".

Większość z pewnością uważa za oczywiste, że to rząd federalny USA dokonuje emisji waluty – amerykańskiego dolara. W istocie rząd federalny USA nie posiada prawa do emisji pieniądza! Po zabójstwie prezydenta Kennedy'ego w 1963 roku rząd USA ostatecznie utracił prawo do emisji „srebrnego dolara", jedynego środka płatniczego, do którego drukowania w owym czasie miał prawo. W przypadku, gdy rząd federalny potrzebuje pieniędzy, musi zastawić w prywatnej Rezerwie Federalnej przyszłe przychody z podatków płaconych przez obywateli (dług państwowy), a wówczas Rezerwa Federalna dokonuje emisji banknotów Rezerwy, które są znane jako amerykańskie dolary (USD).

W świecie amerykańskich mediów, a także wśród ekonomistów, natura i historia Rezerwy Federalnej to temat zrozumiały i znany, wokół którego zarazem panuje zmowa milczenia. Jest to obszar, na który nikt nie ma wstępu. Każdego dnia amerykańskie media potrafią na okrągło, niczym wykonując żmudną pracę badawczą, debatować nad problemem małżeństw homoseksualnych lub innym, w sumie mało istotnym tematem. Próżno jednak szukać wzmianek na temat kontroli emisji pieniądza, a przecież to właśnie jest problem, który codziennie i bezpośrednio dotyczy każdego człowieka, każdego centa wypracowanego dochodu, każdej – tak istotnej dla zysków od kapitału – płatności odsetek od udzielanej pożyczki.

Jeśli w tym miejscu czytelnik poczuł się zaskoczony, znaczy to, że ów problem jest niesłychanie istotny, on sam zaś – ku swemu zdziwieniu – nie ma na ten temat żadnej wiedzy. Przedmiotem tego rozdziału jest starannie „przefiltrowana" przez wiodące amerykańskie media tajemnicza historia powstania Banku Rezerwy Federalnej. Biorąc do ręki szkło powiększające i klatka po klatce cofając film, dochodzimy do krytycznego momentu pozwalającego nam odtworzyć w szczegółach to istotne wydarzenie, które odcisnęło głębokie piętno na współczesnej historii.

Oto dnia 23 grudnia 1913 roku, wybierany przez amerykańskich wyborców rząd został ostatecznie, *de facto* obalony przez elitę kontrolującą pieniądz.

Tajemnicza wyspa Jekyll: miejsce, gdzie zaprojektowano Rezerwę Federalną

W nocy 22 grudnia 1910 roku, w wagonach specjalnego zapieczętowanego pociągu wyjeżdżającego z Nowego Jorku, zasłony szczelnie chroniły wnętrza przedziałów. Pociąg powoli sunął na południe. W przedziałach siedzieli najważniejsi bankierzy Ameryki i nikt z pasażerów nie znał celu podróży. Stacją końcową miała być znajdująca się w stanie Georgia wyspa Jekyll.

Wyspa Jekyll była w tym czasie ulubionym zimowym kurortem dla najbogatszych ludzi w Stanach Zjednoczonych. Z inicjatywy J.P. Morgana, amerykańscy bogacze założyli na wyspie Klub Łowiecki. Ponad jedna szósta całego światowego bogactwa była skoncentrowana w rękach członków owego klubu, którego członkostwo było wyłącznie dziedziczone i obowiązywał zakaz jego sprzedaży. W tym czasie zarząd klubu otrzymał wiadomość, że grupa ludzi wynajęła budynki należące do klubu na okres około dwóch tygodni i że w tym czasie członkowie klubu nie będą mogli przebywać na jego terenie. Wszyscy pracownicy kurortu rekrutowali się spośród emigrantów z kontynentu i obowiązywał ich nakaz zwracania się do gości wyłącznie po imieniu – używanie nazwisk było zabronione. Na terenie o obwodzie około 80 kilometrów wprowadzono rygorystyczne środki bezpieczeństwa, nie dopuszczając do pojawienia się prasy.

Gdy wszystko zostało już przygotowane, w siedzibie klubu pojawili się goście. Wśród uczestników tej tajnej konferencji byli: Nelson Aldrich, senator, przewodniczący państwowej komisji walutowej, dziadek od strony matki Nelsona Rockefellera; A. Piatt Andrew, asystent w Departamencie Skarbu, Frank Vanderlip, prezes The National City Bank of New York; Henry P. Davison, wysoko postawiony partner w korporacji J.P. Morgana; Charles D. Horton, prezes First National Bank; Benjamin Strong, prawa ręka J.P. Morgana; Paul Warburg, żydowski imigrant z Niemiec, który przybył do Ameryki w 1901 roku, starszy partner w korporacji Kuhn Loeb and Company, przedstawiciel Rothschildów z Francji i Wielkiej Brytanii, architekt Banku Rezerwy Federalnej i jego pierwszy prezes.

Wszystkie te ważne osobistości przybyły na odległą wyspę bynajmniej nie w celu zabawy w polowanie, którą nie przejawiały większego zainteresowania. Celem ich spotkania było przygotowanie treści dokumentu nadzwyczaj ważnej ustawy: *Federal Reserve Act*.

Paul Warburg był doświadczonym specjalistą od spraw bankowości, który do perfekcji opanował niemal wszystkie szczegóły związane z operacjami bankowymi. Gdy uczestnicy spotkania zadawali pytania i wskazywali na wątpliwe punkty, Warburg nie tylko cierpliwie odpowiadał, lecz z niesłychaną erudycją wyjaśniał historyczną genezę każdego z przedstawianych pomysłów. Wszyscy obecni byli oczarowani jego niezwykle głęboką znajomością dziejów bankowości. Rzecz jasna, sam Warburg stał się głównym autorem i sprawozdawcą przygotowanej ustawy.

Spośród uczestników spotkania jedynie Nelson Aldrich pochodził spoza bankowej korporacji, a jego zadaniem było sprawdzenie języka ustawy tak, by odpowiadał on wymogom politycznym, dzięki czemu mogłaby ona zostać zaakceptowana przez Kongres. Pozostali uczestnicy reprezentowali interesy wielkich korporacji bankowych. Przez dziewięć dni toczyły się burzliwe dyskusje wokół szczegółów ustawy zreferowanych przez Warburga, ostatecznie jednak osiągnięto konsensus.

Od czasu kryzysu bankowego w 1907 roku amerykańscy bankierzy posiadali tak marną reputację w społeczeństwie, że wśród kongresmanów trudno było znaleźć choć jedną osobę, która odważyłaby się podczas obrad otwarcie poprzeć ustawę przygotowaną przez bankierów. Był to powód, dla którego zaangażowani politycy, nie bacząc na wielką odległość, przybyli z Nowego Jorku na daleką, małą wyspę, by tam, w ukryciu przed opinią publiczną, przygotować treść ustawy. Zdawali sobie przy tym sprawę, że bezpośrednie użycie nazwy „Bank Centralny" mogło spowodować poważne trudności, albowiem od czasów Jeffersona nazwa ta była od razu kojarzona z machinacjami brytyjskich bankierów. Świadomy tego problemu Warburg, w celu ukrycia faktycznego stanu rzeczy, zaproponował użycie innej nazwy, a mianowicie „System Rezerwy Federalnej". Rezerwa ta miała posiadać wszystkie cechy banku centralnego i niczym nie różnić się od Banku Anglii. Projekt przewidywał, że właścicielem rezerwy będą prywatni udziałowcy, którzy dzięki temu uzyskają możliwość czerpania ogromnych zysków. Od Pierwszego i Drugiego Banku Stanów Zjednoczonych projekt ów różnił się tym, że odrzucono koncepcję, aby 20 procent udziałów nowego banku przysługiwało rządowi: obecnie miał to być całkowicie prywatny bank centralny.

Aby jeszcze bardziej ukryć rzeczywistą naturę Systemu Rezerwy Federalnej, w trakcie dyskusji nad tym, kto ma nad nią sprawować kontrolę, Warburg błyskotliwie zauważył: „Kontrolę nad Rezerwą Federalną sprawuje Kongres, rząd posiada swoich przedstawicieli w jej radzie nadzorczej, choć większość jej członków jest w sposób bezpośredni lub pośredni kontrolowanych przez Stowarzyszenie Bankowe".

Jakiś czas później Warburg w ostatecznej wersji ustawy zmienił wspomniany zapis na „członków rady nadzorczej mianuje prezydent Stanów Zjednoczonych", jednakże faktyczną kontrolę nad pracą i funkcjami rady nadzorczej miała sprawować Federal Advisory Council (Federalna Rada Doradcza). Rada miała zwoływać stałe, wspólne posiedzenia z radą nadzorczą Rezerwy. Miejsca w Radzie zajmowali przedstawiciele wybrani przez 12 banków tworzących Rezerwę. Ten punkt celowo został zatajony przed opinią publiczną.

Innym problemem, z którym musiał się zmierzyć Warburg, była konieczność zatajenia faktu, że to nowojorscy bankierzy stoją na czele Rezerwy Federalnej, sprawując nad nią pełną kontrolę. Od XIX wieku na Środkowym Zachodzie USA zdecydowana większość średnich i małych handlowców i farmerów cierpiała w wyniku nieszczęść spowodowanych przez kryzys bankowy, żywiąc wobec bankierów ze Wschodniego Wybrzeża otwartą nienawiść. Pochodzący ze Środkowego Zachodu kongresmani i senatorzy z pewnością nie poparliby banku centralnego, w którym dominującą pozycję zajmowaliby bankierzy ze wschodu. Aby rozwiązać ten problem,

Warburg zaprojektował strukturę składającą się z sieci dwunastu banków rezerwy zlokalizowanych na wyznaczonych obszarach. Był to znakomity pomysł. Poza środowiskiem bankierów mało kto zdawał sobie sprawę, że emisja amerykańskiej waluty oraz zdecydowana część polityki kredytowej była wówczas skoncentrowana na obszarze Nowego Jorku. W takiej sytuacji propozycja ustanowienia banków rezerwy federalnej na wyznaczonych obszarach w prosty sposób, poprzez dostarczenie ludziom usług banku centralnego, miała na celu stworzenie fałszywego wrażenia, iż ów bank nie jest związany jedynie ze środowiskiem nowojorskim.

Jest jeszcze jeden punkt świadczący o niezwykłej mądrości Paula Warburga: chodzi o ulokowanie głównej siedziby Rezerwy Federalnej w politycznym centrum kraju, Waszyngtonie, a więc w pewnej odległości od miejsca, skąd miały przychodzić instrukcje – finansowej stolicy Ameryki, Nowego Jorku. W ten sposób zamierzano rozwiać obawy opinii publicznej przed działaniami nowojorskich bankierów

Czwartym problemem, z którym zmagał się Warburg, był wybór kadry zarządzającej dla dwunastu lokalnych banków Rezerwy Federalnej. Doświadczenie Nelsona Aldricha z pracy w Kongresie miało wreszcie odegrać ważną rolę. Aldrich zwrócił uwagę, że kongresmani ze Środkowego Zachodu zazwyczaj wrogo spoglądają na banki i bankierów, aby więc uniknąć groźby utraty kontroli nad 12 lokalnymi bankami, członków ich rad nadzorczych winien nominować prezydent USA, a Kongres nie powinien się do tego mieszać. Jednak wówczas powstawała prawna dziura. 10 punkt 1 artykułu Konstytucji wyraźnie mówił, że to Kongres jest odpowiedzialny za nadzór i emisję państwowej waluty. Odrzucenie kontroli Kongresu i odsunięcie go na bok mogłoby znaczyć, że Rezerwa Federalna od pierwszych chwil powstania działa niezgodnie z Konstytucją – i w późniejszym okresie wielu kongresmanów uczyniło z tego argument wykorzystywany do ataków na nią.

Po zakończeniu etapu żmudnego planowania pojawił się wreszcie odpowiedni akt prawny w formie wyniosłej, przywodzącej na myśl Konstytucję odezwy mówiącej o podziale władzy i mechanizmach równowagi. Prezydent nominuje, Kongres zatwierdza, niezależne osobistości wchodzą do rad nadzorczych, bankierzy doradzają – rzeczywiście był to plan pozbawiony słabych punktów.

Siedem rekinów z Wall Street: ludzie rządzący Rezerwą Federalną

Siedmiu ludzi z Wall Street kontroluje obecnie większość najważniejszych gałęzi amerykańskiego przemysłu oraz zasobów naturalnych. Wśród nich są J.P. Morgan, James Hill i George Baker (prezes First National Bank w Nowym Jorku), należący do tzw. Grupy Morgana. Pozostali czterej to John Rockefeller, William Rockefeller, James Stillman (prezes The National City Bank of New York) i Jacob Schiff (Kuhn Loeb and Company), należący do tzw. Grupy Standard Oil. Tworzą oni kapitałowe centrum Ameryki, sprawujące kontrolę nad gospodarką.

John Moody, założyciel firmy audytowej, 1911 rok[65]

Siedmiu krezusów z Wall Street było głównymi sprawcami powstania i działań Rezerwy Federalnej. Między nimi a Rothschildami z Europy istniało tajne porozumienie, które ostatecznie doprowadziło to stworzenia w Stanach Zjednoczonych kopii Banku Anglii.

Rodzina Morganów

Poprzednikiem Banku Morgana była mało znana brytyjska firma George Peabody and Company. Z początku George Peabody był zwykłym kupcem z Baltimore w USA. Z czasem udało mu się zgromadzić skromny majątek i w 1835 roku wyjechać do Londynu, by tam, w wielkim świecie, szukać spełnienia swoich aspiracji. Peabody dostrzegł olbrzymi potencjał i szanse na zarobienie dużych pieniędzy w sektorze finansowym, toteż wraz z miejscowym kupcem założył handlowy Merchant Bank. W tym czasie największą popularnością w świecie usług finansowych cieszyły się tzw. usługi finansowe wysokiego stopnia, a do najważniejszych, korzystających z owych usług klientów należał rząd, wielkie firmy i bogate rodziny. Peabody i jego wspólnik udzielali pożyczek na międzynarodowe transakcje, emitowali akcje i papiery wartościowe, zajmowali się handlem szerokim asortymentem towarów. Można powiedzieć, że ich bank był poprzednikiem współczesnych banków inwestycyjnych.

Peabody, który dzięki rekomendacji od braci Brown z Baltimore prowadził w Anglii interesy jednej z gałęzi ich firmy, bardzo szybko znalazł dla siebie miejsce w brytyjskich kręgach finansowych. Pewnego dnia z wielkim zaskoczeniem odebrał zaproszenie od samego lorda Nathana Rothschilda. Zdenerwowany, pełen obaw, a jednocześnie szczęśliwy, odbierając zaproszenie od najsławniejszego bankiera świata Peabody czuł się wyróżniony i zaszczycony niczym praktykujący katolik po zaproszeniu na papieską audiencję.

[65] John Moody, *The Seven Men*, „McClure's Magazine", sierpień 1911, s. 418.

Podczas spotkania Nathan Rothschild przeszedł od razu do meritum, prosząc Peabody'ego o przysługę, a dokładnie proponując mu pozycję tajnego reprezentanta interesów rodziny Rothschildów. Jak pamiętamy, Rothschildowie w nadzwyczaj zręczny sposób dorobili się w Europie olbrzymiej fortuny, jednak mimo posiadanego bogactwa wciąż byli przedmiotem niechęci i pogardy. Londyńska arystokracja czuła odrazę do towarzystwa Nathana, wielokrotnie odrzucając jego zaproszenia. Mimo posiadanych w Anglii wpływów i władzy, czuł się on izolowany przez lokalną szlachtę. Za wyborem Peabody'ego na tajnego współpracownika stało kilka innych powodów niż jego znajomość tajników bankowości: Peabody był skromny, stateczny, potrafił utrzymywać z ludźmi dobre stosunki, a przy tym był Amerykaninem, mógł więc zostać w późniejszym czasie odpowiednio wykorzystany.

Naturalnie Peabody bez wahania zaakceptował propozycje Nathana, który miał pokryć wszelkie jego wydatki związane z reprezentowaniem interesów Rothschildów. W krótkim czasie firma Peabody'ego przeobraziła się w znane w całym Londynie centrum spotkań i kontaktów towarzyskich. Bardzo ważną rolę w tej działalności odgrywał organizowany przez firmę coroczny bankiet z okazji Święta Niepodległości Stanów Zjednoczonych. Była to impreza towarzyska ciesząca się olbrzymim powodzeniem wśród londyńskiej elity. Goście nie zdawali sobie sprawy z faktu, że olbrzymie koszty tego luksusowego i pełnego przepychu przyjęcia ponosi zwykły kupiec, o którym jeszcze kilka lat wcześniej nikt nic nie słyszał.

Aż do 1854 roku, z majątkiem wynoszącym około miliona funtów, George Peabody wciąż był zwyczajnym bankierem, a jednak w krótkim okresie sześciu lat zdołał wydać fortunę wartą około dwóch milionów funtów, niemal momentalnie stając się najważniejszym z amerykańskich bankierów. Okazało się, że podczas sterowanego przez Rothschildów kryzysu w 1857 roku Peabody zainwestował gigantyczne pieniądze w amerykańskie obligacje kolejowe i obligacje państwowe. Gdy banki w Wielkiej Brytanii nagle uruchomiły szaleńczą wyprzedaż wszystkich amerykańskich papierów wartościowych, złapany z obfitym portfelem inwestycyjnym Peabody poniósł olbrzymie straty finansowe. Co ciekawe, gdy znalazł się na krawędzi bankructwa, Bank Anglii niczym dobra wróżka udzielił mu nagłej pożyczki na sumę 800 tysięcy funtów, wybawiając go od pewnego krachu. Co jeszcze bardziej zastanawiające, w tym momencie Peabody, ów zawsze przesadnie ostrożny, a teraz zniechęcony przez kryzys gracz, nagle postawił na szali całą swoją rodzinę, rozpoczynając skup od przerażonych inwestorów „śmieciowych" amerykańskich obligacji rządowych i innych papierów wartościowych.

Kryzys z 1857 roku w niczym nie przypominał depresji z lat 1837-1847. Wystarczył tylko jeden rok, by amerykańska gospodarka wyszła z recesji. Dzięki temu, dysponując olbrzymią ilością amerykańskich papierów wartościowych, George Peabody błyskawicznie przemienił się w potentata finansowego. Bardzo przypominało to rok 1815 i zdumiewającą walkę Nathana Rothschilda o brytyjskie obligacje rządowe. Bez dostępu do poufnych informacji, dopiero co przebudzony z koszmaru bankructwa, Peabody nigdy nie odważyłby się na bezprecedensowy wykup amerykańskich papierów wartościowych.

George Peabody nie miał męskiego potomka, który mógłby stać się dziedzicem jego ogromnej fortuny. Ten bolesny fakt bardzo mu ciążył i w rezultacie zdecydował się on zaproponować partnerstwo w interesach młodemu Juniusowi Morganowi. Po odejściu Peabody'ego z biznesu Morgan przejął od niego kierowanie wszystkimi operacjami firmy oraz dokonał zmiany jej nazwy na Junius S. Morgan and Company. Jej siedziba wciąż znajdowała się w Londynie. Jakiś czas potem syn Juniusa, J.P. Morgan przejął stery firmy, a późniejszą amerykańską gałąź firmy nazwał J.P Morgan Company. W 1869 roku w Londynie J.P. Morgan wraz z Anthonym J. Drexlerem odbył spotkanie z rodziną Rothschildów. Od tego momentu rodzina Morganów ostatecznie przejęła po Peabodym wszystkie związki z Rothschildami, nawet je zacieśniając. W 1880 roku J.P. Morgan rozpoczął akcję handlową mającą na celu wsparcie tworzenia firm odpowiedzialnych za budowę linii kolejowych.

5 lutego 1891 roku rodzina Rothschildów oraz część brytyjskich bankierów założyła tajne stowarzyszenie pod nazwą Round Table (Okrągły Stół). Podobne stowarzyszenia zaczęły powstawać w Ameryce, gdzie procesowi temu przewodziła rodzina Morganów. Po I wojnie światowej amerykańską gałąź Round Table przemianowano na Council on Foreign Relations (Radę Stosunków Międzynarodowych – CFR), brytyjską zaś na Royal Insitute of International Affairs (Królewski Instytut Stosunków Międzynarodowych). Wielu ważnych urzędników w rządach Stanów Zjednoczonych i Wielkiej Brytanii rekrutowało się właśnie spośród członków tych dwóch stowarzyszeń.

W 1899 roku J.P. Morgan przybył do Londynu na konferencję międzynarodowych bankierów, gdzie został wyznaczony na głównego przedstawiciela interesów Rothschildów w Ameryce. Rezultatem konferencji w Londynie było całkowite połączenie nowojorskiego J.P. Morgan, filadelfijskiego Drexler Company, londyńskiego Grenfell Comapny, paryskiego Morgan Harjes Cie i niemiecko-amerykańskiego M.M. Warburg Company z rodziną Rothschildów[66].

W 1901 roku, J.P. Morgan za astronomiczną sumę 500 milionów dolarów zakupił korporację Carnegie Steel, tworząc w ten sposób, posiadającą niekwestionowaną hegemonię i największą na świecie, wartą ponad miliard dolarów koroporację United States Steel Corporation. W tym czasie Morgan był postrzegany jako najbogatszy człowiek świata, choć według raportów przygotowywanych przez Temporary National Economic Committee (Tymczasowy Narodowy Komitet Gospodarczy) posiadał on tylko dziewięć procent udziałów w swoich firmach. Można z tego wnioskować, że powszechnie poważany J.P. Morgan był jedynie figurantem ukazywanym na pierwszym planie.

Rockefeller: król ropy naftowej

John Rockefeller w historii Stanów Zjednoczonych postrzegany jest jako bardzo kontrowersyjna postać. Wielu określa go mianem „najbardziej wyrachowanego, zimnego i bezlitosnego" człowieka. Jego nazwisko nierozerwalnie splecione jest z jego słynną firmą Standard Oil.

---

[66] William Guy Carr, *Pawns In The Game*, Willowdale 1955.

Kariera naftowa Rockefellera rozpoczęła się podczas wojny secesyjnej. Do roku 1870, w którym założył Standard Oil, jego interesy wciąż można by określić jako zupełnie zwyczajne. Momentem, w którym jego działalność nabiera rozmachu i tempa jest uzyskanie pożyczki na nasiona z Cleveland National City Bank. Obdarzony niezwykłą wyobraźnią, Rockefeller wprowadzał zaskakujące rozwiązania, zwłaszcza w dziedzinie walki z konkurencją. Bardzo szybko dostrzegł wielkie perspektywy przed przemysłem naftowym, wcześnie też zdał sobie sprawę, że choć krótkookresowe zyski z rafinacji ropy są wysokie, to jednak z uwagi na brak kontroli nad konkurencją walka na rynku naftowym obraca się w samobójczy konflikt. Był tylko jeden sposób na przetrwanie: bezlitosna eliminacja wszystkich konkurentów. Aby to osiągnąć, wszystkie chwyty były dozwolone.

Właściwa metoda polegała na tym, aby przede wszystkim uzyskać kontrolę nad firmą pośredniczącą, a następnie w jej imieniu zaproponować konkurencji wykup po bardzo niskiej cenie. W przypadku odrzucenia oferty, kolejnym etapem był początek okrutnej wojny cenowej mającej na celu doprowadzenie rywala do kapitulacji lub bankructwa. Gdyby i to nie przyniosło efektów, Rockefeller ostatecznie zwracał się ku swej tajnej broni – przemocy, dokonując aktów sabotażu. Pracownicy konkurencji padali ofiarami pobić, podpalano ich fabryki, magazyny itd. Po kilku rundach na placu boju pozostawało niewielu konkurentów. Te brutalne, monopolistyczne działania, choć budziły publiczne głosy potępienia, jednocześnie przyciągały uwagę i zainteresowanie nowojorskich bankierów. Darząc monopol szczególnymi względami, bankierzy podziwiali zdolność Rockefellera do realizacji swoich monopolistycznych celów.

Rothschildowie, nie szczędząc wysiłków, nieustannie pracowali na rzecz zdobycia kontroli nad potężniejszą z dnia na dzień Ameryką, ale ponosili kolejne porażki. Podporządkowanie sobie tego czy innego europejskiego monarchy jest znacznie łatwiejsze niż zawładnięcie rządem wybieranym w powszechnych wyborach. Po zakończeniu wojny secesyjnej Rothschildowie rozpoczęli wprowadzanie w życie planu zdobycia kontroli nad Ameryką za pomocą swoich agentów. W sektorze finansowym mieli J.P. Morgana oraz Kuhn and Loeb Company, natomiast w sektorze przemysłowym przez dłuższy czas nie mogli znaleźć odpowiedniej osoby. Działalność Rockefellera zapaliła przed oczami Rothschildów lampkę: gdyby udało mu się zapewnić stały dopływ środków, transfuzję potrzebnej krwi, mógłby urosnąć w siłę, stając się największym przedsiębiorcą w Cleveland.

Rothschildowie wysłali z misją swojego najważniejszego amerykańskiego stratega finansowego, Jacoba Schiffa z firmy Kuhn and Loeb. W 1875 roku Schiff przybył do Cleveland, by wskazać Rockefellerowi kolejny krok w planie rozbudowy jego firmy. Schiff obiecał Rockefelerowi bezprecedensowe wsparcie, o którym ten nawet nie śmiał marzyć. Wykorzystując fakt, iż za pośrednictwem J.P. Morgana oraz firmy Kuhn and Loeb Rothschildowie kontrolowali 95 procent transportu kolejowego, Schiff zaprojektował firmę-cień, South Improvement Company, która po bardzo niskich cenach dostarczyła Standard Oil Rockefellera usług transportowych. Dzięki przewadze, jaką były ogromne rabaty w cenach za transport dla Standard

Oil, wkrótce z rynku zniknęły niemal wszystkie konkurencyjne firmy zajmujące się rafinowaniem ropy. Bardzo szybko Rockefeller zdobył całkowity monopol na amerykańskim rynku naftowym, zyskując słynny przydomek „króla ropy naftowej".

Jacob Schiff: finansowy strateg Rothschildów

Ścisłe i bliskie związki pomiędzy rodzinami Rothschildów i Schiffów możemy datować od roku 1785. W tym czasie „Stary" Rothschild przeprowadził się do Frankfurtu, zamieszkując przez wiele lat w pięciopiętrowej kamienicy wspólnie z rodziną Schiffów. Obie żydowskie rodziny działały w sektorze bankowym i przez ponad stulecie utrzymywały przyjazne stosunki.

W 1865 roku osiemnastoletni Jacob Schiff, po odbyciu praktyki w brytyjskim banku Rothschildów, przybył do Ameryki. Po zabójstwie prezydenta Lincolna Jacob był zaangażowany w budowanie stosunków między działającymi w Ameryce przedstawicielami europejskich bankierów oraz promowanie idei prywatnego banku centralnego i budowy opartego na nim systemu bankowego. Inne powierzone mu zadanie polegało na odnajdywaniu i sprawowaniu opieki nad przedstawicielami europejskich banków, w tym zapewnianiu im pracy w administracji rządowej, sądach, bankach, przemyśle, mediach i tych organizacjach, w których mogliby zostać, w razie konieczności, skutecznie wykorzystani.

Jacob Schiff zawarł sojusz z Kuhn and Loeb Company 1 stycznia 1875 roku, stając się od tego momentu rdzeniem firmy. Dzięki silnemu wsparciu Rothschildów, Kuhn and Loeb stał się jednym z najbardziej znanych banków inwestycyjnych w Ameryce w XIX i na początku XX wieku.

James Hill: król linii kolejowych

Budowa linii kolejowych jest ściśle uzależniona od wsparcia dostarczanego przez sektor finansowy. Rozbudowa ogromnej sieci połączeń kolejowych w Ameryce była możliwa przede wszystkim dzięki kapitałom napływającym z Anglii i innych krajów Europy. Kontrola nad emisją amerykańskich obligacji kolejowych w Europie stała się bezpośrednim narzędziem decydującym o losie amerykańskiego przemysłu kolejowego.

W 1873 roku światowi bankierzy raptownie usztywnili politykę finansową wobec Stanów Zjednoczonych, uruchamiając wielką wyprzedaż amerykańskich obligacji. Ten sam los spotkał amerykańskie obligacje kolejowe. Do końca kryzysu w 1879 roku Rothschildowie stali się największymi wierzycielami amerykańskiego sektora kolejowego. Gdyby tylko chcieli, mogli w dowolnym momencie odciąć dopływ gotówki do każdej amerykańskiej firmy kolejowej. Rozumiejąc, w jakich czasach przyszło mu żyć, prowadzący interesy w transporcie morskim oraz przemyśle węglowym James Hill postanowił schronić się pod sztandarem finansjery, dającej szansę na przetrwanie i rozwój w brutalnie grającej branży kolejowej. Związał się z Morganem i dzięki jego wsparciu, wykorzystując kryzys z 1873 roku oraz następującą po nim falę bankructw w branży kolejowej, Hill zdołał szybko zrealizować swoje plany rozwoju firmy.

W roku 1893 ostatecznie spełniły się oczekiwania Hilla, który, tak jak i inni Amerykanie, marzył o połączeniu kolejowym między wschodnim i zachodnim wybrzeżem. Podczas walki o kontrolę nad Chicago, Burlington and Quincy Railroad ze Środkowego Zachodu, Hill napotkał twardego przeciwnika w postaci wspieranej przez Rockefellera grupy finansowej Union Pacific Railroad. Jak było do przewidzenia, Union Pacific Railroad przypuściła gwałtowny atak na interesy Hilla. Jej prezes, E.H. Harriman, rozpoczął sekretny wykup akcji kontrolowanej przez Hilla spółki Northern Pacific. Kiedy Hill zdał sobie sprawę ze zbliżającej się szybkimi krokami utraty kontroli nad spółką, Harrimanowi brakowało do uzyskania pełnej kontroli i ogłoszenia zwycięstwa jedynie 40 tysięcy akcji. Hill błyskawicznie zwrócił się o pomoc do przebywającego na wakacjach w Europie starego J.P. Morganu. Morgan nakazał swoim pracownikom, by odpowiedzieli na wyzwanie rzucone przez Rockefellera. W krótkim czasie w budynku giełdy na Wall Street rozpoczęła się szaleńcza walka o akcje Northern Pacific, których cena osiągnęła astronomiczną sumę tysiąca dolarów za sztukę.

Dwa walczące ze sobą tygrysy muszą odnieść rany. Ostatecznie w konflikt zaangażowali się światowi bankierzy, doprowadzając do rozejmu. Końcowym rezultatem było utworzenie nowej firmy – Northern Securities Company. Dwie silne grupy zdobyły kontrolę nad transportem w północnej części USA. W dniu powstania wspólnej firmy zamordowany został prezydent William McKinley. Urząd objął wiceprezydent Theodore Roosevelt. W wyniku ostrego sprzeciwu Roosevelta, który wykorzystał ustawę antymonopolową *Sherman Anti-monopoly Act*, przyjętą przez Kongres w 1890 roku, Northern Securities musiało zostać zlikwidowane. Po tej klęsce James Hill zmienił plany i rozpoczął ekspansję na południe kraju, wykupując linię kolejową z Kolorado do Teksasu. W chwili śmierci, w 1916 roku, James Hill zgromadził fortunę wartą 53 miliony dolarów.

Bracia Warburg

W 1902 roku bracia Paul i Feliks Warburgowie wyemigrowali z Frankfurtu do Stanów Zjednoczonych. Urodzeni w rodzinie bankierów, obaj do perfekcji opanowali bankierski fach, a przodował w tym zwłaszcza Paul – specjalista od finansów z najwyższej półki. Rothschildowie, doceniając ich talent, przytomnie przenieśli braci ze związanego z nimi strategicznym sojuszem banku M.M. Warburg and Co. na front amerykański, gdzie pilnie potrzebowali najlepszych ekspertów.

W tym czasie mijało właśnie stulecie, odkąd klan Rothschildów podjął wysiłki na rzecz stworzenia w USA prywatnego banku centralnego – wysiłki wciąż nieuwieńczone sukcesem. Tym razem to Paul Warburg miał być odpowiedzialny za decydujący atak. W krótkim czasie od swojego przybycia do Ameryki zdołał zawrzeć sojusz z awangardą interesów Jacoba Schiffa, spółką Kuhn and Loeb oraz ożenić się z córką siostry jego żony. Drugi brat, Feliks Warburg, poślubił natomiast córkę Jacoba.

Doradca finansowy prezydentów Theodora Roosevelta i Thomasa Wilsona, pułkownik Ely Garrison stwierdził: „Gdy plan Aldricha napotkał w całym kraju na powszechne oburzenie i sprzeciw, to właśnie Paul Warburg ponownie przygotował Federal Reserve Act. Genialna wiedza stojąca za powstaniem obu tych planów pochodziła od mieszkającego w Londynie Alfreda Rothschilda”[67].

Pretekst do stworzenia Rezerwy Federalnej: kryzys bankowy 1907 roku

W 1903 roku Paul Warburg wręczył Jacobowi Schiffowi konspekt planu wyjaśniającego, jak należy odpowiednio zaprezentować w Ameryce „nowoczesne doświadczenie” płynące z praktyki europejskich banków centralnych. Ów dokument został następnie przekazany Jamesowi Stillmanowi, prezesowi nowojorskiego City National Bank (poprzednik City Banku), oraz całemu kręgowi lokalnej finansjery. Wszyscy czytelnicy konspektu, rozumiejąc przedstawione w nim problemy, byli pod wielkim wrażeniem wiedzy i umiejętności Warburga.

Problem stanowiła nadzwyczaj silna, głęboko zakorzeniona w historii wrogość części amerykańskich polityków oraz większości obywateli wobec idei utworzenia prywatnego banku centralnego. Reputacja nowojorskich bankierów, zarówno w amerykańskich kręgach przemysłowych, jak i wśród właścicieli małych i średnich firm, była marna. Przerażeni kongresmani unikali dyskusji na temat proponowanych przez bankierów regulacji niczym śmiertelnie groźnej choroby zakaźnej. W tej politycznej atmosferze myśl o skutecznym przeprowadzeniu proponowanych przez bankierów rozwiązań wydawała się skrajnie nieprawdopodobna.

Aby zmienić niekorzystną sytuację polityczną, rozpoczęto prace nad wywołaniem potężnego kryzysu gospodarczego. Na początku prasa zaczęła prezentować w licznych artykułach nowe idee dotyczące regulacji na rynku finansowym. 6 stycznia 1907 roku został opublikowany artykuł samego Paula Warburga zatytułowany Braki i potrzeby naszego systemu bankowego. Od tego momentu Warburg stał się głównym piewcą idei stworzenia prywatnego banku centralnego w USA. Niedługo później Jacob Schiff podczas seminarium handlowego oświadczył: „Potrzebujemy banku centralnego zdolnego do skutecznej kontroli zasobów kredytowych, w przeciwnym bowiem razie doświadczymy bezprecedensowego kryzysu finansowego o bardzo głębokim wpływie na całą gospodarkę”[68].

Mucha nie może ugryźć jajka, którego skorupka jest nienaruszona. Tak jak to miało miejsce w latach 1837, 1857, 1873, 1884 i 1893, tak też teraz bankierzy dostrzegli bańkę spekulacyjną, która pojawiła się w przegrzanej gospodarce. Był to również nieunikniony efekt ich nieustannych działań skierowanych na poluzowywanie polityki kredytowej na rynku. Cały ten proces można zilustrować obrazem stawu,

---

[67] Mullins, *The Secrets of the Federal Reserve*, rozdz. 3.

[68] Paul Warburg, *Defects and Needs of our Banking System*, 1907.

w którym bankierzy łowią ryby. Napuszczanie stawu wodą, oznacza to poluzowanie polityki na rynku kredytowym, dostarczenie gospodarce dużej ilości pieniądza. Po jej otrzymaniu, przedsiębiorcy ze wszystkich branż, skuszeni możliwościami wzbogacenia się, w pocie czoła, wytrwale pracują, wytwarzając majątek – niczym ryby w stawie, które absorbując znajdujący się w wodzie pokarm i inne składniki odżywcze, stają się coraz większe i grubsze. Gdy bankierzy stwierdzą, że już dojrzał czas na zebranie zysków, gwałtownie zaciskają politykę finansową, zaczynając spuszczać wodę ze stawu. Wówczas większość pływających w nim ryb, pozbawionych cienia nadziei na przetrwanie, może jedynie oczekiwać na nieuchronny moment, w którym zostaną złowione. Tylko kilku wielkich magnatów bankowych wie, kiedy nadchodzi moment spuszczenia wody i połowu ryb. W sytuacji, kiedy w jednym z krajów zostaje stworzony system z prywatnym bankiem centralnym w roli głównej, bankierzy zdobywają większą i skuteczniejszą kontrolę nad dolewaniem i spuszczaniem wody, a zbierane plony są znacznie obfitsze. Rozwój i recesja gospodarcza, gromadzenie majątku czy jego utrata – wszystko to jest nieuniknioną konsekwencją „naukowego żywienia" stosowanego przez bankierów.

Morgan i stojący za nim bankierzy potrafili bardzo precyzyjnie kalkulować i sterować rezultatami tej wielkiej burzy finansowej, która rozpętała się w 1907 roku. Pierwszym z nich miał być wstrząs w społeczeństwie amerykańskim, który objawi ludziom „prawdę", czyli fakt, że kraj, który nie posiada banku centralnego, jest niezmiernie kruchy i wrażliwy. Drugim miała być likwidacja bądź wchłonięcie rzeszy konkurencyjnych drobnych i średnich przedsiębiorstw, w szczególności najbardziej soczystego kąska – firm kredytowo-inwestycyjnych. Pozostawało jeszcze wykupienie kilku ważnych firm, którymi bankierzy interesowali się już od dłuższego czasu.

Modne wówczas firmy kredytowo-inwestycyjne prowadziły wiele interesów, z których, z uwagi na prawne regulacje, banki były wyłączone. Co więcej, rząd w małym stopniu nadzorował działalność owych firm, prowadzących bardzo swobodną politykę. Doprowadziło to do zjawiska nadmiernej absorpcji kapitału ze społeczeństwa oraz inwestowania go w akcje i przedsięwzięcia o wysokim stopniu ryzyka. Gdy w październiku 1907 roku wybuchł kryzys, prawie połowa kredytów bankowych w Nowym Jorku była zastawiona i zainwestowana w akcje i inne papiery wartościowe o dużym ryzyku przez szukające wysokich zwrotów firmy kredytowo-inwestycyjne. Na rynku finansowym nadszedł wówczas monet nadzwyczajnych okazji.

Kilka miesięcy poprzedzających kryzys Morgan spędził na wakacjach, podróżując między Paryżem a Londynem, aby następnie, zgodnie z planem, powrócić do Ameryki. Zaraz po jego powrocie, Nowy Jork obiegła niespodziewanie zaskakująca wiadomość mówiąca o bliskim bankructwie trzeciej co do wielkości w Stanach Zjednoczonych spółki kredytowo-inwestycyjnej Knickerbocker Trust. Wiadomość ta, niczym wirus, błyskawicznie zaraziła całe miasto. Spanikowane rzesze inwestorów ruszyły do oddziałów spółki, by wycofać swoje depozyty. Powstały gigantyczne kolejki, w których ludzie wyczekiwali całymi nocami, by w końcu odebrać swoje pieniądze. Banki zażądały od spółki natychmiastowego zwrotu wszystkich udzielonych pożyczek. Niszczony z dwóch stron Knickerbocker Trust nie miał wyjścia – zwrócił się do giełdy, prosząc o pożyczki. Odsetki od pożyczek błyskawicznie osiągnęły astronomiczny poziom 150 procent. Do 24 października transakcje giełdowe uległy faktycznemu zamrożeniu.

Wtedy na scenie, w aureoli zbawiciela, pojawił się Morgan. Do jego biura przyszedł prezes Nowojorskiej Giełdy Papierów Wartościowych, prosząc o ratunek i łamiącym głosem mówiąc, że jeśli do godziny trzeciej po południu nie uda się zebrać 25 milionów dolarów, zbankrutuje przynajmniej pół setki firm maklerskich, on zaś nie będzie miał innego wyboru, jak tylko zamknąć giełdę. O drugiej po południu Morgan zwołał nadzwyczajne spotkanie bankierów. W ciągu piętnastu minut bankierzy zgromadzili potrzebną sumę. Morgan natychmiast wysłał do siedziby giełdy pracownika, który oświadczył, że pożyczka zostanie udzielona, a stopa odsetek wyniesie 10 procent. Na giełdzie zapanowała powszechna radość. Jednak zaledwie w ciągu jednego dnia, kiedy wyczerpał się pożyczony kapitał, odsetki znów raptownie powędrowały w górę. Osiem banków i spółek kredytowo-inwestycyjnych ogłosiło bankructwo. Morgan natychmiast zjawił się w nowojorskim Banku Rozliczeniowym, domagając się natychmiastowej emisji banknotów, tymczasowej waluty mogącej pomóc w rozwiązaniu, jakim był potworny brak gotówki.

W sobotę 2 listopada Morgan rozpoczął wdrażanie w życie opracowywanego od dawna planu, mającego na celu ratunek dla znajdującej się w środku burzy firmy Moore and Schley, która wpadła w długi sięgające 25 milionów dolarów, szybko zbliżając się do bankructwa. Jednak to właśnie ta firma była głównym wierzycielem innej spółki, Tennessee Coal and Iron Company. W przypadku upadłości Moore and Schley, na nowojorskiej giełdzie nastąpiłby ostateczny krach, a jego konsekwencje były trudne do wyobrażenia. Morgan zaprosił najbogatszych przedstawicieli nowojorskiej finansjery na spotkanie do swojej biblioteki. Bankowcy zajmujący się handlem zasiedli we wschodnim skrzydle biblioteki, natomiast prezesi firm kredytowo-inwestycyjnych w zachodnim. Pragnący uniknąć katastrofy, zdenerwowani finansiści zastanawiali się nad losem, jaki przygotował im Morgan.

Morgan dobrze wiedział, że Tennessee Coal and Iron Company posiada w stanach Tennessee, Alabama i Georgia kopalnie węgla i rudy żelaza. Przejęcie ich wzmocniłoby niezmiernie monopolistyczną pozycję jego firmy-hegemona na rynku stali, United States Steel Corporation. Związany obowiązującymi przepisami antymonopolowymi Morgan wciąż nie mógł skonsumować tego soczystego kawałka, ale kryzys dał mu szansę, która w innych okolicznościach nie pojawiłaby się. Morgan postawił warunek: jeśli Moore and Schley oraz cała branża kredytowo-inwestycyjna chce przetrwać, musi zebrać 25 milionów dolarów, które ocalą ją przed bankructwem. Aby tego dokonać, United States Steel Corporation wykupi z rąk Moore and Schley wszystkie długi zaciągnięte przez Tennessee Coal and Iron Company. Zdenerwowani i niecierpliwi, świadomi groźby bankructwa i wycieńczeni po nieprzespanych nocach prezesi firm kredytowo-inwestycyjnych ostatecznie skapitulowali przed J.P. Morganem.

Po zdobyciu tego przyczółka w postaci Tennessee Coal and Iron Company, uradowany Morgan miał jeszcze jedną sprawę do załatwienia: był nią zdecydowany i jednoznaczny wróg monopoli, prezydent Roosevelt. 3 listopada w nocy wysłannik

Morgana przybył do Waszyngtonu, domagając się prezydenckiej zgody na zawartą transakcję i to przed otwarciem giełdy w poniedziałkowe przedpołudnie. Kryzys bankowy doprowadził do bankructwa ogromną liczbę firm. Wściekli ludzie, którzy stracili źródło dochodów, stanowili wielkie niebezpieczeństwo dla władzy politycznej. Roosevelt nie miał wyjścia. Musiał użyć siły ekonomicznej Morgana w celu uspokojenia sytuacji. W ostatniej chwili został zmuszony do podpisania paktu z wrogiem. W tym momencie do otwarcia sesji na nowojorskiej giełdzie pozostawało zaledwie pięć minut.

Po otrzymaniu tej informacji, indeks giełdy poszedł zdecydowanie w górę. Morgan, płacąc śmiesznie niską cenę 45 milionów dolarów, połknął Tennessee Coal and Iron Company, której potencjalna wartość, według Johna Moody'ego, wynosiła przynajmniej około miliarda dolarów[69].

Zdarzenia te wyraźnie pokazują, że za każdym razem niszczycielska siła kryzysu jest sterowana zgodnie z wcześniej przygotowanym planem, a lśniący, nowy biurowiec finansowy zawsze powstaje na rumowisku, gdzie spoczywają niezliczone rzesze tych, którzy zbankrutowali.

Zmiana polityki: od standardu złota do prawnej waluty

Pod koniec XIX wieku charakterystyczne dla światowych bankierów umiejętności posługiwania się pieniądzem zostały po raz kolejny podniesione na wyższy poziom.

Pierwotnego modelu dostarczał Bank Anglii i sytuacja, w której obligacje rządowe traktowane były jako zastaw, zabezpieczenie, pod które dokonywana była emisja waluty. Poprzez ścisłe związanie ze sobą tych dwóch rzeczy – obligacji i emisji waluty – w momencie, gdy rósł dług rządowy, bank emitował walutę. W ten sposób bankierzy utrzymywali mechanizm wzrostu długu rządowego, by zachować pewność nieustannej zwyżki kolosalnych zysków czerpanych z tego tytułu. W systemie parytetu złota bankierzy z determinacją zwalczali inflację, gdyż dewaluacja jakiejkolwiek waluty w bezpośredni sposób, poprzez wpływ na odsetki, powodowała rzeczywiste straty w ich dochodach. Ten sposób myślenia był dość prosty: chodziło o to, aby udzielić pożyczki i skonsumować odsetki. Jego główną wadą było to, że majątek gromadzony był zbyt wolno i nawet wykorzystanie systemu tzw. rezerwy cząstkowej nie mogło zaspokoić rosnącego z dnia na dzień apetytu bankierów. Zwłaszcza dotyczyło to sytuacji spowolnienia wzrostu znajdującego się w obiegu złota i srebra, co było równoznaczne z powstaniem ograniczeń dla łącznej ilości udzielanych przez banki kredytów.

Na przełomie XIX i XX wieku, europejscy bankierzy po omacku poszukiwali nowego, bardziej efektywnego i skomplikowanego systemu prawnego środka

[69] Ron Chernow, *The House of Morgan*, New York 1990, s. 128.

płatniczego. Idea pieniądza fiducjarnego (*fiat money*) całkowicie znosiła stworzone przez złoto i srebro ograniczenia dla ilości udzielanych pożyczek, czyniąc kontrolę nad walutą znacznie bardziej elastyczną i jeszcze bardziej ukrytą. Gdy bankierzy powoli zaczynali rozumieć, że poprzez pozbawione ograniczeń zwiększanie podaży pieniądza można generować zyski znacznie przewyższające straty w odsetkach wynikające z inflacji, błyskawicznie stali się gorącymi zwolennikami i obrońcami systemu prawnego środka płatniczego, czyli pieniądza pozbawionego pokrycia w złocie lub srebrze. Gwałtowne zwiększenie emisji waluty oznaczało dla bankierów po prostu złupienie ogromnego majątku znajdującego się na rachunkach oszczędnościowych ludzi w danym kraju, a inflacja, w porównaniu z dawniej stosowaną przez banki przymusową aukcją środków trwałych, stanowiła znacznie bardziej cywilizowaną metodę, spotykając się ze znacznie mniejszym sprzeciwem ze strony obywateli, zwłaszcza, że często była trudna do zauważenia.

Dzięki finansowemu wsparciu ze strony bankierów, analizy ekonomiczne dotyczące inflacji stopniowo zostały przeniesione w obszar czysto matematycznych, tworzonych dla zabawy, badań. Tak więc teoria mówiąca, że to emisja papierowego pieniądza prowadzi do inflacji, została całkowicie wyparta przez teorię głoszącą, że do inflacji prowadzi wzrost cen.

Tak więc w tamtym okresie do arsenału metod służących do pomnożenia majątku, którym dysponowali bankierzy, oprócz istniejącego systemu cząstkowej rezerwy oraz sztywnego związania długu państwowego z emisją pieniądza, doszło jeszcze jedno, bardzo potężne narzędzie: inflacja. W rezultacie nastąpiła drastyczna zmiana w nastawieniu bankierów: z obrońców złota stali się jego śmiertelnymi wrogami.

John Maynard Keynes bez eufemizmów oceniał inflację, pisząc, że dzięki jej użyciu rząd może skrycie, korzystając z ludzkiej nieświadomości, zagrabić ludzki majątek i co najwyżej jeden na milion obywateli zorientuje się, co się dzieje.

Mówiąc dokładnie, w Stanach Zjednoczonych takiej właśnie metody używa dziś nie rząd, ale prywatna Rezerwa Federalna.

Światło ostrzegawcze: wybory 1912 roku

> *We wtorek rektor Uniwersytetu Princeton zostanie wybrany na waszego* [New Jersey] *gubernatora. Nie dokończy swojej kadencji. W listopadzie 1912 roku zostanie wybrany na urząd prezydenta Stanów Zjednoczonych. W marcu 1917 ogłosi walkę o kolejną kadencję. Przejdzie do historii jako jeden z największych prezydentów Ameryki.*
>
> rabin Wise podczas wystąpienia w New Jersey, 1910 rok

Człowiek wypowiadający te słowa, precyzyjnie przewidujący wynik nadchodzących wyborów prezydenckich, a nawet tego, co się stanie w kolejnych sześciu latach, to Stephen Samuel Wise, bliski i opiniotwórczy doradca późniejszego prezydenta Woodrowa Wilsona. Trafność jego przepowiedni nie jest wynikiem użycia magicznej kryształowej kuli, lecz prostą konsekwencją dokładnego planu przygotowanego przez bankierów.

Jak można się było spodziewać, kryzys bankowy z 1907 roku niczym trzęsienie ziemi naruszył fundamenty amerykańskiego społeczeństwa. Ludzie byli wściekli na firmy kredytowo-inwestycyjne, przerażeni bankructwami banków i przerażeni siłą potentatów z Wall Street. Po całym kraju rozlała się fala zdecydowanego sprzeciwu wobec wszystkich finansowych monopoli.

Woodrow Wilson, rektor Uniwersytetu w Princeton, był znanym i aktywnym przeciwnikiem finansowych monopoli. Prezes New York National City Bank, Frank A. Vanderlip, mówił:

> Napisałem list, w którym zaprosiłem Woodrowa Wilsona z Princeton na wieczorny bankiet i wygłoszenie mowy. By dać mu do zrozumienia, że jest to bardzo ważna okazja, wspomniałem o uczestnictwie i przemowie senatora Aldricha. Mój przyjaciel, doktor Wilson wprawił mnie w konsternację, odpowiadając, że odmawia wystąpienia na tej samej mównicy, co senator Aldrich[70].

W tym czasie senator Nelson W. Aldrich był bardzo wpływową osobistością w sferach władzy i finansów. W ciągu swojej czterdziestoletniej kariery w parlamencie, przez 36 lat piastował mandat senatora, a ponadto wielokrotnie pełnił funkcję przewodniczącego potężnej senackiej komisji do spraw finansów. Był teściem Johna Rockefelera, miał bliskie kontakty ze światem finansowym z Wall Street. W 1908 roku Aldrich zaproponował, by w nadzwyczajnych sytuacjach banki posiadały prawo do emisji pieniądza pod zastaw obligacji rządowych i obligacji kolejowych rządu federalnego, rządów stanowych i lokalnych. W rezultacie banki mogły bez przeszkód prowadzić rozległe interesy, czerpiąc z nich zyski, ryzyko zaś ponosiły wyłącznie rządy i obywatele. Trudno nie wpaść w podziw dla rozwiązań stosowanych przez ludzi z Wall Street. Promowana przez Aldricha ustawa została nazwana *Emergency Currency Act*. Ten akt prawny po pięciu latach stał się kamieniem węgielnym Rezerwy Federalnej. Aldrich powszechnie był postrzegany jako rzecznik interesów z Wall Street.

Woodrow Wilson był absolwentem Uniwersytetu w Princeton z 1879 roku. Później prowadził badania na katedrze prawa Uniwersytetu Wirginii, a w 1886 roku otrzymał tytuł doktora na Uniwersytecie Johna Hopkinsa, w 1902 roku zaś został wybrany rektorem Uniwersytetu w Princeton. Doskonale wykształcony Wilson przez całe życie zwalczał monopolistyczne praktyki finansowe, było więc czymś oczywistym, że nie pragnął bliskich kontaktów z rzecznikiem bankowej magnaterii. Jednak jego głęboka wiedza, liczne osiągnięcia naukowe i filozoficzny idealizm nie były w stanie zrekompensować całkowitej ignorancji w kwestiach finansowych. Wilson nie miał najmniejszego pojęcia o metodach zarabiania pieniędzy praktykowanych przez bankierów z Wall Street.

Bankierzy dostrzegli tę naiwność i zarazem podatność Wilsona na wpływy. Zrozumieli także, że dla społeczeństwa ów cieszący się krystalicznym wizerunkiem

---

[70] Antony C. Sutton, *The Federal Reserve Conspiracy*, Boring 1995, s. 78.

aktywny działacz antymonopolistyczny był rzadko spotykanym klejnotem. W takiej sytuacji użyto wiele złota, aby go nim obsypać, pieczołowicie „polerując" Wilsona ze świadomością, że w przyszłości będzie go można skutecznie wykorzystać.

Tak się szczęśliwie złożyło, iż członek rady nadzorczej New York National City Bank, Cleveland Dodge, był uniwersyteckim kolegą Wilsona. W 1902 roku Wilson dość łatwo został wybrany rektorem Uniwersytetu Princeton. Kto ma pieniądze, mówi donośniej – innymi słowy, wybór Wilsona był rezultatem pomocy udzielonej przez Dodge'a. Będąc w dobrych stosunkach z Wilsonem, a zarazem realizując plany bankierów, Cleveland Dodge zaczął przekonywać ludzi z Wall Street, że Wilson to wyśmienity materiał na prezydenta.

Człowiek, który przez dziewięć lat sprawował funkcję rektora uniwersytetu miałby być wspaniałym kandydatem na prezydenta? W takiej sytuacji naturalną ludzką reakcją jest lekceważący uśmieszek. Każdy, kto otrzymuje poparcie i komplementy, musi za to nieuchronnie pewnego dnia zapłacić. Wilson zaczął prowadzić ukrytą współpracę z Wall Street. Jak można było oczekiwać, dzięki poparciu Wall Street, bardzo szybko, bo już w 1910 roku, został wybrany na gubernatora stanu New Jersey.

Występując publicznie Wilson wciąż w ostrych i sprawiedliwych słowach poddawał finansowe monopole miażdżącej krytyce, natomiast prywatnie bardzo dobrze rozumiał, że jego pozycja i polityczna przyszłość całkowicie uzależnione są od siły bankierów. Do ataków Wilsona bankierzy podchodzili z dziwną tolerancją i wstrzemięźliwością, obie strony związane były bowiem bardzo delikatnym, niewypowiedzianym, taktycznym porozumieniem.

Gdy nazwisko Wilsona stawało się coraz bardziej znane, bankierzy poprowadzili intensywną akcję zbierania funduszy na jego przyszłą kampanię prezydencką. Dodge na nowojorskim Broadwayu otworzył biuro zbierające fundusze; uruchomił również rachunek bankowy, na który jako pierwszy wpłacił datek – czek na sumę tysiąca dolarów. Bardzo szybko, korzystając z możliwości bezpośrednich przesyłek pocztowych, Dodge zdołał zebrać w kręgach bankierskich sporą sumę na przyszłe wydatki wyborcze. Dwie trzecie tych pieniędzy pochodziło bezpośrednio od bankierów z Wall Street[71].

Zaraz po uzyskaniu zwycięstwa w wyborach prezydenckich Wilson, z trudem powstrzymując emocje, w liście do Dodga pisał: „Nie jestem w stanie wyrazić mojej radości słowami". Od tego momentu Wilson wpadł już całkowicie w objęcia elity finansowej. Jako kandydat Partii Demokratycznej, na swoich barkach niósł olbrzymie brzemię partyjnych nadziei. Partia, która przez wiele lat nie mogła osiągnąć prezydenckiego „tronu", była nadzwyczaj spragniona władzy.

Największym wyzwaniem dla ambicji Wilsona był sprawujący urząd prezydent William Taft (1908-1914), który znacznie nad nim górował polityczną siłą. Wilson wciąż był stosunkowo mało znany w krajowej polityce. Wówczas jednak doszło do następującego zdarzenia. Pewny siebie i gotujący się do kolejnej kadencji Taft publicznie oświadczył, że nie poprze opracowanego przez Aldricha projektu ustawy. Oświadczenie to zapoczątkowało serię przedziwnych wypadków.

[71] *Ibid.*, s. 83.

Poprzednik Tafta, Theodore Roosevelt, niespodziewanie wystąpił w roli politycznego zabójcy, ogłaszając zamiar kandydowania w nadchodzących wyborach, co dla Tafta było niezwykle przykrą wiadomością, biorąc pod uwagę, że był on następcą własnoręcznie namaszczonym przez Roosevelta oraz jego partyjnym, republikańskim kolegą. W tych latach Roosevelt cieszył się wielką reputacją niezłomnego przeciwnika monopoli, którą zyskał w momencie, gdy doprowadził do likwidacji Northern Securities. Jego nagłe wkroczenie do kampanii z pewnością miało pozbawić Tafta sporej liczby głosów.

W rzeczywistości, każdy z trzech walczących kandydatów był wspierany przez bankierów, ci zaś po prostu postanowili ostatecznie postawić na tego, który okaże się najbardziej podatny na manipulację i kontrolę – a więc na Wilsona. Tak jak zaplanowano na Wall Street, Roosevelt zaatakował Tafta, co doprowadziło do gładkiego zwycięstwa wyborczego Wilsona. Podobny plan, mimo użycia nieco innych metod, doprowadził do analogicznego rezultatu wyborów w 1992 roku, kiedy to duża liczba głosów została odebrana Bushowi przez Rossa Perota, co doprowadziło do niespodziewanej klęski Busha i zwycięstwa Billa Clintona.

Plan B

Plan opracowany przez czołowe osobistości ze świata finansów na wyspie Jekyll był ściśle tajny. Bankierzy działali nadzwyczaj ostrożnie, tak jak nakazywały im zasady ich profesji, przygotowując dwie wersje planu. Pierwszą z nich osobiście promował senator Aldrich, odpowiedzialny za symulowany atak, tzw. polityczną dywersję, która miała zaabsorbować całą siłę partii przeciwnej. Partia Republikańska wspierała plan Aldricha. Druga wersja, nazwana Planem B, prezentowała rzeczywisty kierunek ataku. To właśnie ta wersja przeszła do historii pod nazwą *Federal Reserve Act*, a główną promującą ją siłą była Partia Demokratyczna. W istocie, oba plany nie różniły się między sobą w podstawowych założeniach, lecz jedynie w słowach użytych do sformułowania przepisów.

Wybory prezydenckie koncentrowały się wokół tego zasadniczego celu. Bliskie stosunki między Aldrichem a Wall Street były powszechnie znane i w czasie, gdy w kraju dominował nastrój ostrego sprzeciwu wobec poczynań finansistów z Wall Street, wszystkie wysuwane przezeń plany reformy finansowej były z góry skazane na porażkę. Przy tym pozostająca przez wiele lat poza centrum polityki Partia Demokratyczna przez cały czas odgrywała rolę zaciętego krytyka finansowych monopoli. Dodając do tego posiadającego nowy i czysty wizerunek Wilsona, wszystko sugerowało, że *Federal Reserve Act*, wsparty właśnie przez Partię Demokratyczną, ma większe szanse na akceptację. Misternie zaprojektowany kryzys 1907 roku wpłynął na obie partie, które osiągnęły porozumienie w związku z koniecznością przeprowadzenia reformy systemu finansowego, wychodząc naprzeciw oczekiwaniom obywateli. W tej sytuacji porzucenie Partii Republikańskiej i przeniesienie poparcia na Demokratów było dla bankierów logiczną konsekwencją.

By wywołać jeszcze większą dezorientację opinii publicznej, bankierzy doprowadzili do ostrej walki obu partii o ustawy, które w ogóle nie różniły się pod względem faktycznej treści i konsekwencji, a jedynie pewnych terminów i sformułowań. Senator Aldrich poprowadził atak i używając dobitnego języka, oskarżył projekt ustawy przygotowany przez Demokratów o wrogość wobec banków i negatywne skutki płynące dla rządu. Oświadczył, iż cała polityka prawnego środka płatniczego rezygnującego z parytetu złota jest olbrzymim wyzwaniem dla świata bankowości. Magazyn „Nation" w numerze z 23 października 1913 roku pisał:

> Pan Aldrich przeciwstawia się prawnej walucie rządowej pozbawionej wsparcia standardu złota, ale w rzeczywistości, w przygotowanej przez niego samego ustawie Emergency Currency Act, znajdujemy dokładnie te same założenia. Co więcej, powinien on zdawać sobie sprawę, że rząd nie ma żadnego związku z emisją pieniądza, gdyż to rada Rezerwy Federalnej zachowuje nad nią pełną kontrolę.

Partia Demokratyczna zdecydowanie odpowiadała na krytykę swojego projektu płynącą ze strony Aldricha, zapewniając, że ten stara się chronić zyski i monopolistyczną pozycję bankierów z Wall Street, a przygotowany przez Demokratów projekt ustawy o Rezerwie Federalnej ma na celu właśnie zniszczenie owego monopolu, poprzez utworzenie podziału regionalnego, zasadę nominacji członków do rady nadzorczej Rezerwy przez prezydenta, ich weryfikację przez Kongres oraz konieczność dostarczania przez kręgi bankowe specjalistycznych opinii. Dowodzono, że w proponowanym systemie wszystkie elementy wzajemnie się ograniczają, dzięki czemu powstaje niemal doskonała struktura banku centralnego, w której panuje ścisły podział kompetencji. Kompletnie pozbawiony wiedzy na temat finansów Wilson święcie wierzył w to, że ów akt ma na celu zniszczenie monopoli finansowych bankierów z Wall Street.

Aldrich, Venderlip i Wall Street, nie szczędząc energii, zwalczali i potępiali ów projekt, co przyniosło dokładnie odwrotne – i oczekiwane – rezultaty. *Federal Reserve Act* Demokratów zdobył sobie przychylność obywateli. Bankierzy, działając wedle zasady „pozorować działania w jednym kierunku, a faktycznie poruszać się w innym", bez trudu odnieśli zwycięstwo. Postronny widz mógłby w tym momencie jedynie uderzyć w stół z okrzykiem: panowie, brawo!

Przyjęcie ustawy o FED: sen bankierów staje się rzeczywistością

Plan B oficjalnie wszedł w fazę realizacji, gdy Wilson został wybrany na prezydenta. W czwartym miesiącu jego prezydentury, 26 czerwca 1913 roku, kongresman z Wirginii, Carter Glass, na posiedzeniu Kongresu oficjalnie zainicjował plan B, czyli przedłożył do dalszego procedowania tzw. *The Glass Bill* (Ustawa Glassa). W tekście ustawy starannie unikano kontrowersyjnych wzmianek o banku centralnym, używając terminu Rezerwa Federalna. Następnie, 18 września, gdy większość kongresmanów nie zdawała sobie sprawy z rzeczywistej sytuacji, projekt ustawy Glassa został przyjęty przez Kongres większością 287 głosów wobec 85 głosów sprzeciwu.

Zaraz potem ustawa została przekazana do dalszych prac i ratyfikacji w Senacie, gdzie jej nazwę zmieniono na The Glass and Owen Bill. Senator Robert Owen był również bankierem. Powyższa ustawa została przegłosowana w Senacie 19 grudnia. W tym czasie w całym projekcie było aż 40 dyskutowanych wątpliwych punktów wciąż czekających na rozwiązanie. Zgodnie z tradycją szanowaną przez obie izby, w poprzedzającym święta Bożego Narodzenia tygodniu starano się nie głosować nad ważnymi ustawami. Obie izby uważały, że dopiero po nowym roku dojdzie do debaty i głosowania nad kontrowersyjną ustawą. W takim przekonaniu wielu ważnych przeciwników ustawy kolejno opuszczało Waszyngton, udając się do domu na święta.

W tym czasie na Kapitolu stworzono tymczasowe biuro. Znajdujący się w sercu pola bitwy Paul Warburg dostrzegł nadarzającą się wyjątkową okazję i dał sygnał do wojny błyskawicznej. W jego biurze pojawiły się grupy kongresmanów, prowadząc dyskusje nad planem następnych posunięć. W sobotni wieczór 20 grudnia obie izby parlamentu otworzyły wspólne posiedzenie, na którym poddano dyskusji najważniejsze rozbieżności w ustawie. W Kongresie panowało przekonanie, że za wszelką cenę należy przegłosować *Federal Reserve Act* jeszcze przed świętami Bożego Narodzenia. Nawet Biały Dom 17 grudnia wydał oświadczenie, oznajmiając rozpoczęcie prac nad przygotowaniem listy najodpowiedniejszych kandydatów do pierwszej rady nadzorczej FED. Jednakże aż do nocy 20 grudnia najważniejsze rozbieżności wciąż pozostawały nierozwiązane. Wydawało się mało prawdopodobne, iż uda się uchwalić *Federal Reserve Act* 22 grudnia w poniedziałek, podczas ostatniego przedświątecznego posiedzenia Kongresu.

Jednak pod naciskiem bankierów połączone posiedzenie Kongresu i Senatu zadecydowało o kontynuowaniu obrad w niedzielę 21 grudnia. W przypadku braku porozumienia co do spornych punktów, posiedzenie miało trwać aż do skutku. W nocy 20 grudnia senatorowie i kongresmani wciąż nie osiągnęli jednomyślności w najważniejszych punktach. Do głównych kwestii spornych należała liczba banków lokalnych składających się na Rezerwę Federalną, zapewnienie rezerw finansowych, proporcja rezerw w złocie, krajowe i międzynarodowe problemy z wymianą walutową, projekt zmiany rezerw, możliwość wykorzystania waluty emitowanej przez Rezerwę Federalną jako rezerwy finansowej dla banków handlowych, proporcje obligacji rządowych będących zastawem pod emitowaną przez Rezerwę Federalną walutę, i wreszcie inflacja[72].

W poniedziałkowy ranek 22 grudnia, następnego dnia po pełnej napięcia niedzieli, „New York Times" na pierwszej stronie informował: „Projekt ustawy walutowej najprawdopodobniej dziś stanie się prawem". Ów przesycony optymizmem artykuł chwalił efektywność prac Kongresu: „W nieznanym w dziejach szybkim tempie dokonano poprawek ustawy na wspólnym posiedzeniu obu izb. Dziś wczesnym rankiem wszystkie prace zostały zakończone". Chodziło o czas pomiędzy 1:30 a 4:00 w poniedziałek rano. W ten oto sposób, w pośpiechu, pod naciskiem, uchwalono ustawę o niebywałej wadze, która od tego momentu miała bezpośrednio oddziaływać na życie codzienne każdego Amerykanina. Większość kongresmanów i senatorów nie miała dość czasu, aby dokładnie przeczytać treść ustawy, nie mówiąc już o wnoszeniu do niej poprawek.

- 22 grudnia o 4:30 nad ranem zostaje wydrukowany końcowy dokument.
- 7:00 – ostatnie czytanie.
- 14:00 – wydrukowane egzemplarze ustawy zostają wyłożone na stole w sekretariacie Kongresu, wraz z informacją o spotkaniu wyznaczonym na godzinę 16:00.
- 16:00 – początek spotkania.
- 18:00 – zostają przekazane ostatnie raporty ze wspólnego posiedzenia obu izb. W tym czasie większość z kongresmanów i senatorów udaje się na kolację. Niewielu z nich pozostaje na miejscu.
- 19:30 – Glass rozpoczyna dwudziestominutowe wystąpienie. Zaraz po nim zaczyna się ostatnia debata.
- 23:00 – rozpoczyna się głosowanie, ostatecznie ustawa przechodzi, przy 298 głosach za i 60 głosach przeciw.
- 23 grudnia, na dwa dni przez Bożym Narodzeniem, Senat głosuje *Federal Reserve Act*, który przechodzi większością 43 głosów do 25 (27 siedmiu senatorów jest nieobecnych). Prezydent Wilson, chcąc odwdzięczyć się Wall Street za wsparcie i dobrą wolę, w niespełna godzinę po ratyfikacji ustawy przez Senat oficjalnie ją podpisuje. Na Wall Street i w londyńskim City wybucha wielka radość.

Oto fragment wystąpienia kongresmana Charlesa A. Lindbergha wygłoszonego tego dnia na posiedzeniu Kongresu.

> Ta ustawa [*Federal Reserve Act*] otrzymała największy kredyt zaufania w historii naszego globu. Zaraz po jej podpisaniu przez prezydenta, elita finansowa, owa władza, której nie sposób dostrzec, została oficjalnie uznana za zgodną z prawem. W krótkim czasie ludzie z pewnością nie poznają prawdy, ale za dziewięć lat będą mogli dostrzec wszystko bardzo wyraźnie. Gdy nadejdzie ten moment, naród będzie musiał ogłosić następną Deklarację Niepodległości, gdyż tylko w ten sposób będzie mógł uwolnić się spod władzy finansowej elity. Elita ta w każdej chwili jest zdolna kontrolować Kongres. Jednakże, jeśli my, kongresmani i senatorowie nie będziemy oszukiwać i kłamać w parlamencie, Wall Street nie będzie w stanie nas

[72] Mullins, *Secrets of Federal Reserve*, rozdz. 3.

oszukać. Jeśli Kongres Narodowy będzie nasz, naród będzie żył w spokoju. Największą zbrodnią Kongresu jest jego ustawa o systemie walutowym [*Federal Reserve Act*]. Ten przygotowany przez bankierów akt prawny jest największą zbrodnią legislacyjną naszego pokolenia. Obie partie, łeb w łeb, w tajemnicy, znów odebrały narodowi szansę uzyskania korzyści od własnego rządu[73].

Bankierzy oceniali ustawę bardzo wysoko, co stało się swoistą modą. Prezes American National Bank, Oliver Sands, twierdził optymistycznie:

> Przyjęcie w głosowaniu tej ustawy bardzo pozytywnie wpłynie na cały kraj, wspiera ona bowiem działalność handlową. Sadzę, że to po prostu początek ery wielkiej prosperity.

Inicjator całego tego zła, jakim jest Rezerwa Federalna, senator Aldrich, podczas wywiadu dla magazynu „Independent" w 1914 roku ujawnił:

> Zanim ustawa weszła w życie, bankierzy z Nowego Jorku byli zdolni kontrolować kapitał znajdujący się jedynie na terenie tego miasta. Obecnie rządzą rezerwami finansowymi w całym kraju.

Po ponad stuletnich zmaganiach z amerykańskim rządem, międzynarodowi bankierzy ostatecznie osiągnęli swój cel, zdobywając pełną kontrolę nad prawem do emisji waluty państwowej w USA. Standardy wyznaczane przez Bank Anglii zostały z powodzeniem skopiowane w Stanach Zjednoczonych.

Komu służy Rezerwa Federalna?

Od wielu lat tematem skrzętnie ukrywanym i pomijanym jest to, kto faktycznie skorzystał na stworzeniu Rezerwy Federalnej. Sami członkowie FED zawsze wypowiadają się nadzwyczaj niejednoznacznie. Tak jak w przypadku Banku Anglii, FED twardo strzeże tajemnicy o swoich udziałowcach. Kongresman Wright Patman przez 40 lat piastował funkcję przewodniczącego komisji bankowej i walutowej w Kongresie. Prawie połowę tego czasu poświęcił na walkę o likwidację Rezerwy, przez wszystkie te lata usiłując odpowiedzieć na pytanie: czyim interesom służy FED?

Tajemnica ostatecznie ujrzała światło dzienne. Po blisko półwiecznym śledztwie i poszukiwaniach, Eustace Mullins, autor pracy *Secrets of Fedaral Reserve*, zdobył oryginalne licencje gospodarcze 12 banków, które uformowały Rezerwę. Na każdej z nich jest bardzo czytelnie wykazana struktura własnościowa banku. Rzeczywistym kontrolerem całego systemu jest Nowojorski Bank Rezerwy Federalnej. Bank ów 19 maja 1914 roku w dokumencie przygotowanym dla audytora walutowego poinformował, że ogólna liczba udziałów w firmie wynosi 203 053 akcje, z czego:

[73] Charles Lindbergh, przemówienie w Kongresie, 23 grudnia 1913.

- New York National City Bank, kontrolowany przez Rockefellera oraz spółkę Kuhn and Loeb posiada najwięcej udziałów - w jego portfelu znajduje się 30 tysięcy akcji.
- First National Bank J.P. Morgana ma 15 tysięcy akcji. (kiedy obie te firmy w 1955 roku dokonały fuzji, tworząc City Bank, ten posiadał jedną czwartą akcji Rezerwy Federalnej i faktycznie decydował o osobie kandydata na fotel jej prezesa. Prezydent Stanów Zjednoczonych mianował jedynie skórzano-gumową pieczęć, a same przesłuchania przed komisją Kongresu przypominają wyreżyserowane przedstawienia).
- New York National Merchant Bank Paula Warburga ma 21 tysięcy akcji.
- Hanover Bank, w którego radzie nadzorczej zasiadają Rothschildowie, ma 10 tysięcy akcji.
- Chase National Bank i Chemical Bank mają oba po sześć tysięcy akcji.

Owe sześć banków kontroluje 40 procent udziałów Rezerwy Federalnej, a aż do 1983 roku posiadały one łącznie 53 procent udziałów. Po korekcie, struktura udziałów wygląda następująco: City Bank - 15 procent, Chase Mannhatan - 14 procent, JP Morgan Trust Bank Limited - dziewięć procent Hanover Bank - siedem procent, Chemical Bank - osiem procent[74].

Kapitał założycielski nowojorskiego banku Rezerwy Federalnej wynosił 143 miliony dolarów. Odpowiedź na pytanie, czy powyższe banki wpłaciły tę sumę, wciąż pozostaje tajemnicą. Niektórzy historycy twierdzą, że zainteresowane banki wpłaciły 50 procent wymaganej sumy gotówką, inni zaś, że gotówką nie wpłaciły ani centa, a jedynie wystawiły czek, zaś w banku Rezerwy Federalnej nastąpiła jedynie zmiana kilku liczb na ich własnych kontach. Rzeczywiste operacje Rezerwy Federalnej polegają na wykorzystaniu „papieru jako zastawu w celu emisji papieru". Nic dziwnego, że niektórzy historycy wręcz kpią, twierdząc, że system banku Rezerwy Federalnej nie jest ani federalny, ani nie jest rezerwą, ani nawet bankiem.

15 czerwca 1978 roku w komisji spraw rządowych Kongresu USA opublikowano raport dotyczący problemu powiązanych ze sobą zysków głównych amerykańskich firm. Ów raport wykazywał, że powyższe firmy posiadały 470 miejsc w radach nadzorczych 130 najważniejszych amerykańskich spółek. Średnio 3,6 miejsca w każdej z rad nadzorczych tych firm było zajmowane przez bankierów. Citibank kontrolował 97 miejsc w radach nadzorczych, JP Morgan 99; Chemical Bank 96, Chase Manhatan 89, podobnie jak Hanover Bank.

3 września 1914 roku, w czasie gdy Rezerwa Federalna dokonywała sprzedaży udziałów, „New York Times" ujawnił strukturę najważniejszych udziałowców:
- New York National City Bank wyemitował 250 tysięcy akcji; James Stillman posiada 47 498 akcji, firma J.P. Morgana - 14 500, William Rockefeller - 10 tysięcy; John Rockefeller - 1750.
- New York National Merchant Bank wyemitował 250 tysięcy akcji, George Baker 10 tysięcy, firma J.P. Morgana - 7800, Mary Harriman - 5600, Paul Warburg - 3000, Jacob Schiff - 1000, J.P. Morgan junior - 1000.

[74] Mullins, *Secrets of Federal Reserve*, s. 178.

– Chase National Bank, George Baker posiada 13 408 akcji.
– Hanover Bank, James Stillman – 4000 akcji, William Rockefeler – 1540.

Od chwili założenia Rezerwy Federalnej w 1914 roku niezaprzeczalne fakty pokazują, że bankierzy kontrolują zarówno życie finansowe Ameryki, jak i sferę handlu oraz polityki. Tak było w przeszłości – tak jest i dziś. Wszyscy bankierzy z Wall Street wciąż utrzymują bardzo ścisłe związki z Rothschildami z londyńskiego City.

Prezes Bankers Trust, Benjamin Strong, został wybrany pierwszym prezesem Rezerwy Federalnej.

Pod kontrolą Stronga Rezerwa Federalna wraz z Bankiem Anglii oraz Bankiem Francji stworzyły współzależny system. Benjamin Strong sprawował funkcję prezesa FED aż do 1928 roku, kiedy niespodziewanie zmarł. W tym czasie Kongres prowadził dochodzenie w sprawie tajnych konferencji z udziałem członków zarządu FED i potentatów z europejskich banków centralnych. Dodajmy, że owe konferencje przyniosły światu Wielki Kryzys w 1929 roku[75].

Pierwsza rada nadzorcza Rezerwy Federalnej

W niedługi czas po zakończeniu prezydentury, Wilson sam przyznał, że pozwolono mu na nominację tylko jednego członka rady nadzorczej Rezerwy Federalnej. Wszyscy pozostali zostali wybrani przez bankierów z Nowego Jorku. W czerwcu 1914 roku, w czasie gdy Paul Warburg został mianowany na członka zarządu FED, Kongres zażądał od niego stawienia się na przesłuchanie. Głównym celem była próba zrozumienia roli Warburga w procesie tworzenia Federal Reserve Act. W liście do Kongresu Warburg oświadczył, że jeśli zostanie zmuszony do stawienia się przed komisją i udzielania jakichkolwiek odpowiedzi, wpłynie to negatywnie na jego użyteczność w radzie nadzorczej FED, dlatego gotów jest wcześniej odmówić przyjęcia nominacji do rady. „New York Times" błyskawicznie stanął w obronie Warburga, skarżąc się na jawną niesprawiedliwość. W raporcie zamieszczonym w wydaniu z 10 lipca 1914 roku gazeta ostro potępiła fakt, że kongresmani, bez solidnych podstaw, żądali od Warburga wyjaśnień.

Naturalnie, nie ma wątpliwości co do tego, że Paul Warburg był rdzeniem systemu Rezerwy Federalnej i poza nim próżno szukać drugiej osoby na tyle kompetentnej, by znać cały proces działania FED. Napotkawszy na jego nieugiętą postawę, Kongres mógł jedynie opuścić głowę i pójść na ustępstwa. Zasugerowano uprzednie dostarczenie Warburgowi dokładnej listy wszystkich pytań, dodając, że jeśli Warburg sądzi, że odpowiedzi na niektóre z nich „mogą wpłynąć na jego użyteczność", ma prawo do odmowy ich udzielenia. Przyciśnięty w ten sposób Warburg ostatecznie zgodził się zeznawać, ale postawił warunek, że przesłuchanie ma mieć charakter nieoficjalny.

[75] Ferdinand Lundberg, *America's 60 Families*, New York 1939.

Członek komisji: Wiem, że jest pan człowiekiem Partii Republikańskiej, jednak w czasie, gdy Roosevelt ogłosił przystąpienie do wyborów, przez współczucie stał się pan sympatykiem Wilsona [z Partii Demokratycznej] i popierał go?

Warburg: Tak

Członek komisji: Ale pański brat, Feliks Warburg, wspierał Tafta [Partia Republikańska]?

Warburg: Tak[76].

Najbardziej interesujący jest fakt, że trzech głównych partnerów ze spółki Kuhn and Loeb w istocie wspierało trzech różnych kandydatów na urząd prezydenta. Trzeci z nich, Otto Kahn, wspierał Roosevelta. Paul Warburg wyjaśniał, że każdy z nich powstrzymywał się od ingerencji w poglądy polityczne swoich partnerów, ponieważ „nie istnieje związek pomiędzy polityką a finansami". Warburg gładko przeszedł przez przesłuchanie w Kongresie, stając się członkiem pierwszej rady nadzorczej FED, a później zastępcą prezesa.

Poza Warburgiem do rady nadzorczej nominowano też cztery inne osoby. Były nimi:

- Adolf Miller, ekonomista z otrzymującego finansowe wsparcie od Rockefellera Uniwersytetu w Chicago oraz wspieranego przez JP Morgana Uniwersytetu Harvarda.
- Charles Hamlin, pełniący wcześniej funkcję sekretarza skarbu.
- Frederick Delano, krewny Roosevelta, Bankier zaangażowany w rozwój linii kolejowych.
- W.P.G. Harding, prezes First National Bank z Atlanty.

Jeśli zaś chodzi o osobiście nominowanego przez prezydenta Wilsona do rady nadzorczej FED Thomas Jingsa, dziennikarze odkryli, że przeciwko niemu postawiła zarzuty prokuratura, a także toczy się w jego sprawie śledztwo. Po ujawnieniu tych faktów, Jings sam zrezygnował z nominacji do rady nadzorczej. Dwoma kolejnymi członkami rady byli sekretarz skarbu oraz audytor walutowy.

Tajemnicza Federalna Rada Doradcza

Federal Advisory Council (Federalna Rada Doradcza) to precyzyjnie zaprojektowany przez Paula Warburga mechanizm zdalnego sterowania radą nadzorczą FED. W ciągu 90 lat działalności FED, owa rada konsekwentnie wprowadzała w życie założenia Warburga i mało kto zwracał uwagę na nią i jej działania, między innymi dlatego, że sama rada nie wydała wielu dokumentów, które można by studiować.

W 1913 roku kongresman Glass gorąco promował ideę Federal Advisory Council, mówiąc: „Nie dzieje się tu nic złego. Każdego roku [zarząd FED] będzie odbywał cztery spotkania robocze z radą doradczą bankierów, a każdy z członków reprezentować ma okręg rezerwy, z którego pochodzi. Czy istnieje inny mecha-

76 Mullins, *Secrets of Federal Reserve*, rozdz. 3.

nizm lepiej zapewniający ochronę interesu publicznego?". Glass, który sam był bankierem, bez udzielenia jakichkolwiek wyjaśnień, nie przedstawiając żadnych dowodów, twierdził po prostu, że to bankierzy na przestrzeni całych dziejów Ameryki bronili interesu publicznego.

Federalna Rada Doradcza składa się z przedstawicieli wybranych przez 12 regionalnych oddziałów Rezerwy Federalnej. Każdego roku w Waszyngtonie odbywają się jej cztery posiedzenia wspólnie z radą nadzorczą FED. Zasiadający w niej bankierzy mają możliwość proponowania określonych rozwiązań w polityce walutowej. Każdy z nich reprezentuje interesy ekonomiczne swojego okręgu, dysponując taką samą siłą głosu, jak pozostali. Teoretycznie rozwiązanie takie trudno krytykować, jednak w brutalnej rzeczywistości sektora bankowego obowiązują zgoła inne praktyczne zasady. Trudno sobie wyobrazić niezbyt zamożnego bankiera z Cincinnatti, który, siedząc przy stole konferencyjnym z tak znaczącymi międzynarodowymi magnatami, jak Paul Warburg czy J.P. Morgan, składałby w ich obecności propozycje dotyczące polityki monetarnej. Każdy z owych magnatów w dowolnej chwili mógłby wyciągnąć z kieszeni czek i nakreślić na nim kilka cyfr, co zupełnie wystarczyłoby, aby doprowadzić owego bankiera i jego rodzinę do natychmiastowej ruiny. W istocie, w każdym z owych 12 okręgów Rezerwy Federalnej wciąż funkcjonują średni i mali bankierzy, którzy są w pełni zależni od jałmużny ofiarowywanej przez pięć wielkich banków z Wall Street. Pięciu potentatów finansowych celowo rozbija wielką wymianę pieniężną z europejskimi bankami na drobniejsze porcje, nad którymi nadzór powierza małym „satelickim bankom" rozlokowanym w różnych rejonach USA. Szefowie „satelickich banków", chcąc zdobyć tego rodzaju zyskowne kontrakty, naturalnie jeszcze niżej pochylają głowy i nadstawiają uszu. Ponadto wielcy potentaci wykorzystują swoje udziały w małych i średnich bankach. Tak więc, gdy przedstawiciele lokalnych interesów, mali i średni bankierzy wraz z wielkimi figurami świata finansów siedzą na sali spotkań, dyskutując o amerykańskiej polityce walutowej, nietrudno przewidzieć rezultaty tej dyskusji.

Mimo iż „opinie" dla rady nadzorczej FED udzielane przez Federalną Radę Doradczą nie mają charakteru wiążącego, to „wielcy" z Wall Street każdego roku, nie bacząc na trudy i koszty, przybywają do Waszyngtonu na zaplanowane spotkania. Można podejrzewać, że nie czynią tak wyłącznie dlatego, że chcą napić się kawy i porozmawiać z członkami zarządu FED. Trzeba wiedzieć, że taki choćby Morgan jest członkiem rad nadzorczych w 63 spółkach – jest więc człowiekiem niesłychanie zajętym. Tak więc niewątpliwie intrygujące jest, dlaczego potentaci z Wall Street znajdują czas na tego rodzaju spotkania, skoro, teoretycznie, ich opinie w ogóle nie muszą być brane pod uwagę?

Gdzie leży prawda?

Zdecydowana większość Amerykanów nie rozumie metod działania międzynarodowych kredytodawców. Zapisy księgowe Rezerwy Federalnej nie były nigdy przedmiotem audytu. Rezerwa działa całkowicie poza kontrolą Kongresu, całkowicie panując nad kredytami w Stanach Zjednoczonych.

kongresman Barry Goldwater

Aby podnieść ceny, wystarczy, że Rezerwa Federalna obniży stopy procentowe i zacznie stymulować rozwój kredytu, doprowadzając do prosperity na giełdzie. Kiedy przemysł już przywyknie do nowej stopy procentowej, Rezerwa Federalna arbitralnie dokonuje podniesienia stóp i kończy czas prosperity. Rezerwa może, poprzez niewielką korektę stóp procentowych, delikatnie wychylać w lewo bądź w prawo wahadło cen rynkowych, może też, za pomocą gwałtownych korekt stóp doprowadzić do dramatycznych fluktuacji cen na rynku. Niezależnie od tego, która z tych sytuacji zachodzi, Rezerwa wykorzystuje wewnętrzne informacje o sytuacji finansowej. Jako pierwsza poznaje stan faktyczny, by zaraz potem wykonywać odpowiednie ruchy.

Mamy tu do czynienia z używanym przez wąską grupę uprzywilejowanych ludzi dziwnym i niebezpiecznym prawem pozwalającym przewidywać przyszłość, którego nigdy nikomu nie zagwarantował żaden rząd. Ów system znajduje się w prywatnych rękach, a jego głównym celem jest wykorzystanie pieniędzy innych ludzi w celu zdobycia możliwie największych zysków. Mając dostęp do informacji o nadchodzących wydarzeniach, ludzie kierujący tym systemem wiedzą, kiedy, za pomocą sterowanej paniki, stworzyć możliwie najkorzystniejszą sytuację. Wiedzą także, kiedy panikę należy zatrzymać. Posiadają kontrolę nad finansami, inflacją i deflacją, której z powodzeniem używają do realizacji swoich celów.

kongresman Charles Lindbergh

Każdy znajdujący się w obiegu dolar, czyli Federal Reserve Note, oznacza dług jednego dolara wobec Rezerwy Federalnej.

Raport Walutowy, Komisja Kongresu ds. Banków i Walut

Regionalne banki wchodzące w skład Rezerwy Federalnej nie są strukturami rządowymi – są niezależne, a więc są wykorzystywane przez osoby prywatne, kontrolując również lokalne firmy.

sprawa Lewis przeciwko rządowi USA,
dziewiąte posiedzenie sądu, 1982 rok

Rezerwa Federalna jest jedną z najbardziej skorumpowanych instytucji na świecie. Wszyscy zdolni do wysłuchania mojego przemówienia [wystąpienie w Kongresie] wiedzą, że nasz kraj znajduje się pod faktyczną władzą międzynarodowych finansistów. Niektórzy błędnie uważają Rezerwę Federalną za jedną ze struktur amerykańskiego rządu. Otóż [banki wchodzące w skład FED] *nie są strukturami rządowymi. To prywatni monopoliści kredytowi, a Rezerwa Federalna w interesie swoim oraz zagranicznych oszustów wyzyskuje amerykański naród.*

kongresman Lewis T. MacFadden

Kiedy wypisujesz nam czek, na naszym rachunku musi być wystarczająca ilość pieniędzy potrzebna do wypłacenia całej sumy, na którą on opiewa. Jednakże kiedy Rezerwa Federalna wypisuje czek, na koncie w banku nie ma ani centa pokrycia dla owego czeku. Kiedy Rezerwa Federalna wypisuje czek, to tym samym tworzy pieniądze.

bank Rezerwy Federalnej w Bostonie

W latach 1913-1949 środki trwałe Rezerwy Federalnej gwałtownie zwiększyły swą wartość ze 143 milionów do 450 miliardów dolarów. Te pieniądze bezpośrednio wpłynęły do kieszeni udziałowców Rezerwy Federalnej.

Eustace Mullins

Wielu prezydentów ostrzegało przed cyklicznie powracającym niebezpieczeństwem ze strony elity finansowej; również wiele dokumentów Kongresu i stenogramów ze spraw sądowych precyzyjnie ukazuje i tłumaczy prywatny charakter Rezerwy Federalnej. Jednakże ilu Amerykanów, Chińczyków lub obywateli innych krajów zdaje sobie z tego sprawę? Oto najbardziej przerażający punkt całego problemu! Wierzymy, że „wolne i obiektywne", potężne, media świata zachodniego pokazują nam prawdę. Okazuje się, że większość faktów składających się na prawdę jest celowo odfiltrowywana. A co na ten temat mówią powstające w USA prace z zakresu ekonomii? Nic, gdyż noszące nazwiska międzynarodowych bankierów fundusze badawcze wybierają dla przyszłych pokoleń podręczniki ekonomiczne o „zdrowej treści".

Przed śmiercią prezydent Wilson przyznał, że „został oszukany" w sprawie Rezerwy Federalnej. Trapiony wyrzutami sumienia wyznał: „wbrew woli, zniszczyłem nasze państwo".

25 października 1914 roku Rezerwa Federalna oficjalnie rozpoczęła swoją działalność. Właśnie wybuchła I wojna światowa stwarzała nową, „wyborną" okazję. Przed udziałowcami Rezerwy rysowała się perspektywa nadzwyczajnego powiększenia posiadanego majątku.

ROZDZIAŁ IV

Wielka wojna, Wielki Kryzys i wielkie zyski

Rzeczywistym zagrożeniem dla naszej republiki jest ów niewidzialny rząd, który przypomina gigantyczną ośmiornicę, gęsto oplatającą swoimi mackami i niezliczoną ilością lepkich przyssawek nasze miasto, nasze stany i nasz kraj. Głową tej ośmiornicy jest Standard Oil Rockefellera oraz posiadający ogromne wpływy międzynarodowi magnaci finansowi. Ludzie ci w istocie sterują amerykańskim rządem tak, by ten zadowalał ich prywatne pragnienia.

Władza nad rządem dokonuje się poprzez kontrolę nad podażą pieniądza – w ten sposób eksploatacja obywateli tego kraju i jego zasobów staje się jeszcze prostsza. To właśnie dlatego owi wielcy arystokraci, od pierwszego dnia powstania tego państwa, z całych sił (flirtując i bawiąc się naszymi „przywódcami") zmierzają do koncentracji posiadanej władzy i majątku (wykorzystując emisję pieniądza przez Rezerwę Federalną w celu odprowadzania majątku ze społeczeństwa).

Owi międzynarodowi bankierzy, wraz ze Standard Oil Rockefellera, zdobyli kontrolę nad większością dzienników i magazynów w tym kraju. Wykorzystują prasę, specjalne, opiniotwórcze rubryki w gazetach, by nakładać kaganiec na urzędników rządowych, a tych, którzy nie chcą się podporządkować, poprzez sterowaną krytykę ze strony mediów i opinii publicznej, zmuszają do opuszczenia stanowisk w administracji rządowej. Ludzie ci w rzeczywistości kontrolują obie partie [Partię Republikańską i Partię Demokratyczną], *formułują ich założenia polityczne, sterują liderami, sprawują funkcje kierownicze w dziesiątkach prywatnych firm i wykorzystując wszystkie dostępne metody umieszczają na najważniejszych stanowiskach służących ich skorumpowanym interesom kandydatów.*

John Haylan, mer Nowego Jorku, 1927 rok[77]

[77] Były mer Nowego Jorku John Haylan, przemówienie w Chicago, cytowane w marcu 1927 roku przez „New York Times".

Klucz do rozdziału

Wojna oznacza wydawanie pieniędzy: im jest większa, tym więcej kosztuje. Oto prawda znana każdemu. Pytanie brzmi: kto wydaje czyje pieniądze? Z uwagi na brak prawa do emisji pieniądza, rządy w Europie i Ameryce zmuszone są do zaciągania pożyczek u bankierów. Wojna konsumuje dobra i materiały z szybkością płomienia. Wojna prowadzi do sytuacji, w której rząd, bez względu na koszty, nie negocjując warunków, zwraca się do bankierów po finansową pomoc. Nie dziwi więc fakt, że bankierzy tak kochają wojny - planują je, podżegają do nich i finansowo je wspierają. Oszałamiające i oświetlone biurowce banków od zawsze wznoszone były na gruzach, śmierci i chaosie.

Innym narzędziem umożliwiającym bankierom robienie wielkich pieniędzy jest sterowanie recesją gospodarczą. Najpierw dochodzi do rozluźnienia polityki kredytowej, następnie rośnie bańka spekulacyjna i trwa wyczekiwanie na moment, gdy ludzie, podążając za modą na inwestycje, wprowadzą na rynki wielką ilość swojego majątku. Potem następuje brutalne odcięcie dopływu pieniądza, co prowadzi do wielkiej recesji i nagłego spadku cen środków trwałych. Gdy cena wysokiej wartości środków trwałych spadnie do poziomu 10 procent bądź nawet jednego procenta ich normalnej wartości, bankierzy ponownie wyciągają ręce i dokonują masowych zakupów po skrajnie niskich cenach. W żargonie bankierskim określa się to mianem „strzyżenia owiec". W chwili, gdy powstaje prywatny bank centralny, akcja „strzyżenia owiec" osiąga niespotykany w dziejach rozmach.

Ostatnie „strzyżenie owiec" miało miejsce w Azji w 1997 roku i dotyczyło tzw. azjatyckich tygrysów. Uniknięcie „strzyżenia" przez Chiny - wielką i i tłustą owcę - jest ostatecznie uzależnione od tego, czy Chiny rzeczywiście pilnie przestudiowały intrygujące i zarazem okrutne historyczne przykłady tego rodzaju zabiegów.

Niebezpieczeństwo grożące Chinom wiąże się z wejściem na chiński rynek banków całkowicie należących do zagranicznych udziałowców. Chociaż w przeszłości chińskie banki państwowe, pchane impulsem zdobycia profitów, stymulowały inflację, to jednak nigdy nie działały ze złą wolą, z premedytacją kreując deflację w celu ogołocenia ludzi z posiadanego majątku. W ostatnich dekadach dynamicznego rozwoju, w Chinach nie doszło do żadnego wielkiego kryzysu gospodarczego, co wynika między innymi z tego, że brak było ludzi, którzy posiadaliby obiektywną zdolność i subiektywną wolę do jego stworzenia. W sytuacji, gdy międzynarodowi bankierzy weszli na chiński rynek, rzeczywistość uległa fundamentalnej zmianie.

Bez Rezerwy Federalnej nie byłoby I wojny światowej

Henry Kissinger w sławnej książce *Dyplomacja*, wspominając o wybuchu I wojny światowej, napisał: „Zdumiewającym aspektem wybuchu I wojny światowej jest nie to, że globalna katastrofa została spowodowana przez kryzys mniej groźny od wielu innych, jakie przezwyciężono, ale że minęło tak wiele czasu, zanim do tego doszło"[78].

28 czerwca 1914 roku, arcyksiążę Ferdynand z dynastii Habsburgów przybył z wizytą do zaanektowanej w 1908 roku Bośni, gdzie stał się śmiertelną ofiarą ataku młodego serbskiego zamachowca. W istocie był to jedynie czysty akt zemsty zaplanowany przez grupę terrorystyczną. W tym czasie nikomu nie mogłoby przyjść do głowy, że ów incydent niespodziewanie stanie się zapalnikiem, który doprowadzi do wybuchu wielkiej światowej wojny, w której weźmie udział ponad 30 krajów, półtora miliarda ludzi, a liczba zabitych i rannych osiągnie 30 milionów.

Od czasów wojny prusko-francuskiej, między Francją a Niemcami istniał nierozwiązany spór i wrogość. Wielka Brytania została zmuszona do odejścia od swojej polityki *splendid isolation* w stosunku do kontynentu europejskiego z uwagi na fakt istnienia silnych Niemiec i słabej Francji. Niemcy stały się najpotężniejszym mocarstwem w Europie i ewentualny brak działań na rzecz powstrzymania dalszego wzrostu ich potęgi mógłby zmienić się dla Wielkiej Brytanii w śmiertelną chorobę. Brytyjczycy wciągnęli więc lękającą się Niemiec Rosję oraz Francję do współpracy, zawiązując sojusz trzech mocarstw. Niemcy natomiast weszły w sojusz z Austrią i tak oto w Europie stanęły naprzeciw siebie dwa wrogie obozy.

Te opozycyjne sojusze nieustannie zwiększały swoją militarną siłę, utrzymując w gotowości wielkie armie, przygotowane do natychmiastowych działań. W ten sposób rządy wielu krajów głęboko wpadły w pułapkę zaciąganych pożyczek.

> Jeden z precyzyjnych europejskich raportów dotyczących całkowitej sumy długów i dochodów publicznych pokazuje, że wypłaty z tytułu odsetek od zaciągniętych pożyczek oraz pożyczonych sum każdego roku osiągają aż pięć miliardów i 343 miliony dolarów. Każdy z europejskich krajów znalazł się już w pułapce, a rządy muszą wreszcie postawić pytanie: czy w obliczu przerażających konsekwencji wojny, w porównaniu z niezwykle kosztownym i niestabilnym pokojem, nie jest ona jednak dobrym rozwiązaniem? Jeśli całe te militarne przygotowania w Europie nie znajdą finału w wojnie, to z pewnością wszystkie rządy skończą całkowitym bankructwem[79].

W latach 1887-1914 ów niesłychanie drogi i niestabilny pokój doprowadził do impasu. Uzbrojone po zęby, a równocześnie zbliżające się do krawędzi bankructwa

---

[78] Henry Kissinger *Diplomacy*, New York 1995 (cyt. za wyd. pol. *Dyplomacja*, tłum. S. Gąbiński, G. Woźniak, I. Zych, Warszawa 2009, s. 213).

[79] „Quarterly Journal of Economics", kwiecień 1887.

rządy państw europejskich wciąż spoglądały na siebie wrogo. Istnieje powiedzenie: „jeden strzał z armaty to 20 tysięcy sztuk złota". Europejski system bankowy zbudowany przez Rothschildów udzielał stającym naprzeciw siebie stronom pożyczek, wszelkimi możliwymi środkami podtrzymując tę militarną konfrontację.

W istocie wojnę prowadzi się pieniędzmi i ziarnem*, a w roku 1914 było jasne, że główne kraje europejskie nie są w stanie udźwignąć ciężaru wielkiej wojny. Mimo posiadana ogromnej liczby żołnierzy pod bronią, powszechnego systemu mobilizacji i nowoczesnego uzbrojenia, ich gospodarki nie były wystarczająco silne, by udźwignąć ciężar gigantycznych wydatków wojennych. Rozwój wypadków skłonił w lutym 1914 roku tajną radę przy carze Rosji do sporządzenia listu do monarchy. W liście tym wskazywano na następujący problem:

> Nie ulega wątpliwości, że wojna wymagałaby wydatków, które są poza zasięgiem ograniczonych możliwości finansowych Rosji. Musielibyśmy zwrócić się po kredyty do sojuszników i krajów neutralnych, ale te kredyty nie zostałyby udzielone bezinteresownie. I nawet nie chciałbym teraz spekulować, co by było, gdyby wojna skończyła się dla nas katastrofą. Finansowe i gospodarcze konsekwencje przegranej są nie do obliczenia i nie do przewidzenia i oznaczałyby niewątpliwie całkowitą ruinę całej narodowej gospodarki. Nawet zwycięstwo nie otwiera przed nami pomyślnych finansowych horyzontów. Całkowicie zrujnowane Niemcy nie byłyby w stanie zrekompensować nam poniesionych kosztów. Traktat pokojowy podporządkowany interesom Anglii nie stworzy możliwości, by Niemcy odbudowały swą ekonomię na tyle, by móc zrekompensować nasze wydatki wojenne, nawet w bardzo odległym czasie[80].

W tej sytuacji konflikt militarny na wielką skalę był trudny do wyobrażenia. Uważano, że gdyby wojna naprawdę wybuchła, rozegrałaby się na ograniczonym terytorium, trwałaby krótko i nie miałaby wielkiego znaczenia. Najprawdopodobniej potrwałaby nie dłużej niż dziesięciomiesięczna wojna prusko-francuska z 1870 roku. Wszelako w takim wymiarze wojna ta mogłaby jedynie załagodzić, a nie rozwiązać napiętą sytuację w Europie. Podsumowując: wybuch wojny w sytuacji niestabilności i kosztownego pokoju był odwlekany w nieskończoność, aż do momentu ustanowienia Rezerwy Federalnej.

Leżące na drugim brzegu Atlantyku Stany Zjednoczone, mimo iż już w tym okresie zajmowały pierwsze miejsce na świecie pod względem produkcji przemysłowej, posiadając olbrzymie moce wytwórcze i niezliczone zasoby naturalne, to wciąż, aż do 1913 roku, były państwem zależnym od zagranicznych pożyczek, rzadko udzielającym kredytów zagranicy. Przyczyną tego stanu rzeczy był brak banku centralnego. Dla nowojorskich bankierów było niezmiernie trudne transferowanie i koncentrowanie finansowych zasobów z całego kraju. Jednakże naturalne instynkty bankierów powodowały, że byli oni żywotnie zainteresowani perspektywami wielkiego konfliktu zbrojnego w Europie: taka wojna niewątpliwie dostarczyłaby im

---

* Aprowizacja armii to odwieczny problem chińskich strategów dowodzących armiami składającymi się z ogromnej liczby ludzi (przyp. tłum.).

80 Cyt. za Kissinger, *Dyplomacja*, s. 220-221.

obfitych zysków. Zaraz po przegłosowaniu *Federal Reserve Act*, bankierzy szybko przystąpili do działania. 3 sierpnia 1914 roku Bank Rothschildów z Paryża wysłał do Morgana telegram, sugerując mu natychmiastowe zorganizowanie kredytu na sumę miliarda dolarów, który to Francja mogłaby wykorzystać na zakup w Ameryce potrzebnych dóbr i materiałów. Dowiedziawszy się o sprawie, Wilson natychmiast wyraził swój sprzeciw, a sekretarz stanu William Jennings Bryan potępił pomysł kredytu, określając go mianem „najbardziej odrażającej i nielegalnej transakcji".

Stosunki gospodarcze i polityczne pomiędzy USA i Niemcami wolne były od żalów i urazów. W tym czasie w Ameryce żyło prawie osiem milionów potomków niemieckich emigrantów, co w przybliżeniu stanowiło 10 procent całej populacji. W pierwszych dniach powstawania Stanów Zjednoczonych niewiele brakowało, by język niemiecki stał się oficjalnym językiem urzędowym. Amerykanie o niemieckich korzeniach mieli sporą siłę polityczną. Dodając do tego irlandzkich emigrantów, którzy nigdy nie darzyli Wielkiej Brytanii sympatią, oraz fakt, że rząd USA kilka razy toczył z Brytyjczykami wojny, nie było nic dziwnego w tym, że w konflikcie pomiędzy Niemcami z jednej strony a Francją i Wielką Brytanią z drugiej zajmował on stanowisko mało zainteresowanego obserwatora, pozostawiającego wypadki swojemu biegowi. W porównaniu z nerwowymi niczym mrówki na rozgrzanej patelni bankierami, rząd USA okazywał rozsądny spokój. Bankierzy popierali zamiar wypowiedzenia wojny Niemcom, podczas gdy rząd USA stał na twardym stanowisku sprzeciwu wobec wojny, broniąc neutralności kraju.

Wtedy bankierzy wymyślili tymczasowe rozwiązanie, polegające na przyjęciu specjalnych reguł związanych z traktowaniem państw Ententy przy okazji zakupu papierów wartościowych oraz w polityce kredytowej. Poddany naciskowi banków Wilson nie miał innego wyjścia, jak tylko wyrazić na to zgodę, zwłaszcza że szykowały się kolejne wybory, a on liczył na reelekcję.

23 grudnia 1913 roku, po przyjęciu przez Kongres *Federal Reserve Act*, dojrzały warunki do wybuchu wojny światowej na wielką skalę. Wspomniana przez Kissingera machina wojenna, której użycie odwlekano już tak długo, wreszcie mogła zostać wprawiona w ruch.

16 listopada 1914 roku Rezerwa Federalna oficjalnie rozpoczęła swoją pracę. 16 grudnia, prawa ręka Morgana, Henry P. Davison przybył do Wielkiej Brytanii, gdzie odbył rozmowę z premierem Wielkiej Brytanii, Herbertem A. Asquithem, dotyczącą udzielenia kredytu temu państwu. 15 stycznia 1915 roku bank Morgana osiągnął porozumienie z Wielką Brytanią w związku z kredytem o wysokości 10 milionów funtów. W tym czasie był to dla Stanów Zjednoczonych, patrząc obiektywnie, zupełnie niezły interes. Nikt przy tym nie mógł wówczas przewidzieć, że ostateczna suma kredytów osiągnie zdumiewającą liczbę trzech miliardów dolarów! Bank Morgana uzyskał opłatę manipulacyjną w wysokości jednego procenta, a więc do jego skarbca wpłynęło 30 milionów dolarów. Wiosną tego samego roku Morgan podpisał umowę kredytową również z rządem Francji.

We wrześniu 1915 roku, nadszedł czas testu sprawdzającego zdolność Wall Street do zdobycia pozycji światowego centrum finansów. Był nim wynoszący 500 milionów dolarów kredyt, tzw. *Anglo-French Loan*. Początkowo zdecydowanie przeciwny angażowaniu się USA po stronie Ententy prezydent Wilson, nie umiał wytrzymać presji bankierów i członków własnego gabinetu, którzy chwycili go w kleszcze. Jego nowy sekretarz obrony, Robert Dansing, ostrzegał: „gdy brak jest kredytów, produkcja ulega ograniczeniu, przemysł wpada w recesję, kapitał i siła robocza leżą odłogiem, następują wielkie bankructwa, zagrożony jest skarb państwa, narasta żal i niezadowolenie wśród ludzi"[81].

Słysząc to, Wilson oblewał się zimnym potem, ale stać go było jedynie na kolejne ustępstwa. Bankierzy z Wall Street pracowali niestrudzenie, organizując bezprecedensową sprzedaż obligacji wojennych. W rezultacie 61 firm ubezpieczeniowych oraz ponad półtora tysiąca instytucji finansowych przystąpiło do wykonywania usług związanych z wystawianiem obligacji na sprzedaż[82]. Było to niezwykle trudne zadanie, szczególnie w przypadku akcji sprzedaży obligacji prowadzonej na terenach Środkowego Zachodu USA. Zazwyczaj Amerykanie uważali, że wojna w Europie nie ma z nimi żadnego bezpośredniego związku i nie mieli zamiaru dorzucać swoich pieniędzy do ognia europejskiego konfliktu. Aby rozwiać te wątpliwości, bankierzy uruchomili propagandę głoszącą, że owe pieniądze zostaną w Ameryce. Mimo to tylko jeden bank ze Środkowego Zachodu (z Chicago) wyraził chęć przystąpienia do obozu z Wall Street. Cała sytuacja rozwścieczyła przy tym właścicieli rachunków oszczędnościowych pochodzenia niemieckiego, którzy rozpoczęli bojkot tego banku. Aż do końca 1915 roku nie udało się sprzedać obligacji za niemal 190 milionów dolarów.

Gdy wojna weszła w decydującą fazę, w celu zdobycia jeszcze większych kwot pieniędzy, rząd Wielkiej Brytanii ogłosił opodatkowanie zysków (przychodów od kapitału) z amerykańskich papierów wartościowych znajdujących się w portfelach obywateli brytyjskich, którzy błyskawicznie zaczęli sprzedawać je po niskich cenach. Bank Anglii bardzo szybko wypełniły stosy amerykańskich papierów wartościowych. Rząd brytyjski natychmiast pozwolił amerykańskiemu przedstawicielstwu Banku Anglii, firmie Morgana, na sprzedaż na Wall Street wystarczającej liczby amerykańskich papierów wartościowych. Stopień akceptacji amerykańskich inwestorów wobec amerykańskich papierów wartościowych naturalnie był bardzo wysoki, tak więc bardzo szybko warte trzy miliardy dolarów obligacje zamieniły się w gotówkę, a Wielka Brytania uzyskała kolejną wielką pożyczkę na wsparcie swojego wysiłku wojennego. W jednej chwili Wielka Brytania, od ponad 100 lat będąca największym wierzycielem Stanów Zjednoczonych, przestała nim być. Od tego momentu sytuacja dokładnie się odwróciła.

Amerykańska pożyczka podziałała niczym oliwa dolana do ognia. Działania wojenne bardzo szybko rozprzestrzeniły się, stopień okrucieństwa i brutalności wojny dramatycznie wzrosły. Tylko w jednej bitwie nad Marną państwa Ententy w ciągu jednego dnia zużyły 200 tysięcy pocisków artyleryjskich. Ludzkość w końcu zrozumiała, że jeśli nowoczesną produkcję przemysłową i rozbudowany system frontowego zaplecza uzupełnić nowoczesnymi usługami finansowymi, wojna będzie nie tylko tragiczna, ale również długa.

[81] Chernow, *The House of Morgan*, s. 198.

[82] *Ibid.*, s. 200.

Rezerwa Federalna w czasie wojny

Benjamin Strong po raz pierwszy zwrócił na swoją osobę uwagę opinii publicznej w roku 1904, gdy objął funkcję prezesa Bankers Trust. W tym czasie, zaufany Morgana, Henry P. Davison martwił się zagrożeniem ze strony prężnie rozwijających się firm kredytowo-inwestycyjnych. Zakres usług oferowanych przez te firmy był znacznie szerszy od banków handlowych, a stopień nadzoru ze strony rządu zdecydowanie mniejszy, dlatego też owe spółki uzyskiwały możliwość oferowania wyższej stopy procentowej, tym samym przyciągając kapitał. Aby stawić czoła tej nowej konkurencji, po uzyskaniu aprobaty od Morgana w 1903 roku, Davison zaangażował się w biznes kredytowo-inwestycyjny, czyniąc głównym wykonawcą swoich poleceń właśnie Stronga. W czasie burzy z 1907 roku, wielkiej akcji ratunkowej dla bankierów, firm kredytowo-inwestycyjnych i innych instytucji finansowych, Benjamin Strong zdobył powszechne uznanie.

Po powołaniu do życia Rezerwy Federalnej w 1913 roku, Davison i Paul Warburg odwiedzili Stronga, by przeprowadzić z nim poważną rozmowę. Zaproponowali mu kluczową pozycję prezesa nowojorskiego banku Rezerwy Federalnej. Strong bez większych wahań propozycję przyjął, stając się od tego momentu jedną z głównych osobistości w systemie Rezerwy Federalnej. Morgan, Paul Warburg, Schiff i inni magnaci z Wall Street uzyskali pełne wsparcie ze strony Rezerwy Federalnej dla realizacji swoich zamiarów.

Strong bardzo szybko przystosował się do nowej roli. Zorganizował nieoficjalne forum dyskusyjne dla członków rady nadzorczej FED. Zbierało się ono w określonym terminie, debatując nad zasadami działań Rezerwy w czasie wojny. Strong w nadzwyczaj rozsądny i zręczny sposób sterował polityką walutową Rezerwy Federalnej, co więcej, skoncentrował rozproszoną wśród dwunastu lokalnych oddziałów Rezerwy władzę w jej nowojorskiej filii. Na papierze system Rezerwy Federalnej pozwalał swoim 12 lokalnym bankom na prowadzenie własnej polityki monetarnej i ustalanie stopy dyskontowej czy hipoteki na handlowe rachunki dłużne, zgodnie z wymogami sytuacji w danym regionie. Innymi słowy, lokalne rady nadzorcze oddziałów Rezerwy miały prawo do decydowania, czy określone rachunki dłużne mogą być wykorzystywane jako zastaw hipoteczny i dzięki temu uzyskać odpowiednią stopę dyskontową. Do 1917 roku ustalono normy hipoteczne dla przynajmniej 13 różnego rodzaju handlowych rachunków dłużnych[83].

Jednakże w wyniku wojny nowojorski oddział Rezerwy Federalnej faktycznie zwiększał jedynie ilość rachunków dłużnych pod hipotekę pożyczek rządowych. Ponieważ łączna liczba pożyczek rządowych wielokrotnie przewyższała łączną liczbę innych rachunków dłużnych, wciąż gwałtownie rosnąc, bardzo szybko polityka udzielania zastawów hipotecznych pod rachunki dłużne w lokalnych oddziałach Rezerwy Federalnej uległa peryferyzacji. Wkrótce pod wpływem Stronga najważniejszym i jedynym instrumentem używanym do zastawiania rachunków

[83] Davies, *History of Money From Ancient Times to The Present* Day, rozdz. 9.

dłużnych pod hipotekę stały się pożyczki rządowe, w ten sposób zdobywając pełną kontrolę nad całym systemem Rezerwy Federalnej.

W wyniku wspierającej finansowo wojnę w Europie wielkiej sprzedaży papierów wartościowych nastąpiła w Ameryce potężna redukcja ilości pieniądza w obiegu, co zarazem ukazało siłę i prestiż banku centralnego. Rząd USA rozpoczął wspaniałomyślne zwiększanie pożyczek, Rezerwa Federalna z wielkim apetytem przystąpiła do konsumpcji. Niczym rzeka przelewająca się ponad tamą wielka liczba banknotów Rezerwy Federalnej wpłynęła do obiegu, wypełniając deficyt waluty spowodowany przez zakup obligacji wojennych. Ceną było raptownie rosnące zadłużenie Stanów Zjednoczonych. W rezultacie, w krótkim okresie czterech lat od rozpoczęcia przez FED szybkich operacji (1916-1920), zadłużenie USA z miliarda dolarów wzrosło do 25 miliardów dolarów[84], a zastawem hipotecznym dla całego tego długu były przyszłe wpływy budżetowe z tytułu płaconych przez ludzi podatków. Podsumowując: w trakcie wojny bankierzy zarabiali wielkie pieniądze, podczas gdy zwykli ludzie tracili pieniądze, siły i krew.

USA przystępują do wojny

Gdy znajdujący się na placówce w Turcji niemiecki ambasador pytał zdumiony swojego amerykańskiego odpowiednika, czemu Ameryka chce wojny z Niemcami, Amerykanin odpowiadał mu tak: „My, Amerykanie przystępujemy do wojny, by walczyć o zasady wolności i moralności". Taka odpowiedź wprawiała niezdolny do jej pojęcia świat w skrajne osłupienie i konsternację. Henry Kissinger wyjaśnia to w ten sposób, że od momentu powstania Stany Zjednoczone uważają siebie za wyjątkowy kraj, a w stosunkach międzynarodowych doprowadziły do powstania dwóch sprzecznych ze sobą postaw: po pierwsze, że amerykańska demokracja jest najdoskonalsza, po drugie, że Amerykanie mają obowiązek rozszerzać swój system wartości na cały świat[85].

Rzeczywiście doświadczenie amerykańskie jest bardzo specyficzne, a zwykli ludzie wyrażają się z aprobatą o amerykańskich wartościach demokratycznych, jednak byłoby skrajnie naiwne upierać się przy twierdzeniu, że Ameryka przystąpiła do I wojny światowej tylko z przyczyn etycznych, by walczyć o wyznawane wartości. Doktor Kissinger najprawdopodobniej rozmyślnie odgrywa ignoranta.

5 marca 1917 roku, przebywający w Wielkiej Brytanii, amerykański ambasador Walter Hines Page w tajnej depeszy do prezydenta Wilsona pisał: „uważam, że w obliczu nadchodzącego kryzysu środki, które firma Morgana dostarczyła w postaci kredytów dla Francji i Wielkiej Brytanii zostały już wykorzystane. Tym, czego możemy dostarczyć naszym sojusznikom, jest kredyt. Kiedy znajdziemy się w stanie wojny z Niemcami, dostarczenie takiej pomocy stanie się niemożliwe"[86].

[84] *Ibid.*, s. 506.

[85] Por. Kissinger, *Dyplomacja*, rozdz. 9.

[86] Mullins, *The Secrets of the Federal Reserve*, rozdz. 5.

W tym czasie amerykański przemysł ciężki już od roku był w fazie przygotowań wojennych, a amerykańska marynarka i armia lądowa od 1916 roku rozpoczęła zakupy wielkich ilości uzbrojenia. By zwiększyć źródła finansowania, bankierzy i zależni od nich politycy zaczęli intensywnie poszukiwać nowych rozwiązań. „Sytuacja przed konfliktem zmusza nas do wzięcia pod uwagę kolejnego kroku, wprowadzenia podatku dochodowego, który jest bogatym źródłem finansowym. Trzeba skonstruować spełniającą wymogi wojny ustawę o podatku dochodowym"[87].

Należy tu zauważyć, że podatek dochodowy, o którym mowa, dotyczyć miał firm, a nie osób prywatnych. W 1916 roku bankierzy dwukrotnie próbowali doprowadzić do przegłosowania projektu ustawy o podatku dochodowym od osób fizycznych. W obu przypadkach projekt został odrzucony przez Sąd Najwyższy. Przepisy o opodatkowaniu osób fizycznych w USA nigdy nie miały podstaw prawnych. 28 lipca 2006 roku w wielu miejscach w Ameryce wyświetlano film zatytułowany *America: Freedom to Fascism* (*Ameryka: od wolności do faszyzmu*), w którym sześciokrotnie nominowany do nagrody Oscara Aaron Russo ukazywał tę bezlitosną rzeczywistość. Film ten poruszył publiczność podczas pokazu na festiwalu w Cannes w 2006 roku. Ludzie mieli okazję skonfrontować się z prawdą całkowicie różną od tej głoszonej przez amerykańskie media, rząd USA czy stojące za nimi potężne siły ze świata finansów. Pierwszą reakcją na film było skrajne niedowierzanie. Z trzech tysięcy kin w USA tylko pięć odważyło się na wyświetlanie tego filmu. Dopiero umieszczenie filmu Russo w sieci doprowadziło do wielkiej reakcji w Ameryce: obejrzało go niemal milion internautów, a ponad osiem milionów wpisało swoje komentarze na internetowych forach, niemal powszechnie przyznając filmowi bardzo wysokie oceny[88].

13 października 1917 roku prezydent Wilson wygłosił ważne przemówienie, w którym między innymi rzekł: „obowiązkiem, którego nie wolno nam unikać, jest konieczność pełnej mobilizacji amerykańskich zasobów bankowych [chodzi o pożyczki dla państw Ententy]... każda struktura bankowa w tym kraju winna udźwignąć ten ciężar. Ufam, że taka współpraca banków w obecnej chwili jest aktem patriotyzmu wynikającym z poczucia obowiązku wobec Ojczyzny. Banki, członkowie Rezerwy Federalnej, właśnie w ten wyjątkowy i ważny sposób pokazują swój patriotyzm"[89].

Idealizm Wilsona nie wydawał się dziwny, biorąc pod uwagę fakt, że był on profesorem uniwersytetu. Jego upór w podążaniu za starymi regułami nie był wyrazem naiwności i głupoty. Wilson doskonale wiedział, kto wprowadził go do Białego Domu i rozumiał, jak należy odwdzięczyć się za otrzymane prezenty. Sam zapewne nie wierzył w świętą wojnę pod hasłem „demokracja ratuje świat". W jakiś czas później zresztą przyznał, że wielka wojna światowa była skutkiem ekonomicznej rywalizacji.

W sumie Ameryka udzieliła państwom Ententy kredytów na kwotę trzech miliardów dolarów oraz przekazała towary eksportowe warte sześć miliardów dolarów. Ten gigantyczny dług wciąż był niemożliwy do zwrotu. W przypadku zwycięstwa

---

[87] Cordell Hull, *Memoirs*, New York 1948, t. I, s. 76.

[88] www.freedomtofascism.com

[89] Chernow, *The House of Morgan*, rozdz. 10.

Niemiec, znajdujące się w bankierskich rękach obligacje wojenne państw Ententy stałyby się bezwartościowe. Morgan, Rockefeller, Warburg i Schiff, chcąc chronić swoje pożyczki, usilnie dążyli do wciągnięcia Stanów Zjednoczonych w wojnę.

Bankierzy, którzy zyskali na wojnie

Po przystąpieniu USA do wojny 6 kwietnia 1917 roku, prezydent Wilson przekazał ważną część swojej władzy trzem najbardziej zasłużonym dla jego wyborczego zwycięstwa graczom. Byli to: Paul Warburg, sterujący amerykańskim systemem bankowym, Bernard Baruch, przewodniczący Rady Przemysłów Wojennych, oraz Eugene Meyer, szef Korporacji Finansów Wojennych.

Bracia Warburgowie

Starszy brat Paula, Max Warburg, zajmował kierownicze stanowisko w niemieckich służbach wywiadowczych, podczas gdy Paul był głównym decydentem finansowym w USA oraz zastępcą prezesa Rezerwy Federalnej. Trzeci z braci, Feliks, był starszym partnerem w spółce Kuhn and Loeb, czwarty, Fritz, pełnił funkcję prezesa giełdy w Hamburgu i reprezentował Niemcy w tajnych rokowaniach pokojowych z Rosją. Wszyscy oni byli najważniejszymi osobistościami z żydowskiej rodziny bankierów.

W związku z braćmi Paula Warburga, tajny raport amerykańskiej marynarki wojennej z 12 grudnia 1918 roku utrzymuje: „Paul Warburg, Nowy Jork: niemiecki emigrant, od 1911 roku obywatel Stanów Zjednoczonych. W 1912 roku otrzymał medal od cesarza Niemiec. Pełnił funkcję wiceprezesa Rezerwy Federalnej. Jeden z jego braci zajmuje kierownicze stanowisko w niemieckim wywiadzie[90]". Inny raport wspomina: „Cesarz Niemiec [Wilhelm II] kiedyś uderzył w stół, krzycząc na Maxa: «czy znaczy to, że ty zawsze masz rację?», jednak chwilę potem uważnie wysłuchał opinii Maxa dotyczących sektora finansów[91]".

Najbardziej zaskakuje fakt, że Paul Warburg opuścił stanowisko wiceprezesa Rezerwy Federalnej w maju 1918 roku, a w raporcie brak na ten temat wzmianki. Po przystąpieniu Stanów Zjednoczonych do wojny, w wyniku piastowania ważnej funkcji w niemieckim wywiadzie przez brata Paula, Maxa, teoretycznie Paul mógłby zostać oskarżony o bliskie związki z wrogami państwa, tym bardziej, że wówczas w Ameryce nie było innej osoby mającej równie wielki wpływ na finanse kraju. W czerwcu 1918 roku, po rezygnacji ze stanowiska w Rezerwie Federalnej, Paul Warburg wysłał do prezydenta Wilsona notatkę o następującej treści: „moi dwaj bracia są niemieckimi bankierami. Naturalne jest, że z całych sił pragną pomóc swojemu krajowi, tak jak ja pomagam swojemu"[92].

---

90 Mullins, *The Secrets of the Federal Reserve*, rozdz. 8.

91 Max Warburg, *Memoirs of Max Warburg*, Berlin 1936.

92 David Farrar, *The Warburgs*, London 1974.

Bernard Baruch: car amerykańskiego przemysłu wojennego

Pochodzący z rodziny przedsiębiorców Bernard Baruch w 1896 roku dokonał fuzji sześciu głównych firm tytoniowych w USA, tworząc Consolidated Tobacco Company. Zaraz potem pomógł rodzinie Guggenheim w konsolidacji amerykańskich kopalni miedzi. Współpracował z człowiekiem Schiffa, Harimanem, na rzecz kontroli nowojorskiego systemu transportowego.

W 1901 roku wraz z bratem założył spółkę Baruch Brothers. Zaraz po powołaniu go na stanowisko prezesa Rady Przemysłów Wojennych w 1917 roku przez prezydenta Wilsona, Baruch błyskawicznie zaczął wykorzystywać świeżo nabyte prawo życia i śmierci wobec amerykańskiego przemysłu. Każdego roku dokonywał zakupów osiągających wartość 10 miliardów dolarów, praktycznie samodzielnie ustalając rządowe ceny zakupu materiałów wojennych. Wiele lat później, w 1935 roku, podczas przesłuchań w Kongresie, Baruch powiedział: „prezydent Wilson przekazał mi list, upoważniając mnie do przejęcia zarządu każdej fabryki, każdej spółki przemysłowej. Miałem bardzo złe stosunki z Judge Garym, prezesem US Steel. Gdy pokazałem mu ów list, odparł do mnie: «widzę, że musimy rozwiązać nasze dawne spory». Tak też w rzeczy samej uczyniłem”[93].

Niektórzy kongresmani mieli wątpliwości odnośnie do szerokich uprawnień Barucha w stosunku do amerykańskiego przemysłu, uważając, że nie jest on żadnym przemysłowcem, a w fabryce nie spędził nawet jednego dnia. Sam Baruch podczas przesłuchań w Kongresie określał siebie jako inwestora, człowieka wykorzystującego okazję. „The New Yorker” donosił, że Baruch, rozsiewając w Waszyngtonie fałszywe wiadomości o pokoju, tylko w jeden dzień zarobił 750 tysięcy dolarów.

Eugene Meyer i jego wojenna spółka finansowa

Ojciec Eugene'a Meyera był partnerem w znanym międzynarodowym banku Lazard Freres. Eugune nadzwyczaj chętnie piastował rozmaite stanowiska publiczne. Wspólnie z Baruchem współpracował ze spółką wydobywającą złoto na Alasce. Biorąc pod uwagę jeszcze klika innych operacji finansowych, w które obaj byli zaangażowani, można powiedzieć, że byli starymi przyjaciółmi.

W czasie wojny jedną z najważniejszych misji instytucji finansowych była sprzedaż amerykańskich obligacji (pożyczek rządowych) w celu zebrania potrzebnych środków finansowych na wsparcie wysiłku wojennego. Żadne inne działania Eugene'a w instytucjach finansowych w czasie wojny nie budziły takiego zainteresowania, jak fałszowanie zapisów księgowych. W jakiś czas później, gdy Kongres otworzył dochodzenie w sprawie firmy Eugene'a, niemal co wieczór poprawiano w niej zapisy księgowe tak, by na drugi dzień można było z czystym sumieniem pokazać je śledczym. W latach 1925 i 1930 oba dochodzenia w sprawie firmy Eugene'a pod przewodnictwem kongresmana MacFaddena doprowadziły do ujawnienia wielu problematycznych zapisów księgowych: „duplikowana liczba

[93] Zeznanie Barucha przed Komitetem Nye'ego, 13 września 1937.

papierów wartościowych wynosiła 2314 serii, duplikowana liczba dyskontowanych papierów 4698 serii, wartość nominalna różni się od 50 tysięcy do miliona dolarów, daty wymiany wpisywane są aż do lipca 1924 roku. Niektóre duplikacje mają błędy, inne zaś z premedytacją zostały sfałszowane"[94].

Nie dziwi więc fakt, że po zakończeniu I wojny światowej, Eugene, ku zaskoczeniu wszystkich, zdolny był do zakupu Allied Chemical and Dye Corporation, by zaraz potem kupić „Washington Post". Według obliczeń, fałszywe zapisy księgowe Eugene'a Meyera doprowadziły do dziury w saldzie obligacji rządowych wartej kilkaset milionów dolarów[95].

Edward Stettinius: prekursor amerykańskiego kompleksu przemysłowego

Edward Sttetinius był człowiekiem bardzo skrupulatnym, niesłychanie mało elastycznym, gdy chodziło o szczegóły. W młodości zrobił wielki majątek na spekulacjach zbożem w Chicago. W czasie wojny jego zdolności dostrzegł Morgan, dając mu intratną posadę w Departamencie Eksportu, gdzie Sttetinius był odpowiedzialny za zakup amunicji.

Podczas wojny, Sttetinius stał się największym konsumentem na świecie, kupując każdego dnia materiały wojenne warte około 10 milionów dolarów, by następnie zorganizować ich załadunek na statki, wykupić ubezpieczenie i wysłać transportem do Europy. Ze wszystkich sił starał się zwiększyć produktywność oraz efektywność transportu. Kiedy tylko w jego biurze, znajdującym się na Wall Street pod numerem 23, zadzwonił dzwonek, pojawiały się niezliczone rzesze oferujących broń i części zamienne agentów oraz samych producentów broni. Przy każdych drzwiach w pomieszczeniach jego biura stał uzbrojony wartownik. Miesięczna wartość jego zakupów była ekwiwalentem światowego PKB sprzed 20 lat. Niemcy nigdy by nie podejrzewali, że Ameryka będzie zdolna do tego, by w tak krótkim czasie przestawić się na tory militarnej produkcji przemysłowej.

Henry Davison: zaufany Morgana

Poczyniwszy wielkie zasługi dla budowy potężnego imperium finansowego Morgana, jego starszy partner finansowy, Henry Davison, uzyskał kontrolę nad atrakcyjną inwestycją, Amerykańskim Czerwonym Krzyżem. Odtąd to właśnie on sprawował kontrolę nad gigantyczną sumą 370 milionów dolarów pochodzącą z datków wpłaconych przez Amerykanów.

---

94 Mullins *The Secrets of the Federal Reserve*, rozdz. 8.

95 *Ibid.*

Traktat Wersalski: dwudziestoletnia umowa o zawieszeniu broni

11 listopada 1918 roku ostatecznie zapadła kurtyna nad krwawą i okrutną I wojną światową. Niemcy, jako kraj przegrany, utraciły 13 procent swojego terytorium. Nałożono też na nie obowiązek wypłaty reparacji wojennych na sumę 32 miliardów dolarów. Do tej sumy należy też doliczyć 500 milionów dolarów tytułem rocznych odsetek oraz narzuconą dwudziestosześcioprocentową nadzwyczajną taryfę celną na niemieckie produkty eksportowe. Niemcy utraciły wszystkie swoje kolonie, ich armia została zredukowana do 100 tysięcy żołnierzy, a flota do sześciu podstawowych okrętów. Wprowadzono zakaz produkcji i wykorzystania podstawowych broni ofensywnych: łodzi podwodnych, samolotów, czołgów i ciężkiej artylerii.

Premier Wielkiej Brytanii, David Lloyd George, zadeklarował kiedyś, że „przeszukując kieszenie Niemców, trzeba znaleźć pieniądze", jednak prywatnie przyznał: „opracowany przez nas dokument traktatu [Traktat Wersalski] zawierał ukrytą wadę, cień, który 20 lat później przybrał postać wielkiej wojny. Egzekwowanie od Niemców przestrzegania warunków traktatu mogło doprowadzić tylko do dwóch sytuacji: albo Niemcy zignorują te warunki, albo wywołają nową wojnę". Lord Curzon, ówczesny minister spraw zagranicznych Wielkiej Brytanii, miał podobne zdanie: „ten traktat nie zapewni pokoju. To tylko dokument mówiący o wstrzymaniu ognia na dwa lata".

Gdy prezydent Wilson ujrzał tekst Traktatu Wersalskiego, marszcząc brwi, powiedział: „Gdybym był Niemcem, nigdy nie podpisałbym tego dokumentu".

Problem nie tkwił w tym, czy politycy naprawdę pojęli naturę problemów, którym musieli stawić czoło, lecz w tym, że faktycznymi decydentami byli znajdujący się za ich plecami „mistrzowie". Wśród bankierów, którzy towarzyszyli Wilsonowi w podróży do Paryża na rokowania pokojowe, znajdowali się: pierwszy doradca finansowy Paul Warburg, J.P. Morgan wraz ze swoim prawnikiem Franklinem, starszy partner ze spółki Morgana Thomas Layman – prezes Rady Przemysłów Wojennych Baruch, bracia Dulles (jeden z nich później został szefem CIA, drugi sekretarzem obrony w gabinecie Eisenhowera). Premierowi Wielkiej Brytanii towarzyszył Sir Phillip Sassoon, spokrewniony z rodziną Rothschildów. Premier Francji miał u swojego boku, Georga Mandela, którego prawdziwe nazwisko brzmi Jeroboam Rothschild. Głową delegacji niemieckiej był starszy brat Paula Warburga, Max. Gdy bankierzy zbierali się w Paryżu, podejmował ich późniejszy „Ojciec Izraela", Edmund Rothschild, goszcząc w swojej paryskiej rezydencji prominentne osobistości z amerykańskiej delegacji.

W gruncie rzeczy pokój zawarty w Paryżu był dla międzynarodowych bankierów swoistym Świętem Radości, następującym zaraz po obfitym połowie wynikającym z wojny światowej. Doprowadzając do podpisania traktatu w takiej, a nie innej formie, zasiali oni ziarna pod przyszły konflikt – II wojnę światową.

1921: „strzyżenie owiec" i zapaść amerykańskiego rolnictwa

1 września 1894 roku, zatrzymamy wszelkie prolongaty [spłaty] *pożyczek. W tym dniu odbierzemy nasze pieniądze. Wykorzystamy i wystawimy na aukcje niewyczyszczone środki trwałe. Będziemy zdolni do zakupu dwóch trzecich ziem uprawnych na Zachód od rzeki Missisipi, a także niezliczonych gruntów na wschód od niej, po cenach ustalonych przez nas samych. Farmerzy* [utraciwszy swą ziemię] *zamienią się w pracowników najemnych, tak jak w Wielkiej Brytanii.*

1891 rok, Stowarzyszenie Amerykańskich Bankierów
(zapis z Kongresu z 29 kwietnia 1913 roku)

Jak wspomniano, określenie „strzyżenie owiec" pochodzi z żargonu używanego w kręgach finansowych, a jego sens jest prosty: chodzi o wykorzystanie gospodarczej prosperity i recesji w celu stworzenia okazji, w której za kilka procent normalnej ceny można przejąć własność innych ludzi. Odkąd bankierzy zdobyli zasadnicze prawo do kontroli podaży pieniądza w Stanach Zjednoczonych, gospodarcze zjawiska, takie jak okres prosperity i recesja stały się procesami możliwymi do precyzyjnego zaplanowania i kontrolowania. Dla bankierów zabieg „strzyżenia owiec" w porównaniu z ich dawnymi metodami przypominał przejście od utrzymujących się z polowań nomadów do wyższego stadium racjonalnego gospodarowania i stabilnego, osiadłego trybu życia.

I wojna światowa przyniosła Ameryce czas powszechnej prosperity. Wielka skala wojennych zakupów pchnęła rozwój amerykańskiego sektora przemysłowego i usługowego. Rezerwa Federalna w latach 1914-1920 wprowadziła do obiegu gospodarczego znaczące ilości waluty. Odsetki w nowojorskim Banku Rezerwy spadły z sześciu procent w 1914 do trzech w 1916, utrzymując się na tym poziomie aż do 1920 roku.

Aby uruchomić kredyty dla państw Ententy, w latach 1917-1918 bankierzy przeprowadzili cztery wielkie emisje papierów wartościowych zwanych *Liberty Bonds*. Odsetki od obligacji wzrosły w różnym stopniu z trzech i pół do czterech i pół procenta. Jednym z celów emisji tych papierów była próba wchłonięcia części pieniędzy i kredytów, których nadmiar został wypuszczony przez FED do obiegu.

Podczas wojny robotnicy otrzymywali wysokie pensje, rolnicze ziarno sprzedawało się po bardzo wysokich cenach. Sytuacja materialna robotników i farmerów uległa znacznej poprawie. Gdy wojna się skończyła, w rękach farmerów znajdowała się ogromna ilość gotówki. Co więcej, ten gigantyczny majątek był wolny od kontroli bankierów z Wall Street. Okazało się, że farmerzy ze Środkowego Zachodu deponowali swoje oszczędności w konserwatywnych, lokalnych bankach, których szefowie okazywali otwartą wrogość wobec nowojorskich kolegów z branży. Nie tylko nie wstępowali do systemu Rezerwy Federalnej, ale również odmawiali wsparcia w kredytowaniu europejskiej wojny. Wielcy gracze z Wall Street już od dawna poszukiwali okazji, by ostatecznie doprowadzić do porządku tych prostolinijnych prowincjuszy, tym bardziej, że farmerzy byli atrakcyjną, tłustą owcą, z której można byłoby łatwo czerpać zyski. Wall Street powoli przygotowywało swoje nożyce na powszechne „strzyżenie".

Aby zrealizować swój plan, bankierzy zastosowali prostą strategię: najpierw poluzować, a potem przycisnąć. Stworzyli grupę o nazwie Federal Farm Loan Board, by zachęcać farmerów do inwestowania zarobionych w pocie czoła pieniędzy w zakup nowych gruntów. Owa grupa była odpowiedzialna za udzielanie długoterminowych pożyczek. Bardzo często farmerzy mieli trudności z uzyskaniem kredytów, tak więc wielu z nich, za pośrednictwem Federal Farm Loan Bard, złożyło wnioski do międzynarodowych banków o przyznanie kredytów, dokonując jednocześnie wpłaty pierwszych, wysokich wpłat. Farmerzy prawdopodobnie nigdy nie zdawali sobie sprawy, że najzwyczajniej w świecie wchodzą do misternie zaprojektowanej pułapki.

W kwietniu, maju, czerwcu i lipcu 1920 roku sektor przemysłowy i handlowy uzyskały wielki przypływ kredytu, którego celem było udzielenie pomocy w przetrwaniu zbliżającego się okresu zaostrzania polityki kredytowej. Jedynie podania o kredyty złożone przez farmerów zostały w całości odrzucone. Wówczas po raz pierwszy plany i zamiary finansistów z Wall Street zostały przedstawione tak jasno i wyraźnie. Chodziło zarówno o zrabowanie majątku farmerów, jak i zniszczenie opierających się woli Rezerwy Federalnej małych i średnich banków.

Przewodniczący komisji bankowo-walutowej Kongresu, Owen, w 1939 roku podczas przesłuchań dotyczących pozycji srebra powiedział: „na początku 1920 roku farmerzy byli niesłychanie zamożni, szybko spłacali raty, zaciągali wielkie pożyczki na zakup nowej ziemi. W drugiej połowie 1920 roku, nagłe obostrzenie polityki kredytowej doprowadziło wielu z nich do bankructwa. Wszystko, co wydarzyło się w 1920 roku, było całkowicie sprzeczne z tym, co powinno mieć miejsce"[96].

Stawiając czoła problemowi udzielenia zbyt dużej liczby kredytów w czasie wojny, zakładano rozwiązanie trudnej sytuacji stopniowo, w trakcie kilku lat. W tajemnicy przed Kongresem 8 maja 1920 roku Rezerwa Federalna zwołała tajne posiedzenie. Zarząd Rezerwy przez cały dzień opracowywał strategię działań. Stenogram z posiedzenia, składający się z 60 stron, dopiero w 1923 roku ostatecznie znalazł się wśród dokumentów Kongresu. W owym spotkaniu wzięli udział najważniejsi członkowie zarządu (kategorii A) oraz członkowie Federalnej Rady Doradczej, natomiast członkowie kategorii B, reprezentujący przemysł, handel i rolnictwo, nie otrzymali zaproszeń, podobnie jak i członkowie kategorii C, reprezentujący obywateli USA , którzy również zostali pominięci.

W spotkaniu wzięła więc udział jedynie bankowa elita, a decyzje podjęte w tym dniu obrad doprowadziły bezpośrednio do zaostrzenia polityki kredytowej, co w kolejnym roku poskutkowało spadkiem dochodów farmerów o 15 miliardów

[96] *Ibid.*, rozdz. 9.

dolarów, utratą pracy przez kilka milionów ludzi, krachem na rynku cen ziemi i gospodarstw rolnych. Łączna wartość tych ostatnich spadła o blisko 20 miliardów dolarów. Sekretarz obrony prezydenta Wilsona, William Jennigs Bryan, w jednym zdaniu ujawnił sedno problemu: „W założeniu Rezerwa Federalna miała być głównym obrońcą farmerów, w rzeczywistości stała się ich największym wrogiem. Zaostrzenie polityki kredytowej wobec farmerów było z góry zaplanowanym przestępstwem"[97].

Po tej, przynoszącej kolosalne zyski, akcji „strzyżenia owiec" skierowanej przeciwko farmerom, wytrwale broniące się małe i średnie banki ze Środkowego Zachodu zostały praktycznie całkowicie zlikwidowane. Wszędzie można było dostrzec ślady ludzkiej tragedii. Dopiero w tym momencie Rezerwa Federalna rozpoczęła liberalizację polityki pieniężnej.

Spisek bankowy z 1927 roku

Uzyskawszy wsparcie z firmy Morgana oraz spółki Kuhn and Loeb, Benjamin Strong rozsiadł się w luksusowym fotelu prezesa nowojorskiego oddziału Rezerwy Federalnej. Wspólnie z prezesem Banku Anglii, sir Montagu Colletem Normanem, planował wiele posunięć w anglosaskim świecie finansów, między innymi wielki światowy kryzys z 1929 roku.

Dziadek Normana, podobnie jak i jego pradziadek, piastowali stanowisko prezesa Banku Anglii. Równie znamienitych przodków i doświadczeń życiowych ze świecą można szukać w historii Wielkiej Brytanii. W książce *The Politics of Money* Brian Johnson pisze: „Będąc bliskimi przyjaciółmi, Norman i Strong często wspólnie spędzali urlopy na południu Francji. W latach 1925-1928 polityka liberalizacji podaży pieniądza w Nowym Jorku była efektem prywatnej ugody pomiędzy Strongiem i Normanem. Miała ona na celu zbicie rat odsetek w bankach nowojorskich poniżej poziomu, jaki proponowały banki londyńskie. Z powodu tej międzynarodowej współpracy Strong z premedytacją stosował ciągły, potężny nacisk na obniżanie rat odsetek w USA, aż do momentu, gdy nie dało się już powstrzymać nadchodzącej katastrofy. Swobodna polityka monetarna nowojorskich bankierów z lat dwudziestych doprowadziła do prosperity, uruchamiając wysoką falę spekulacji"[98].

W związku z tą tajemniczą ugodą z 1928 roku, powołana przez Kongres komisja pod przewodnictwem MacFaddena przeprowadziła szczegółowe dochodzenie, którego konkluzja była następująca: międzynarodowi finansiści, poprzez sterowanie przepływem złota, doprowadzili do wielkiego krachu na amerykańskiej giełdzie.

> Kongresman MacFadden: Proszę zwięźle wyjaśnić, co skłoniło radę nadzorczą Rezerwy Federalnej do podjęcia tej decyzji? [chodzi o obcięcie stóp procentowych latem 1927 roku].

---

[97] „Hearst Magazine", listopad 1923.

[98] Brian Johnson, *The Politics of Money*, New York 1970, s. 63.

Członek rady nadzorczej Rezerwy, Miller: Zadał pan pytanie, na które nie umiem udzielić odpowiedzi.

MacFadden: może spróbuję troszkę rozjaśnić tę kwestię. Skąd przyszła sugestia, która doprowadziła do zeszłorocznej decyzji w sprawie zmiany stóp procentowych?

Miller: Trzy największe banki z Europy przysłały swoich przedstawicieli. Byli nimi prezes Banku Anglii Norman, doktor Hjalmar Schacht [prezes niemieckiego banku centralnego] oraz profesor List z Banque de France. Panowie ci wzięli udział w posiedzeniu zarządu Rezerwy Federalnej. Około dwa tygodnie później pojawili się w Waszyngtonie, gdzie spędzili ponad pół dnia. Tego dnia wieczorem przybyli do budynków rządowych. Na drugi dzień byli podejmowani przez członków rady nadzorczej Rezerwy. Tego samego dnia po południu udali się w drogę powrotną do Nowego Jorku.

MacFadden: A więc tam, gdzie zazwyczaj członkowie rady nadzorczej FED spotykają się na popołudniowy bankiet?

Miller: Tak. Rada nadzorcza FED zawsze organizuje wspólny bankiet dla wszystkich swoich członków.

MacFadden: Jest to więc coś w rodzaju spotkania towarzyskiego, czy może poważnej debaty?

Miller: Sądzę, że jest to raczej spotkanie towarzyskie. Tuż przed bankietem prowadziłem długą rozmowę z Hjalmarem Schachtem, a przez pół dnia dyskutowałem z profesorem Listem. Po posiłku rozmawiałem z panami Normanem i Strongiem [szef rady nadzorczej FED].

MacFadden: Czy jest to forma oficjalnych spotkań zarządu FED?

Miller: Nie.

MacFadden: Czyli jest to tylko nieoficjalna dyskusja nad rezultatami nowojorskiego posiedzenia zarządu?

Miller: Tak sadzę. Jest to jedynie spotkanie towarzyskie, a prowadzone rozmowy mają charakter bardzo ogólny, zresztą oni [członkowie rad nadzorczych europejskich banków centralnych] też tak robią.

Mac Fadden: Czego ci ludzie chcą?

Miller: Mają bardzo szczere podejście do każdego problemu. Chciałem po kolacji porozmawiać z sir Normanem. Obaj zostaliśmy w pokoju, po chwili przyłączyli się do nas inni goście. Wszyscy obecni tam dżentelmeni wyrażali głębokie obawy dotyczące funkcjonowania parytetu złota, tak więc mieli nadzieję, iż w Nowym Jorku nastąpi liberalizacja polityki kredytowej i obniżka stóp procentowych, co miałoby powstrzymać wypływ złota z Europy do Ameryki.

Pytanie z sali: Czy zagraniczni bankierzy doszli do porozumienia z członkami rady nadzorczej Rezerwy Federalnej?

Miller: Tak.

Pytanie z sali: Czy jest oficjalny zapis owego porozumienia?

Miller: Nie ma. Później Open Market Policy Committe odbył posiedzenie, na którym określono kolejne etapy działania. Pamiętam, że zgodnie z tym planem, tylko w sierpniu warta około 80 milionów transza rachunków dłużnych została zakupiona przez nowojorski bank Rezerwy Federalnej.

MacFadden: Polityka ta bezpośrednio doprowadziła do niemającej precedensu w historii tego kraju, bardzo poważnej, nienormalnej sytuacji w systemie finansowym [gorączka spekulacyjna na giełdzie nowojorskiej w latach 1927-1929]. Sądzę, że tak ważna decyzja powinna mieć oficjalną, pisemną wersję w Waszyngtonie.

Miller: Zgadzam się

Kongresman Strong: W rzeczywistości, ludzie ci zorganizowali tajne spotkanie, bankiet pełen dobrego jedzenia i trunków, prowadzili rozmaite rozmowy. Pozwolili Rezerwie Federalnej na obniżenie stopy dyskontowej, a następnie zabrali [nasze] złoto.

Pytanie z sali: Ta polityka uspokoiła europejski rynek walutowy, choć wywróciła kurs naszego dolara – czy tak?

Miller: Tak, to było celem tej polityki[99].

W rzeczywistości nowojorski bank Rezerwy Federalnej przejął całkowitą kontrolę nad operacjami FED. Spotkania siedmiu najważniejszych członków rady nadzorczej FED w budynkach administracji rządowej w Waszyngtonie były jedynie elementami dekoracji. Europejscy bankierzy i nowojorski bank FED przeprowadzili długie, trwające prawie tydzień rokowania. Dla porównania, w Waszyngtonie spędzili mniej niż jeden dzień, w całości przeznaczając ten czas na spotkania o charakterze towarzyskim. Tajna konferencja w Nowym Jorku i ustalona podczas niej polityka doprowadziła do wypływu do Europy złota wartego 500 milionów dolarów. Co dziwne, tak ważna decyzja nie była podparta żadnym oficjalnym dokumentem. Nie ma żadnego zapisu czy stenogramu. W ten sposób możemy łatwo dostrzec faktyczne znaczenie owego waszyngtońskiego spotkania szefów Rezerwy Federalnej.

1929: bańka spekulacyjna pęka. Ponowne „strzyżenie owiec"

W latach 1929-1933 polityka redukcji podaży pieniądza doprowadziła do zmniejszenia jego ilości w obiegu do jednej trzeciej, co spowodowało Wielki Kryzys.

Milton Friedman

Zaraz po tajnej konferencji, nowojorski bank Rezerwy Federalnej przystąpił do działania, obniżając stopy procentowe z czterech do trzech i pół procent. W samym tylko 1928 roku dostarczył wybranym, cieszącym się największymi względami bankom członkowskim FED, transferów pieniężnych wartych około 60 miliardów dolarów. Owe banki członkowskie wykorzystały jako zastaw swoje własne czeki bankowe z piętnastodniowym okresem ważności. W przypadku wymiany wszystkich tych czeków na złoto, ilość złota w całym światowym obiegu wzrosłaby sześciokrotnie! Stosując tę metodę emisji waluty, Rezerwa Federalna wpuściła do

[99] The House Stabilization Hearings, 1928

obiegu pieniężnego ponad 33 razy więcej pieniędzy niż poprzez oficjalne zakupy kwitów dłużnych przez swój nowojorski bank. Jeszcze bardziej zdumiewa fakt, że w 1929 roku nowojorski bank FED ponownie dostarczył innym bankom Rezerwy środków pieniężnych w wysokości 58 miliardów dolarów![100]

W tym czasie nowojorska giełda pozwalała partnerom handlowym na dokonywanie zakupów akcji przy wpłacie jednego procenta ich ceny – pozostała cześć płatności była pokrywana przez kredyt udzielany przez banki partnerów handlowych. W tym czasie zniecierpliwione banki, dysponujące ogromną liczbą kredytów do wykorzystania, zderzyły się z chciwymi, spragnionymi zysków inwestorami i pośrednikami. Obie strony błyskawicznie się do siebie dopasowały.

Banki mogły pobierać pożyczki z nowojorskiej filii FED oprocentowane na pięć procent, by następnie udzielać ich firmom maklerskim przy stopie 12 procent, konsumując siedmioprocentową różnicę w oprocentowaniu. Trudno sobie wyobrazić doskonalszy interes.

W tym czasie nagły wzrost bańki spekulacyjnej na nowojorskiej giełdzie był rzeczą pewną. W całej Ameryce, czy to na Północy, czy na Południu, Zachodzie bądź Wschodzie, w każdym miejscu, wszyscy obywatele byli zachęcani do wybrania swoich nagromadzonych oszczędności w celu zainwestowania ich na giełdzie. Nawet waszyngtońscy politycy zostali wprawieni w ruch przez baronów z Wall Street. Sekretarz skarbu, Andrew Mellon, w swoim oficjalnym wystąpieniu zapewnił obywateli, że indeksy giełdowe wcale nie są wysokie. Prezydent John Coolidge, biorąc do ręki przygotowany przez bankierów tekst wystąpienia, oświadczył wobec całego kraju, że zakup akcji jest bezpieczny.

W marcu 1928 roku członkowie rady nadzorczej Rezerwy Federalnej, udzielając odpowiedzi na pytania kongresmanów dotyczące zbyt wysokiej liczby pożyczek udzielanych firmom maklerskim i inwestorom giełdowym, odpowiadali, że trudno stwierdzić, czy liczba pożyczek udzielanych firmom maklerskim jest zbyt duża – zapewniali jedynie, że owe firmy są bezpieczne i pozbawione ryzyka.

Dnia 6 lutego 1929 roku prezes Banku Anglii, sir Norman, w tajemnicy ponownie przybył do Stanów Zjednoczonych. Rezerwa Federalna rozpoczęła wycofywanie się ze swojej, trwającej od 1927 roku, liberalnej polityki walutowej. Bankierzy z Wielkiej Brytanii zakończyli przygotowania do wielkiej kampanii i nadszedł czas, by strona amerykańska przystąpiła do akcji.

W marcu 1929 roku „ojciec chrzestny" amerykańskiego systemu walutowego, Paul Warburg, na rocznym spotkaniu udziałowców International Acceptance Bank udzielił uczestnikom ostrzeżenia: „Jeśli obecna, pozbawiona ograniczeń chciwa [spekulacja] będzie dalej kontynuowana czy wręcz rozszerzana, ostateczny krach nie tylko boleśnie uderzy w inwestorów, ale i sprowadzi na świat wielką recesję gospodarczą"[101].

Przez całe trzy lata Paul Warburg milczał na temat pozbawionej granic spekulacji i nagle wszedł na scenę, by udzielić ostrzeżenia. „New York Times" umieścił

[100] Congressional Record, 1932.

[101] Mullins, *The Secrets of the Federal* Reserve, rozdz. 12.

na swoich łamach artykuł omawiający wystąpienie Warburga, który wciąż miał ogromne wpływy w świecie polityki i finansów. To natychmiast doprowadziło do paniki na giełdzie.

Ostateczne obwieszczenie mówiące o wyroku śmierci na giełdę zostało opublikowane w „New York Times" 20 kwietnia 1929 roku. Tego dnia gazeta przekazała wiadomość o następującej treści:

> FEDERALNA KOMISJA DORADCZA ODBYWA SEKRETNE POSIEDZENIE W WASZYNGTONIE
>
> Federalna Komisja Doradcza sporządziła i wręczyła radzie nadzorczej Rezerwy Federalnej tekst rezolucji, której cel wciąż pozostaje nieznany. Kolejne działania Federalnej Komisji Doradczej i zarządu Rezerwy Federalnej wciąż okryte są pełną tajnością. Tym razem wykorzystano najostrzejsze, nadzwyczajne środki w celu zachowania absolutnej tajemnicy co do przebiegu i treści obrad. Reporterzy otrzymali jedynie garść dwuznacznych odpowiedzi[102].

9 sierpnia 1929 roku, Rezerwa Federalna podniosła stopę odsetek do sześciu procent, a w ślad za tą decyzją nowojorski bank FED podniósł odsetki dla firm maklerskich z pięciu do dwudziestu procent. Inwestorzy raptownie wpadli w pułapkę braku kapitałów. Nie pozostawała im inna droga jak, bez względu na wszystko, wyjść z giełdy. Sytuacja na giełdzie zaczynała stawać się coraz bardziej napięta. Przypominało to ustawienie tamy blokującej nurt wielkiej rzeki. Czas zapłacenia rachunku nadszedł 11 października i dokonał gigantycznego spustoszenia na giełdzie. Majątek warty 160 miliardów dolarów ulotnił się w mgnieniu oka. Jak oszacować tą sumę? Otóż 160 miliardów dolarów miało wówczas wartość zbliżoną do wartości całej produkcji USA podczas II wojny światowej.

Tego roku jeden z inwestorów giełdowych z Wall Street pisał: „precyzyjnie zaplanowany kryzys z 1929 roku został spowodowany przez nagłe ograniczenie podaży kredytów na zakup papierów wartościowych na rynku walutowym w Nowym Jorku. W ten sposób międzynarodowi, wielcy magnaci finansowi przeprowadzili dobrze obliczoną, skierowana przeciw społeczeństwu, akcję «strzyżenia owiec»"[103].

W konfrontacji z obrazami nędzy, ruiny i zniszczenia w amerykańskiej gospodarce, 4 lipca 1930 roku „New York Times" nie mógł powstrzymać się od następującego, pełnego lamentów komentarza: „ceny materiałów spadły poniżej poziomu z 1913 roku. W wyniku nadmiaru pracowników pensje poszły w dół – łącznie cztery miliony ludzi utraciło pracę. Morgan, wykorzystując kontrolę nad nowojorskim oddziałem Rezerwy Federalnej i obojętność w Waszyngtonie, wygrał i zdobył kontrolę nad całym systemem Rezerwy Federalnej".

Kryzys finansowy trwał też na Wall Street. Od 1930 do 1933 roku łącznie zbankrutowało 8812 banków, zdecydowana większość próbowała wcześniej działać niezależnie i stawiać opór pięciu wielkim rodzinom bankierów z Nowego Jorku. Wszystkie banki, które płaciły rachunki za system Rezerwy Federalnej, kolejno upadały.

---

[102] „New York Times", 20 kwietnia 1929.

[103] Curtis Dall, *FDR – My Exploited Father in law*, Washington 1970.

Prawdziwe źródła Wielkiego Kryzysu

Niewątpliwie krach giełdowy z 1929 roku został zaplanowany podczas tajnego posiedzenia Rezerwy Federalnej i europejskich bankierów w 1927 roku. Zaniżanie stopy procentowej w Nowym Jorku i równoczesne zawyżanie jej w Londynie prowadziło do wypływu złota z Ameryki do Wielkiej Brytanii, co miało na celu wesprzeć Wielką Brytanię i inne europejskie kraje w powrocie do standardu złota. W rzeczy samej europejscy finansiści już od dawna rozumieli, że efektywność inflacji jako metody powiększania majątku, znacznie przewyższa wpływy z odsetek od udzielanych kredytów. Złoto było kamieniem węgielnym całego procesu emisji pieniądza, a papierowy pieniądz mógł być swobodnie zamieniany właśnie na złoto. Bez wątpienia ten fakt istotnie ograniczał możliwość użycia inflacji jako skutecznej broni. W takiej sytuacji wielu ludzi może zastanawiać się, czemu wówczas brytyjscy bankierzy, jako reprezentanci kręgów finansowych z Europy, domagali się powrotu do standardu złota? Aby to zrozumieć, trzeba dostrzec, że był to tylko jeden z ruchów, za pomocą którego na szachownicy świata bankierzy rozpoczęli kolejną ważną partię.

I wojna światowa zakończyła się klęską Niemiec. Kolosalna suma reparacji wojennych była nie do udźwignięcia dla niemieckich Rothschildów czy rodziny Warburgów. Co więcej, nad oboma rodzinami ciążyła silna presja, zmuszająca je do wspierania kraju w tych ciężkich chwilach. W takiej sytuacji pierwszym ruchem na szachownicy było uruchomienie przez niemieckich bankierów inflacji, która, niczym maszynka do mięsa, zagarniała i mieliła dobra nagromadzone przez obywateli Niemiec. Ludzkość po raz pierwszy w dziejach w pełni doświadczyła potęgi hiperinflacji.

W latach wojny (1914-1918) wartość nominalna emitowanej niemieckiej waluty uległa ponad ośmiokrotnemu zwiększeniu, a marka niemiecka zdewaluowała się w stosunku do amerykańskiego dolara o 50 procent. Począwszy od 1921 roku, wypływająca z niemieckiego Banku Centralnego ilość waluty przypominała erupcję wulkanu: w roku 1921 w porównaniu z rokiem 1918 zwiększyła się pięciokrotnie, w roku 1922 w porównaniu z 1918 – dziesięciokrotnie, a w roku 1923 w porównaniu z 1922 – o wielokrotność 72 milionów 530 tysięcy! Od sierpnia 1923 roku ceny towarów osiągnęły astronomiczny poziom: bochenek chleba czy znaczek pocztowy kosztowały ponad miliard marek. Pensje niemieckich robotników musiały być wypłacane dwa razy w ciągu dnia, a pieniądze należało wydać w ciągu godziny od ich otrzymania[104].

Niemieccy bankierzy wyprali do czysta rezerwy nagromadzone przez niemiecką klasę średnią, doprowadzając, w ciągu zaledwie jednej nocy, wiele ważnych osobistości z politycznego i kulturalnego życia kraju do ruiny i tworząc w ten sposób podstawy społeczne dla późniejszego dojścia nazistów do władzy. Co więcej, działania te zasiały w sercach Niemców głęboką nienawiść wobec

---

[104] Davies, *History of Money From Ancient Times to The Present Day*, s. 575.

żydowskich bankierów. W porównaniu z trudną sytuacją Francuzów po ich klęsce w wojnie 1870 roku, położenie narodu niemieckiego było znacznie gorsze. Tak więc pierwszych przyczyn następnej, dużo krwawszej i okrutniejszej wojny, należy szukać już w roku 1923.

Gdy majątek Niemców został już prawie całkowicie splądrowany, przyszedł czas na ustabilizowanie niemieckiej marki. Dzięki działaniom międzynarodowych bankierów, transfer złota należącego do Amerykanów stał się kołem ratunkowym służącym ustabilizowaniu niemieckiej waluty.

Drugi ruch na szachownicy należał do brytyjskich bankierów. Na skutek poważnego zakłócenia transportu atlantyckiego do Wielkiej Brytanii – czego przyczyną były ataki niemieckich łodzi podwodnych – brytyjskie statki z ładunkami złota nie miały możliwości do wypłynięcia z portu. Zmusiło to Bank Anglii do ogłoszenia tymczasowego wstrzymania wymiany złota: standard złota dla brytyjskiego funta przestał funkcjonować.

W 1924 roku, późniejszy premier Wielkiej Brytanii, Winston Churchill, pełnił funkcję ministra skarbu. Pozbawiony wiedzy dotyczącej spraw związanych z finansami, Churchill, przy zachęcie i poklasku bankierów, rozpoczął przygotowania do powrotu do standardu złota. Głównym powodem tej decyzji miała być konieczność obrony dominującej pozycji i siły brytyjskiego funta w świecie międzynarodowych finansów. 13 maja 1925 roku przegłosowano *Gold Standard Act*. W tym czasie mocarstwowa pozycja Wielkiej Brytanii uległa znacznemu osłabieniu na skutek dramatycznej konsumpcji lat wojennych, a siła gospodarcza kraju ustępowała już rosnącej potędze Stanów Zjednoczonych. Nawet w odniesieniu do Europy, czas samotnej dominacji Albionu należał już do przeszłości. Nieuniknioną konsekwencją przymusowego powrotu do standardu złota był sztywny kurs funta, co mocno uderzyło w, tracący z dnia na dzień konkurencyjność, brytyjski eksport. W tym samym czasie zaczęły dawać o sobie znać negatywne skutki owej decyzji: nastąpił spadek cen, redukcje wynagrodzeń i wzrost bezrobocia.

W tym czasie świat obiegły idee wielkiego mistrza Keynesa. John Maynard Keynes w 1919 roku, podczas Konferencji Wersalskiej, pełnił funkcję przedstawiciela brytyjskiego Ministerstwa Skarbu. Był zdecydowanie przeciwny stawianiu Niemcom twardych warunków, co więcej, by zaznaczyć swój sprzeciw, posunął się do złożenia dymisji. Keynes był zwolennikiem odejścia od standardu złota. Jego relacje ze światem londyńskiej finansjery były dość napięte. Gdy rząd Wielkiej Brytanii prowadził dochodzenie dotyczące możliwości wprowadzenia standardu złota, występując przed komisją MacMilliana, Keynes wypowiadał się w bardzo ostrym, moralizatorskim tonie, opisując złe praktyki związane z wykorzystywaniem standardu złota. Uważał, że złoto to jedynie „relikt prymitywizmu" i ograniczenie dla rozwoju gospodarczego. Sir Norman z Banku Anglii nie pozostawał mu dłużny, dobitnie tłumacząc, że dla uczciwych bankierów standard złota jest rzeczą konieczną, bez względu jak wielkim będzie to ciężarem dla brytyjskiej gospodarki i bez względu na to jak wiele branż poniesie straty, gdyż tylko w ten sposób zostanie ugruntowana wielka reputacja, którą cieszą się bankierzy z londyńskiego City.

Obywatele brytyjscy byli skonsternowani. Podobnie jak w Stanach Zjednoczonych, bankierzy w Wielkiej Brytanii nie mieli dobrej opinii i panowało przekonanie, że jeśli popierają oni jakieś rozwiązanie, to z pewnością jest ono złe i szkodliwe dla społeczeństwa, z tego też powodu ostro krytykowano ich propozycje.

I to był właśnie najbardziej widowiskowy punkt rozgrywanej partii.

Człowiek budzący zaufanie odegrał rolę reprezentanta zwykłych obywateli, podczas gdy bankierzy przebrali się w szaty obrońców złota. Obie role zostały odegrane perfekcyjnie, dzięki czemu można było bez większych trudności sterować opinią publiczną.

Tak jak można się było spodziewać, zgodnie z „przepowiedniami" Keynesa i planami bankierów, brytyjska gospodarka zaraz po powrocie do standardu złota wpadła w potworne tarapaty. Stopa bezrobocia z trzech procent w 1920 roku wzrosła do 18 w roku 1926, krajem wstrząsały strajki i niepokoje społeczne, a sytuacja polityczna wymykała się spod kontroli. Rząd brytyjski zmuszony był stawić czoło poważnemu kryzysowi.

A bankierzy potrzebowali dokładnie takiego kryzysu! Albowiem tylko dzięki kryzysowi możliwa staje się promocja „reformy finansowej". W trakcie burzliwej debaty dotyczącej zmiany obowiązującego prawa w 1928 roku został przegłosowany Currency and Bank Notes Act, który całkowicie zerwał ograniczenia trzymające w ryzach przez 84 lata Bank Anglii i ograniczające emisję funta pod zastaw długu rządowego. W 1844 roku ustawa regulowała limit emisji brytyjskiego funta pod zastaw obligacji rządowych na sumę dziewiętnastu milionów. Dla emisji pozostałej liczby banknotów, zastawem musiało być złoto. Drukowane pod zastaw obligacji rządowych pieniądze dłużne były więc ograniczone standardem złota, niezmiernie drażniącym szefów Banku Anglii – podobnie zresztą, jak później drażnił on szefów Rezerwy Federalnej. W ciągu kilku tygodni od wejścia w życie nowego prawa, Bank Anglii wyemitował 260 milionów funtów pieniędzy dłużnych. Nowe prawo upoważniało Bank Anglii w razie nadzwyczajnej sytuacji do niczym nieograniczonej emisji funta – wystarczała do tego zaledwie zgoda ministerstwa finansów oraz parlamentu[105]. Możliwość niczym nieograniczonej emisji pieniądza, którą posiadała Rezerwa Federalna, ostatecznie stała się również udziałem Banku Anglii.

Trzecim posunięciem na szachownicy było ponowne wejście Stanów Zjednoczonych – tłustej owcy – w czas strzyżenia. Po zakończeniu tajnej konferencji w 1927 roku, w wyniku polityki niskich stóp procentowych stosowanej przez Rezerwę Federalną, amerykańskie złoto o wartości około 500 milionów dolarów, wypłynęło z kraju. W 1929 roku Rezerwa gwałtownie, bez skrupułów, podniosła stopy procentowe, doprowadzając do sytuacji, w której banki pozbawione rezerw złota nie miały możliwości skutecznego udzielania kredytów. W wyniku tej utraty krwi, Ameryka doznała szoku. Międzynarodowi bankierzy szybko przystąpili do wykorzystania doskonałej okazji, rozpoczynając skup aktywów o wysokiej jakości, między innymi akcji, po śmiesznie niskich cenach – od kilkudziesięciu do nawet 10 procent ich wartości. Kongresman MacFadden tak opisuje zaistniałą sytuację:

[105] *Ibid.*, s. 377.

„W tych dniach tylko w jednym stanie na aukcjach wystawiane i sprzedawane są nieruchomości i farmy w liczbie do 60 tysięcy dziennie. W hrabstwie Oakland w Michigan 71 tysięcy właścicieli domów i farm zostało wyrzuconych na bruk. Podobne historie zdarzają się teraz w każdym amerykańskim hrabstwie".

W czasie tego największego w historii Stanów Zjednoczonych kataklizmu, jedynie mały krąg ludzi zdawał sobie sprawę, że właśnie nadchodziła doskonała okazja do spekulacji. Ludzie ci w odpowiednim czasie pozbyli się posiadanych akcji, zamieniając zawartość swoich portfeli inwestycyjnych na obligacje rządowe. Zachowywali przez cały czas bliskie i poufne kontakty z londyńskimi Rothschildami. Ci, którzy pozostawali poza tym wąskim kręgiem, nawet jeśli byli niezmiernie majętni, nie mieli szans uniknąć katastrofy. Ów krąg obejmował J.P. Morgana oraz spółkę Kuhn and Loeb wraz z wyselekcjonowanymi przez nich tzw. klientami pierwszeństwa, do których zaliczali się partnerzy bankowi, zaufani i bliscy przedsiębiorcy, najważniejsi politycy i zaprzyjaźnieni ludzie z kręgów władzy.

Gdy bankier Morrison rezygnował z posady w Rezerwie Federalnej, 30 maja 1936 roku „Newsweek" wystawiał mu następująca ocenę: „Wszyscy uważają, że Rezerwa straciła utalentowanego człowieka. W 1929 roku [przed krachem giełdowym] zwołał on naradę, wydając podległym mu kilku bankom polecenie zakończenia przed 1 września wszelkiej działalności kredytowej skierowanej do firm maklerskich i inwestorów giełdowych. Dzięki temu, owe banki zaraz po nadejściu recesji, mogły wzmocnić swoją pozycję"[106].

Majątek rodziny Joe Kennedy'ego z czterech milionów dolarów w 1929 roku wzrósł do 100 milionów w 1935 roku. Był to wzrost dwudziestopięciokrotny. Bernard Baruch tuż przed krachem giełdowym sprzedał wszystkie posiadane akcje, a uzyskane środki zainwestował w obligacje rządowe. Henry Morgenthau na kilka dni przed czarnym wtorkiem (29 października 1929 roku) w pośpiechu przybył do trustu bankierskiego, wydając swojej firmie dyspozycje sprzedaży w ciągu trzech dni wszystkich posiadanych akcji, wartych około 60 milionów dolarów. Jego podwładni wpadli w konsternację i zaproponowali stopniowe pozbycie się owych akcji w przeciągu trzech tygodni, dzięki czemu udałoby się osiągnąć zysk, w najgorszym wypadku, w wysokości pięciu milionów dolarów. Henry Morgenthau wpadł we wściekłość, krzyczał i wymachiwał rękami: „Nie przyszedłem tu z wami dyskutować! Róbcie jak wam każę!".

Gdy z perspektywy niemal wieku spoglądamy na te wydarzenia historyczne, zadziwia nas niezwykła wiedza, instynkt i przenikliwość bankierów. Niewątpliwie należałoby zaliczyć ich do intelektualnej elity. Mamy tu wszakże do czynienia ze starannie wypracowaną metodą, świetną taktyką i planem, w którym wszystko było zapięte na ostatni guzik. Mimo to, aż do dziś większość ludzi całkowicie odrzuca myśl, że ich życie i los jest w istocie sterowany przez stojącą za kurtyną mniejszość.

Zaraz po obfitych zbiorach uzyskanych ze „strzyżenia owiec", zadowoleni bankierzy zaczęli wykorzystywać „teorię taniego pieniądza" Keynesa jako najnowszą maszynkę do zbijania majątku. Pod ich przywództwem *New Deal* Roosevelta zainaugurował nowy sezon żniw.

---

[106] „Newsweek", 30 maja 1936.

ROZDZIAŁ V

„Nowa Polityka" taniego pieniądza

Lenin kiedyś powiedział: najlepszym sposobem na obalenie kapitalizmu jest dewaluacja znajdującej się w obiegu waluty. Poprzez kontynuację procesów inflacyjnych rząd może w tajemnicy, przy powszechnej nieświadomości, skonfiskować część majątku obywateli. Używając tej metody, można swobodnie, w zależności od kaprysu, odbierać ludziom ich własność i doprowadzić do powszechnej pauperyzacji zdecydowanej większości obywateli oraz nagłego wzbogacenia się małej części społeczeństwa. Nie istnieje żadna inna, tak skuteczna i wiarygodna metoda, pozwalająca obalić obecną władzę polityczną. Proces zawiera w sobie utajone i skuteczne czynniki niszczące większość reguł gospodarczych, a przy tym jest mało prawdopodobne, aby wśród miliona ludzi znalazł się choć jeden, który dostrzegłby istotę problemu.

J.M. Keynes, 1919 rok[107]

[107] John Maynard Keynes, *The Economic Cosequences of the Peace*, London 1919.

Klucz do rozdziału

Keynes określał złoto mianem „barbarzyńskiego reliktu". W Chinach od wieków znane jest powiedzenie „ludzie uwielbiają jeść smacznie". W tej perspektywie można zapytać, co skłoniło Keynesa, niegdyś wytrwałego przeciwnika inflacji, do demonizacji i walki ze złotem?

Gdy Alan Greenspan miał 40 lat wciąż był zdecydowanym, pozbawionym rozterek obrońcą standardu złota. Kiedy objął posadę prezesa Rezerwy Federalnej, zaczął spoglądać na problem złota z innej strony, wręcz unikając tego tematu. Mimo że w 2002 roku Greenspan wciąż deklarował, że „złoto jest ostatecznym fundamentem i podporą wszystkich walut", to faktycznie przyglądał się biernie, jak w latach dziewięćdziesiątych zachodni finansiści z banków centralnych wspólnie realizowali konspiracyjną politykę zbijania cen złota.

Czemu międzynarodowi bankierzy i zatrudnieni przez nich teoretycy objawiają tak silną niechęć wobec złota? Dlaczego Keynesowska teoria „taniego pieniądza" znalazła przychylność ludzi władzy?

W ciągu pięciu tysięcy lat społecznej praktyki, niezależnie od epoki, niezależnie od państwa, religii czy rasy, złoto było zawsze uznawane przez ludzi za ostateczną formę własności. Ta głęboko zakorzeniona świadomość nie mogła zostać tak po prostu zanegowana przez kilka luźnych wypowiedzi Keynesa czy innych teoretyków o złocie jako „barbarzyńskim relikcie". Ścisły i konieczny związek pomiędzy złotem a własnością i majątkiem już w zamierzchłych czasach określił naturalną logikę ludzkiego życia. Kiedy obywatele byli niezadowoleni z polityki rządu i sytuacji gospodarczej, zawsze mogli zdecydować się na wymianę pozostających w ich rękach papierowych kwitów na złoto, aby przeczekać złą koniunkturę czy władzę w nadziei na lepsze czasy. Swobodna wymiana złota na papierowe kwity stała się fundamentem ludzkiej wolności gospodarczej i tylko na tym fundamencie jakakolwiek, demokratycznie czy inaczej zapewniona wolność, mogła w pełni zostać zrealizowana. Gdy rząd siłą odebrał ludziom prawo do wymiany papierowych kwitów na złoto – prawo stanowiące integralną część ludzkiego życia – odebrał im tym samym podstawową i najważniejszą ze swobód.

Międzynarodowi bankierzy znakomicie zdają sobie sprawę, że złoto nie jest tylko jednym z wielu metali szlachetnych. Przeciwnie, jest ono metalem unikatowym, nadzwyczaj wrażliwym i obdarzonym historycznym dziedzictwem „politycznego metalu". Błędne podejście do problemu złota może spowodować na całym świecie gigantyczną burzę finansową. W normalnej sytuacji społecznej porzucenie standardu złota musi doprowadzić do silnych wstrząsów i niepokojów czy wręcz pełnej przemocy rewolucji. Tylko w czasie nadzwyczajnych, wyjątkowych okoliczności, gdy ludzie zmuszeni przez nietypową sytuację nie mają innego wyjścia, można podjąć decyzję o tymczasowym porzuceniu tego integralnego, przyrodzonego prawa do wymiany papierowych pieniędzy na złoto. Dlatego właśnie bankierzy potrzebują kryzysów ekonomicznych i głębokich recesji gospodarczych, albowiem w tym czasie ludzie łatwo idą na ustępstwa, dzięki czemu bez trudu można zniszczyć solidarność społeczną i – realizując swoje plany – sterować opinią publiczną, której uwaga jest wówczas rozproszona. Wszystkie recesje i kryzysy gospodarcze są skuteczną i wielekroć w dziejach wykorzystywaną przez bankierów bronią do walki z narodem i rządem.

Trwający od 1929 roku wielki kryzys gospodarczy został wykorzystany przez światowych finansistów na wszelkie możliwe sposoby. Ponieważ w normalnej sytuacji realizacja programu likwidacji standardu złota byłaby niezmiernie trudna, bankierzy postanowili postawić fundamenty pod wybuch II wojny światowej.

Keynesowski „tani pieniądz"

Wiemy, że w 1919 roku, podczas konferencji pokojowej w Paryżu, Keynes zdawał sobie sprawę, jak poważne szkody mogą zostać wyrządzone społeczeństwom i narodom przez uśpione w inflacji zagrożenia. Keynes w książce *The Economic Consequences of the Peace*, która momentalnie zyskała wielki rozgłos, uwydatnił prawdziwą naturę inflacji. Niemiecka hiperinflacja z 1923 roku całkowicie potwierdziła jego prognozy, w pełni demonstrując swoją zabójczą siłę.

Ten punkt jest zbieżny z tezami, które czterdziestoletni Alan Greenspan zawarł w swojej pracy *Gold and Economic Freedom*. Greenspan postrzegał inflację dokładnie w ten sam sposób, jak Keynes:

> Bez standardu złota nie ma żadnej możliwości ochrony oszczędności przed wywłaszczeniem w wyniku inflacji. Nie egzystuje wtedy żaden bezpieczny środek do przechowywania (oszczędzania) wartości... Polityka finansowa państwa o rozbudowanym systemie ubezpieczeń społecznych wymaga, aby posiadacze majątków i aktywów nie mieli żadnych możliwości obrony. Jest to nikczemna i podła tajemnica prezentowania „szatańskiego oblicza„ złota przez obrońców i orędowników państwa z rozbudowanym systemem ubezpieczeń społecznych. Zadłużenie państwa jest proste, przejmując mechanizm „ukrytego„ wywłaszczenia z majątku. Złoto zapobiega temu podstępnemu procesowi. Chroni prawo do własności. Jeżeli komuś uda się to pojąć, wtedy nietrudno będzie mu zrozumieć wrogość orędowników państwa o rozbudowanym systemie ubezpieczeń społecznych do standardu złota[108].

Jest dokładnie tak, jak twierdził Greenspan: parytet złota twardo powstrzymuje impet inflacji. Z powyższych wypowiedzi można by wywnioskować, że Keynes i Greenspan powinni być zdecydowanymi obrońcami pozycji złota. Czemu zatem jeden z nich określał później pogardliwie złoto jako „barbarzyński relikt", drugi zaś, po nagłym zwrocie w swojej karierze, rozmyślnie powstrzymuje się od jakichkolwiek komentarzy w związku z pozycją złota jako waluty?

---

[108] Alan Greenspan, *Gold and Economic Freedom* [w:] *Capitalism: The Unknown Ideal*, Ayn Rand (red.), New York 1967, s. 100-101 (tłum. Anna Muszkieta-Buszka).

Słowa Greenspana brzmią, jakby zostały wymuszone na wędrownym handlarzu przez realia jego pracy. Kiedy bowiem Greenspan wszedł w objecia firmy J.P. Morgan Stanley, z honorami obejmując pozycję w zarządzie, zrozumiał, że handlarze finansami posiadają własne normy postępowania. Gdy wzrok całego świata z napięciem skupiał się na enigmatycznym obliczu Greenspana, prawdopodobnie tylko on sam wiedział - niczym Cao Cao za plecami cesarza Han Xian Di* - że to nowojorski bank Rezerwy Federalnej stojący za jego plecami jest prawdziwym decydentem. W 2002 roku podczas przesłuchania w Kongresie USA, odnosząc się do natarczywych pytań kongresmana Rona Paula z Teksasu, Greenspan oświadczył, że nigdy nie zdradził swoich poglądów z 1966 roku i wciąż jest przekonany, że złoto stanowi „ostateczną metodę płatności" dla wszystkich walut, zaś Rezerwa Federalna jedynie przeprowadza „symulację" systemu parytetu złota.

Przypadek Keynesa był zupełnie inny.

Słynny amerykański ekonomista Murray Rothbard, który przedstawił wnikliwą charakterystykę osobowości Keynesa, twierdzi że jego radykalny egocentryzm ukształtował się pod bezpośrednim wpływem klasy wyższej i był związany z typową dla brytyjskiej elity rządzącej pogardą wobec etyki społecznej.

W szczególności chodzi tutaj o tajne stowarzyszenie na Uniwersytecie w Cambridge zwane Apostle (Apostoł), które miało ogromny wpływ na myślenie Keynesa. Tajne stowarzyszenia zawiązywane na uniwersytetach w Europie czy Ameryce w niczym nie przypominały ich obrazu obecnego w potocznej świadomości jako grupy młodych ludzi o wspólnych korzeniach, zajmujących się literaturą czy recytowaniem poezji. Owe stowarzyszenia stanowiły raczej elitarne grupy przeświadczone o swojej ważnej, religijnej misji, mające niemal stuletnie tradycje. Co więcej, ich członkowie przez całe życie zachowywali bardzo ścisłe związki, tworząc najsilniejszą i wręcz niezniszczalną grupę interesów w klasie sprawującej rządy nad zachodnimi społeczeństwami.

Dwunastu najzdolniejszych członków z dwóch najważniejszych stowarzyszeń Uniwersytetu Cambridge związanych z Trinity College oraz Royal College tworzy silną grupę. Studenci ci nie tylko zaliczają się do najbystrzejszych i najzdolniejszych, ale również posiadają rzucające się w oczy, znamienite pochodzenie społeczne. Każdy z nich ma już wyznaczone miejsce pośród brytyjskiej klasy rządzącej. Spotykają się każdej soboty w tajnym punkcie zebrań, dyskutują na temat problemów filozoficznych, estetycznych, politycznych i ekonomicznych. Członkowie stowarzyszeń mają swoje święte reguły porządku i działania, równocześnie z pogardą spoglądając na zwykłą moralność społeczną. Są przekonani, że posiedli wielką inteligencję, wiedzę i mądrość. Widzą siebie jako naturalnych liderów i władców świata i stale wzajemnie utwierdzają się w tym przekonaniu. Keynes w liście do jednego ze swoich przyjaciół pisał: „Czy nasze przeświadczenie o wyższości moralnej nie jest aroganckie? Mam poczucie, że zdecydowana

---

* Bohater historyczny, przebiegły dowódca i polityk z okresu upadku dynastii Han i rozpadu Chin aż do uformowania się trzech królestw Wei, Wu, Shu (II-III wiek naszej ery) (przyp. tłum.).

większość ludzi nigdy nie dojrzy prawdziwej istoty rzeczy, albowiem są zbyt głupi bądź źli"[109].

W owym kręgu, oprócz Keynesa i słynnego filozofa Bertandta Russella, doskonałych przykładów intelektualnej elity, znajdowali się też baronowie z rodziny Rothschildów – wielcy magnaci finansowi. Po otrzymaniu stopnia akademickiego i odejściu z uczelni członkowie stowarzyszeń wciąż uczestniczyli w sobotnich tajnych spotkaniach, z tym że jako dorośli *apostołowie* byli określani mianem *aniołów*. Brali udział w selekcji nowych członków stowarzyszenia oraz innych jego działaniach.

Młodszy o kilka lat od Keynesa Victor Rothschild był wnukiem człowieka, który zdobył panowanie nad prawem do emisji pieniądza w Imperium Brytyjskim – Nathana Rothschilda. Należał do trzeciego pokolenia posługującego się tytułem barona. Victor i Keynes odgrywali przewodnią rolę w Council on Foreign Relations oraz Royal Institute of International Affairs. Obie grupy były uznawane w kręgach politycznych Wielkiej Brytanii i USA za coś w rodzaju „centralnej szkoły partyjnej", która w ciągu ponad 100 lat zasiliła grupy rządzące w Wielkiej Brytanii i USA olbrzymią liczbą pracowników funkcyjnych tzw. kadr*.

Zgodnie z panującą w bankierskich rodzinach tradycją, Victor Rothschild pracował przez pewien czas w banku J.P. Morgana w Stanach Zjednoczonych. Dzięki tej pracy znakomicie zrozumiał zasady panujące w świecie Wall Street. Został jednym z członków rady nadzorczej spółki Dutch Shell, pełnił też funkcję wysokiego stopniem oficera w brytyjskim wywiadzie MI5, by później zająć pozycję zaufanego doradcy do spraw bezpieczeństwa w rządzie premier Thatcher. Jego wuj, baron Edmund Rothschild, określany był jako „Ojciec Izraela". Pod wpływem tego starszego kolegi, prowadzony jak dziecko za rękę Keynes, będący sam nadzwyczaj bystrym człowiekiem, bardzo szybko zrozumiał, że zasadniczym punktem, na którym koncentrują się zabiegi bankierów, jest tani pieniądz oraz inflacja.

Keynesa rzadko kiedy niepokoiły własne polityczne kłamstwa – nie czuł się ograniczony przez żadną moralność, której posłuszni byli zwykli ludzie. Przywykł do notorycznego fałszowania statystyk, aby pasowały do jego własnych teorii ekonomicznych. Jak pisał Rothbard, Keynes „był przekonany, że zasady mogą tylko stanowić przeszkodę w chwili, gdy nadarzała się okazja do zdobycia władzy. Dlatego też w każdej chwili był gotów do zmiany swych poglądów, jeśli wymagała tego nadzwyczajna sytuacja. Był na to gotów również, kiedy chodziło o walutę"[110].

Keynes rozumiał, że gdy ekonomista pragnie, by jego nauki stały się powszechnie akceptowane i uznawane, konieczne jest wsparcie i sterowanie zza kurtyny, ze strony grubych ryb świata polityki i finansów. W ten sposób właśnie tworzy się w dzisiejszym świecie „autorytety". Kiedy Keynes pojął, skąd wieją wia-

---

109 Murray Rothbard, *Keynes, The Man*, [w:] *Dissent on Keynes: A Critical Appraisal of Keynesian Economics*, Mark Skousen (red.), New York 1992.

* Po chińsku *ganbu* – autor odnosi się tu do chińskich realiów komunistycznej szkoły kadr partyjnych (przyp. tłum.).

110 Rothbard, *Keynes, The Man*.

try, natychmiast – dzięki dyskretnej pomocy – objawił się światu jako błyskotliwy teoretyk, skutecznie promujący swoje poglądy.

Za sprawą tak sławnych ekonomistów, jak Adam Smith, David Ricardo czy Alfred Marshall, Uniwersytet w Cambridge z oczywistych względów postrzegany był w świecie jako kolebka myśli ekonomicznej. Keynes, osobiście mianowany przez swojego mistrza Marshalla na następcę, zdobył pozycję naukową ułatwiającą mu realizację swoich zamierzeń. W 1936 roku, po wydaniu głównej pracy Keynesa, *The General Theory of Employment, Interest and Money*, było oczywiste, że międzynarodowi bankierzy są pod wielkim wrażeniem tej jakże subtelnej, opartej na obserwacji ich działań, teorii ekonomicznej. Politycy, w stosunku do tak sformułowanej polityki walutowej taniego pieniądza – czyli „pożyczania pieniędzy, drukowania pieniędzy, wydawania pieniędzy" – wykazywali daleko idącą przychylność i gotowość wcielenia jej w życie. Tak więc, mając wsparcie bankierów i polityków, a zarazem licząc na ignorancję przeciętnych obywateli, Keynes musiał teraz przekonać do swoich teorii uczonych.

Na początku Keynes zadeklarował wolę debaty z tradycyjnym obozem myśli ekonomicznej, samemu występując jako reprezentant nowych idei. Następnie stwierdził, że tylko młodzi ekonomiści, którzy nie dobiegli jeszcze trzydziestki, są w stanie zrozumieć jego napisaną trudnym, zawiłym językiem, „nową biblię" ekonomii. Deklaracja ta błyskawicznie spotkała się z pozytywnym odzewem ze strony młodych ekonomistów: Paul A. Samuelson w liście do przyjaciela, pełen zachwytu dla faktu, iż nie osiągnął jeszcze trzydziestu lat, pisał: „Naprawdę dobrze jest być młodym". Jednak to właśnie on przyznawał, że *The General Theory of Employment, Interest and Money* to książka „bardzo źle napisana, chaotyczna, skrajnie zawikłana"[111].

Amerykańscy uczeni twierdzili, że gdyby ową książkę napisał profesor z instytutu naukowego położonego gdzieś na odległym Środkowym Zachodzie, trudno byłoby mu ją w ogóle opublikować, a co dopiero przejść dzięki niej do historii.

1932: wybory prezydenckie

W 1932 roku rozpoczęły się wybory prezydenckie, przypadające tym razem na czas Wielkiego Kryzysu. Kilkanaście milionów ludzi pozostawało bez pracy, a stopa bezrobocia wynosiła 25 procent. Naciskany z różnych stron urzędujący prezydent Herbert Hoover miał przeciwko sobie kandydata Partii Demokratycznej, Franklina Roosevelta, który już od 1928 roku zaciekle krytykował rządzącą administrację. Roosevelt uwypuklał również bliskie związki pomiędzy Hooverem a bankierami z Wall Street, zdecydowanie je potępiając. Sam Hoover zachowywał wielce znaczące myślenie, ale we własnym dzienniku tak opisywał swe prawdziwe odczucia:

---

[111] *Ibid.*

Gdy chcę odpowiedzieć na zarzuty Roosevelta, iż ponoszę odpowiedzialność za gorączkę spekulacyjną w 1929 roku, targają mną rozterki. Nie wiem, czy powinienem ujawnić prowadzoną przez Rezerwę Federalną w latach 1925-1928, z premedytacją, pod naciskiem europejskich grup nacisku, politykę inflacyjną. W tym czasie byłem zdecydowanym przeciwnikiem tej polityki[112].

W gruncie rzeczy prezydent Hoover został niesprawiedliwie oskarżony. Mimo że zajmował najwyższe stanowisko w państwie, to na politykę gospodarczą i walutową miał niewielki wpływ. Ponieważ rząd nie dysponował prawem do emisji pieniądza, tak więc w sytuacji, gdy osoby prywatne wykorzystywały nowojorski bank Rezerwy Federalnej dla własnych celów, ignorując współpracę z rządem, każda rządowa polityka gospodarcza była jedynie garścią pustych słów.

Hoover stracił względy Wall Street, kiedy, odrzucając ich wytyczne, zajął odmienne od bankierów stanowisko w kwestii problemu spłaty reparacji wojennych przez Niemcy. Okazało się, że w 1929 roku Morgan przygotował tzw. plan Younga, który zwiększał koszty obsługi niemieckiego długu. Planowano, poprzez emisję niemieckich papierów wartościowych na Wall Street, dokonać zbiórki kapitałów na spłatę niemieckich reparacji wojennych oraz, po otrzymaniu odpowiedniego kontraktu na zorganizowanie sprzedaży, zarobić wielkie pieniądze na samym procesie emisji obligacji.

5 maja 1931 roku, zaraz po rozpoczęciu wprowadzania planu Younga w życie, kryzys finansowy dogonił Niemcy i Austrię. Akcja ratunkowa prowadzona przez bank Rothschildów i Bank Anglii nie zdołała zatrzymać rozprzestrzeniającej się recesji. Morgan i finansiści z Wall Street nie planowali porzucać w połowie drogi właśnie zaczynającego przynosić korzyści planu Younga. Thomas Lamont, partner w firmie Morgana, błyskawicznie wykonał telefon do prezydenta Hoovera, domagając się, by rząd amerykański zgodził się na przyznanie rządowi niemieckiemu krótkich wakacji w spłacie długów wojennych i przeczekanie ze wznowieniem spłat aż do momentu, gdy uda się powstrzymać kryzys finansowy w Niemczech. Lamont ostrzegawczym tonem twierdził, że w przypadku krachu całego europejskiego systemu finansowego nastąpi przyspieszenie amerykańskiej recesji gospodarczej.

Znacznie wcześniej Hoover obiecał rządowi francuskiemu, że każda decyzja wpływająca na kwestię spłaty przez Niemcy reparacji wojennych będzie z nim uprzednio skonsultowana. Jednak na wątpliwości Lamonta odpowiedział cierpko: „Zastanowię się nad tym, jednak patrząc na problem z perspektywy politycznej, wykonanie tego jest mało prawdopodobne. Przebywa pan w Nowym Jorku, nie rozumiejąc, co znaczy wypowiadać się w imieniu całego kraju w chwili, gdy chodzi o długi międzyrządowe"[113].

Lamont równie niechętnie odburknął: „słyszał pan zapewne w ostatnich dniach sporo plotek: trwają przygotowania, aby podczas konwencji Partii Republikańskiej w 1932 roku odstawić pana i pana stronników na boczy tor. Jeśli będzie pan postępował zgodnie z naszymi wskazówkami, pogłoski te od razu ustaną". I na

---

112 Eustace Mullins, *The World Order, A Study in the Hegemony of Parasitism*, Stauton 1985, rozdz. 3.

113 Chernow, *The House of Morgan*, rozdz. 17.

samym końcu Lamont dodał jeszcze „marchewkę": jeśli sprawa zostanie załatwiona pomyślnie, cała zasługa spadnie na prezydenta. Prezydent rozważał decyzję przez miesiąc. W końcu nie pozostało mu nic innego, jak ustąpić.

W lipcu 1932 roku Lamont ponownie wysłał swoich przedstawicieli na wizytę do Białego Domu, by przypomnieć prezydentowi, że powinien raz jeszcze rozważyć problem spłaty niemieckich reparacji wojennych. Tym razem, doprowadzony do granic cierpliwości Hoover, głosem pełnym oburzenia i rozpaczy krzyknął:

> Lamont zepsuł całą tę sprawę. Jeśli jest coś, co wywołuje wśród narodu amerykańskiego uczucie nienawiści i pragnienie konfrontacji, to jest tym ów misternie utkany plan [anulowanie bądź odroczenie spłaty długów Niemiec, Francji i Wielkiej Brytanii wobec Stanów Zjednoczonych], wymierzony przeciwko naszym interesom. Lamont zupełnie nie pojmuje powszechnego w całym kraju nastroju oburzenia i wrogości [wobec bankierów]. Oni [bankierzy] pragną, byśmy stali się wspólnikami w ich gangu albo też, co gorsza, zawarli ugodę z Niemcami dotyczącą wypłat reparacji, którą finalizują za pomocą najgorszej z możliwych metod"[114].

Ostatecznie Hoover odrzucił żądania z Wall Street. Francja zaczęła zalegać ze spłatą wierzytelności.

Jeszcze bardziej rozsierdził finansistów z Wall Street fakt, że Hoover, jak nikt inny w historii, bezpośrednio i nie przebierając w słowach, zaatakował giełdę i panujące tam praktyki spekulacyjne – wyprzedaż obliczonych na spadek kursów cen papierów wartościowych – wyciągając na światło dzienne serię finansowych skandali. Jeśli uzupełnić ten obraz o najwyższą w historii stopę bezrobocia, zamierającą gospodarkę oraz powszechny kryzys, który pożarł giełdowe inwestycje obywateli, mieliśmy tu piorunującą mieszankę, której wybuch mógł dosięgnąć bankierów z Wall Street. Prezydent Hoover był przekonany, że można wykorzystać społeczne nastroje w celu zerwania maski i odsłonięcia prawdziwego oblicza bankierów, toteż zdecydował się na konfrontację. Wprost potępiał nowojorską giełdę, porównując ją do kasyna, wskazywał na istotną rolę spekulantów giełdowych, którzy stali na przeszkodzie odbudowy zaufania do giełdy. Ostrzegał prezesa giełdy w Nowym Jorku, Richarda Whitneya, że jeśli nie nastąpi ograniczenie praktyk wyprzedaży obliczonych na spadek kursów cen papierów wartościowych, to uruchomi w tej sprawie dochodzenie Kongresu, a także wprowadzi bezpośredni nadzór nad giełdą.

Odpowiedź Wall Street na żądania prezydenta była prosta i wymowna: „Bzdura!".

W takiej sytuacji, przygotowujący się do wyrwania z sieci Hoover nakazał komisji kongresowej banków i walut rozpocząć dochodzenie w sprawie praktyk wyprzedaży papierów wartościowych na nowojorskiej giełdzie. Zirytowani szefowie Wall Street błyskawicznie wysłali Lamonta na spotkanie z prezydentem i sekretarzem obrony w Białym Domu. Podczas obiadu Lament poprosił prezydenta o przerwanie prowadzonego dochodzenia. Prezydent pozostał niewzruszony[115].

---

[114] *Ibid.*, s. 328.

[115] *Ibid.*, s. 352.

Gdy dochodzenie zaczęło obejmować coraz szersze kręgi, biorąc na celownik nielegalne praktyki sterowania giełdą z końca lat dwudziestych, bankowym establishmentem raz po raz wstrząsały skandale finansowe, dotykając m.in. spółkę Morgana. Kiedy członkom Kongresu został jasno i wyraźnie przedstawiony bezpośredni związek między krachem na giełdzie a Wielkim Kryzysem, gniew obywateli i ich przedstawicieli zwrócił się wprost ku bankierom.

W tym momencie osoba prezydenta Hoovera znalazła się w ogniu ostrej krytyki zarówno ze strony bankierów, jak i obywateli. W ten sposób powstały sprzyjające okoliczności dla zdobycia władzy przez człowieka uznawanego za jednego z największych amerykańskich prezydentów XX wieku – Franklina Delano Roosevelta.

Kim był Roosevelt?

Dokładnie tak, jak i ty, doskonale zdaję sobie sprawę, że mamy do czynienia z rozpoczętą w czasach prezydentury Jacksona kontrolą rządu przez wielką siłę finansową. Ten kraj powinien powrócić do czasów Jacksonowskiej walki z bankami, co więcej, walczyć z nimi na znacznie szerszym froncie.

F.D. Roosevelt, 21 listopada 1933 roku[116]

Owe „szczere wyznanie" Roosevelta do złudzenia przypomina czasy Woodrowa Wilsona. Jeśli przy tym weźmiemy pod uwagę fakt, iż Wilson był w gruncie rzeczy uniwersyteckim uczonym, w dużej mierze nieświadomym metod stosowanych przez bankierów, to tak ważna konkluzja padająca z ust doświadczonego Roosevelta ma znacznie większą wagę. Atak na ciepłe relacje pomiędzy urzędującym prezydentem a Wall Street od dawna był skuteczną bronią w walce o fotel prezydencki. 20 sierpnia 1932 roku Roosevelt, przemawiając na wiecu wyborczym w stanie Ohio, swoim donośnym i czystym głosem oznajmił:

> Odkryliśmy, że dwie trzecie amerykańskiego przemysłu skoncentrowane jest w rękach kilkuset spółek, w rzeczywistości te spółki są pod kontrolą nie więcej niż pięciu osób. Odkryliśmy, że biura pośredników giełdowych z trzydziestu banków oraz banków handlowych decydują o przepływie kapitału w Stanach Zjednoczonych. Innymi słowy, odkryliśmy wielką, silnie skoncentrowaną gospodarczą siłę znajdującą się w rękach małej grupki ludzi. Wszystko to dokładnie przeczy wygłaszanym przez prezydenta [Hoovera] peanom na cześć indywidualizmu[117].

Roosevelt usiłował ze wszystkich sił wejść w rolę uwielbianego przez naród i wrogiego bankierom prezydenta Jacksona: chciał, aby postrzegać go jako człowieka

---

[116] *FDR. His Personal Letters*, New York 1950, s. 373.

[117] Antony C. Sutton, *Wall Street and FDR*, New York, rozdz. 1.

odważnego, który byłby gotowy w imieniu zwykłego człowieka rzucić wyzwanie gigantom ze świata finansów. Niestety, przeszłość Roosevelta pokazuje, że stopień jego powiązań z bankierami był dużo większy niż w wypadku prezydenta Hoovera.

Pradziadek Roosevelta, James Roosevelt w 1784 roku założył bank w Nowym Jorku, stając się jednym z pierwszych bankierów w Stanach Zjednoczonych. Właśnie ten bank w 2005 roku został oskarżony o sterowanie cenami amerykańskich obligacji podczas ich sprzedaży na rynku aukcyjnym. Aż do czasu kampanii prezydenckiej Roosevelta działalnością banku kierował jego młodszy kuzyn, Georg. Ojcem Roosevelta był James Roosevelt, jeden z magnatów amerykańskiego przemysłu, absolwent Uniwersytetu Harvarda, właściciel kopalni węgla, linii kolejowych i innych wielkich przedsiębiorstw, ze szczególnym uwzględnieniem spółki Southern Railway Security Company. Ta spółka, dysponująca wieloma papierami wartościowymi, w swojej działalności gospodarczej skoncentrowała się na fuzjach handlowych w branży kolejowej. Sam Franklin Roosevelt również był absolwentem Uniwersytetu Harvarda, a jego rodzina miała korzenie prawnicze. Lista jej klientów obejmowała także spółkę Morgana. Dzięki mocnemu wsparciu ze strony banków, zaledwie trzydziestoczteroletni Roosevelt w 1916 roku został mianowany na stanowisko asystenta sekretarza Marynarki Wojennej. W tym czasie, starszy partner Morgana, Thomas Lamont, później zaangażowany w spór z Hooverem, przygotował dla Roosevelta nowy dom w Waszyngtonie.

Roosevelt miał w rodzinie wuja, Theodore'a Roosevelta, który pełnił urząd prezydenta w latach 1901-1909. Kuzyn Theodere'a, George Emlen Roosevelt, był ważną osobistością na Wall Street. W czasie konsolidacji w branży linii kolejowych, George dokonał fuzji czternastu spółek, w tym samym czasie sprawując funkcję dyrektora w należącej do Morgana Guaranty Trust Company, zarządzał również Chemical Bank i był członkiem rady nadzorczej nowojorskiego banku Rezerwy Federalnej. Gdyby zebrać razem wszystkie sprawowane przez George'a stanowiska dyrektorskie, powstałaby z tego mała książka.

Rodzina matki Roosevelta, z domu Delano, również mogła poszczycić się znamienitą reputacją: było z nią spokrewnionych aż dziewięciu prezydentów USA.

We współczesnej historii Stanów Zjednoczonych nie było prezydenta, który wykorzystywałby potężniejsze od Roosevelta siły polityczne i bankowe.

W roku 1921 Roosevelt opuścił administrację rządową i podążył na Wall Street, obejmując stanowiska w radach nadzorczych (między innymi zastępcy szefa rady nadzorczej) w licznych instytucjach finansowych. Wykorzystywał swoje szerokie koneksje w kręgach politycznych i bankowych, umożliwiając firmom realizację ich planów i osiąganie zysków. Gdy jedna z firm finansowych starała się o uzyskanie rządowego kontraktu na emisję papierów wartościowych, Roosevelt w liście do swojego starego przyjaciela, kongresmana J.A. Mahera, pisał otwarcie: „Mam nadzieję, że mogę wykorzystać naszą długą przyjaźń, żeby poprosić cię o pomoc. Chcemy wyrwać z rąk grubych ryb z Brooklynu kilka kontraktów na papiery wartościowe, których duża część jest związana z lokalnymi władzami – mam nadzieję, że moi przyjaciele pamiętają o mnie. W tym momencie nie mogę im zbytnio pomóc, ale ponieważ mój przyjaciel jest też twoim przyjacielem, to okażesz mi wielką pomoc swoją przychylnością. Pamięć o Twej pomocy na zawsze zachowam w sercu"[118].

W liście do jednego z przyjaciół, który otrzymał intratny kontrakt z Departamentu Marynarki Wojennej, Roosevelt wspominał: „Moi przyjaciele z Departamentu Marynarki w rozmowie ze mną przypadkiem wspomnieli o sprawie zaoferowania twojej firmie kontraktu na produkcję dział ośmiocalowych. Przypomniało mi to o naszej dobrej współpracy w czasach, gdy byłem sekretarzem w Departamencie Marynarki. Zastanawiam się, czy masz możliwość przekazania mojej firmie zlecenia na emisję waszych obligacji. Będę starał się poprosić naszego przedstawiciela handlowego by do Ciebie zadzwonił"[119].

W przypadku interesów o potencjalnie wielkich zyskach Roosevelt, zdejmując maskę, twierdził, iż „sama czysto prywatna przyjaźń nie wystarcza". Nazwisko Roosevelta wielokrotnie pojawia się w wewnętrznych, poufnych depeszach wymienianych między firmami i departamentami.

W 1922 roku Roosevelt uczestniczył w założeniu spółki United European Investors Ltd i od razu został wybrany na jej prezesa. Na liście członków jej zarządu oraz konsultantów można znaleźć takie osobistości, jak Wilhelm Cuno, były kanclerz Niemiec, który doprowadził do hiperinflacji w Niemczech w 1923 roku, Max Warburg, którego brat Paul był głównym architektem Rezerwy Federalnej i jej wiceprezesem. Po specjalnej emisji 60 tysięcy priorytetowych akcji firmy, Roosevelt stał się jej największym akcjonariuszem. Firma koncentrowała się głównie na spekulacjach w Niemczech. Kiedy hiperinflacja pożerała majątek niemieckich obywateli, United European Investors Ltd osiągała niespotykane zyski[120].

Hiperinflacja od zawsze była „kombajnem do koszenia wielkiego majątku". Gdy w Niemczech następowała dramatyczna dewaluacja waluty, można było zaobserwować dokonujący się w szerokim zakresie transfer własności.

> Największy krach etyczny związany z inflacją wydarzył się w Niemczech w 1923 roku. Każdy, kto miał w portfelu dolary lub funty, mógł żyć w Niemczech niczym król. Kilka dolarów dawało ludziom szansę zakosztowania życia bogaczy. Napłynęła wielka liczba cudzoziemców, by za cenę tak niską, że aż trudną do wyobrażenia, dokonywać wielkiego skupu majątku, domów, nieruchomości, kosztowności i dzieł sztuki należących do Niemców[121].

Podobne wypadki zdarzały się podczas hiperinflancji w byłym Związku Radzieckim na początku lat dziewięćdziesiątych XX wieku. W każdym razie w Niemczech gigantyczny społeczny majątek został wyprany do czysta, klasa średnia zrujnowana, zaś siła nabywcza funta czy dolara zwiększona do niebotycznych rozmiarów. Co najważniejsze, w czasie gdy waluty szaleńczo leciały w dół i gwałtownie

---

[118] *Ibid.*, rozdz. 2.

[119] *Ibid.*

[120] *Ibid.*

[121] Marjori Palmer, *1918-1923. German Hyperinflation*, New York 1967.

wspinały się do góry, własność po cichu zmieniała właściciela. Dokładnie tak, jak opisywał to Keynes: „Używając tej metody, można swobodnie, w zależności od kaprysu, odbierać ludziom ich własność i doprowadzić do powszechnej pauperyzacji zdecydowanej większości obywateli oraz nagłego wzbogacenia się małej części społeczeństwa... Proces zawiera w sobie utajone i skuteczne czynniki niszczące większość reguł gospodarczych, a przy tym jest mało prawdopodobne, aby wśród miliona ludzi znalazł się choć jeden, który dostrzegłby naturę problemu".

Gdy Franklin Roosevelt w ostrych, pryncypialnych słowach krytykował związki Hoovera z Wall Street, stawiał samego siebie na pozycji nieskalanego zbawcy prostych ludzi. Niestety, nie miało to nic wspólnego z rzeczywistością.

Historyczna misja Roosevelta: obalenie standardu złota

I wojna światowa, rozgrywająca się w sytuacji, kiedy istniał ograniczający emisję pieniądza standard złota, doprowadziła wszystkie kraje Europy do kolosalnego zadłużenia. Gdyby nie powołanie do życia systemu Rezerwy Federalnej w USA, nie byłoby możliwości przetransferowania amerykańskich zasobów finansowych na kontynent, a i wojna przybrałaby charakter lokalny. Banki niewątpliwie odnotowały spore zyski dzięki wojnie, jednakże, nawet posiadając Rezerwę Federalną, ograniczenia narzucane przez standard złota doprowadziły ich zasoby finansowe do wyczerpania, w wyniku czego nie było szans na wsparcie kolejnego globalnego konfliktu zbrojnego. W tych okolicznościach palącym zadaniem dla bankierów z Ameryki i Europy stało się obalenie standardu złota.

Jak już wspomniano, możliwość wymiany papierowych pieniędzy na złoto była dotąd fundamentem wolności gospodarczej na Zachodzie. Likwidacja tej możliwości byłaby równoznaczna z odebraniem ludziom wolności. W normalnych warunkach próba rezygnacji ze standardu złota musi doprowadzić do niepokojów społecznych, jednak w sytuacjach skrajnych i kryzysowych można próbować realizować taki projekt, przedstawiając go jako tymczasowe lekarstwo. I dlatego właśnie bankierzy z taką przychylnością i nadzieją spoglądają na wszelkie zawirowania, kryzysy i recesje, używając ich jako broni do walki z ludźmi i rządem. Można tu wskazać liczne przykłady z historii:

Rok 1812 – likwidacja Pierwszego Banku Stanów Zjednoczonych spotkała się z ostrą reakcją ze strony Rothschildów, doprowadzając do wybuchu wojny brytyjsko-amerykańskiej. Ostatecznie rząd USA ustąpił i powołał do życia Drugi Bank Stanów Zjednoczonych.

Rok 1837 – prezydent Andrew Jackson likwiduje Drugi Bank Stanów Zjednoczonych. Bankierzy natychmiast przystępują do wyprzedaży amerykańskich obligacji na giełdzie w Londynie, domagając się zwrotu wszystkich udzielonych kredytów. Amerykańska gospodarka wchodzi w okres ostrej recesji trwającej aż do 1848 roku.

Lata 1857, 1870, 1907 – aby wymusić na rządzie USA zgodę na stworzenie prywatnego banku centralnego, międzynarodowi bankierzy ponownie podejmują działania mające na celu wywołanie recesji gospodarczych. Ostatecznie dochodzi do powstania takiego banku – jest nim bank Rezerwy Federalnej. Od tego momentu emisja amerykańskiej waluty znajduje się pod całkowitą kontrolą bankierów.

Rok 1929 – ostatecznym, bezpośrednim skutkiem Wielkiego Kryzysu ma być likwidacja standardu złota i wprowadzenie polityki taniego pieniądza. W ten sposób zostaje otwarta droga prowadząca wprost do II wojny światowej.

Franklin Delano Roosevelt oficjalnie objął urząd prezydenta trzydziestej drugiej kadencji 4 marca 1933 roku. Początkowy okres prezydentury Roosevelt rozpoczął pod sztandarem opozycji wobec Wall Street. Już w pierwszym dniu urzędowania ogłosił, że 6 marca banki w całym kraju muszą zrobić przerwę w prowadzeniu działalności, trwającą aż do momentu, kiedy zostanie zakończone dochodzenie dotyczące salda na wszystkich rachunkach bankowych. Był to pierwszy przypadek zamknięcia w całym kraju wielkiej arterii finansowej, co natychmiast zyskało uznanie Amerykanów. Największa struktura gospodarcza na świecie znalazła się w bezprecedensowej sytuacji całkowitego zawieszenia operacji bankowych. Stan ten trwał 10 dni[122].

Kolejnym krokiem Roosevelta był radykalny odwrót od polityki Hoovera i wszczęcie dochodzenia wymierzonego w Wall Street, skierowanego przede wszystkim w spółkę Morgana. Podczas całej serii przesłuchań, Jack Morgan wraz ze swoimi partnerami prezentowali przed oczami Amerykanów swoje przygnębione, pełne pokory oblicza.

Roosevelt kierował w stronę Wall Street kolejne ciosy. 16 czerwca 1933 oficjalnie podpisał ustawę Glass-Steagall Act, która ostatecznie doprowadziła do podziału spółki Morgana na Morgan Bank oraz Morgan Stanley Co Ltd. Pierwsza spółka miała pozwolenie na prowadzenie usług bankowych jedynie w formie tradycyjnego banku handlowego, druga natomiast mogła angażować się wyłącznie w bankową działalność inwestycyjną.

W stosunku do nowojorskiej giełdy Roosevelt nie okazał łagodności. Wykorzystując dwa akty prawne, ustawę o papierach wartościowych z 1933 roku oraz ustawę o transakcjach papierami wartościowymi z 1934 roku, powołał Securities and Exchange Commission (SEC – Komisja do spraw Transakcji Papierami Wartościowymi) odpowiedzialną za nadzór nad giełdą.

New Deal, Nowa Polityka Roosevelta uderzyła niczym grom, błyskawicznie zbierając pochlebne komentarze wśród opinii publicznej. Nastąpiła erupcja nagromadzonej i duszonej w sercach niechęci do bankierów z Wall Street. Nawet członkowie rodziny Morganów przyznawali: „cały kraj wypełnia nastrój uwielbienia prezydenta Roosevelta. W ciągu tygodnia od momentu objęcia urzędu osiągnął niebywałe wyniki. Trudno to porównać z czymkolwiek w historii"[123].

---

[122] Davies, *History of Money From Ancient Times to The Present Day*, s. 512.

[123] Chernow, *The House of Morgan*, s. 357.

W 1933 roku giełda w Nowym Jorku zanotowała bardzo udany rok i początek hossy, uzyskując zadziwiającą stopę zwrotów w wysokości 54 procent.

Niczym bohater, podekscytowany Roosevelt deklarował: „Handlarze pieniądzem uciekli ze świątyni cywilizacji. Teraz możemy ostatecznie przywrócić naszej świątyni, prawdziwe starożytne oblicze"[124].

Problem polega jednak na tym, że między prawdą a w pocie czoła urabianymi społecznymi odczuciami istnieje olbrzymi dystans. Ludziom bardzo trudno uniknąć manipulacji, zwłaszcza kiedy epatowani są serią starannie zaplanowanych wydarzeń.

Spójrzmy jeszcze raz na sytuację, która istniała w momencie, kiedy Roosevelt z zapałem pisał swój ogólnikowy artykuł.

Po zakończeniu „wakacji bankowych", wiele banków ze Środkowego Zachodu, zdecydowanie odmawiających wejścia do systemu Rezerwy Federalnej, nie uzyskało szansy na otwarcie biznesów, wiele rynków zwyczajnie się poddało, a ich majątki przejęli bankierzy z Wall Street. Na stanowisko sekretarza skarbu Roosevelt wybrał Henry'ego Morgenthaua Juniora – syna człowieka, który tuż przed krachem giełdowym w 1929 roku, po uzyskaniu wiarygodnych informacji, w ciągu trzech dni, niepomny na stratę w wysokości pięciu milionów dolarów, wycofał wszystkie swoje kapitały z giełdy.

Jeszcze bardziej ironiczny z tej perspektywy był wybór, którego dokonał Roosevelt na stanowisko przewodniczącego Security and Exchange Commission, którym został słynny spekulant giełdowy, Joseph Kennedy. Wartość jego aktywów, wynosząca w 1929 roku cztery miliony dolarów, w ciągu krótkiego okresu, od krachu giełdowego aż do 1933 roku, wzrosła dwudziestopięciokrotnie, przekraczając sumę 100 milionów dolarów. Joseph Kennedy był jednym z zaufanych członków kręgu Jacka Morgana, a jego synem był późniejszy prezydent John F. Kennedy.

Inicjatorem słynnej ustawy Glass-Steagall Act, dokonującej podziału spółki Morgana był, odpowiedzialny również za przygotowywanie *Federal Reserve Act*, kongresman Glass. *Glass-Steagall Act* nie zadał spółce Morgana ciężkich strat – jej interesy rozwijały się gwałtownie, a ilość zleceń szybowała w górę. Z czterystu dwudziestu pięciu pracowników spółki Morgana wybrano dwudziestu pięciu, którzy sformowali Morgan Stanley Co. Ltd. Jack Morgan i Thomas Lamont utrzymali w swoich rękach 90 procent akcji firmy jako pakiet kontrolny. W rzeczywistości, dwie firmy powstałe po podziale spółki wciąż znajdowały się pod kontrolą Jacka Morgana. W 1935 roku, pierwszym roku działalności, Morgan Stanley zdobył zdumiewające wszystkich zlecenie na emisję papierów wartościowych warte miliard dolarów, co wówczas stanowiło jedną czwartą rynku[125]. Wielkie firmy, pragnące dokonać emisji dużych ilości papierów wartościowych, jak zawsze szturmowały drzwi, nad którymi zawieszona była złota inskrypcja z nazwiskiem Morgana. W jego rękach znajdował się potężny nowojorski bank Rezerwy Federalnej i każda duża firma w USA trzy razy zastanowiła się, zanim zaczęła wchodzić w relacje z należącymi doń spółkami.

---

[124] *Ibid.*

[125] *Ibid.*, s. 386-390.

Widowiskowe i dramatyczne przesłuchanie Morgana w Kongresie całkowicie skupiło na sobie uwagę opinii publicznej, stając się gorącym szeroko komentowanym newsem. W atmosferze zgiełku i podniecenia Roosevelt upozorował działania na pierwszym planie, podczas gdy jego właściwy ruch dokonał się w zupełnie innym miejscu. W tym samym czasie, po cichu przegłosowano kilka ważnych ustaw, które pozwoliły na likwidację standardu złota.

W pierwszym tygodniu swojego urzędowania, 11 marca, Roosevelt wydał nowe oficjalne rozporządzenie, wedle którego w imię ustabilizowania sytuacji gospodarczej, następuje zatrzymanie wymiany złota w bankach. Niedługo potem, 5 kwietnia nakazano wszystkim Amerykanom wymienić całe posiadane przez nich złoto na papierowe dolary: rząd dokonywał skupu po cenie 20,67 dolara za uncję. Z wymiany wyłączono małe, drobne złote monety i biżuterię. Każdy prywatny właściciel złota (w innej formie) podlegał surowej karze 10 lat więzienia oraz grzywny w wysokości 250 tysięcy dolarów. Choć Roosevelt utrzymywał, że jest to tylko tymczasowe, nadzwyczajne rozwiązanie, rozporządzenie to zostało uchylone dopiero w 1974 roku. W styczniu 1934 roku przegłosowano *Ustawę o Rezerwie Złota*, ustalając cenę kruszcu na 35 dolarów za uncję, pomimo tego, że Amerykanie faktycznie nie mieli już prawa do wymiany złota. Obywatele dopiero co oddali państwu całe swoje złoto, a zbierane przez wiele lat oszczędności nagle straciły ponad połowę wartości! Natomiast ekskluzywni klienci, międzynarodowi bankierzy, którzy otrzymali poufne informacje tuż przed krachem giełdowym w 1929 roku, z radością wycofali potężny kapitał z giełdy, zamieniając go na złoto. Całe to złoto zostało przetransportowane do Londynu. W tym czasie, sprzedając złoto w Londynie, można było uzyskać cenę 35 dolarów za uncję, co oznacza, że w jednej chwili zarobiono na transakcji 69,39 procent.

Gdy Roosevelt zapytał jednego z najbardziej wykształconych kongresmanów, niewidomego Thomasa Gore'a o jego stosunek do likwidacji standardu złota, Gore chłodno, bez emocji odpowiedział: „To jest ewidentna kradzież – czyż nie, panie prezydencie?". Szczerość Gore'a w pewnym sensie zmartwiła Roosevelta. Co ciekawe, ów kongresman to ojciec przyszłego wiceprezydenta USA, Ala Gore'a.

Inny kongresman, Howard Buffet, który całe życie poświęcił na walkę o powrót standardu złota, w 1948 roku mówił: „Ostrzegam was, politycy z obu partii są przeciwni powrotowi standardu złota. Również grupy ludzi interesu z zagranicy, robiących wielkie pieniądze w oparciu o kontynuowaną w Ameryce dewaluację waluty, są przeciwne powrotowi systemu uczciwej waluty. Musicie się przygotować i zachować czujność, by stawić im czoła"[126].

Howard Buffet, do końca swoich dni, wierząc w złoto jako ostateczną formę pieniądza, nie miał szansy ujrzeć powrotu do standardu złota, jednakże wiara ta odcisnęła swoje piętno na jego synu, obecnym „bogu" giełdy – Warrenie Buffecie. Kiedy Buffet, spoglądając na załamywanie się systemu legalnego środka płatniczego, doszedł do konkluzji, iż ów system z pewnością podąża ku przepaści, w 1997 roku, gdy cena srebra zbliżyła się do poziomu najniższego w historii, podjął odważną decyzję i kupił jedną trzecią materialnych zapasów srebra.

---

[126] „The Commercial and Financial Chronicle", 6 maja, 1948.

Całkowite usunięcie złota z zajmowanej przez nie pozycji w systemie walutowym nie jest rzeczą ani łatwą, ani szybką. Cały proces został wprowadzony w życie w trzech etapach. Pierwszym było wyeliminowanie złota z amerykańskiego obiegu i wymiany pieniężnej. Drugim była likwidacja funkcji walutowej złota w zasięgu światowym – w 1944 roku system z Bretton Woods ustanowił standard dla wymiany dolara, który zastąpił system wymiany na złoto. Trzeci etap zakończył prezydent Nixon w 1971, odchodząc od ustaleń z Bretton Woods.

Keynes, machając flagą, dopingował własne oddziały, bankierzy dolewali oliwy do ognia, a Roosevelt, stosując kamuflaż i odwracając uwagę, ostatecznie zrealizował swój cel: pozbył się standardu złota, który niczym korek więził tkwiącego w butelce złego ducha. Kiedy go zabrakło, na świat przedostała się bliźniacza para bestii: deficyt budżetowy i polityka taniego pieniądza dłużnego.

Zainteresowany jedynie władzą tu i teraz, traktujący rzeczy na zasadzie „po mnie choćby potop", Keynes wypowiedział słynne zdanie: „Patrząc z szerszej perspektywy czasowej, i tak wszyscy umrzemy". To prawda, ale ludzkie działania i ich negatywne konsekwencje zostają na trwałe zapisane w historii.

„Ryzykowna inwestycja": wybór Hitlera[127]

24 listopada 1933 roku „New York Times" zamieścił artykuł na temat książki-pamfletu autorstwa Sidneya Warburga*. Książka ta ukazała się tego roku w Holandii, jednak na półkach księgarskich spędziła tylko kilka dni, gdyż bardzo szybko została wycofana i zakazana. Kilka egzemplarzy szczęśliwie przetrwało i zostało przetłumaczonych na język angielski. Angielskojęzyczna wersja książki była wystawiona w British Museum. Później wprowadzono zakaz jej udostępniania opinii publicznej i badaczom. Mówiło się, że autor książki, Sidney Warburg, był pracownikiem jednej z największych rodzin bankierów świata, Warburgów. Wiarygodność treści książki została zdecydowanie zdementowana przez rodzinę Warburgów.

Ów tajemniczy pamflet ujawniał tajne kulisy działań bankierów z Stanów Zjednoczonych i Wielkiej Brytanii dostarczających Adolfowi Hitlerowi kapitału i wsparcia w jego drodze do władzy. Autor książki twierdzi, że w okolicach 1929 roku Wall Street, poprzez plany Dawesa i Younga, udzielała Niemcom pomocy w spłacie reparacji wojennych. W latach 1924-1931, wykorzystując oba plany, Wall Street udzieliła Niemcom kredytów na łączną sumę 138 miliardów marek, podczas gdy w tym samym czasie, tytułem reparacji wojennych, Niemcy wypłaciły 86 miliardów marek. W rzeczywistości, Niemcy uzyskały gigantyczną pomoc kapitałową ze Stanów Zjednoczonych, która umożliwiła im rozpoczęcie przygotowań wojennych. Środki na

[127] Antony C. Sutton, *Wall Street and the Rise of Hitler*, Seal Beach 1976, rozdz. 10.

* Chodzi o książkę *De Geldbbronnen van Het Nationaal Socialisme – Drie Gesprekken Met Hitler* (*Źródła finansowe narodowego socjalizmu – Trzy rozmowy z Hitlerem*) opublikowaną przez wydawnictwo Van Hokelman und Warendor. Powszechnie uważa się, że nazwisko „Sidney Warburg" było pseudonimem autora znającego kulisy kontaktów między Wall Street a Hitlerem (przyp. red.).

pożyczki dla Niemiec zostały zgromadzone poprzez sprzedaż niemieckich papierów wartościowych na Wall Street, a ich źródłem był kapitał publiczny. Morgan i rodzina Warburgów, uczestniczący w tym procesie, zagarnęli kolosalne zyski.

W trakcie całej tej operacji pojawił się jeden problem: była nim twarda polityka rządu francuskiego w kwestii spłaty reparacji wojennych przez Niemcy. Polityka ta doprowadziła do zamrożenia pewnej części amerykańskich kredytów na terenie Niemiec i Austrii, a Francja uzyskała najważniejszą część niemieckich reparacji wojennych. W ostatecznym rozrachunku, wszystkie te pieniądze pochodziły z Wall Street. Coraz niechętniej spoglądający na Francję bankierzy z Wall Street w czerwcu 1929 roku zorganizowali konferencję. Rodziny Morgana, Rockefellera oraz szefowie Rezerwy Federalnej zgromadzili się na spotkaniu, by zastanowić się nad tym, jak by tu „uwolnić" Niemcy spod francuskiej presji. Spotkanie zakończyło się osiągnięciem wspólnego stanowiska. Należało za pomocą narzędzia zwanego „rewolucją" obalić francuską kontrolę. Prawdopodobnym kandydatem na lidera ruchu rewolucyjnego był Adolf Hitler. Posługujący się amerykańskim paszportem dyplomatycznym i wyposażony w listy osobiście napisane przez prezydenta Hoovera oraz Rockefellera, Sidney Warburg otrzymał misję nawiązania prywatnych kontaktów z Adolfem Hitlerem.

Kontakty Sidneya z nazistami nie należały do łatwych, a konsulat USA w Monachium nie pracował jak należy. Dopiero po dłuższym czasie, dzięki pomocy burmistrza Monachium, Sidney Warburg zdołał wreszcie spotkać się z Hitlerem. Na tym pierwszym spotkaniu poinformował go o wstępnym warunku bankierów: „prowadzenie ofensywnej dyplomacji, prowokowanie domagających się rewanżu, antyfrancuskich nastrojów". Cena, której domagał się Hitler, nie była niska: za 100 milionów marek zgodził się mówić wszystko, co mu każą. Sidney przekazał odpowiedź Hitlera do Nowego Yorku. Bankierzy poczuli, że Hitler jest żarłoczny niczym lew. Zażądana przezń kwota, odpowiadająca 24 milionom dolarów znacznie odbiegała od tej, która wydawała im się właściwa. Zaoferowali 10 milionów dolarów. Ponieważ nastroje społeczne nie były jeszcze sprzyjające dla nazistów, Hitler zgodził się na to.

Zgodnie z poleceniem Hitlera, pieniądze przelano do Mendelssohn & Co. Bank w Holandii, by następnie w postaci 10 czeków wysłać je do 10 niemieckich miast. Gdy Sidney powrócił do Nowego Yorku, by złożyć raport, Rockefeller był głęboko oczarowany programem nazistów. W rezultacie, dotąd niezwracający przesadnej uwagi na Hitlera „New York Times" nagle rozpoczął publikację materiałów i artykułów prezentujących jego sylwetkę, jego przemówienia i idee nazistowskie. W grudniu 1929 roku Uniwersytet Harvarda rozpoczął prace badawcze związane z ruchem narodowosocjalistycznym w Niemczech.

Gdy w 1931 roku prezydent Hoover obiecał Francji, że każde rozwiązanie dotyczące kwestii reparacji wojennych będzie wpierw z nią skonsultowane i przez nią zaakceptowane, błyskawicznie utracił względy Wall Street. Wielu historyków utrzymuje, że klęska, którą poniósł Hoover w wyborach prezydenckich, była bezpośrednim wynikiem tej sytuacji.

W październiku 1931 roku Hitler napisał do Sidneya Warburga list. Z tego powodu bankierzy z Wall Street zwołali kolejne posiedzenie, na którym tym razem pojawił się dodatkowo sir Norman z Banku Anglii. Podczas spotkania uczestnicy podzieli się na dwie grupy, pierwsza, pod przywództwem Rockefellera, skłaniała się ku wspieraniu Hitlera, druga zaś reprezentowała słabo określone, neutralne stanowisko. Sir Norman uważał, że 10 milionów dolarów wydanych już na Adolfa Hitlera w zupełności wystarczy. Wątpił, czy Hitler zawsze będzie zdolny do działania. Na spotkaniu podjęto decyzję o podjęciu kolejnego kroku w celu wsparcia Hitlera.

Warburg ponownie udał się w podróż do Niemiec, pojawiając się na spotkaniu sympatyków Hitlera. Jeden z jego uczestników poruszył kwestię uzbrojenia oddziałów SA i SS, którym brakowało karabinów, pistoletów, karabinów maszynowych. W tym czasie zaraz za granicą, w Belgii oraz w miastach Holandii i Austrii powstały wielkie magazyny z bronią. Wystarczyło, by naziści po prostu zapłacili gotówką, a towar zostałby błyskawicznie wysłany. Hitler poinformował Sidneya Warburga o swoich dwóch planach przejęcia władzy – albo przemocą, albo drogą legalną. Hitler zapytał: „zdobycie władzy przemocą wymaga 500 milionów marek, przejęcie władzy legalnymi metodami 200 milionów. Jaką wy, bankierzy, podejmiecie decyzję?".

Pięć dni później przyszedł telegram ze wskazówką: „te sumy są całkowicie nie do zaakceptowania. Transfer tak wielkich kapitałów do Europy z pewnością wstrząsnąłby całym rynkiem finansowym".

Sidney Warburg przygotował raport. Trzy dni później przyszedł kolejny telegram z Wall Street: „raport otrzymaliśmy, przygotować 10, góra 15 milionów. Proszę powiedzieć temu człowiekowi o konieczności prowadzenia ofensywnej polityki zagranicznej".

Przejęcie władzy legalnymi metodami za cenę 15 milionów dolarów zostało ostatecznie zaakceptowane przez bankierów z Wall Street. Sposób płatności musiał skutecznie ukryć prawdziwe źródło kapitału. Z powyższej sumy pięć milionów wpłacono do amsterdamskiego Mendelsohn & and Co. Bank, kolejne pięć milionów do Rotterdamsehe Bankvereinigung i ostatnie pięć do Banca d'Italia.

Wieczorem 27 lutego 1933 roku, gdy w Reichstagu wybuchł pożar, Sidney Warburg odbywał swoje trzecie spotkanie z Hitlerem. Hitler stwierdził, że potrzebuje kolejne 100 milionów marek, by za ich pomocą zakończyć proces przejmowania władzy. Wall Street zgodziło się na siedem milionów dolarów. Hitler domagał się dokonania przelewu pięciu milionów do rzymskiego Banca d'Italia, a pozostałych dwóch milionów na konto Renania Joint Stock Company w Düsseldorfie.

Zaraz po wykonaniu misji, targany emocjami Sidney Warburg odetchnął z ulgą:

> Ściśle wykonałem wszystkie postawione przede mną zadania, aż do ostatniego szczegółu. Hitler stał się największym dyktatorem w Europie. Świat obserwuje jego działania od ośmiu miesięcy. Jego zachowanie w ostatecznym rozrachunku pokaże, czy jest dobrym, czy złym człowiekiem. Osobiście sądzę, że tym drugim. Mówiąc do Niemców, naprawdę pragnę się mylić. Świat wciąż chce podporządkować się Hitlerowi – żałosny świat, żałosna ludzkość.

Pomoc Wall Street dla nazistowskich Niemiec

30 stycznia 1933 roku Hitler otrzymał nominację na urząd kanclerza Niemiec. Niemcy nie tylko całkowicie wyszły z gospodarczej katastrofy hiperinflacji z 1923 roku, ale w świecie targanym ostrą recesją gospodarczą bardzo szybko zaczęły nadrabiać starty. W sytuacji, gdy niemiecka gospodarka musiała ponosić gigantyczne koszty związane ze spłatą reparacji wojennych, Niemcy z zadziwiającą wszystkich szybkością zdołały wyposażyć największą w Europie siłę militarną, by 1 września 1939 roku rozpocząć II wojnę światową. Na to wszystko potrzebowały zaledwie sześciu lat! W tym czasie najpotężniejsze na świecie Stany Zjednoczone wciąż, jak gdyby grzęznąc w bagnie, boleśnie zmagały się z recesją gospodarczą. Trwało to do roku 1941, kiedy bezpośrednio przystąpiły do wojny: dopiero wtedy sytuacja gospodarcza zaczęła zmieniać się na lepsze.

Niemcy w ciągu sześciu lat zakończyły proces odbudowy gospodarczej i przygotowań do wielkiej wojny. Gdyby nie kolosalna pomoc szerokim strumieniem napływająca z zagranicy nic takiego nie mogłoby się wydarzyć. Jeśli jednak owa zagraniczna pomoc nie miała służyć rozpętaniu wojny, to czemu? Trudno znaleźć inne logiczne wyjaśnienie.

W rzeczywistości Wall Street od początku była głównym źródłem kapitałów dla nazistowskich Niemiec. Jeszcze w 1924 roku, zaraz po tym, jak wygasła niemiecka hiperinflacja, bankierzy z Wall Street zaczęli opracowywać plany dotyczące pomocy Niemcom w przygotowaniu armii do wojny. Zarówno plan Dawesa z 1924 roku, jak i plan Younga z roku 1929 służyły realizacji tego celu – zwłaszcza ten pierwszy doskonale odpowiadał planom ekonomistów ze Sztabu Generalnego armii niemieckiej[128].

Zależny od Morgana prezes General Electric, Owen Young, oraz stworzone przez Roosevelta United European Investors stanowiły najważniejszą tarczę finansową. Ten sam Owen Young doprowadził do powstania Bank for International Settlements (BIS – Bank Rozrachunków Międzynarodowych), który usprawnił współpracę pomiędzy bankierami. Zgodnie z tym, co pisał znany historyk Carroll Quigley, jeden z nauczycieli Clintona, ów bank „poprzez stworzenie światowego systemu finansowego sprawuje nad światem kontrolę. Jest to kontrola małej grupki ludzi, którzy mają dość siły, by zawładnąć systemem politycznym i gospodarczym świata"[129].

W latach 1924-1931, wykorzystując dwa powyższe plany (Dawesa i Younga), Wall Street łącznie dostarczyła Niemcom kredytów na sumę 138 miliardów marek. W tym samym czasie Niemcy łącznie tytułem reparacji wojennych wypłaciły 86 miliardów marek. Wychodzi więc na to, że „na czysto" Niemcy otrzymały z Ameryki gigantyczny kapitał wysokości 52 miliardów marek, dzięki czemu niemiecki przemysł zbrojeniowy zaczął się intensywnie rozwijać. Znacznie wcześniej, już w 1919 roku, brytyjski premier Lloyd George, odnosząc się do Traktatu Wersalskiego,

---

128 Zeznanie przez Senatem USA, komisja do spraw wojskowych, 1946.

129 Carroll Quigley, *Tragedy and Hope: A History of The World In Our time*, New York 1966, s. 308.

trafnie przewidywał, że Niemcy nie będą zdolne do udźwignięcia tak dużej sumy reparacji wojennych, co w ostatecznej fazie doprowadzi kraj ten albo do odmowy spłat, albo do wojny. Tak się nieszczęśliwie złożyło, że zrealizowane zostały oba te rozwiązania.

Nie dziwne, że widząc nowoczesne fabryki zbrojeniowe nazistowskich Niemiec, a następnie przyglądając się zardzewiałym amerykańskim halom produkcyjnym, kongresman MacFadden gorzko i zawzięcie atakował Wall Street i Rezerwę Federalną za jej pomoc finansową dla niemieckiej machiny wojennej, na którą środki pochodziły z pieniędzy płaconych przez amerykańskich podatników.

> Panie przewodniczący, w przypadku gdy niemiecka firma Nobel Dynamite sprzedaje materiały wybuchowe armii japońskiej, która wykorzystuje je w wojnie w Mandżurii lub na innym terenie, może ona rozliczać rachunki dłużne za sprzedaż w dolarach amerykańskich, następnie przesłać je na wolny rynek dyskontowy w Nowym Jorku. Rezerwa Federalna przeprowadzi dyskonotowanie owych rachunków dłużnych i pod ich zabezpieczenie dokona emisji nowych banknotów dolarowych. W rzeczywistości, Rezerwa Federalna udziela pomocy niemieckiej firmie produkującej materiały wybuchowe, wprowadzając jej rezerwy do amerykańskiego systemu bankowego. Skoro to wszystko ma miejsce, to w jakim celu wysyłamy naszego przedstawiciela na konferencję w Genewie dotyczącą rozbrojenia [niemieckiej] armii? Czyż rada nadzorcza Rezerwy Federalnej i banki Rezerwy nie pozwalają faktycznie naszemu rządowi dokonywać zwrotu japońskiej armii długów zaciągniętych przez niemieckie fabryki zbrojeniowe[130]?

Poza nowojorskim rynkiem dyskonotowym dla kwitów dłużnych, japoński i niemiecki przemysł zbrojeniowy otrzymywał nisko oprocentowane, krótkoterminowe kredyty. Ponadto Rezerwa Federalna bezpośrednio transportowała rezerwy złota do Niemiec.

> Gigantyczna kwota pieniędzy należących do amerykańskich depozytariuszy została wysłana do Niemiec bez pobrania jakiegokolwiek zabezpieczenia. Zarząd Rezerwy Federalnej i jej Banki zwyczajnie wypuszczają do obiegu amerykańską walutę w oparciu o rachunki dłużne niemieckich handlowców. Warty kilka miliardów dolarów kapitał został wchłoniety przez niemiecką gospodarkę, ów proces jest wciąż kontynuowany. Tanie, niemieckie rachunki dłużne są tutaj [Nowy Jork] wyceniane i prolongowane, pod zastaw idzie reputacja amerykańskiego rządu, a koszty płaci amerykański naród. Rezerwa Federalna wysłała do Niemiec 27 kwietnia 1932 roku transport złota, należącego do narodu amerykańskiego, o wartości 750 tysięcy dolarów. Po tygodniu kolejny transport warty 300 tysięcy dolarów został wysłany do Niemiec w identyczny sposób. W połowie maja złoto o wartości ponad 12 milionów dolarów zostało przez Rezerwę Federalną wysłane do Niemiec. Praktycznie raz na tydzień wyrusza w rejs statek ze złotem do Niemiec. Panie przewodniczący, ufam że amerykańscy depozytariusze, właściciele kont w amerykań-

[130] Congressional Record, 1932, s. 1259-1296.

skich bankach mają prawo wiedzieć, w jakim celu Rezerwa Federalna wykorzystuje ich pieniądze[131].

Poza uzyskaną pomocą kapitałową z Wall Street, sporą rolę odegrały reformy Hitlera w systemie finansowym, wśród nich zaś najważniejszym punktem było odebranie z rąk niemieckiego prywatnego banku centralnego prawa do emisji pieniądza. Po likwidacji mało skutecznego i drogiego systemu emisji waluty pod zabezpieczenie długu rządowego (obligacji), niemiecka gospodarka niczym pocisk rakietowy poszybowała w górę. Stopa bezrobocia w Niemczech, która w 1933 roku wynosiła ponad 30 procent, zniknęła, a w 1938 roku Niemcy zanotowały poważny brak rąk do pracy.

Wielka pomoc dla Niemiec ze strony amerykańskich firm w sferze technologii i finansów nie jest już żadną tajemnicą. Była ona później wyjaśniana przez historyków w kategoriach „przypadek oraz krótkowzroczność". W istocie „przypadek oraz krótkowzroczność" ogromnie wzmocniły i ulepszyły zdolności niemieckiego przemysłu zbrojeniowego.

W 1934 roku niemiecka wydajność w produkcji paliw wynosiła 300 tysięcy ton paliw naturalnych oraz 800 tysięcy ton benzyny syntetycznej (paliwo uzyskane z przeróbki węgla), cała reszta była uzależniona od importu. Gdy Standard Oil sprzedał Niemcom patent na uwodornianie ropy naftowej, aż do roku 1944, Niemcy były w stanie produkować zaskakującą ilość 5,5 miliona ton benzyny syntetycznej oraz milion ton paliw naturalnych.

> Mimo że niemiecki wojskowy departament planowania wymagał od przemysłu instalacji nowoczesnych linii produkcyjnych w celu intensywnego zwiększenia produkcji, to niemieccy eksperci do spraw wojskowych i gospodarczych, podobnie jak przemysł, wciąż nie byli w stanie do końca zrozumieć problemu produkcji przemysłowej na wielką skalę. Działo się tak do momentu, gdy dwaj główni, amerykańscy producenci samochodów weszli na rynek europejski, otwierając fabryki nowego typu w Niemczech. Dopiero wtedy przed ekspertami otworzyły się nowe perspektywy. Niemieccy inżynierowie zostali wysłani do Detroit w celu opanowania techniki produkcji modułów oraz zasad działania linii produkcyjnych. W Detroit nie tylko zwiedzali hale fabryczne, gdzie produkowano samoloty, ale również otrzymali pozwolenia na wizyty w innych, ważnych instalacjach militarnych. Dzięki temu niemieccy eksperci nauczyli się wielu technologii, by ostatecznie wykorzystać je w konflikcie z Ameryką[132].

Wśród amerykańskich firm, które utrzymywały bliską i poufną współpracę z niemieckim przemysłem zbrojeniowym znajdowały się między innymi General Electric, Ford, DuPont. Wszystkie one należały do Banku Morgana, Chase Bank Rockefellera lub Manhattan Bank Warburga.

---

[131] *Ibid.*

[132] Sutton, *Wall Street and FDR*, rozdz. 1.

Droga wojna i tani pieniądz

Winston Churchill powiedział kiedyś: „Rozpoczęcie wojny jest znacznie trudniejsze niż jej zakończenie". Po krótkim namyśle można uznać, że odbiega to od potocznego rozumienia. Ale po bardziej szczegółowej analizie dochodzimy do wniosku o słuszności tego poglądu. Zakończenie wojny często wymaga jedynie tego, aby tajni przedstawiciele dwóch walczących stron usiedli wspólnie do stołu pertraktacji. Przedmiotem ich rozmów mogą być tylko warunki zakończenia konfliktu. Tak więc, niezależnie od tego czy trochę stracą, czy też zyskają, zawsze jest możliwość dogadania się.

Rozpoczęcie wojny jest znacznie bardziej skomplikowane. Samo tylko pozyskanie społecznego poparcia w demokratycznym społeczeństwie jest sprawą wymagającą ogromnych wysiłków. Ten element doprowadzał międzynarodowych bankierów do wściekłości. Było dokładnie tak, jak wskazywał Merton: „w ich oczach wojna i pokój nie istnieją, nie ma haseł, nie ma propagandy, nie ma też poświęcenia i chwały. Oni ignorują wszystkie te wprawiające ludzi w podniecenie rzeczy". To samo twierdził Napoleon: „Pieniądz nie ma ojczyzny: finansiści nie wiedzą, czym jest cnota i miłość ojczyzny, ich jedynym celem jest osiąganie zysków".

Naród amerykański, padający ofiarą grabieży ze strony bankierów z Wall Street, po doświadczeniach I wojny światowej oraz Wielkiego Kryzysu 1929 roku, nie był na tyle łatwowierny, aby ponownie dać się oszukać. Nikt nie życzył sobie, by jego synowie, jako mięso armatnie bankierów, wyruszali walczyć na kolejnej wojnie w Europie. Dlatego też w kraju panowała powszechna atmosfera izolacjonizmu, wywołująca niepokój kręgów finansowych.

W 1935 roku specjalna komisja pod przywództwem kongresmana Gerlada Nye'a opublikowała obszerny, liczący tysiąc czterysta stron raport, w którym szczegółowo ukazywała wszystkie tajemnice związane z przystąpieniem USA do I wojny światowej. Wśród nich omówione były wszystkie nielegalne i niejawne działania banków oraz producentów wojny, które miały miejsce na początku konfliktu. Równocześnie w pamięci żywe pozostawało przesłuchanie Morgana przed komisją Kongresu w sprawie licznych, związanych z krachem giełdowym w 1929 roku, skandali na Wall Street. To wszystko powodowało, że nastroje antywojenne w Ameryce były bardzo powszechne i silne. W tym czasie bestsellerem był książka Waltera Millisa, *Road to War: America 1914-1917* (*Droga do Wojny. Ameryka 1914-1917*), która jeszcze mocniej podsyciła społeczną dyskusję dotyczącą przystępowania do wojny. W tej atmosferze, w latach 1935-1937 w Stanach Zjednoczonych przegłosowano trzy akty prawne potwierdzające ich neutralność, surowo wzbraniające Ameryce ponownego „wrobienia się" i stania się jedną ze stron globalnego konfliktu.

Jeśli chodzi o sferę gospodarki, Nowy Ład Roosevelta trwał już od pięciu lat, jednak mimo to amerykańska gospodarka wciąż wyglądała fatalnie, stopa bezrobocia utrzymywała się na wysokim poziomie ponad 17 procent. W roku 1938 Ameryka ponownie pogrążyła się w ostrej recesji.

Bankierzy i Roosevelt byli przekonani, że jedynie polityka wielkiego deficytu budżetowego i szalonej emisji taniego pieniądza, którą promował Keynes, może uratować gospodarkę. Wszelako polityka ta może skutecznie zadziałać jedynie w sytuacji wielkiej, światowej wojny.

Po likwidacji standardu złota w 1933 roku wszystkie przeszkody stojące na drodze do wojny zostały usunięte. Wszystko było przygotowane - brakowało jedynie pretekstu.

Profesor Uniwersytetu w Georgetown, Charles C. Tansill, twierdzi, że wojna przeciw Japonii stała się elementem planu politycznego bardzo wcześnie, gdyż już w 1933 roku, jeszcze przed przejęciem władzy przez Roosevelta. W 1932 roku, amerykańska marynarka wojenna potwierdziła możliwość niszczycielskiego ataku na flotę Pacyfiku z odległości 60 mil morskich od Pearl Harbour. Amerykańskie służby wywiadowcze w sierpniu 1940 roku złamały używany przez japońską armię szyfr, dzięki czemu mogły bardzo wcześnie przechwytywać japońską korespondencję wojskową. Zbudowane przez Amerykanów maszyny deszyfrujące wysłano do wszystkich baz. Jedynym miejscem, o którym zapomniano, był Pearl Harbour, największa amerykańska baza morska na Pacyfiku. Wielu historyków jest przekonanych, że Roosevelt wiedział o nadchodzącym, ukrytym ataku japońskiej floty na Pearl Harbour.

13 stycznia 1943 roku, Roosevelt i Churchill na konferencji w Casablance wydali wspólną deklarację, domagając się od Niemiec bezwarunkowej kapitulacji. Deklaracja z Casablanki wprowadziła siatkę antyhitlerowskich konspiratorów, zwolenników zawarcia pokoju z aliantami, w wielką konsternację. Już w sierpniu 1942 Niemcy zaproponowały aliantom pokój, zgadzając się na powrót do granic sprzed 1 września 1939 roku, tak by zakończyć wojnę, w której były z góry skazane na klęskę[133]. Siły wewnątrz Niemiec, przygotowujące plan zbrojnego przewrotu i obalenia władzy Adolfa Hitlera oraz partii nazistowskiej, były gotowe. Niestety, deklaracja Roosevelta miała negatywny wydźwięk, znacznie osłabiając wewnętrzną opozycję w Rzeszy. Kissinger, próbując wyjaśnić motywy kierujące Rooseveltem w momencie ogłaszania deklaracji z Casablanki, pisze:

> Roosevelt zaproponował tę politykę z kilku powodów. Obawiał się, że dyskusja nad warunkami pokoju z Niemcami może doprowadzić do podziałów, a chciał, by cała energia aliantów skoncentrowana została na sprawie wygrania wojny. Pragnął także upewnić Stalina w czasie śmiertelnych zmagań bitwy stalingradzkiej, że nie będzie odrębnego pokoju. Nade wszystko jednak nie chciał dopuścić do powtórzenia się sytuacji, w której Niemcy po jakimś czasie ponownie wystąpiłyby z rewizjonistycznymi pretensjami, głosząc, że zostały niespełnionymi obietnicami podstępnie skłonione do zakończenia wojny[134].

To, co mówi Kissinger, ma sens, ale najistotniejszy jest fakt, że okrutna i kosztowna wojna została przedłużona o ponad dwa lata, podczas których niezliczona

[133] Walter Schellenberg, *The Schellenberg Memoirs*, London 1956.

[134] Kissinger, *Dyplomacja*, s. 440-441.

liczba ludzi i nieoszacowany majątek zostały obrócone w popiół. Wśród ofiar wojny znalazło się między innymi około sześciu milionów Żydów. Gdyby wojna zakończyła się w 1943 roku, spora ich część miałaby dużą szansę na przetrwanie. Zresztą nawet w przypadku warunkowej umowy o kapitulacji Niemiec, alianci posiadaliby prawo do dyktowania warunków.

Jednakże dopiero co rozgrzani międzynarodowi bankierzy nie mogli odpuścić tak wybornej okazji do zarobienia gigantycznych pieniędzy. Ogień wojny zgasł dopiero w sierpniu 1945 roku, a w trakcie tego okresu dług Ameryki z 16 miliardów dolarów w 1930 roku gwałtownie poszybował w górę, osiągając zawrotną sumę 269 miliardów w 1946 roku. Keynesowska polityka deficytu budżetowego i taniego pieniądza ostatecznie uzyskała „certyfikat" w dymie armatnim II wojny. Dzięki niej bankierzy ponownie pomnożyli swój majątek.

ROZDZIAŁ VI

Elitarny klub rządzący światem

Elity kapitału finansowego posiadają długoterminowy plan realizacji ostatecznego celu, którym jest kontrola nad światem poprzez ustanowienie jednego systemu finansowego. Ta machina ma być nadzorowany przez małą grupkę, która będzie zdolna rządzić strukturami politycznymi i światową gospodarką. System kontroli działa na wzór feudalnego autokratyzmu kontrolowanego przez bankierów z prywatnego banku centralnego, a sterowany jest za pomocą częstych uzgodnień osiąganych w trakcie tajnych konferencji. Jego rdzeniem jest szwajcarski Bank for International Settlements w Bazylei. Znajduje się on w rękach prywatnych, a kontrolujące go centralne banki również są własnością prywatną. Każdy bank centralny poprzez pełną kontrolę nad pożyczkami dla skarbu, sterowanie kursami walut w wymianie międzynarodowej, wpływ na poziom i aktywność gospodarczą kraju, gwarantowanie nagród dla współpracujących polityków w sferze handlowej itd. egzekwuje kontrolę nad rządami państw.

Carroll Quigley, historyk, 1966 rok[135]

[135] Quigley, *Tragedy & Hope*, s. 308.

Klucz do rozdziału

Coraz częściej spotykamy się dziś z takimi określeniami jak „rząd światowy", „światowa waluta". Nie dysponując odpowiednim przygotowaniem historycznym, można odnieść wrażenie, że są to jedne z wielu kolejnych medialnych sensacji, podczas gdy w istocie właśnie teraz rozpoczyna się realizacja wielkiego planu. Najbardziej zasmuca i zmusza do myślenia fakt, że większość Chińczyków wciąż wie na ten temat bardzo niewiele.

W lipcu 1944 roku, gdy kontynent europejski wciąż płonął ogniem wojny, miesiąc po otwarciu drugiego frontu przez wojska amerykańsko-brytyjskie, 44 reprezentantów państw przybyło do znanej miejscowości wypoczynkowej Bretton Woods w stanie New Hampshire, by przedyskutować plan powojennego, nowego porządku gospodarczego. Międzynarodowi bankierzy weszli w fazę realizacji przygotowywanego od dawna planu polegającego na przejęciu kontroli nad emisją światowej waluty.

W tym czasie bankierzy ustanowili cały szereg kluczowych instytucji: brytyjskie Royal Society For International Affairs (Królewskie Towarzystwo Spraw Międzynarodowych), amerykańską Council on Foreign Relations (CFR – Rada Stosunków Zagranicznych). Jakiś czas później oba te kluczowe stowarzyszenia doprowadziły do powstania dwóch nowych grup: Klubu Bilderberg, zajmującego się sprawami gospodarczymi, oraz przejmującej dowodzenie nad sprawami politycznymi Trillateral Commission (Komisja Trójstronna).

Ostatecznym celem owych grup było ustanowienie elitarnego, anglo-amerykańskiego klubu, swoistego rządu światowego, który zakończy proces tworzenia wspólnej waluty światowej, by następnie narzucić wszystkim mieszkańcom planety „globalny podatek". W ten sposób miałby powstać tzw. Nowy Porządek Świata.

W tak skonstruowanym systemie oczywiście będzie musiała zniknąć suwerenna polityka emisji pieniądza przez rządy narodowe oraz prawo do decydowania o wewnętrznej polityce gospodarczej, a wolność gospodarcza narodów oraz swoboda rządu do prowadzenia własnej polityki zostaną ograniczone, poddane kontroli i sterowaniu. Najważniejsze zaś jest to, że kajdany, które założono współczesnym ludziom, nie są wykonane z żelaza – materiałem użytym do ich stworzenia jest *dług*. W celu maksymalnego wykorzystania współczesnego „niewolnika", ekstensywne zarządzanie gospodarcze powoli przesuwa się w kierunku wysokowydajnej, naukowej technologii „żywienia". Społeczeństwo bez gotówki, elektroniczny pieniądz, jednolite i globalne elektroniczne ID z wmontowanym chipem radiowym bądź ID implantowane bezpośrednio w ludzkie ciało, a także inne nowoczesne technologie – oto charakterystyczne cechy procesu przemiany współczesnego człowieka w „niewolnika".

W oparciu o chipową technologię identyfikacji, międzynarodowi bankierzy są w stanie obserwować każdego człowieka niezależnie od miejsca i czasu, w którym się znajduje. W chwili, gdy gotówka niemal całkowicie znika ze świata, wystarczy tylko kilka uderzeń w klawiaturę, żeby w dowolnym momencie pozbawić dowolną osobę prawa do korzystania z jej majątku. Dla tych, którzy cenią sobie wolność, jest to przerażająca perspektywa, wszelako dla międzynarodowych bankierów jest to konieczny warunek Nowego Porządku Świata.

Członkowie elity uważają, że ich plan nie jest spiskiem, lecz pozytywnym programem. Tym, co różni ów plan od tradycyjnych spisków, jest fakt, że jego autorzy nie mają scentralizowanego przywództwa, lecz stanowią dość swobodny „krąg przyjaciół o wspólnych celach i interesach". Jednak przeciętnego człowieka niepokoi fakt, że owi „przyjaciele o wspólnych celach i interesach" to ludzie posiadający olbrzymie wpływy, którzy zawsze są gotowi poświęcić interesy zwykłych obywateli na rzecz realizacji własnych idei.

Twórca amerykańskiej Council on Foreign Relations powstałej po zakończeniu I wojny światowej, niejaki pułkownik House, był jednym z głównych architektów tego planu na terenie Stanów Zjednoczonych.

Duchowy ojciec chrzestny: pułkownik House

W Waszyngtonie nie sposób dojrzeć prawdziwych władców – oni rządzą spoza kurtyny.

Feliks Frankfurter, sędzia Sądu Najwyższego USA[136]

Pułkownik House naprawdę nazywał się Edward House. Tytuł pułkownika przyznał mu gubernator stanu Teksas za jego wkład i zasługi w zwycięstwo w lokalnych wyborach. House pochodził z bogatej rodziny teksańskich bankierów. Jego ojciec, Thomas, w czasie wojny secesyjnej działał jako reprezentant interesów rodziny Rothschildów na terenie USA. Lata młodzieńcze House spędził na nauce w Wielkiej Brytanii i tak jak wielu sławnych amerykańskich bankierów z początku XX wieku za swoją prawdziwą ojczyznę uważał Wielką Brytanię, utrzymując z kręgiem brytyjskich bankierów bliskie i zażyłe stosunki.

W 1912 roku House, jako anonimowy autor, opublikował nowelę *Philip Dru Administrator: a Story of Tomorrow 1920-1935*, która wzbudziła ogromne zainteresowanie. Na jej stronach stworzył fikcyjnego, pełnego współczucia, łagodnego dyktatora, który zdobywa władzę nad obiema amerykańskimi partiami, tworzy bank centralny, wprowadza federalny, progresywny podatek dochodowy, likwiduje protekcyjne taryfy celne, buduje społeczny system bezpieczeństwa, doprowadza do konstrukcji ligi światowej itd. Wszystkie proroctwa dotyczące przyszłego świata, które House zawarł w swojej książce, w zdumiewający sposób zbiegają się z wydarzeniami, które następowały w Ameryce w kolejnych latach. Pod względem „talentu wizjonerskiego" House w niczym nie ustępował Keynesowi.

W rzeczywistości bardziej przekonujące byłoby stwierdzenie, że wszystko, co House i Keynes głosili jako rzekome proroctwa, było jedynie konsekwencjami realizacji przygotowanego wcześniej politycznego planu.

136 Ted Flynn, *Hope of the Wicked. The Master Plan to Rule the World*, Sterling 2000, s. 88.

Zaraz po ukazaniu się książka House'a wywołała żywe reakcje amerykańskich czytelników. Zawarta w niej wizja przyszłości Ameryki w wielkim stopniu pokrywała się z dążeniami i życzeniami międzynarodowych bankierów. Pułkownik House bardzo szybko stał się „ojcem chrzestnym" finansowej elity.

W 1912 roku, podczas przeglądu listy kandydatów Partii Demokratycznej na urząd prezydenta, liderzy partii wyznaczyli House'a do przeprowadzenia „rozmowy kwalifikacyjnej" z jednym z nich, Wilsonem. Wilson przybył do nowojorskiego hotelu, w którym zatrzymał się House. Obaj panowie rozmawiali przez prawie godzinę, wywierając wzajemnie na sobie wielkie wrażenie i wręcz smucąc się, iż nie dane im było spotkać się wcześniej. Używając słów samego Wilsona: „Pułkownik House jest moją drugą naturą. Jest realnym, niezależnym, drugim mną. Trudno jego poglądy i sposób myślenia oddzielić od moich. Gdybym to ja znalazł się na jego miejscu, czyniłbym wszystko zgodnie z jego opiniami"[137].

Pułkownik House odgrywał ważną rolę w procesie komunikacji pomiędzy bankierami a politykami. Przed wyborem Wilsona na urząd prezydenta, podczas bankietu zorganizowanego przez bankierów z Wall Street, House zapewniał prezesów: „Wilson dosiada osła Partii Demokratycznej i nie ma możliwości, by zawrócił z obranej drogi"[138]. Schiff, Warburg, Rockefeller, Morgan i inni swoje nadzieje powierzyli House'owi. Schiff traktował House'a niczym Mojżesza, widząc siebie i pozostałych bankierów w roli Arona.

W listopadzie 1912 roku, po wyborach prezydenckich, Wilson wybrał się na Bermudy na urlop. W czasie wypoczynku bardzo dokładnie przeczytał ksiażkę House'a *Philip Dru Administrator* – na tyle dokładnie, iż można uznać, że jego polityka i działalność legislacyjna z lat 1913-1914 była praktycznie skopiowana z tej powieści.

Po przegłosowaniu *Federal Reserve Act* 23 grudnia 1913 roku Schiff, bankier z Wall Street, w liście do House'a pisał: „chciałbym ci bardzo podziękować za twój skuteczny i dyskretny wkład w proces przegłosowania tej ustawy walutowej"[139].

Po wykonaniu odpowiedzialnego zadania, którym było ustanowienie prywatnego banku centralnego w Stanach Zjednoczonych, pułkownik House skierował swoją uwagę ku sprawom międzynarodowym. Posiadając wiele kluczowych i bliskich znajomości w świecie politycznym Ameryki i Europy, House bardzo szybko stał się wpływową figurą.

> [House] związany był silną więzią z międzynarodowymi bankierami z Nowego Jorku. Wielu bankierów z czołowych instytucji finansowych znajdowało się pod jego wpływem, a wśród nich Paul Warburg, jego brat Feliks Warburg, Otto Kahn, Luis Marburg, Henry Morgenthau, Jacob i Mortimer Schiff oraz Herbert Lehman. Również w Europie House posiadał znajomości w potężnych kręgach bankierów i polityków[140].

137 Charles Seymour, *Initmate Papers of Colonel House*, 1926, s. 173.

138 George Sylvester Viereck, *The Starngest Friendship in History. Woodrow Wilson and Colonel House*, New York 1932.

139 Seymour, *Initmate Papers of Colonel House*, s. 175.

140 Dan Smoot, *The Invisible Government*, Boston 1962.

W roku 1917 prezydent Wilson powierzył House'owi sformowanie grupy, znanej później jako The Inquiry, której zadaniem było przygotowanie problemów do dyskusji podczas przyszłych rokowań pokojowych. 30 maja 1919 roku baron Edmund Rothschild, zorganizował spotkanie w jednym z paryskich hoteli. Wśród jego uczestników znaleźli się członkowie amerykańskiej grupy The Inquiry oraz brytyjskiej organizacji Round Table. Przedmiotem obrad była kwestia integracji sił amerykańskiej i brytyjskiej elity. 5 czerwca uczestnicy obrad spotkali się ponownie, podejmując ostatecznie decyzję o utrzymaniu istniejącego podziału, który przynosi więcej korzyści niż wspólnie zorganizowane akcje. 17 czerwca House w roli założyciela-inicjatora stworzył w Nowym Jorku Insitute of International Affairs (Instytut Spraw Międzynarodowych). 21 lipca 1921 roku House dokonuje zmiany nazwy organizacji na Council on Foreign Relations. Do grupy dołączyli członkowie The Inquiry, amerykańscy przedstawiciele z konferencji pokojowej w Paryżu oraz 270 członków elit bankowych i politycznych, którzy doprowadzili do założenia Rezerwy Federalnej. Bankierzy z Wall Street dokonali znaczącego wkładu finansowego dla nowo powstałej organizacji. W ten oto sposób narodziła się grupa, która odtąd czyniła intensywne wysiłki na rzecz zdobycia kontroli nad amerykańskim społeczeństwem i światową polityką.

Roosevelt z wielką uwagą przeczytał książkę House'a *Philip Dru Administrator* w czasie, gdy jako podwładny Wilsona pracował w Departamencie Marynarki Wojennej. Opisaną w powieści postać „łagodnego dyktatora" można potraktować jako doskonały portret późniejszego, prawdziwego oblicza Roosevelta. Po wyborze Roosevelta na urząd prezydenta, House błyskawicznie stał się jednym z doradców w Białym Domu. Zięć Roosevelta pisał w swoich wspomnieniach:

> Przez długi czas sądziłem, że Roosevelt sam tworzył nowe pomysły, metody, tak by korzystała na tym Ameryka. Faktycznie jednak, sytuacja prezentowała się zgoła inaczej. Większość z jego pomysłów, jego politycznej amunicji, była najpierw precyzyjnie formułowana w Council on Foreign Relations oraz grupie będącej adwokatem wspólnej światowej waluty[141].

Syn Paula Warburga, James, który miał okazję sprawować funkcję doradcy finansowego Roosevelta, był jednocześnie członkiem CFR. Podczas obrad komisji Kongresu do spraw stosunków międzynarodowych 17 lutego 1950 roku powiedział: „Czy ktoś się zgadza, czy nie, będziemy mieli rząd ogólnoświatowy. Jedynym problemem, nad którym można się zastanawiać, jest pytanie, czy ten rząd zostanie stworzony w wyniku porozumienia, czy podboju"[142].

Dziennik „Chicago Tribune" w komentarzu redakcyjnym z 9 grudnia 1950 roku pisał, że „członkowie CFR mają siłę wpływu daleko przekraczającą zwykłego obywatela. Dysponują majątkiem, pozycją społeczną, stoi za nimi nieprzeciętne

---

141 Dall, *FDR – My Exploited Father in Law.*

142 David Allan Rivera, *Final Warning: A History of the New World Order*, Oakland 2004, rozdz. 5.

wykształcenie. Wszystkie te atuty pozwalają im w hierarchii społecznej zająć miejsce o klasę wyższą niż przeciętny człowiek, doprowadzając kraj do ekonomicznego bankructwa i militarnego krachu. Ludzie ci winni uważniej przyjrzeć się swoim rękom, dostrzegą bowiem na nich lepkie, wciąż widoczne, pochodzące z dawnej wojny, a także czerwone, świeże, pochodzące z ostatniej wojny, ślady krwi"[143].

W 1971 roku kongresman z Luizjany, John Rarick, sformułował następującą ocenę:

> Council on Foreign Relations nie szczędzi wysiłków w celu ustanowienia rządu światowego. Organizacji tej właśnie udało się uzyskać wsparcie finansowe ze strony kilku największych, zwolnionych z podatków funduszy. Rada ta posiada wielką siłę wpływu w sferach finansowych, handlowych, pracowniczych, wojskowych, edukacyjnych, a także w najpopularniejszych mediach publicznych. Każdy, pragnący z całych sił bronić amerykańskiej Konstytucji i ducha wolności gospodarczej rząd, podobnie jak świadomi obywatele, musi zrozumieć prawdziwą naturę CFR. Nasze broniące prawa do informacji media, które są niesłychanie agresywne, wyciągając na światło dzienne przeróżne skandale, w przypadku spraw związanych z działaniami CFR lub jego członków, zachowują zadziwiające milczenie. CFR jest klubem elitarnym, który nie tylko wykorzystuje swą sił wpływu na najwyższym rządowym poziomie decyzyjnym, utrzymując presję od góry do dołu, ale również, udzielając pomocy finansowej osobom prywatnym czy instytucjom, stosuje presję oddolną, wspierając proces transformacji suwerennej republiki konstytucyjnej w sługę dyktatorskiego rządu światowego[144].

Council on Foreign Relations posiada decydujący wpływ na amerykańską politykę. Począwszy od II wojny światowej, z wyjątkiem trzech przypadków, praktycznie wszyscy prezydenci byli członkami tej Rady. Od kilkudziesięciu lat dwie partie wymieniają się przy sterach władzy, a polityka rządowa wciąż pozostaje niezmienna, albowiem członkowie CFR zajmują najważniejsze stanowiska w prawie każdej administracji prezydenckiej. Od 1921 roku większość z sprawujących urząd sekretarzy skarbu była pod całkowitą kontrolą Rady. Ponadto od czasów Eisenhowera w zasadzie wszystkich doradców bezpieczeństwa narodowego mianowała Rada; poza tym, CFR wprowadziła do rządu czternastu sekretarzy stanu (od 1949 roku posiada totalną kontrolę nad tym stanowiskiem rządowym), jedenastu sekretarzy obrony oraz dziewięciu szefów CIA.

Patrząc z tej perspektywy, CFR Relations jest amerykańską „szkołą partyjną".

> Jeśli kluczowy członek Council on Foreign Relations podejmie decyzję o sformułowaniu określonego programu rządowego, centrum badawcze Rady od razu pełną parą rozpocznie prace analityczne. Struktury badawcze przygotują listę podstawowych teoretycznych i empirycznych punktów do dyskusji, tak by wzmocnić

---

143 „Chicago Tribune", 9 grudnia 1950.

144 Rivera, *Final Warning*, rozdz. 5.

siłę perswazji nowej polityki, a także, by z pozycji politycznych i teoretycznych dokonać zamieszania, deprecjonując każdy przeciwny pogląd[145].

Za każdym razem, gdy w administracji Waszyngtonu pojawiało się wolne stanowisko (o dużej wadze), Biały Dom wpierw telefonował do nowojorskiego oddziału CFR. Gazeta „The Christian Science Monitor" twierdzi, że ponad połowie członków CFR proponowano wejście do rządu bądź sprawowanie funkcji rządowego konsultanta.

Liczba członków CFR wynosi około trzy i pół tysiąca i każdy z nich musi być obywatelem Stanów Zjednoczonych. Wśród nich znajdują się wpływowi bankierzy, menadżerowie z głównych korporacji, wysocy urzędnicy rządowi, elita mass mediów, znani profesorowie uniwersyteccy, najlepsi analitycy, wysocy oficerowie armii itd. Ci ludzie tworzą „twardy rdzeń" amerykańskiej elity politycznej.

Jeśli chodzi o świat głównych amerykańskich mediów, które dyrygują opinią publiczną, w raporcie o CFR z 1987 roku możemy przeczytać, że około 250 dziennikarzy i specjalistów medialnych znajdowało się na jej liście członkowskiej. Ci ludzie nie tylko „czytają i wyjaśniają" politykę zagraniczną rządu – oni wręcz ją formułują. Do członków CFR należą pracownicy CBS, ABC, NBC, PBS i innych stacji telewizyjnych. Jeśli chodzi o prasę, CFR sprawuje kontrolę między innymi nad takimi gazetami, jak: „New York Times", „Washington Post", „Wall Street Journal", „Boston Globe News", „Baltimore Sun", „Los Angeles Times". W przypadku magazynów i czasopism pod kontrolą CFR znajdują się: „Time", „Fortune", „Life", „Money", „Profile", „Entertainment Weekly", „Newsweek", „Business Week", „US News and World Report", „Readers Digest", „Forbes", „Atlantic Weekly" i inne główne magazyny. CFR kontroluje między innymi następujące wydawnictwa: MacMillan, Randon House, Simon & Schuster, Harper Brothers, McGraw Hill[146].

Jeden z amerykańskich kongresmanów, William Jenner, powiedział kiedyś: „Dzisiejsza Ameryka może w sposób całkowicie legalny wejść na drogę do dyktatury. Kongres, prezydent, ludzie nic nie usłyszą, nic nie zobaczą. Patrząc z wierzchu, mamy rząd, który działa zgodnie z zasadami Konstytucji, ale faktycznie pomiędzy naszym rządem a systemem politycznym znajduje się pewna siła, która reprezentuje opinie elity. Ludzie ci są przekonani, że nasza Konstytucja jest już przestarzała, a czas gra na ich korzyść".

Prawo do decydowania o polityce wewnętrznej i zagranicznej USA nie znajduje się w systemie demokratycznym czy w rękach obu partii politycznych, lecz jest sprawowane przez wąską grupę ludzi należących do elitarnego klubu.

---

[145] Phyllis Ward, Chester Schlafly, *Kissinger on the Couch*, New York 1975.

[146] Flynn, *Hope of the Wicked*, s. 89.

Bank Rozrachunków Międzynarodowych: bank najważniejszych bankierów

Jeden ze znanych ekspertów walutowych powiedział kiedyś, że losy waluty staną się ostatecznie losami państwa. Rozumując w ten sam sposób, można powiedzieć, że los światowej waluty w ostatecznym rozrachunku przypieczętuje los świata.

Choć mieszczący się w Szwajcarii Bank for International Settlements (BIS – Bank Rozrachunków Międzynarodowych) jest pierwszą, najstarszą z założonych międzynarodowych organizacji bankowych, to jednak wkłada on wiele wysiłku w to, aby jego działalność nie rzucała się w oczy. Dlatego też pozostaje praktycznie niezauważony przez opinię publiczną i istnieje niewiele naukowych prac badawczych na jego temat.

Z wyjątkiem sierpnia i października, 10 razy w roku, rzesze tajemniczych, elegancko ubranych ludzi przybywają do szwajcarskiej Bazylei z Londynu, Waszyngtonu czy Tokio, by dyskretnie wynająć pokoje w hotelu „Euler". Sprowadza ich tu udział w najbardziej enigmatycznej i skrytej przed uwagą publiczności, a zarazem mającej kolosalne znaczenie konferencji. Każdy z tych kilkudziesięciu delegatów dostaje biuro oraz poufną linię telefoniczną przeznaczoną do kontaktu ze swoim krajem. Stały zespół trzystu pracowników wykonuje pełny wachlarz usług, zaspokajając potrzeby delegatów: są tam kierowcy, kucharze, tłumacze, ochroniarze, pocztowcy, stenografiści, sekretarze i analitycy. W tym samym czasie delegaci mają dostęp do nowoczesnych superkomputerów, całkowicie zamkniętych dla osób postronnych klubów, kortów tenisowych, basenów i innych rozrywek.

Kryteria przystąpienia do owego elitarnego klubu są bardzo wyśrubowane. Spełniają je tylko bankierzy z centralnych banków poszczególnych państw, mający kontrolę nad stopą odsetek, zasięgiem kredytu i podażą waluty. Wśród nich znajdują się członkowie rad nadzorczych Rezerwy Federalnej, Banku Anglii, Banku Japonii, Szwajcarskiego Banku Państwowego, czy niemieckiego Bundesbanku. Ta struktura jest w stanie wykorzystać 40 miliardów dolarów w gotówce, obligacje każdego z rządów narodowych oraz 10 procent światowych rezerw złota, co ustępuje jedynie ilości złota posiadanej przez skarb Stanów Zjednoczonych. Same procenty generowane przez to złoto wystarczają na pełne pokrycie wydatków bankowych. Coroczne tajne spotkania służą zharmonizowaniu i kontroli działań walutowych wszystkich krajów uprzemysłowionych.

Budynek, w którym mieści się kwatera główna BIS, wyposażony jest w podziemne schrony zdolne wytrzymać atak nuklearny oraz kompletnie wyposażony szpital. Potrójny system przeciwpożarowy gwarantuje samowystarczalność nawet w przypadku wielkiego pożaru. Na najwyższym piętrze budynku znajduje się ekskluzywna restauracja służąca wyłącznie zapewnieniu owym kilkudziesięciu ważnym gościom przyjemnego weekendu w Bazylei. Stojąc przed oknami, można podziwiać rozciągający się aż po horyzont wspaniały widok na Niemcy, Francję i Szwajcarię.

W centrum informatycznym budynku wszystkie komputery wyposażone są w bezpośrednie połączenie z sieciami banków centralnych wszystkich państw, a na ekranach w holu głównym wyświetlane są wskaźniki i dane finansowe ze wszystkich rynków. Osiemnastu maklerów nieustannie zajmuje się krótkookresowymi transakcjami kredytowymi na europejskim rynku walutowym. Na innym piętrze pośrednicy w handlu złotem, nieustannie rozmawiający przez telefon, finalizują międzybankowe transakcje złotą gotówką.

BIS jest praktycznie wolny od jakiegokolwiek ryzyka, jeśli chodzi o wszelkie prowadzone przezeń transakcje handlowe, albowiem zarówno dla pożyczek, jak i transakcji złotem, zabezpieczeniem są oszczędności z banków centralnych wszystkich państw członkowskich. Podczas realizacji danej transakcji BIS pobiera wysokie opłaty manipulacyjne. W tym miejscu pojawia się pytanie: czemu wszystkie banki centralne powierzają te nadzwyczaj proste zlecenia biznesowe właśnie BIS?

Odpowiedź jest prosta: istnieje niejawna umowa.

Bank for International Settlements został stworzony w 1930 roku, kiedy panujący na świecie Wielki Kryzys wchodził w najostrzejszą fazę, a międzynarodowi bankierzy rozpoczęli projektowanie założeń stworzenia znacznie większej kopii Rezerwy Federalnej – jednego banku centralnego dla wszystkich bankierów. Zgodnie z Konwencją Haską z 1930 roku, operacje BIS były w pełni niezależne od wszystkich rządów państwowych. Bez względu na to, czy trwała wojna, czy panował pokój, bank by zwolniony z wszelkich ciężarów podatkowych wobec rządów państwowych, po prostu akceptując depozyty narodowych banków centralnych i pobierając opłatę od każdej transakcji. Podczas ostrej recesji i wstrząsów w gospodarce światowej lat trzydziestych i czterdziestych XX wieku, banki centralne ze wszystkich krajów europejskich stopniowo zdeponowały wszystkie swoje rezerwy złota w BIS. Warto wiedzieć, że bank ten również rozlicza wszystkie płatności z tytułu reparacji wojennych.

Głównym pomysłodawcą BIS był Niemiec, Hjalmar Schacht. To właśnie on podczas tajnej konferencji w Nowym Jorku w 1927 roku wraz z Benjaminem Strongiem z Rezerwy Federalanej i Sir Normanem z Banku Anglii planowali krach giełdowy z 1929 roku. Od roku 1930 Schacht sympatyzował z ideami nazistowskimi. Zaprojektowany przezeń BIS miał za zadanie stworzyć platformę, dzięki której możliwe byłoby wykonanie trudnych do wyśledzenia, tajnych transferów środków finansowych dla banków centralnych zainteresowanych państw. Faktycznie, podczas II wojny światowej bankierzy ze Stanów Zjednoczonych i Wielkiej Brytanii, wykorzystując tę platformę, dostarczyli nazistowskim Niemcom gigantycznej pomocy finansowej po to, by Niemcy były zdolne do prowadzenia wojny możliwie jak najdłużej.

Po wypowiedzeniu przez Niemcy wojny Stanom Zjednoczonym, wielka część amerykańskich towarów i materiałów militarnych pod neutralną flagą została wpierw przetransportowana do Hiszpanii, stamtąd zaś powędrowała do Niemiec. Większość towarzyszących temu rozliczeń dokonano za pośrednictwem BIS.

Co ciekawe, rada nadzorcza BIS składała się z bankierów pochodzących z obu walczących obozów. Zasiadali w niej: Amerykanin Thomas McKittrick, czołowa postać nazistowskiego przemysłu – Hermann Schmitz z IG Farben, niemiecki bankier baron Von Kettler Schroder, Walter Funk oraz Emil Pauhl z Reichsbanku – ci dwaj ostatni osobiście wskazani i protegowani przez Adolfa Hitlera.

W marcu 1938 roku, zaraz po zajęciu przez niemiecką armię Austrii, dokonano pozbawionego skrupułów rabunku wiedeńskiego złota. Złoto to, wraz z partiami kruszcu zrabowanymi w Czechach, zostało zdeponowane w skarbcu BIS. Pochodzący z nazistowskich Niemiec członkowie zarządu banku szybko ucinali wszelkie dyskusje na ten temat. Co prawda, czeskie złoto zostało wysłane do Banku Anglii, zanim Niemcy dokonały aneksji tego kraju, jednak nazistowska armia okupacyjna zmusiła Bank Czeski do wystąpienia do Banku Anglii o zwrot kruszcu. Sir Norman z Banku Anglii błyskawicznie wykonał tą prośbę. Czeskie złoto zostało wykorzystane przez Niemcy do zakupu gigantycznych ilości broni strategicznej.

Gdy fakt ten został ujawniony przez jednego z brytyjskich dziennikarzy, opinia publiczna była zbulwersowana. Amerykański sekretarz skarbu Henry Morgenthau Jr., przeprowadził rozmowę telefoniczną z Johnem Simonem, brytyjskim ministrem skarbu, chcąc ustalić rzeczywisty przebieg wypadków. Simon ze wszystkich sił próbował zrzucić z siebie ciężar odpowiedzialności za tę decyzję. Kiedy jakiś czas potem zapytano o tę sprawę premiera Chamberlaina, jego odpowiedź sprowadzała się do stwierdzenia, że nic takiego nie miało miejsca. Okazało się, iż Chamberlain był jednym z udziałowców Imperial Chemical Industries, które to było bliskim partnerem handlowym niemieckiego koncernu IG Farben.

H. Merle Ochran, wysłany przez amerykańskiego sekretarza skarbu do BIS w celu ustalenia prawdy, tak opisywał stosunki pomiędzy członkami zarządu banku pochodzącymi z wrogich sobie krajów:

> Atmosfera w Bazylei jest w pełni przyjazna. Większość przedstawicieli banków centralnych to starzy znajomi, panuje pomiędzy nimi solidarność, która bardzo wszystkich cieszy i dostarcza wysokich profitów. Są to członkowie rad nadzorczych, którzy postulują całkowite wyrzeczenie się działań mogących negatywnie zaciążyć na wzajemnych relacjach. Ludzie powinni raczej, niczym prezydent Roosevelt, wspólnie pójść na ryby, przestać się na siebie boczyć i komplikować sprawy, wykazać więcej optymizmu. W ten sposób można by uprościć skomplikowane stosunki polityczne[147].

W jakiś czas później Bank Anglii, który został zmuszony do potwierdzenia faktu o transferze czeskiego złota do Niemiec, tłumaczył się, że była to jedynie operacja techniczna, a samo złoto nigdy nie opuściło terenu Wielkiej Brytanii. Oczywiście, ponieważ funkcjonował BIS, transfer złota do nazistowskich Niemiec wymagał jedynie zmiany kilku cyfr na prowadzonych w nim rachunkach. Hjalmar Schacht niewątpliwe zasługuje na podziw: w 1930 roku zdołał zaprojektować tak nadzwyczajną i wysublimowaną machinę finansową, by wesprzeć Niemcy w przyszłej wojnie.

[147] Charles Higham, *Trading with the Enemy*, London 1983.

W 1940 roku na fotel prezesa BIS został wybrany Thomas McKittrick z USA. McKittrick był absolwentem Uniwersytetu Harvarda, sprawował też przez jakiś czas funkcję prezesa amerykańsko-brytyjskiej izby handlowej. Biegle znał niemiecki, francuski i włoski. Miał bardzo bliskie związki ze światem biznesu z Wall Street, działał też na rzecz udzielenia Niemcom wysokich kredytów. Niedługo po objęciu funkcji, McKittrick udał się z wizytą do Berlina, gdzie wziął udział w tajnym spotkaniu z szefami niemieckiego banku centralnego oraz oficerami gestapo. Spotkanie poświęcone było kwestii kontynuacji usług bankowych w momencie, gdy Stany Zjednoczone i Niemcy znalazłyby się w stanie wojny.

Pod naciskiem sekretarza skarbu Henry'ego Morgenthaua Juniora, 27 maja 1941 roku, sekretarz stanu USA Cordell Hull wysłał do ambasady amerykańskiej w Londynie telegram w sprawie szczegółowego śledztwa dotyczącego relacji pomiędzy rządem Wielkiej Brytanii a kontrolowanym przez nazistowskie Niemcy BIS. Rezultat dochodzenia wprowadził Morgenthaua w stan skrajnego zdziwienia i złości: sir Norman z Banku Anglii przez cały czas zajmował miejsce w radzie nadzorczej BIS. Faktycznie reprezentanci instytucji bankowych ze Stanów Zjednoczonych, Wielkiej Brytanii i Francji utrzymywali w ramach BIS bliskie i przyjazne relacje z przedstawicielami pochodzącymi z kraju ich śmiertelnego wroga – Niemiec. Te zażyłe stosunki przetrwały aż do końca wojny.

Dwa miesiące po zdradzieckim ataku Japonii na Pearl Harbour, 5 lutego 1942 roku, Ameryka była w pełni zaangażowana w wojnę z Niemcami. W takiej sytuacji zadziwiające jest, że niemiecki bank centralny oraz rząd Włoch wyraziły zgodę na dalsze sprawowanie funkcji prezesa BIS przez Amerykanina, Thomasa McKittricka, aż do czasu zakończenia wojny, a Rezerwa Federalna wciąż utrzymywała ze szwajcarską placówką relacje biznesowe.

Brytyjska Partia Pracy przez cały czas nieufnie odnosiła się do niejasnych powiązań pomiędzy Bankiem Anglii a BIS, wielokrotnie domagając się wyjaśnień od brytyjskiego Ministerstwa Skarbu. Ministerstwo tłumaczyło sytuację tak: „Nasz kraj ma wiele zysków z udziału w BIS. Wszystkie rozwiązania opierają się o międzyrządowe umowy. Zerwanie stosunków z tym bankiem nie odpowiada naszym żywotnym interesom". Tak oto w czasie wojennej pożogi, kiedy nawet międzypaństwowe traktaty o neutralności mogły być w każdym momencie odrzucone, ministerstwo skarbu twardo broni umowy pomiędzy międzynarodowymi bankami. Trudno ukryć podziw dla prostolinijnej postawy Brytyjczyków wobec prawa. Problemem jest jednak to, że w 1944 roku, gdy ostatecznie stało się jasne, iż to Niemcy uzyskują zdecydowanie największe korzyści z funkcjonowania BIS, brytyjska hojność musiała zacząć budzić spore wątpliwości.

Wiosną 1943 roku Thomas McKittrick, „nie oglądając się na osobiste bezpieczeństwo", odwiedził kraje toczące wojnę. Mimo że nie miał włoskiego obywatelstwa, a nawet nie należał do amerykańskiego korpusu dyplomatycznego, rząd włoski bez problemów wydał mu odpowiednią wizę. W czasie podróży do Rzymu, stolicy ogarniętego wojną kraju, McKittrick znajdował się pod ochroną tajnej policji Himmlera. Następnie udał się do Lizbony, gdzie wszedł na pokład szwedzkiego statku płynącego do Ameryki. W kwietniu McKittrick przybył do Nowego Jorku, gdzie przeprowadził konsultacje z zarządem Rezerwy Federalnej, by następnie, tym razem z paszportem amerykańskim w ręku, udać się do stolicy Niemiec, Berlina, wioząc urzędnikom niemieckiego banku centralnego ściśle poufne informacje finansowe i polityczne od amerykańskiej elity.

26 marca 1943 roku Jerry Voorhis, kongresman z Kalifornii, na posiedzeniu Kongresu postawił wniosek o wszczęcie dochodzenia w sprawie działań BIS, aby wreszcie zrozumieć, dlaczego „obywatel Stanów Zjednoczonych zajmuje funkcję prezesa w banku zaprojektowanym i pracującym na rzecz państw Osi". Ani amerykański Departament Skarbu, ani sam Kongres nie wyraziły zainteresowania przeprowadzeniem śledztwa.

W styczniu 1944 roku inny kongresman, John Main Coffee, oburzony oświadczył: rząd nazistowski posiada warte 85 milionów franków szwajcarskich w złocie środki kapitałowe w BIS. Większość z członków zarządu tego banku to urzędnicy z partii nazistowskiej, a mimo to nasze amerykańskie pieniądze nie przestają tam płynąć"[148].

Wielu ludziom trudno było zrozumieć neutralność Szwajcarii na ogarniętym wojną kontynencie, podczas gdy nawet mniejsze państwa, takie jakie Belgia, Luksemburg, Norwegia czy Dania nawet jeśli próbowały zachować neutralność, były miażdżone żelaznymi podkowami nazistów. W istocie wyjaśnienia należy szukać w funkcjonowaniu BIS, który znajdował się właśnie w Szwajcarii. Jego rzeczywistym zadaniem było pośredniczenie w finansowaniu wojny i Niemiec przez brytyjskich i amerykańskich bankierów tak, aby sama wojna potrwała możliwie jak najdłużej.

20 lipca 1944 roku podczas konferencji w Bretton Woods w końcu pojawił się projekt likwidacji BIS. Keynes i Harry Dexter White, tych dwóch głównych reżyserów polityki finansowej, skłaniało się ku likwidacji BIS, biorąc pod uwagę jego wątpliwą działalność podczas wojny. Niespodziewanie ich postawa uległa raptownej zmianie. Amerykański sekretarz skarbu Morgenthau miał okazję obserwować, jak zazwyczaj opanowany i dostojny Keynes, zdradzając objawy silnego wzburzenia, z czerwoną twarzą i drżącym głosem, oświadcza, że jego zdaniem BIS powinien kontynuować swoje prace aż do momentu, gdy powstanie nowy światowy fundusz walutowy i bank światowy. Stojąca obok żona Keynesa również próbowała zachęcić Morgenthaua do idei męża. Kiedy Keynes zrozumiał, pod jak wielkim naciskiem znajduje się Morgenthau, od którego domagano się rozwiązania BIS, wycofał się, stwierdzając, że być może kwestia zamknięcia banku powinna zostać rozważona w dłuższym okresie. Morgenthau trwał jednak przy swoim stanowisku: „im szybciej tym lepiej".

Pozbawiony złudzeń, zatroskany Keynes udał się do swojego pokoju i natychmiast zwołał spotkanie brytyjskiej delegacji. Spotkanie trwało aż do drugiej w nocy. Keynes osobiście sporządził list do Morgenthaua, w którym domagał się kontynuowania działalności BIS.

---

[148] *Ibid.*

Podczas odbywającego się kolejnego dnia posiedzenia delegacja Morgenthaua, ku zaskoczeniu wszystkich, zdołała przegłosować rezolucję o likwidacji BIS. Dowiedziawszy się o tej decyzji, McKittrick błyskawicznie wysłał listy do Morgenthaua i brytyjskiego ministra skarbu, kładąc wielki nacisk na fakt, iż po zakończeniu wojny BIS wciąż będzie miał do spełnienia bardzo istotną rolę, dodając, że w tym samym czasie rachunki banku nie mogą zostać ujawnione. W rzeczywistości od 1930 roku aż do dziś rachunki te nie zostały ujawnione żadnemu z rządów.

Mimo że w stosunku do działań McKittricka w czasie wojny istniało wiele podejrzeń, to jednak wciąż cieszył się on zaufaniem i poparciem światowych bankierów. W jakiś czas później sam Rockefeller nominował go na stanowisko wiceprezesa Chase Manhattan Bank. BIS nie został rozwiązany.

Po zakończeniu wojny działalność BIS stała się jeszcze bardziej zakonspirowana. Określano go mianem „Klubu Rdzenia", tworzonego przez sześciu lub siedmiu głównych bankierów z banków centralnych najważniejszych państw świata. Należeli doń członkowie rad nadzorczych Rezerwy Federalnej, Swiss National Bank, Bundesbanku, Bank of Italy, Bank of Japan, Banku Anglii. Natomiast Bank of France, podobnie jak banki centralne z pozostałych krajów, zostały wyłączone z uczestnictwa w tym ścisłym kręgu.

Główną ideą przyświecającą działaniom „Klubu Rdzenia" jest odebranie rządom państw narodowych jakiejkolwiek roli w procesie tworzenia polityki walutowej. Swiss National Bank jest bankiem prywatnym wolnym od wszelkiej kontroli rządowej. Bundesbank działa na podobnych zasadach i w przypadku tak ważnych kroków, jak np. zmiana stóp procentowych, działa samodzielnie, bez oglądania się na opinie innych. Jego prezes William Poole nawet odmawia przelotu rządowym samolotem na konferencje do Bazylei, wybierając swoją własną, luksusową limuzynę. Rezerwa Federalna, mimo iż jest w pewnym stopniu kontrolowana i ograniczana przez rząd, to w kwestiach takich, jak polityka walutowa, jest całkowicie niezależna od Białego Domu czy Kongresu. Bank Włoch teoretycznie podlega kontroli rządu, ale jego prezes nigdy nie konsultuje z nim swoich decyzji. W 1979 roku rząd Włoch zagroził aresztem prezesowi Banku Włoch, Paolo Baffiemu. Pod naciskiem międzynarodowych bankierów ostatecznie władze ustąpiły. Sytuacja Banku Japonii przedstawia się na tym tle dość wyjątkowo, wszelako po pęknięciu japońskiej bańki spekulacyjnej na rynku nieruchomości w latach osiemdziesiątych XX wieku działania japońskiego Ministerstwa Finansów wobec banku centralnego zostały określone mianem przestępczych, a samo ministerstwo uznane za głównego winnego nieszczęść, które spadły na japońską gospodarkę. Bank Japonii wykorzystał tę sytuację i całkowicie uwolnił się spod rządowej kontroli. Rząd Wielkiej Brytanii bardzo uważnie przygląda się Bankowi Anglii, którego prezes, zawsze uważany za wpływową osobistość i mistrza podstępów, wchodzi w skład elitarnego „Klubu Rdzenia". Inaczej rzecz się ma w wypadku Banku Francji, który postrzegany jest jako marionetka rządu i z tego względu trzymany poza elitarnym kręgiem.

Międzynarodowy Fundusz Walutowy i Bank Światowy

Mówi się o nadzwyczajnej arogancji Międzynarodowego Funduszu Walutowego. Powiada się, że Międzynarodowy Fundusz Walutowy nigdy nie próbował nawet wsłuchać się w głos szukających jego pomocy państw rozwijających się; że polityka Międzynarodowego Funduszu Walutowego jest tajna i niedemokratyczna. Mówi się, że stosowana przez Fundusz gospodarcza „metoda leczenia" bardzo często prowadzi do zaostrzenia istniejących problemów: od rozwoju do stagnacji, od stagnacji do recesji. Wszystko to prawda. Od 1996 do września 2000 roku pełniłem funkcję Głównego Ekonomisty Banku Światowego, będąc świadkiem najostrzejszych od ponad półwiecza kryzysów gospodarczych (kryzys azjatycki, kryzys w Ameryce Południowej, kryzys finansowy w Rosji). Na własne oczy widziałem jak Międzynarodowy Fundusz Walutowy oraz Departament Skarbu USA postępują w czasie wspomnianych kryzysów. I nie mogłem wyjść z osłupienia.

Joseph Stiglitz, były Główny Ekonomista Banku Światowego[149]

Joseph Stiglitz, pełniąc funkcję Głównego Ekonomisty Banku Światowego, na rocznym forum Banku Światowego i Międzynarodowego Funduszu Walutowego wygłosił mowę ostro i otwarcie krytykującą te dwie największe międzynarodowe instytucje finansowe. Po tym wydarzeniu Stiglitz został zmuszony do „odejścia na emeryturę" przez prezesa Banku Światowego, Jamesa Wolfensohna. Faktycznie to nie Wolfensohn wyrzucił Stiglitza, lecz amerykański sekretarz skarbu Lawrence Summers. Stany Zjednoczone posiadają 17 procent udziałów w Banku Światowym, co daje im prawo weta w przypadku nominowania lub odwoływania prezesa banku – a to *de facto* oznacza kontrolę nad pracami banku. Summers, zmęczony i zniechęcony działaniami Stiglitza, nie był go w stanie dłużej znosić. Proponował nawet, aby nie sugerować mu dyskretnie emerytury, ale po prostu otwarcie go wyrzucić, tym samym poniżając.

W 2001 roku Stiglitz został laureatem Nagrody Nobla w dziedzinie ekonomii, wciąż też pełnił funkcję głównego doradcy ekonomicznego prezydenta Clintona.

Problemem nie był brak odpowiedniej wiedzy ekonomicznej Stiglitza, lecz jego postawa polityczna, a głównie negatywny stosunek to promowanej i hołubionej przez międzynarodowych bankierów „globalizacji". Jego krytyka i wiedza na temat działań dwóch międzynarodowych instytucji finansowych oparta jest o materiały z pierwszej ręki. Sęk w tym – czego nie był w stanie pojąć Stiglitz – że faktyczna misja tych dwóch instytucji polega właśnie na piętrzeniu problemów i odpowiednim wykorzystywaniu ich.

---

[149] Joseph Stiglitz, *The Insider: What I Learned at the World Economic Crisis*, „The New Republic", kwiecień 2000

Stiglitz całkowicie odrzuca „teorię spiskową" – podobnie zresztą jak większość pracowników, w tym ekonomistów, zatrudnionych w MFW, włącznie z pracującymi tam Chińczykami. Wszyscy oni przeczą istnieniu spisku, który miałby determinować ich pracę. W rzeczywistości, patrząc z operacyjnego punktu widzenia, cała wykonywana w MFW praca wydaje się mieć charakter ściśle naukowy. Każda liczba, statystyka pochodzi z określonego źródła, każda metoda obliczeniowa oparta jest na naukowych analizach, każde sformułowane rozwiązanie odwołuje się do znanych z historii przypadków, gdy jego zastosowanie zakończyło się sukcesem. Byłoby wysoce niesprawiedliwe sugerować, że przeciętny dzień pracy osoby zatrudnionej w MFW wypełniony jest spiskami i intrygami. Nie ma raczej wątpliwości, że gdyby zastąpić jakiegokolwiek pracownika innym, doszedłby on do takich samych matematycznych wyliczeń i zbieżnych rozwiązań.

I na tym właśnie polega nadzwyczajność tej wyrafinowanej konstrukcji! Jej szczegółowy sposób funkcjonowania jest przejrzysty, oparty o metody naukowe i praktycznie pozbawiony wad. Prawdziwy „spisek" pojawia się dopiero na poziomie formułowania polityki. Najlepszym ilustrującym to przykładem są uderzające różnice rezultatów transformacji gospodarczej w Polsce i byłym Związku Radzieckim.

Profesor Uniwersytetu Harvarda Jeffrey Sachs, George Soros, poprzedni prezes Rezerwy Federalnej Paul Volcker, wiceprezes Citibanku Anno Ruding wspólnie przyrządzili owo lekarstwo – „terapie wstrząsową". Soros w następujący sposób podsumował tę metodę leczenia:

> Wziąłem pod uwagę fakt, że zmiany w systemie politycznym mogą doprowadzić do poprawy sytuacji gospodarczej. Polska była miejscem, gdzie warto było spróbować. Przygotowałem szeroki wachlarz naprawczych środków gospodarczych, których trzy podstawowe to: twarda polityka monetarna, korekta strukturalna i przegrupowanie długu. Uważałem, że równoczesna realizacja tych celów będzie łatwiejsza niż rozłożenie tego procesu w czasie. Byłem obrońcą wymiany długu makroekonomicznego na udziały[150].

W rezultacie podczas przeprowadzanej w Polsce terapii szokowej zarówno amerykański Departament Skarbu, jak i międzynarodowi bankierzy ofiarowali znaczące i realne wsparcie, jeśli chodzi o finansowanie. Dzięki wielkiej „transfuzji" pieniędzy polska terapia szokowa zakończyła się pozornym sukcesem.

Przyszła kolej na „syberyjskiego niedźwiedzia". Wpierw ekonomiczni chirurdzy położyli go na stole operacyjnym, dokonując cięcia otwierającego jego jamę brzuszną, a zaraz potem wcześniej obiecana amerykańska pomoc i finansowa „transfuzja" ze strony międzynarodowych bankierów zostały nagle wstrzymane. Śmierć pacjenta była nieunikniona. Trudno się dziwić, że profesor Sachs głośno broni się przed „niesprawiedliwymi oskarżeniami", wszak przypadek Polski potwierdzał skuteczność jego metody operacyjnej, ale doszło do wypadku – chory „niedźwiedź" zaryczał w śmiertelnej konwulsji.

---

[150] George Soros, *Underwriting Democracy*, New York 1991.

Faktycznie „sukces" polskiej terapii szokowej był pułapką, a spisek miał miejsce na poziomie tworzenia polityki, nie zaś na poziomie operacyjnym, co byli w stanie zrozumieć jedynie profesorowie Sachs i Stiglitz.

Na początku projektowania systemu z Bretton Woods głównym celem stworzenia obu międzynarodowych instytucji finansowych było zapewnienie dolarowi dominującej pozycji wśród światowych walut. Zamysł międzynarodowych bankierów dotyczący likwidacji standardu złota został zrealizowany w trzech etapach. W 1933 roku Roosevelt zlikwidował tradycyjny standard złota, później zastąpiono bezpośredni system wymiany złota (*Dollar Gold Standard*) na pośredni system wymiany złota na dolara (*Gold Exchange Standard*), w ten sposób kończąc pierwszy etap likwidacji standardu złota. W światowym obiegu rynkowym zagraniczni posiadacze rezerw dolarowych wciąż posiadali prawo wymiany dolara na złoto. System z Bretton Woods poszedł o krok dalej, wykorzystując wymianę dolarową *Dollar Exchange Standard* do zastąpienia pośredniej wymiany dolara na złoto, w ten sposób wiążąc waluty światowe z dolarem, a dolara ze złotem. Tylko zagraniczne banki centralne mogły teraz dokonywać wymiany dolarów na złoto, które w kolejnym korku zostało wyrzucone z obiegu walutowego. W ten sposób zakończono drugi etap likwidacji standardu złota.

Międzynarodowy Fundusz Walutowy oraz Bank Światowy znajdują się pod kontrolą Stanów Zjednoczonych. MFW jest również solidną podporą dla państw europejskich. Aby nie dopuścić do wymknięcia się sytuacji spod kontroli, amerykański Departament Skarbu zaprojektował system, dzięki któremu pewne zapisy i artykuły mogą zostać przyjęte bądź zmienione jedynie wówczas, kiedy opowie się za nimi ponad 85 procent głosujących. Tak więc 17 procent głosów, które posiada amerykański Departament Skarbu, jest ekwiwalentem prawa weta. W Banku Światowym amerykański sekretarz skarbu wybiera osobę prezesa banku, a w sytuacji całkowitej kontroli prawa do nominowania kadr, tylko w niewielu przypadkach stosowany jest próg 85 procent głosów aprobujących, w ten sposób poprawiając „efektywność" pracy. Mamy tu do czynienia z dokonującą się na poziomie administracyjnym grą między „projektem formułowania polityki" i ograniczeniami proceduralnymi.

Główny projektant systemu z Bretton Woods, Keynes, stworzył jeszcze jedną „nadzwyczajną" ideę, tzw. specjalne prawa ciągnienia*, których zadaniem było stworzenie ramy dla przyszłej światowej waluty. Owe prawa były „papierowym złotem", mającym funkcjonować jako remedium na trwającą od dłuższego czasu sytuację przerostu wydatków nad przychodami, która doprowadziła do materialnego deficytu złota. Był to niespotykany dotąd w historii ludzkości „wynalazek". Sztuczne uregulowanie wielu „papierowych walut", które nigdy nie doznają „dewaluacji" i mają być ekwiwalentem złota, choć nigdy nie będzie ich można na złoto wymienić. Ten pomysł pojawił się w Ameryce w 1969 roku, podczas

* Międzynarodowa jednostka rozrachunkowa, umowna jednostka monetarna, mająca charakter pieniądza bezgotówkowego, czyli istniejącego wyłącznie w postaci zapisów księgowych na bankowych rachunkach depozytowych (przyp. tłum.).

ostrego kryzysu wypłat złota, jednak nie był w stanie uchronić przed upadkiem potwierdzonego międzynarodowymi zobowiązaniami standardu wymiany między dolarem i złotem. Po upadku systemu z Bretton Woods, specjalne prawa ciągnienia zostały przedefiniowane na „koszyk" wymiany powiązanych walut. Aż do dziś, ów wymyślony i sformułowany przez Keynesa w latach czterdziestych pomysł „światowej waluty", wciąż nie jest specjalnie użyteczny.

Kiedy w 1971 roku Nixon ogłosił odejście od sytemu wymiany złota na dolara, historyczna misja Międzynarodowego Funduszu Walutowego i Banku Światowego faktycznie dobiegła końca. Jednakże międzynarodowi bankierzy bardzo szybko znaleźli dla tych instytucji nową rolę: „pomoc" krajom rozwijającym się w przeprowadzaniu „globalizacji".

Przed swoim odejściem Stiglitz zabrał z Banku Światowego i Międzynarodowego Funduszu Walutowego sporą liczbę tajnych dokumentów. Dokumenty te pokazują, że MFW żądał od państw ubiegających się o szybką pomoc podpisania tajnej umowy składającej się ze 111 artykułów. Wśród nich znajdowały się zobowiązania do wyprzedaży kluczowych aktywów, takich jak instalacje wody pitnej, elektrownie, gaz, linie kolejowe, firmy telekomunikacyjne, ropa naftowa, banki itd. Kraje otrzymujące pomoc musiały zobowiązać się do przeprowadzenia serii radykalnych i niszczycielskich działań gospodarczych. Równocześnie w Banku Szwajcarii otwierano konta dla polityków ze wspomaganych krajów, na które transferuje się setki milionów dolarów tytułem odwzajemnienia się. Gdyby politycy krajów rozwijających się odrzucili tę umowę, oznaczałoby to całkowite zamknięcie dla ich kraju kredytów na międzynarodowym rynku finansowym. Oto wytłumaczenie, dlaczego międzynarodowi bankierzy są tak oburzeni pozbawionym dodatkowych warunków pożyczkami, jakich państwom Trzeciego Świata udzielają ostatnio Chiny, oferujące tym pozbawionym dotąd innej drogi krajom nowy wybór.

Stiglitz ujawnił, że wszystkie kraje oczekujące pomocy otrzymują tę samą receptę:

Lekarstwo numer jeden: prywatyzacja. Bardziej właściwe byłoby tu określenie „powszechne korumpowanie". Przywódcy państw-odbiorców pomocy muszą jedynie wyrazić zgodę na wyprzedaż po niskich cenach aktywów państwowych, by w ten sposób otrzymać dziesięcioprocentową prowizję, która w całości jest przelewana na ich tajne konta w bankach szwajcarskich. Użyjmy słów samego Stiglitza: „można zobaczyć, jak szeroko otwierają im się oczy" na widok gigantycznych przelewów wysokości kilkuset milionów dolarów. Rosyjską prywatyzację, będącą chyba największą akcją korupcyjną na świecie, amerykański Departament Skarbu określał mianem „doskonałej okazji". Nie było ważne, czy wybory są uczciwe, czy nie – chodziło tylko o to, żeby pieniądze dotarły do Jelcyna.

Stiglitz nie jest autorem podatnym na teorie spiskowe – jest raczej wierny kryteriom pracy naukowej, jednak nawet on nie mógł obojętnie przejść obok danych mówiących o tym, że niemająca dotąd odpowiednika w historii korupcja w Rosji, która doprowadziła do spadku jej PKB o prawie połowę, spychając cały kraj w stan głębokiej recesji, była wynikiem działań i trików Banku Światowego oraz amerykańskiego Departamentu Skarbu.

Lekarstwo numer dwa: liberalizacja rynku kapitałowego. Z teoretycznego punktu widzenia liberalizacja kapitałowa oznacza, że kapitał może swobodnie napływać i odpływać. Ale realia kryzysu azjatyckiego czy kryzysu finansowego w Brazylii pokazują, że kapitał napływa swobodnie, by spekulować i podbijać ceny nieruchomości czy ceny akcji na giełdzie. Tuż przed nadejściem kryzysu, kapitał zwyczajnie odpływa. Określone przez Stiglitza mianem „gorących pieniędzy" kapitały spekulacyjne zawsze uciekają pierwsze, podczas gdy rezerwy walutowe kraju będącego ofiarą katastrofy w ciągu kilku dni, a nawet godzin zostają wyssane do sucha. MFW podaje pomocną dłoń, jest to jednak obwarowane spełnieniem konkretnych warunków, do których należy między innymi usztywnienie polityki pieniężnej i podniesienie stopy procentowej do absurdalnych wysokości - 30, 50 czy 80 procent. W ten sposób wysokie odsetki bezlitośnie niszczą ceny nieruchomości, zdolności produkcyjne przemysłu, wysysając nagromadzony w społeczeństwie przez długi czas majątek.

Lekarstwo numer trzy: rynek dyktuje ceny. Na wpół żywy kraj, ofiara katastrofy gospodarczej, zostaje wepchnięty przez MFW do kolejnego dołka. MFW ponownie wymusza podwyżkę cen na podstawowe artykuły konsumpcyjne, takie jak żywność, woda pitna, gaz itd. Ostateczny rezultat łatwo sobie wyobrazić - wielkie manifestacje społeczne, przemoc, zamieszki. W 1998 roku w Indonezji MFW doprowadził do likwidacji subsydiów na żywość i paliwa, co przyniosło skutki w postaci wielkich, pełnych przemocy wstrząsów politycznych. Wzrost ceny wody w Boliwii doprowadził do zamieszek w miastach. W Ekwadorze, szybko rosnąca cena gazu zaowocowała społecznym chaosem. Wszystkie te zdarzenia zostały wcześniej zaplanowane przez międzynarodowych bankierów. Używając ich żargonu, można nazwać to „niepokojem społecznym". Ów „niepokój" ma tę wielką zaletę, że gdy nadchodzi, kapitały, niczym wystraszone ptaki, rozpierzchają się na wszystkie strony, pozostawiając jedynie środki trwałe o bardzo niskiej cenie, czekające na połknięcie przez oczekujących z rosnącym apetytem bankierów.

Gdy pierwszy wybrany w demokratycznych wyborach prezydent Etiopii zaakceptował pomoc MFW dla jego ogarniętego kryzysem kraju, został zmuszony do deponowania otrzymywanych transz pomocy na rachunkach bankowych amerykańskiego Departamentu Skarbu. Mógł jedynie pobierać skromne odsetki w wysokości czterech procent, będąc zarazem zmuszonym wpłacać do Banku Światowego wysokie 12 procent odsetek od pożyczek zaciągniętych na ratowanie umierających z głodu ludzi. Gdy prezydent błagał Stiglitza, by uruchomić środki pomocowe zgromadzone w MFW i Banku Światowym na ratunek w czasie katastrofy, Stiglitz odmówił. A ponieważ takie doświadczenie jest wyzwaniem dla ludzkiego miłosierdzia, Stiglitz ostatecznie nie był w stanie dłużej znosić tych tortur i znalazł się poza MFW.

Lekarstwo numer cztery: strategia redukcji biedy - wolny handel. W takich okolicznościach Stiglitz przyrównał wolny handel promowany przez WTO do „wojny opiumowej". Niechętny był zwłaszcza zapisom o „ochronie praw własności intelektualnej", które, obok „taryf celnych", zmuszają do płacenia zachodnim firmom farmaceutycznym za wszystkie dostarczane lekarstwa, co, jego zdaniem, było równoznaczne z wydawaniem wyroku śmierci na całe populacje i całkowite lekceważenie ludzkiego życia. Stiglitz sądzi przy tym, że MFW, Bank Światowy i WTO są jedynie różnymi tablicami zawieszonymi na tej samej instytucji. Twarde warunki dla otwierających się rynków, które narzuca MFW, znacznie przewyższają biurokratyczne rygory WTO[151].

W wydanej w 2004 roku książce *Confessions of an Economic Hit Man** znaleźć można kontynuację i uzupełnienie poglądów Stiglitza. Jej autor, John Perkins, na podstawie własnych doświadczeń, kształtuje i szczegółowo opisuje całą historię niejawnej, tajnej wojny finansowej prowadzonej przez międzynarodowych bankierów przeciw krajom rozwijającym się. Sam Perkins jeszcze pod koniec lat sześćdziesiątych XX wieku został zwerbowany przez największą amerykańską instytucję szpiegowską NSA (National Security Agency). Po przejściu wielu testów, został uznany za nadzwyczaj odpowiedniego kandydata na „ekonomicznego zabójcę". W celu ukrycia jego prawdziwej tożsamości, znana międzynarodowa firma inżynieryjna zatrudniła go na stanowisku „pierwszego ekonomisty", wysyłając następnie do różnych krajów świata, by tam dokonywał aktów ekonomicznych zabójstw". W przypadku, gdyby plan się nie powiódł, wyszedł na jaw, kraj, przeciw któremu skierowana była owa działalność, mógł jedynie zrzucić winę za przestępstwo na chciwość prywatnych firm.

Opowieść Perkinsa koncentruje się głównie wokół pobierania przez kraje rozwijające się ogromnych kredytów z Banku Światowego. Dług miał znacznie przewyższyć rzeczywiste potrzeby tych krajów, aby istniała gwarancja, że jego spłata nigdy nie będzie możliwa. W celu zwabienia sprawujących władzę polityków w pułapkę, wypłacano wynoszące setki milionów dolarów gotówką łapówki. W chwili, gdy dług był niemożliwy do spłacenia, przedstawiciele międzynarodowych bankierów z Banku Światowego i MFW domagali się zwrotu tego „ociekającego świeżą krwią, zaległego funta mięsa", domagając się sprzedaży ważnych aktywów państwowych, systemu wodociągów, gazu naturalnego, energii elektrycznej, transportu, komunikacji itd. Kiedy praca ekonomicznego zabójcy nie przynosiła efektów, CIA wysyłała prawdziwych zabójców, „szakale", by dokonali morderstw na przywódcach krajowych. Jeśliby i „szakale" zawiodły, ostateczną metodą było uruchomienie machiny militarnej i rozpoczęcie wojny.

W 1971 roku Perkins został wysłany do Indonezji, gdzie z sukcesem wykonał misję „ekonomicznego zabójcy", doprowadzając Indonezję do gigantycznego zadłużenia. W jakiś czas później pojawił się w Arabii Saudyjskiej, gdzie nadzorował operację „odzyskiwania petrodolarów", co w przyszłości odegrało znaczącą rolę przy odejściu Arabii Saudyjskiej od stanowiska państw OPEC, umożliwiając Kissingerowi przekonanie jej do tego kroku. Perkins wysyłany był do Iranu, Panamy, Ekwadoru, Wenezueli, osiągając wiele nadzwyczajnych sukcesów w pracy.

---

[151] Greg Palast, *IMF and World Bank Meet in Washington*. Raport dla BBC Television's Newsnight, środa, 27 kwietnia 2001.

* Wyd. pol. *Hit Man. Wyznania ekonomisty od brudnej roboty*, tłum. E. Czajkowski, Warszawa 2006.

Atak z 11 września 2001 roku boleśnie uzmysłowił Perkinsowi, że Stany Zjednoczone są znienawidzone w świecie właśnie z powodu owych nadzwyczajnych osiągnięć „ekonomicznych zabójców". Perkins znalazł w sobie dość siły, by powiedzieć prawdę. Wielkie domy wydawnicze w Nowym Jorku obawiały się publikacji jego pamiętników z uwagi na ich wybuchową treść. Historie, które Perkins opisał w książce, bardzo szybko rozeszły się wśród członków „wewnętrznego kręgu". Jedna ze znanych firm międzynarodowych zaproponowała mu bardzo dobrze płatną posadę „na zimnej ławie" – warunkiem tej „legalnej łapówki" była rezygnacja z publikacji książki. Jednak w 2004 roku, na przekór naciskom i ryzyku, Perkins w końcu opublikował swoją książkę, która w ciągu jednej nocy weszła na szczyty list bestsellerów w Stanach Zjednoczonych. Jednakże pracę Perkinsa, wbrew woli autora, opublikowano w formie quasi-powieściowej, gdyż wydawnictwo obawiało się, że publikacja rzeczywistych zapisków i dzienników autora w nieuniknionyi sposób doprowadziłaby je do trudnej do wyobrażenia katastrofy[152].

Elita rządząca światem

Najlepiej, abyśmy samodzielnie budowali ów „wieżowiec światowego porządku". W celu zakończenia [pracy] *suwerennych państw narodowych, można wykorzystać metodę stopniowego ich połykania, kawałek po kawałku. W ten sposób osiągniemy nasz cel znacznie szybciej, niż gdybyśmy trwali przy starych metodach.*

Richard Gardner, 1974 rok[153]

16 lipca 1992 roku, na swojej konwencji Partia Demokratyczna zaakceptowała Billa Clintona jako oficjalnego kandydata w zbliżających się wyborach prezydenckich. Clinton pompatycznym tonem wygłosił wypraną z wszelkiej oryginalności mowę o solidarności, marzeniach, obywatelach i państwie. Jednak pod sam koniec niespodziewanie wspomniał o swoim mistrzu z czasów studenckich na Uniwersytecie Georgetown, sławnym amerykańskim historyku Carrollu Quigleyu i wpływie jego prac na swoją osobę. Co więcej, porównał go z wpływem, jaki wywarł nań prezydent Kennedy[154]. W następnych latach, podczas swej prezydentury, Clinton wielokrotnie wspominał nazwisko Quigleya. Cóż takiego uczynił Quigley i jakie idee głosił, że tak głęboko zapisał się w pamięci Clintona?

Otóż profesor Carroll Quigley prowadził pracę badawczą nad problemem władzy i prestiżu w tajnej, elitarnej brytyjsko-amerykańskiej grupie rządzącej. Sądził, że owa grupa posiada decydujący wpływ w rozstrzyganiu praktycznie każ-

---

[152] *Ibid.*

[153] „Foreign Affairs" kwiecień 1974.

[154] Bill Clinton, przemówienie na narodowej konwencji Demokratów, Nowy Jork, 16 lipca 1992.

dej ważnej sprawy na świecie. Mówiąc wprost, profesor Quigley był naukowcem głoszącym istnienie „teorii spiskowej".

Quigley był absolwentem Uniwersytetu Harvarda, przez pewien czas pozostawał członkiem think-tanku Instytutu Brookingsa, pracował w Departamencie Obrony, Departamencie Marynarki Wojennej, a także miał poufne kontakty z wieloma oficerami CIA. Stając się człowiekiem kręgu władzy, Quigley zetknął się z wielką liczbą tajnych akt i dokumentów. Nie był przeciwny idei świata, o którego losach decydowałaby nieliczna anglo-amerykańska elita, miał jedynie zastrzeżenia do niektórych stosowanych przez nią metod. Kiedy jednak jego badania stawały się coraz bardziej dociekliwe, został wyeliminowany przez uczonych z tzw. głównego nurtu. Innym tego powodem był fakt, iż Quigley w ciągu 20 lat swojej pracy zetknął się z gigantyczną liczbą ściśle tajnych dokumentów. Wśród amerykańskich historyków próżno by szukać drugiej osoby, która miałaby okazję powtórzyć jego badania, tak więc rzadko znajdowali się historycy rzucający wyzwanie jego pracom, a dopóki jego wykłady, książki i artykuły nie stanowiły zagrożenia dla sprawujących władzę, elita nie widziała potrzeby ruszania Quigleya.

Quigley traktował brytyjskie Royal Society for International Affairs, CFR, Klub Bilderberg, Komisję Trójstronną jako fundamentalne instytucje, za pomocą których światowa elita steruje rozwojem sytuacji na świecie. Sama CFR ma około 3600 członków i może być uznana za rodzaj „centralnej szkoły partyjnej". Akces do tego stowarzyszenia jest równoznaczny z wkroczeniem do wielkiego świata amerykańskiej polityki, a zarazem możliwością stania się jednym z twórców przyszłej polityki światowej. Klub Bilderberg grupuje głównie elitę europejską, podczas gdy mająca 325 członków Komisja Trójstronna składa się głównie z przedstawicieli japońskiej i azjatyckiej władzy. Główni członkowie amerykańskiej CFR bardzo często należą również do innych stowarzyszeń. Wśród członków tych elitarnych grup, mających istotny wpływ na losy świata, można znaleźć takie osoby, jak: były sekretarz stanu USA Henry Kissinger, członkowie komitetu J.P. Morgan International –David Rockefeller, Nelson Rockefeller, brytyjski książę Filip, Robert McNamara – sekretarz obrony w administracji Kennyedy'ego, a następnie prezes Banku Światowego, brytyjska premier Margaret Thatcher, były francuski prezydent (główny propagator i twórca konstytucji europejskiej) Valery Giscard D'Estaing, amerykański sekretarz obrony Donald Rumsfeld, były amerykański główny doradca do spraw bezpieczeństwa Zbigniew Brzeziński oraz prezes Rezerwy Federalnej Alan Greenspan. Wśród nich znajdował się również wielki mistrz z pierwszego pokolenia – Keynes. Natomiast rzeczywistymi szefami tych grup, sterującymi nimi z tylnego siedzenia, są najważniejsi bankierzy tego świata. Dla przykładu, rodzina Rothschildów wielokrotnie przewodniczyła obradom Klubu Bilderberg, natomiast zjazdy z lat 1962 i 1973, odbywające się w szwedzkim kurorcie Saltsjobaden, prowadzone były przez rodzinę Warburgów.

Studiujący Clinton, słysząc wskazówki swojego mistrza Quigleya, szybko uświadomił sobie, że jeśli pragnie być kimś w świecie polityki, indywidualne wysiłki i zalety nic nie znaczą. Tylko poprzez wejście do kręgu ludzi władzy możliwe jest osiągnięcie granic, gdzie „sprzyjający wiatr swą siłą unosi mnie ponad poziom chmur".

Tak jak można było przewidzieć, Clinton przystąpił do Komisji Trójstronnej oraz CFR, a także do organizacji zwanej Rhodes Scholar, prowadzącej wyspecjalizowany proces szkolenia głównych „funkcjonariuszy" przyszłego „światowego rządu". Clinton wstąpił do CFR w 1989 roku. W roku 1991 wybrany na gubernatora Arkansas Clinton pojawił się na zwołanej w Niemczech konferencji Klubu Bilderberg[155]. Wystarczył tylko rok, by mało znany, pozbawiony dorobku politycznego gubernator z peryferyjnego Arkansas, niespodziewanie zdołał pobić w wyścigu do prezydentury znanego na cały świat Busha seniora. Nic dziwnego, że Clinton nigdy nie zapomniał wskazówek mistrza, które pojął aż nadto głęboko.

Klub Bilderberg

Gdybyśmy przez te wszystkie lata ujawniali opinii publicznej nasze działania, nie mielibyśmy możliwości tworzenia planu rozwoju dla świata. Jednak świat staje się coraz bardziej skomplikowany, a zarazem coraz bliższa jest faza powołania rządu światowego. Nowa realna władza polityczna, wykraczająca poza suwerenne państwa narodowe, zostanie zbudowana z elity intelektualnej i międzynarodowych bankierów, co z pewnością będzie znacznie lepsze niż dotychczasowa, trwająca od stuleci władza państwowa.

David Rockefeller, 1991 rok[156]

Nazwa Klubu Bilderberg pochodzi od jednego z holenderskich hoteli. Klub został założony przez księcia Bernarda w 1954 roku i był międzynarodową kopią amerykańskiej CFR, grupując europejską i amerykańską elitę finansową, polityków, wielkich przedsiębiorców, potężnych magnatów medialnych i sławnych naukowców. Każdy z członków klubu był kolejno wyselekcjonowany przez rodziny Rothschildów i Rockefellerów. Wielu z członków klubu równocześnie należało bądź należy do innych tego typu organizacji, takich jak CFR, Pilgrim's Society, Round Table czy Komisja Trójstronna. Klub Bilderberg zawiera w sobie praktycznie wszystkie opiniotwórcze instytucje Unii Europejskiej. Jego ostatecznym celem jest sformowanie rządu światowego[157].

Najbardziej rzucającą się w oczy charakterystyczną cechą tej organizacji jest jej „tajemniczość". Centrala Klubu Bilderberg znajduje się w Leiden, w zachodniej Holandii, posiada własny numer telefonu, ale już brakuje jej strony internetowej. Niewielka grupka detektywów, na przykład brytyjski detektyw Tony Gosilng czy

---

155 Marc Fisher, „Washington Post", 27 stycznia 1998.

156 Pepe Escobar, *Bilderberg Strikes Again*, „Asia Times", 10 maja 2005.

157 *Ibid.*

jego amerykański odpowiednik James Tucker, dopiero dzięki olbrzymim wysiłkom zdołała zdobyć informacje dotyczące adresu i wewnętrznego programu konferencji klubu. Historyk Pierre de Villemarest oraz dziennikarz William Wolf wspólnie opublikowali książkę zatytułowaną *Facts and Chronicles Denied to the Public*. W dwóch tomach autorzy opisali tajną historię budowy i rozwoju klubu. Beligijski socjolog Geoffrey Geuens we wszystkich swoich pracach poświęcał Klubowi Bilderberg przynajmniej jeden rozdział*.

Były zastępca przewodniczącego Komisji Europejskiej, członek Klubu Bilderberg Etienne Dvignon wytrwale tłumaczy: „to nie jest spisek kapitalistów pragnących kontrolować świat". Rektor Francuskiego Instytutu Spraw Międzynarodowych, uczestniczący w spotkaniach Klubu Bilderberg od prawie trzydziestu lat, Thierry de Montbrial twierdzi, że jest to tylko zwykła organizacja towarzyska. Dla przykładu, w 2002 roku media przekazały oficjalną relację ze spotkania klubu: „Jedyną formą działalności klubu są odbywające się tylko raz na rok spotkania, na których nie są podejmowane żadne rezolucje, nie odbywają się głosowania, nie są publikowane żadne oświadczenia czy programy polityczne". Klub Bilderberg to tylko „elastyczna, pełna życia, nieoficjalna, mała konferencja międzynarodowa. Jej uczestnicy na forum konferencyjnym wypowiadają jedynie własne opinie, często bardzo różne, tak by zwiększyć stopień wzajemnego zrozumienia".

Brytyjski historyk Will Hutton uważa, że osiągane każdorazowo podczas obrad klubu wspólne stanowisko jest w istocie „preludium do kreowania polityki światowej". Jego opinia jest bliska prawdzie. Podjęte przez klub decyzje bardzo szybko stają się obowiązującym kierunkiem dla Grupy G8, MFW i Banku Światowego.

W obliczu Klubu Bilderberg media zawsze milkną niczym spłoszone owce. W 2005 roku „Financial Times", pragnąc być pierwszą poważną gazetą, która podjęłaby się tego tematu, rozważał na swoich łamach najważniejsze teorie spiskowe. Wniosek był taki, że każdy, kto ma jakiekolwiek wątpliwości czy pytania odnośnie do ludzi należących do najpotężniejszych klubów na świecie, zostaje wyśmiany jako głosiciel spiskowej teorii dziejów. Brytyjscy parlamentarzyści, amerykańscy decydenci oraz członkowie Klubu Bilderberg zgodnie twierdzą, że ów klub jest jedynie „miejscem, w którym dyskutuje się o pewnych problemach", forum, gdzie każdy uczestnik „ma prawo do swobodnego wyrażenia swojej opinii".

F. William Engdahl w swojej pracy *A Century of War: Anglo-American Oil Politics and the New World War* szczegółowo opisuje konferencję Klubu Bilderberg w Szwecji w 1973 roku, o której praktycznie nikt nie wiedział. W pierwszych latach po rozpadzie systemu z Bretton Woods, pozycji dolara amerykańskiego na rynkach światowych groził bezprecedensowy kryzys. Po zniesieniu zależności dolara od złota, jego wartość i reputacja zostały zerwane niczym sznurek utrzymujący latawiec, który unosił się bezładnie pośród światowej burzy finansowej. W tym czasie międzynarodowi bankierzy byli bardzo daleko od zakończenia prac nad

---

* Aktualnie istnieje już szczegółowa monografia klubu Bilderberg autorstwa hiszpańskiego dziennikarza śledczego Daniela Estulina, *Prawdziwa historia klubu Bilderberg*, tłum. M. Wyrwas-Wiśniewska, Warszawa 2010 (przyp. red.).

stworzeniem wspólnej, światowej waluty. Powstał chaos na rynku pomysłów i idei, a gdy w 1969 roku wprowadzono z wielką pompą specjalne prawa ciągnienia, na międzynarodowych rynkach finansowych nie było nikogo zainteresowanego poszukiwaniem informacji na ich temat. Sytuacja wymykała się spod kontroli. W 1973 roku międzynarodowi bankierzy przeprowadzili pilne konsultacje podczas konferencji Klubu Bilderberg, próbując znaleźć remedium na pogarszającą się sytuację finansową na świecie i zamierzając (nie pierwszy zresztą raz) podjąć pilne kroki w celu uratowania zaufania do dolara. Amerykański strateg finansowy Walter Levy zaproponował zaskakujący i odważny plan: wzrost światowego wydobycia ropy o 400 procent, a następnie wyciągnięcie z tego maksymalnych zysków.

W konferencji wzięło udział 84 przedstawicieli korporacji naftowych i wielkich firm finansowych. Przedstawiony przez Engdahla wniosek był następujący:

> Celem zgromadzonych tu ważnych osobistości było wykorzystanie posiadanej potęgi z korzyścią dla amerykańskiego systemu finansowego i dolara, doprowadzając do równowagi, a następnie jego umocnienia. Aby cel ów osiągnąć, uczestnicy postanowili wykorzystać broń, do której żywili głębokie zaufanie – prawo do kontroli podaży światowej ropy. Polityka Klubu Bilderberg polegała na doprowadzeniu do wstrzymania transportów ropy, co miało doprowadzić do wzrostu jej cen. Od roku 1945, zgodnie z światową praktyką, cena ropy światowej była ustalana w dolarach ze względu na fakt, iż to amerykańskie spółki naftowe sprawowały kontrolę nad powojennym rynkiem ropy naftowej. Tak więc gwałtowny wzrost cen światowej ropy oznaczał (ponieważ ropę nabywano za dolary) równoczesny wzrost popytu na dolara, co doprowadziło do ustabilizowania wartości amerykańskiej waluty[158].

Kissinger wskazał, że rezultatem „nieutsannego nieprzerwanego napływu petrodolarów" są szybujące ceny ropy naftowej.

Komisja Trójstronna

> *Nasz kraj jest zdolny do urzeczywistnienia szerokiego systemu demokratycznego, jesteśmy też w stanie wytwarzać wielkie ilości bogactwa, koncentrując je w rękach nielicznej grupki ludzi, jednakże nie jesteśmy w stanie robić obu rzeczy naraz.*
>
> Louis D. Barndeis, sędzia Sądu Najwyższego Stanów Zjednoczonych

Zbigniew Brzezinski jest najważniejszą osobistością Komisji Trójstronnej, jest też „mózgiem" Davida Rockefellera. Pod wpływem opinii Brzezińskiego, Rockefeller podjął decyzję o „zebraniu najwybitniejszych umysłów w jednym miejscu w celu prac nad rozwiązaniem nadchodzących problemów". Ta idea po

---

[158] William Engdahl, *A Century of War: Anglo-American Oil Politics And The New World Order*, London 2004, rozdz. 4.

raz pierwszy została zaprezentowana, poddana szerokiej debacie oraz przyjęta podczas obrad Klubu Bilderberg w 1972 roku.

W 1970 roku Zbigniew Brzeziński opublikował słynną książkę *Between Two Ages*, w której apelował o utworzenie nowego, międzynarodowego systemu walutowego oraz rządu światowego. Owa książka w Komisji Trójstronnej postrzegana jest niczym „biblia". Fundusze Rockefellera i Forda oczywiście „wspaniałomyślnie ofiarowały datki", obficie wspierając finansowo działania Komisji.

Członkami owego ciała są głównie wielcy bankierzy, przemysłowcy i najważniejsi politycy z Ameryki Północnej, Europy Zachodniej i Japonii. W Nowym Jorku, Paryżu i Tokio powołano do życia centrale Komisji Trójstronnej. Każda z tych trzech stref wybiera swojego przewodniczącego. Rzecz jasna, przewodniczącym nowojorskiej centrali jest David Rockefeller. Brzeziński sprawuje funkcję sekretarza nowojorskiej centrali, prowadząc jej rutynowe operacje.

Niegdyś Brzeziński silnie rekomendował Davidowi Rockefellerowi sprawującego wówczas urząd gubernatora Georgii – Jimmy'ego Cartera. Carter, po osobistej interwencji Rockefellera, został włączony w szeregi Komisji, stając się jej pełnoprawnym członkiem. Był to jego główny, wielki krok w drodze do Białego Domu, gdzie znalazł się pięć lat później, jak również fundament i początek jego dozgonnej przyjaźni z Brzezińskim.

Młody Clinton, kierując się wskazówkami swego mistrza Quingleya, także nieustannie starał się o poparcie ze strony CFR oraz Komisji Trójstronnej, co ostatecznie uzyskał, spełniając tym samym swój sen o prezydenturze.

Komisja Trójstronna, podobnie jak Klub Bilderberg, jest zewnętrzną instytucją działającą wokół CFR. Najważniejsze i najbardziej poufne decyzje są podejmowane jedynie w małym kręgu zaufanych osób w Londynie oraz na Wall Street. Komisja Trójstronna oraz Klub Bilderberg mają za zadanie „zunifikować poglądy", „zharmonizować tempo" itd. Najważniejszym z celów Komisji Trójstronnej jest intensywne promowanie idei „rządu światowego" oraz „wspólnej światowej waluty", by w ten sposób wytyczyć drogę do Nowego Porządku Światowego kontrolowanego przez oś Londyn-Wall Street.

W 1975 roku Komisja Trójstronna podczas swoich obrad w Tokio, w jednym z raportów zatytułowanych *An Outline for Remaking World Trade and Finance* (*Szkic reformy światowego handlu i finansów*) stwierdziła, że jej celem jest: „bliska współpraca trzech stron, Ameryki, Europy i Japonii, utrzymanie pokoju, zarząd nad światową gospodarką, wspieranie rozwoju gospodarczego, redukcja światowego ubóstwa, co zwiększy szanse na pokojowe przejście do nowego systemu światowego".

Tym, co odróżnia Komisję Trójstronną od Klubu Bilderberg, jest fakt, że włączyła ona w swoje szeregi gospodarkę, która bardzo późno stała się światową potęgą – Japonię, wraz z licznymi pochodzącymi z niej bankierami i przemysłowcami – w ten sposób dokonując poszerzenia fundamentów światowej elity. Międzynarodowi bankierzy świetnie rozumieją potrzebę „pozyskiwania świeżej krwi", tak ważną dla wielkiego projektu budowy przyszłego „rządu światowego" „waluty światowej" i „światowego podatku". W jakiś czas później, wraz ze stopniowym rozwojem gospodarczym innych państw azjatyckich, pochodzące z tych krajów „elity" również stały się bliskimi partnerami międzynarodowych bankierów.

Problemem nie jest to, czy idea jednego światowego rządu jest dobra, czy zła, ale to, kto miałby dominować nad tym rządem i czy rząd ów byłby zdolny dokonać postępu społecznego i materialnego w skali globalnej. Biorąc pod uwagę dwustuletnią praktykę, obywatele nie powinni ufać obietnicom „elit".

W ciągu długich lat wojennego chaosu i recesji gospodarczej zwykli ludzie w końcu pojęli podstawową prawdę: bez wolności gospodarczej wolność polityczna jest tylko dekoracją; bez równości gospodarczej, system demokratyczny traci podstawy, zmieniając się w zabawkę sterowaną za pomocą pieniędzy.

Jeśli przyjąć, że istota wolności polega na tym, że ludzie mogą swobodnie dokonywać wyboru, to w wypadku przyszłego „rządu światowego" wyboru takiego nie ma: dokonuje go za ludzi jedna, „światowa elita". Zgodnie ze słowami syna Paula Warburga, bankiera Jamesa Warburga: „Czy ktoś się zgadza, czy nie, będziemy mieli rząd ogólnoświatowy. Jedynym problemem, nad którym można się zastanawiać, jest pytanie, czy ten rząd zostanie stworzony w wyniku porozumienia, czy podboju".

ROZDZIAŁ VII

Ostatnia bitwa w obronie uczciwego pieniądza

Historia pokazuje, że kredytodawcy potrafią użyć całego szeregu metod, takich jak nadużycie władzy, spiski, oszustwa i przemoc, by zapewnić sobie kontrolę nad pieniądzem i jego emisją, w ten sposób, zdobywając władzę nad rządem.

James Madison, czwarty prezydent Stanów Zjednoczonych

Klucz do rozdziału

We współczesnej politycznej historii świata niewiele jest równie skandalicznych i pozbawionych skrupułów wydarzeń, jak zabójstwo prezydenta Kennedy'ego, akt całkowicie sprzeczny z praktyką demokratycznego rządu.

W krótkim okresie trzech lat od śmierci Kennedy'ego, 18 ważnych świadków kolejno poniosło śmierć, wśród nich sześciu zostało zamordowanych, trzech zginęło w wypadkach samochodowych, dwóch popełniło samobójstwo, jedna osoba skręciła sobie kark, jednej poderżnięto gardło, zaś pięciu świadków umarło z przyczyn „naturalnych". Jeden ze znanych brytyjskich matematyków w lutym 1967 roku, na łamach „London Sunday Times", wykazał, że prawdopodobieństwo takiego zbiegu okoliczności wynosi 1 do 10 000 000 000 000 000. W latach 1963-1993 związanych z tą sprawą 115 świadków poniosło śmierć w dziwnych okolicznościach: jeśli nie popełnili samobójstwa, zostali zamordowani[159].

Organizacja i koordynacja tak wielkiej operacji, jaką jest połączona likwidacja świadków oraz dowodów w sprawie, pokazuje, że zabójstwo Kennedy'ego w rzeczywistości nie było przypadkowe i tajemnicze, lecz stanowiło formę publicznej kary, a jego przesłaniem było ostrzeżenie dla kolejnych prezydentów Stanów Zjednoczonych i rozwianie ich wątpliwości co do tego, kto w Ameryce naprawdę sprawuje władzę.

Z reguły, w przypadku śmierci prezydenta w czasie sprawowania jego kadencji, „media-opinia publiczna" naturalnie i jednomyślnie uważają, że powodem są „naturalne przyczyny". W przypadku, gdy prezydent zostaje zastrzelony publicznie, na oczach milionów ludzi przed telewizorami, „media-opinia publiczna" naturalnie piszą o zbrodni popełnionej przez „chorego psychicznie, samotnego szaleńca". W przypadku, gdy w sprawę jest bezpośrednio zamieszanych wielu morderców, „media-opinia publiczna" podsuwają wniosek: „mordercy są działającymi w pojedynkę szaleńcami", a każdy, kto żywi pod tym względem jakiekolwiek wątpliwości, zostaje wyśmiany i wyszydzony jako „zwolennik teorii spiskowych". Sęk w tym, że zabójstwo Kennedy'ego było aktem zbyt rzucającym się w oczy. Ludzie posiadający nawet ograniczoną zdolność do trzeźwej analizy wypadków nie są w stanie zaufać rządowej, oficjalnej wersji wypadków. W tej sytuacji są oni z premedytacją zwodzeni przez rozmaite teorie spiskowe, które przejmują funkcję swoistych środków ratunkowo-zapobiegawczych. Tak więc już od ponad 40 lat niezliczone tzw. wyjaśniające teorie spiskowe niczym sprowadzający nieszczęście potop umożliwiają ukrycie rzeczywistego spisku przed wzrokiem ciekawych.

Detektywistyka opiera się na dowodach. W przypadku braku dowodów nie można formułować wniosków. Po ponad czterdziestu latach dowody i świadkowie w sprawie zamordowania Kennedy'ego ulotniły się niczym dym z pożaru, a ludzie wciąż nie poznali przekonywających dowodów, które pozwoliłyby im na postawienie ostatecznej konkluzji na temat tego, kto jest prawdziwym zabójcą prezydenta. Pozostaje

---

159 Craig Roberts, *JFK: The Dead Witnesses*, Consolidated Press International 1994, s. 3.

wszakże „psychologia zbrodni", która pozwala spojrzeć na problem z innej perspektywy, dokonać analizy motywów zabójstwa i w ten sposób otworzyć drzwi do prawdy.

Ten rozdział rozpoczyna się od analizy motywów zamachu na prezydenta Kennedy'ego, odsłaniając kulisy globalnych działań międzynarodowych bankierów, które doprowadziły do serii przerażających wypadków w latach sześćdziesiątych i siedemdziesiątych XX stulecia, mających na celu likwidację złota i srebra – tych dwóch „uczciwych form pieniądza".

Prezydencka dyrektywa 11110: wyrok śmierci na Kennedy'ego

Dla Amerykanów 22 listopada 1963 roku nie jest zwyczajnym dniem – to data zamordowania prezydenta Kennedy'ego w Dallas, w Teksasie. Tego dnia, niczym podczas nocnego koszmaru, Ameryka stoczyła się w jednej chwili w otchłań rozpaczy.

Mimo iż minęło od tamtej chwili kilkadziesiąt lat, wielu ludzi wspominających ten dzień dokładnie pamięta, co w owym czasie robiło. Pytanie o to, kto i dlaczego zamordował Kennedy'ego aż do dziś budzi podzielone opinie w amerykańskim społeczeństwie. Ostateczny, oficjalny, rządowy wniosek postawiony przez Komisję Warrena brzmiał tak, że Lee Harvey Oswald był działającym samodzielnie mordercą. Mimo to, w całej sprawie jest mnóstwo wątpliwych elementów, które od dziesiątków lat napędzają rozmaite krążące wśród ludzi teorie spiskowe.

Najbardziej wątpliwym punktem w sprawie jest fakt, że schwytany i znajdujący się w rękach policji od 48 godzin morderca prezydenta, został na oczach opinii publicznej zastrzelony z bliskiej odległości przez żydowskiego zabójcę. Miliony widzów miało okazję ujrzeć przebieg wypadków w telewizji, a motywem, którym rzekomo kierował się zabójca, niespodziewanie okazało się: „ukazanie i demonstracja wobec całego świata siły narodu żydowskiego".

Innym wielkim, niewyjaśnionym problemem jest to, czy faktycznie prezydent nie zginął z rąk kilku zamachowców. Komisja Warrena ogłosiła, że Oswald w ciągu 5,6 sekundy zdołał wystrzelić trzy pociski: pierwszy pocisk przeleciał ponad prezydentem, drugi trafił w go w szyję, a trzeci, śmiertelny, w głowę. Praktycznie nie ma osoby, która by była w stanie uwierzyć, że Oswald był zdolny oddać trzy precyzyjne strzały w tak krótkim czasie. Najdziwniejsze, że kula, która trafiła w prezydencką szyję, najpierw uderzyła w jego plecy, by następnie rykoszetem trafić w siedzącego przed prezydentem gubernatora Teksasu. Prawdopodobieństwo takiego zdarzenia wynosi praktycznie zero, nic dziwnego więc, że ludzie zaczęli mówić w tym momencie o „magicznej kuli". Większość ekspertów sądzi, że co najmniej kilku strzelców, celujących z różnych kierunków, oddało strzały w kierunku Kennedy'ego – i nie były to tylko trzy strzały.

Jakiś czas później, jeden z policjantów, którzy konwojowali samochód prezydencki, wspomniał:

> Gdy prezydent Kennedy machał ręką witającym go na lotnisku tłumom, członek obstawy wiceprezydenta Johnsona pracujący w Secret Service podszedł, by udzielić nam wskazówek dotyczących procedur bezpieczeństwa. Tym, co mnie najbardziej zaskoczyło, były jego słowa, że dokonano doraźnej zmiany trasy prezydenckiego samochodu na Dealy Plaza [miejsce zamachu]. Gdyby pozostano przy pierwotnej trasie, prawdopodobnie zabójca nie miałby możliwości dokonania zamachu. Agenci z Secret Service wydali nam też przedziwny rozkaz. Zazwyczaj, w czasie normalnego wykonywania zadania, my, czterej strażnicy na motocyklach, pozostawaliśmy w bliskim kontakcie z samochodem, rozmieszczeni dookoła niego. Jednak tym razem agenci kazali nam podążać z tyłu i stanowczo zabronili nam wyprzedzać tylne koła prezydenckiego samochodu. Powiedzieli, że dzięki temu ludzie będą mogli „patrzeć bez przeszkód"... Mój przyjaciel [ochrona wiceprezydenta Johnsona] widział go [Johnsona] jak ten, na 30, 40 sekund przed pierwszym strzałem, zaczął kulić się w samochodzie. Uczynił tak jeszcze przed skrętem w ulicę Houston. Prawdopodobnie szukał czegoś na dywanikach położonych na podłodze samochodu, jednakże wyglądało to tak, jakby miał przeczucie, że za chwilę rozlegną się strzały[160].

Gdy pierwsza dama, Jacqueline Kennedy, podążając za ciałem zamordowanego męża, znalazła się w Air Force One na lotnisku w Waszyngtonie, wciąż miała na sobie płaszcz zaplamiony prezydencką krwią. Uczyniła tak po to, aby „pokazać sprawcom zbrodnię, którą popełnili". Jako że w tym czasie domniemany zabójca Oswald znajdował się w policyjnym areszcie, można zapytać, kogo Jacqueline miała na myśli, mówiąc „oni"? Jacqueline Kennedy w swoim testamencie umieściła klauzulę mówiącą, iż 50 lat po jej śmierci (19 maja 2044), w przypadku, gdy jej najmłodsze dziecko odejdzie z tego świata, upoważnia bibliotekę Kennedych do upublicznienia około 500 stron dokumentów związanych z Kennedym. Wydarzyło się jednak coś, czego nie mogła była przewidzieć: jej najmłodszy syn poniósł śmierć w katastrofie lotniczej w 1999 roku.

Brat prezydenta Kennedy'ego Robert był znanym bojownikiem o prawa obywatelskie. W 1968 roku, zaraz po sukcesie w prawyborach Partii Demokratycznej, gdy można było już z wielką pewnością potwierdzić, że odniósłby w wyborach prezydenckich zwycięstwo, poniósł śmierć na oczach tłumów z rąk zamachowca.

Komisja Warrena jeszcze bardziej przyczyniła się do powstania wątpliwości i braku zaufania do jej działań poprzez decyzję o zapieczętowaniu wszystkich dokumentów, akt i dowodów w sprawie na długi okres 75 lat. Dopiero w roku 2039 nastąpi ich odtajnienie. Owe dokumenty dotyczą CIA, FBI, Secret Service (ochrony prezydenckiej), NSA (Amerykańskiej Agencji Bezpieczeństwa Narodowego), Departamentu Stanu, Armii, Marynarki i innych instytucji. Co więcej, FBI oraz inne struktury rządowe są zamieszane w niszczenie dowodów.

W 2003 roku, w 40 rocznicę zamachu na Kennedy'ego, amerykańska stacja telewizyjna ABC pokazała wyniki sondażu opinii publicznej: 70 procent Amerykanów uważa, że za zabójstwem prezydenta Kennedy'ego stoi konspiracja

---

[160] Jean Hill, *JFK: The Last Dissenting Witness*, Gretna 1992, s. 113-116.

o ogromnej skali. Jak wspomniano, koordynacja wszystkich działań związanych z zamordowaniem prezydenta, a następnie likwidacją świadków pokazuje, że za całą sprawą stoją potężne siły, sam zaś zamach był sygnałem dla amerykańskich prezydentów, pokazującym im, kto rzeczywiście rządzi w USA.

Problemem jest fakt, że rodzina Kennedych również należy do „wewnętrznego kręgu" zaufanych grup międzynarodowych bankierów. Ojciec Johna, Joseph Kennedy, zarobił ogromne pieniądze podczas krachu giełdowego w 1929 roku, by później otrzymać z rąk prezydenta Roosevelta nominację na pierwszego przewodniczącego Securities Exchange Commission. Już w latach czterdziestych XX wieku Joseph Kennedy dołączył do rankingu najbogatszych ludzi świata. Gdyby nie te rodzinne koneksje, John Kennedy nigdy nie mógłby zostać pierwszym w historii katolickim prezydentem Stanów Zjednoczonych. W tym miejscu rodzi się zatem pytanie: co takiego Kennedy uczynił, iż rządząca elita uznała go za wroga, co ostatecznie przyniosło mu śmierć?

Niewątpliwie Kennedy był bardzo bogatym, ambitnym i uzdolnionym człowiekiem. Od najmłodszych lat marzył o tym, by zasiąść w prezydenckim fotelu. Gdy stawiał czoła arcytrudnemu wyzwaniu, jakim był kryzys kubański, okazał zdecydowanie i spokój, wykonując mistrzowski ruch w partii rozgrywanej z ZSRR. Mimo ryzyka wybuchu wojny nuklearnej, powstrzymał się od jakichkolwiek ustępstw, zmuszając Chruszczowa do odwrotu. Kennedy z siłą i wigorem rozwijał amerykański program kosmiczny, co ostatecznie doprowadziło do tego, iż człowiek po raz pierwszy w dziejach postawił stopę na Księżycu. Co prawda, Kennedy nie miał szansy ujrzeć na własne oczy tego epokowego wydarzenia w historii ludzkości, jednak to jego magiczna siła inspiracji unosiła się nad całym projektem. W walce o prawa obywatelskie bracia Kennedy zasługują na jeszcze większe uznanie. W 1962 roku, pierwszy w historii czarny student podjął próbę zapisania się na Uniwersytet Missisipi, doprowadzając do wybuchu gwałtownego sprzeciwu ze strony białych. Wzrok całej Ameryki skupił się na kwestii walki o prawa obywatelskie. Zdeterminowany Kennedy wysłał 400 agentów FBI oraz 3000 członków Gwardii Narodowej w celu zapewnienia czarnemu studentowi możliwości uczęszczania na uniwersytet. Akt ten wstrząsnął amerykańskim społeczeństwem, a Kennedy zdobył sobie oddanie i życzliwość dużej części społeczeństwa. Odpowiadając na jego wezwanie, amerykańska młodzież przystępowała do armii pokoju, ochotnicy wyruszali do krajów trzeciego świata, by pomagać w rozwoju miejscowej edukacji, higieny i rolnictwa.

Przez krótki okres trzech lat sprawowania władzy, Kennedy osiągnął widoczne sukcesy, wykazując wyjątkowe zdolności i stając się bohaterem swojego pokolenia. Jego aspiracje, wielki talent i odwaga w formułowaniu wizji politycznych, a także zdecydowanie i konsekwencja, zyskały poparcie ze strony Amerykanów oraz szacunek wielu państw świata. Czy w takiej sytuacji Kennedy zgodziłby się tańczyć niczym marionetka?

Kennedy, chcąc kierować krajem zgodnie z własnymi przekonaniami, w nieunikniony sposób wszedł w ostry konflikt ze znajdującą się za jego plecami, potężną i niewidzialną elitą władzy. Gdy punkt zapalny konfliktu przesunął się w kierunku najbardziej wrażliwej, gdyż fundamentalnej dla bankierów kwestii – prawa do emisji waluty – Kennedy prawdopodobnie nie zdawał sobie sprawy, iż jego czas właśnie dobiegał końca.

4 czerwca 1963 roku, Kennedy podpisał mało znany prezydencki dekret o numerze 11110, wydając jednocześnie instrukcje Departamentowi Skarbu, by ten, „wykorzystując srebro we wszelkich dostępnych postaciach, włączając srebrne buliony, srebrne monety oraz standardowe srebrne dolary, dokonał emisji srebrnych certyfikatów, tak by natychmiast weszły one do obiegu pieniężnego".

Zamiary Kennedy'ego były bardzo czytelne: chciał wyrwać prawo do emisji waluty z rąk prywatnego banku centralnego – Rezerwy Federalnej! Gdyby ten plan wszedł w życie, amerykański rząd stopniowo pozbywałby się przymusu „pożyczania pieniędzy" z Rezerwy, a przede wszystkim wypłacania jej absurdalnie wysokich odsetek. Co więcej, pieniądz wsparty przez srebro nie jest „zaciągniętym debetem na przyszłość" pieniądza długu, ale opartym o fizyczne rezultaty ludzkiej pracy, „uczciwym pieniądzem". Wejście srebrnych certyfikatów w obieg pieniężny stopniowo miałoby zmniejszać znajdującą się w nim liczbę emitowanych przez Rezerwę Federalną dolarów, co najprawdopodobniej ostatecznie doprowadziłoby banki Rezerwy Federalnej do bankructwa.

W przypadku utraty kontroli nad prawem do emisji pieniądza, międzynarodowi bankierzy utraciliby w dużym stopniu wpływ na kraj wytwarzający najwięcej majątku na świecie. Dla bankierów była to więc kwestia życia i śmierci.

W celu lepszego zrozumienia sensu prezydenckiej dyrektywy nr 11110, spójrzmy wpierw na historię wzlotów i upadków amerykańskiego srebra.

Dzieje srebrnego dolara

Srebro zostało uznane za formę legalnej waluty w Stanach Zjednoczonych na podstawie aktu prawnego *Coinage Act* z 1792 roku. Ów akt ustanowił prawną pozycję dolara. Jeden dolar zawierał 24,1 grama czystego srebra, a proporcja ceny złota względem srebra została ustalona na poziomie 1 do 15. Podstawowy standard wartości dolara jako amerykańskiej waluty był oparty o srebro. Po przyjęciu *Coinage Act* Ameryka przez długi czas utrzymywała podwójny system cenowy oparty o złoto i srebro jako prawnie dopuszczalne waluty.

Prawo to działało aż do lutego 1873 roku, kiedy pod naciskiem Rothschildów z Europy przygotowano i wprowadzono w życie kolejny *Coinage Act*, likwidując srebro jako walutę. Od tego momentu funkcjonował jedynie standard złota. Ponieważ Rothschildowie przejęli na własność większość światowych kopalni złota, w ten sposób przejmując władzę nad jego podażą, faktycznie pod ich pełną kontrolą znalazła się całkowita podaż pieniądza w Europie. Miejsca wydobycia i przetwarzanie srebra są liczne i znacznie bardziej rozproszone niż w przypadku złota, jego produkcja, a więc i podaż, również są zdecydowanie wyższe niż w przypadku złota. Dlatego też zdobycie kontroli nad rynkiem srebra jest trudniejsze.

Z tego powodu w okolicach roku 1873 rodzina Rothschildów groźbami i naciskami zmusiła większość państw europejskich do likwidacji srebra jako waluty i przyjęcie pełnego standardu złota. Akcja, która miała miejsce w Ameryce, była jedynie częścią wielkiego planu. Ustawa z 1873 roku spotkała się ze zdecydowanym sprzeciwem ze strony kopalni srebra z Zachodu USA: określano ją mianem „zbrodni z 1873". Później ów sprzeciw zaowocował powstaniem głośnego ruchu społecznego wspierającego pozycję srebra.

Kongres USA, chcąc zrównoważyć wpływy nowojorskich bankierów, za którymi stały potężne europejskie siły, w 1878 roku przegłosował ustawę zwaną *Bland-Allison Act*, która nakładała na amerykański Departament Skarbu obowiązek miesięcznego zakupu srebra o wartości od dwóch do czterech milionów dolarów. Stosunek ceny złota do ceny srebra poprawiono, ustalając go na poziomie 1 do 16. Zarówno srebro, jak i złoto posiadały prawną wartość i mogły być wykorzystane do spłacania wszystkich publicznych i prywatnych zobowiązań. Tak jak w przypadku złotych certyfikatów, Departament Skarbu dokonywał emisji srebrnych certyfikatów: jeden dolar srebrnego certyfikatu był bezpośrednio wymieniany na jednodolarowy banknot, co czyniło jego obieg znacznie wygodniejszym.

W 1890 roku *Sherman Silver Purchase Act* zastąpił *Bland Allison Act* z roku 1878. Nowe prawo zwiększało ilość srebra, do której zakupu zobowiązany był Departament Skarbu, który od tego momentu musiał zwiększać zakup o 45 milionów uncji miesięcznie.

Od momentu swojego powstania w 1913 roku, Rezerwa Federalna rozpoczęła emisję tzw. banknotów Rezerwy Federalnej (*Federal Reserve Notes*). Aż do czasów Wielkiego Kryzysu w 1929 roku bilety Rezerwy, coraz powszechniej używane, stopniowo stawały się głównym elementem wymiany pieniężnej. Do roku 1933 wciąż można było je wymieniać na złoto.

W roku 1933 w obiegu pieniężnym znajdowały się jeszcze złote certyfikaty oraz banknoty rządu USA (*United States Notes*).

Banknoty rządu USA – o czym była już mowa – były pierwszymi w historii Ameryki prawnymi środkami płatniczymi, których emisji dokonał Lincoln w czasie wojny secesyjnej: zwano je „zielonymi Lincolna". Ich limit łącznej emisji ustalono na poziomie 346 681 016 dolarów. W 1960 roku obejmowały około jednego procenta amerykańskiego obiegu pieniężnego. Oprócz czterech, wyszczególnionych powyżej, najważniejszych form pieniądza, w obiegu pozostawały jeszcze mniej rozpowszechnione jego rodzaje.

Po likwidacji przez Roosevelta standardu złota i uznaniu jego używania za nielegalne w 1933 roku, złote certyfikaty bardzo szybko zostały wycofane z obiegu pieniężnego. Pozostały w nim tylko banknoty rezerwy, srebrne certyfikaty oraz banknoty rządu USA. Ponieważ emisja tych ostatnich była ograniczona, a ich liczba w obiegu znikoma, nie były one uznawane przez międzynarodowych bankierów za zagrożenie. Srebrne certyfikaty sprawiały im znacznie więcej kłopotów.

Na skutek obowiązku częstego zakupu srebra nałożonego na amerykański Departament Skarbu przez istniejące regulacje prawne, w latach trzydziestych XX wieku wykorzystywał on gigantyczną ilość ponad sześciu miliardów uncji srebra, co pozwalało szacować wagę srebrnych rezerw na około dwa miliony ton. Dodając do tego rozpowszechnione na świecie kopalnie srebra i ich obiektywnie dobre wyniki produkcyjne, w przypadku całkowitej monetaryzacji, amerykański Departament Skarbu mógł dokonywać bezpośredniej emisji srebrnych certyfikatów, które w nieunikniony sposób stawały się senną zmorą dla międzynarodowych bankierów.

Odkąd Roosevelt pomógł bankierom w likwidacji standardu złota, amerykański obieg pieniężny faktycznie wszedł w nowy etap „standardu srebra", gdyż wszystkie trzy formy pieniądza mogły być swobodnie wymieniane na srebro.

Bez likwidacji walutowej pozycji srebra, wielkie projekty w rodzaju „taniego pieniądza" i „polityki deficytu budżetowego" nie mogły rozwinąć skrzydeł. Właśnie ta sytuacja stała na przeszkodzie realizacji zasadniczego planu, polegającego na wykorzystaniu inflacji, tego niesłychanie skutecznego narzędzia finansowego, by po cichu zagarnąć majątek obywateli.

Wraz z II wojną światową i popularyzacją idei wielkiego deficytu budżetowego, dodatkowo uwzględniając wielkie wydatki związane z wprowadzaniem w życie planu odbudowy Europy i jej gospodarek ze zniszczeń wojennych, jak również wojnę koreańską i eskalację wojny w Wietnamie, szeroko zakrojone emisje obligacji rządowych przez Rezerwę Federalną były stopniowo coraz łatwiejsze do rozpoznania przez rynki finansowe. Amerykanie, począwszy od lat czterdziestych, nieustannie wymieniali papierowe banknoty na srebrną walutę bądź srebrny kruszec, doprowadzając do dramatycznej ucieczki astronomicznych ilości srebrnych rezerw. Rozpoczęty w latach pięćdziesiątych szybki rozwój elektroniki oraz przemysłu lotniczego radykalnie zwiększyły rynkowy popyt na srebro, co znacznie uwydatniło istotę problemu. Gdy na początku lat sześćdziesiątych Kennedy wprowadzał się do Białego Domu, rezerwy srebra w amerykańskim Departamencie Skarbu spadły do 1,9 miliarda uncji. W tym samym czasie rynkowa cena srebra szybowała w górę, stopniowo zbliżając się do poziomu 1,29 dolara za jednego dolara srebra. Po wymianie srebrnych certyfikatów na srebrny kruszec, srebrne certyfikaty naturalnie wychodziły z obiegu pieniężnego. Efekt prawa Kopernika-Greshama, mówiącego o tym, że „gorszy pieniądz wypiera lepszy", zaczynał być w pełni widoczny.

Takie były okoliczności podpisania dekretu 11110 przez prezydenta Kennedy'ego.

Obrona srebra i likwidacja pozycji srebra jako waluty stały się punktem konfliktu pomiędzy prezydentem Kennedym a międzynarodowymi bankierami.

Koniec standardu srebra

Ponieważ całkowita likwidacja standardu złota i jego pozycji jako waluty znajdowała się w fazie bardzo zaawansowanej realizacji, rozwiązanie problemu srebra uzyskało rangę absolutnego pierwszeństwa. Istniały potencjalne ogromne zapasy srebra i gdyby państwa świata, biorąc pod uwagę jego cenę rynkową, rozpoczęły na szeroką skalę prace eksploracyjne i wydobywcze, nie tylko trudno byłoby doprowadzić do likwidacji standardu złota, ale mogłoby dojść do wojny między frontem złota i srebra. W przypadku wielkiego wzrostu podaży srebra, srebrne certyfikaty najprawdopodobniej powstałyby niczym feniks z popiołów, by ponownie podjąć rywalizację z banknotami Rezerwy Federalnej, a ponieważ rząd amerykański posiadał ważne prawo emisji srebrnych certyfikatów, trudno byłoby przewidzieć rezultat tej bitwy i prognozować, kto zdobędzie ostateczną supremację. Gdyby to właśnie srebrne certyfikaty zdobyły przewagę, Rezerwa Federalna stanęłaby przed śmiertelnym niebezpieczeństwem.

Tak więc najpilniejszą sprawą dla międzynardowych bankierów było zadanie utrzymania ceny srebra na możliwie najniższym poziomie. Z jednej strony więc umożliwiano egzystencję przynoszącej straty czy minimalne zyski światowej branży wydobywającej srebro, co przynosiło efekt w postaci opóźniania i odkładania w czasie prac nad projektami eksploracji i otwierania nowych złóż oraz redukcją podaży, z drugiej zaś strony, promowano wzrost wykorzystania srebra w przemyśle. Ponieważ cena srebra była bardzo niska, odrzucano projekty i prace badawcze dotyczące zastępowania srebra przez inne materiały, by w ten sposób, w jak najszybszym tempie, doprowadzić do skonsumowania wciąż posiadanych przez Departament Skarbu USA rezerw srebra. W chwili gdy Departament Skarbu nie mógłby już sięgnąć po rezerwy srebra, srebrne certyfikaty naturalnie poddałyby się bez walki, a likwidacja pozycji srebra jako waluty odbyłaby się sprawnie i szybko. Kluczem do sukcesu był czas.

Kennedy znakomicie rozumiał sytuację, toteż z jednej strony dawał międzynarodowym bankierom do zrozumienia, że gdy nastąpi korzystny moment, jest on w stanie rozważyć możliwość likwidacji srebra jako waluty, z drugiej zaś strony czynił całkowicie przeciwstawne przygotowania. Tak się nieszczęśliwie złożyło, że jego sekretarz skarbu Douglas Dillon nie należał do „ludzi prezydenta". Dillon pochodził z bankierskiej rodziny z Wall Street. Mimo czekającego nań miejsca w Partii Republikańskiej, został przez bankierów niemal siłą wepchnięty w szeregi wewnętrznego gabinetu Partii Demokratycznej Kennedy'ego. Najważniejsze uprawnienia, posiadane przez Departament Skarbu, Dillon przekazał międzynarodowym bankierom. Po objęciu stanowiska, głównym zadaniem Dillona stała się jak najszybsza konsumpcja znajdujących się w skarbcach Departamentu rezerw srebra. Naturalnie Dillon nie służył interesom publicznym, kiedy po niesłychanie niskiej cenie 91 centów za uncję sprzedawał klientom przemysłowym ogromne ilości kruszcu. Powstałe w 1947 roku amerykańskie The Silver Users Association przemawiało dokładnie tym samym głosem, co Dillon, zdecydowanie domagając się „sprzedaży całej reszty [z posiadanych przez Departament Skarbu] rezerw srebra, by wyjść naprzeciw popytowi”[161].

Oto raport z „New York Timesa” z 19 marca 1961 roku:

> SENATOR OSKARŻA AMERYKAŃSKI DEPARTAMENT SKARBU O WIELKĄ WYPRZEDAŻ SREBRA PO NISKICH CENACH
>
> Senator Alan Bible postawił wobec Departamentu Skarbu wniosek o ponowne przeprowadzenie dochodzenia w sprawie polityki wielkiej wyprzedaży srebra po cenach znacznie niższych od światowych cen rynkowych. Ten demokratyczny senator z Nevady w liście do sekretarza skarbu Douglasa Dillona pisze, że stopień otwarcia amerykańskiego przemysłu wydobywającego srebro pozostaje znacznie w tyle za popytem konsumpcyjnym na ten metal, a wyprzedaż po cenach dumpingowych, prowadzona przez Departament Skarbu, nie pozwala przekroczyć jego nierzeczywistej ceny. Problem deficytu srebra na świecie może być rozwiązany tylko poprzez wielkie projekty eksploracyjne i otwarcie nowych złóż w Ameryce Północnej i Południowej. Senator mówi: „wystarczy, by Departament Skarbu rozluźnił prowadzoną ostrą politykę zbijania cen wobec rynku wewnętrznego i sąsiednich krajów, a wówczas będzie można spróbować rozwiązać wszystkie te problemy.

19 sierpnia 1961 roku „New York Times” zamieścił następującą relację:

> Trzynastu demokratycznych senatorów reprezentujących zachodnie okręgi wyborcze, w których przede wszystkim skoncentrowane jest wydobycie srebra, złożyło dziś oficjalny list na ręce prezydenta Kennedy’ego. W swoim liście senatorowie domagają się natychmiastowego zatrzymania akcji wyprzedaży srebra. Ceny dumpingowe Departamentu Skarbu zbiły ceny srebra na rynkach krajowych i zagranicznych.

16 października 1961 roku „New York Times” pisał:

> Wyprzedaż rezerw srebra przez Departament Skarbu, niczym pokrywka nad garnkiem, zaczęła dusić rynkową cenę srebra. Przemysłowcy wiedzą, że mogą dokonywać zakupów srebra ze skarbca Departamentu Stanu po cenie 91-92 centy za uncję, tak więc odmawiają płacenia większych sum nowym producentom srebra.

Notatka z 29 listopada 1961 roku:

> Producenci srebra z wielką radością przyjęli wczoraj jedną z wiadomości dnia. Otóż prezydent Kennedy wydał Departamentowi Stanu polecenie zatrzymania sprzedaży srebra kręgom przemysłowym. Przemysłowi kupcy srebra doznali szoku.

I jeszcze raz „New York Times” z 30 listopada 1961 roku:

---

161 „New York Times”, 16 października 1961.

> Notowania ceny srebra na nowojorskiej giełdzie osiągnęły poziom rekordowy od 41 lat, w wyniku ogłoszonej decyzji prezydenta Kennedy'ego o całkowitej zmianie polityki wobec srebra prowadzonej przez amerykański rząd, która oddała rynkowi prawo do decydowania o cenie srebra. Pierwszą konsekwencją prezydenckiej decyzji było zatrzymanie wyprzedaży przez Departament Skarbu po cenach dumpingowych, niewymaganych do wspierania srebrnych certyfikatów srebra[162].

Prezydent Kennedy w końcu wszedł do gry i choć było już dość późno, gdyż w skarbcu Departamentu Skarbu pozostawało mniej niż 1,7 miliarda uncji srebra, to jego zdecydowany krok doprowadził do wysłania czytelnego sygnału producentom srebra przez rynki finansowe. Jak łatwo przewidzieć, nastąpił stopniowy wzrost produkcji srebra oraz stabilne, umiarkowane zwiększenie jego rezerw w Departamencie Skarbu. Akcje producentów srebra poszły w górę. Swoją decyzją Kennedy uderzył w międzynarodowych bankierów.

W kwietniu 1963 roku, przewodniczący Rezerwy Federalnej William Martini podczas przesłuchania w Kongresie powiedział: „Rada Rezerwy Federalnej głęboko wierzy, że nie istnieje konieczność obecności srebra w amerykańskim systemie walutowym. Nawet jeśli niektórzy sądzą, iż usunięcie srebra jako jednego z fundamentów naszego systemu monetarnego doprowadzi do dewaluacji waluty, to ja nie podzielam takich poglądów"[163].

Zgodnie ze zwyczajnym trybem postępowania, od czytelnego sygnału o rosnących cenach uzyskanego od rynków srebra, przez ponowne rozpoczęcie prac eksploracyjnych, zakup sprzętu, aż do ostatniej fazy zwiększenia podaży musi upłynąć około pięciu lat. W takiej sytuacji, z punktu widzenia uchronienia srebra jako waluty oraz nadziei amerykańskiego rządu na zachowanie prawa do bezpośredniej emisji pieniądza kluczowe znaczenie miał odegrać rok 1966.

Pozycja srebra jako waluty była szczytem w cieniu którego rozgrywała się bitwa między Kennedym i międzynarodowymi bankierami. Wynik kampanii miał zadecydować, czy wybrany w drodze wolnych wyborów amerykański rząd zachowa prawo do emisji pieniądza. W przypadku ponownego uruchomienia wielkiej podaży srebra, Kennedy mógł wejść w sojusz z producentami srebra z Zachodu USA, pchnąć o krok dalej przepisy dotyczące zawartości srebra w dolarze, zwiększając emisję srebrnych certyfikatów, dla których czas z pewnością ponownie by nadszedł. W tamtej chwili dyrektywa prezydenta Kennedy'ego z 4 czerwca 1963 roku była niczym niespodziewany cios maczugą zadany banknotom Rezerwy.

Jednak bankierzy dostrzegli zamiary Kennedy'ego. Zdawali sobie sprawę, że ten szalenie popularny, wręcz uwielbiany prezydent był pewnym zwycięzcą kolejnych wyborów w 1964 roku, co oznaczało jego rządy przez drugą kadencję. Gdyby tak się stało, sytuacja na rynkach walutowych mogłaby całkowicie wymknąć się spod kontroli.

Jedynym wyjściem było pozbycie się niewygodnego prezydenta.

---

162 „New York Times", marzec-listopad 1961.

163 „Federal Reserve Bulletin", kwiecień 1963, s. 469.

Tego dnia, gdy Kennedy został zamordowany, wybrany przez międzynarodowych bankierów wiceprezydent USA, który na pokładzie samolotu przejął najwyższy urząd w państwie, doskonale rozumiał oczekiwania swoich mocodawców i wiedział, że nie może ich zawieść.

W marcu 1964 roku, krótko po przejęciu władzy, Johnson wydał Departamentowi Skarbu dyrektywę nakazującą wstrzymanie wymiany srebrnych certyfikatów na fizyczne srebro. W ten sposób nastąpił faktyczny koniec emisji srebrnych certyfikatów. Departament Skarbu ponownie rozpoczął wyprzedaż rezerw srebra kręgom przemysłowym. Ceny srebra leciały w dół, co negatywnie wpływało na możliwości produkcyjne producentów srebra i zatrzymało wzrost podaży tego kruszcu.

Kontynuując te działania, w czerwcu 1965 roku Johnson wydał dyrektywę, w której polecił zmniejszyć zawartość czystego srebra w srebrnych monetach, co było kolejnym krokiem doprowadzającym do obniżenia wartości srebra w obiegu monetarnym. Johnson powiedział: „Chcę bardzo wyraźnie zaznaczyć, że ta zmiana nie wpłynie na siłę nabywczą naszych monet. W granicach naszego kraju nowe monety mogą być wymieniane na stare o tym samym nominale"[164].

„Wall Street Journal" z 7 czerwca 1966 roku ironicznie zauważał: „Tak, rzeczywiście! Ale siła nabywcza tych słynnych banknotów, poprzez 30 lat stałej rządowej polityki inflacyjnej, stopniowo sięgnęła dna. Właśnie z tego powodu trudno się dziwić, iż całkowicie rozeszły się drogi naszej waluty ze złotem i srebrem"[165].

Sama Rezerwa Federalna przyznaje, że zgodnie z corocznym planem, „naukowo" pozwala na spadek siły nabywczej dolara o trzy do czterech procent, a celem jest uzyskanie wrażenia wzrostu płac klasy pracowników najemnych.

Latem 1967 roku, Departament Skarbu nie posiadał już praktycznie żadnego „wolnego" srebra do sprzedaży.

Ostatecznie to właśnie Johnson zadał srebru śmiertelny cios.

Fundusz Złota

Podczas realizacji planu likwidacji srebra jako waluty, międzynarodowi bankierzy kierowali się strategią „najpierw srebro, później złoto". Zasadniczą przyczyną likwidacji roli srebra w pierwszej kolejności był fakt, że na początku lat sześćdziesiątych jedynie kilka krajów wciąż wykorzystywało je jako pieniądz. Usunięcie srebra z amerykańskiego obiegu pieniężnego było jedynie lokalną operacją, tak więc spowodowane przez nią reakcje oraz naruszony obszar były ograniczone.

Problem złota był dalece bardziej skomplikowany. Złoto było powszechnie uznawane w świecie za ostateczną formę własności. Nieumiejętne rozwiązanie problemu złota mogłoby doprowadzić do wielkiej burzy finansowej na całym świecie. Przed zakończeniem kampanii wojennej przeciwko srebru, front złota musiał zostać ustabilizowany.

---

[164] Prezydent Lyndon B. Johnson podczas podpisywania *Coinage Act*, 23 lipca 1965.

[165] „Wall Street Journal", 7 czerwca 1966.

W wyniku prowadzonej przez Rezerwę Federalną od lat trzydziestych XX wieku polityki inflacyjnej na wielką skalę, doszło do wielkiej nadprodukcji pieniądza. W sytuacji ograniczonej ilości złota i srebra, a zarazem wielkiej liczby wyemitowanych papierowych banknotów, nie dało się uniknąć wzrostu cen tych kruszców. Na rynku amerykańskim Departament Skarbu skutecznie odgrywał swoją rolę polegającą na zbijaniu cen srebra. W takiej sytuacji na rynku międzynarodowym powstała potrzeba powołania silnej instytucji, która mogłaby sprawować tę samą funkcję, co Departament Skarbu, czyli odpowiadać za wyprzedaż złota na rynkach międzynarodowych, aby powstrzymać widoczny już na horyzoncie kontratak ze strony cen złota.

Nadeszły czasy samolotów odrzutowych, dzięki czemu międzynarodowi bankierzy zyskali możliwość odbywania częstych spotkań, by w tajemnicy przedyskutowywać swoją politykę. Leżący w szwajcarskiej Bazylei BIS stał się miejscem, w którym zaczęły się odbywać coroczne konferencje znane jako „Weekend w Bazylei".

W listopadzie 1961 roku, po dokonaniu tajnych ustaleń, międzynarodowi bankierzy stworzyli „błyskotliwy" plan. W USA i państwach europejskich powołano do życia Gold Pool (Fundusz Złota)*, którego głównym celem była twarda obrona ceny złota na londyńskiej giełdzie. Ów fundusz składał się z udziałów pochodzących od banków centralnych państw uczestników. Łączna jego wartość wynosiła 270 milionów dolarów w złocie, a wśród krajów członkowskich Ameryka przemawiała zdecydowanie najgłośniej, samodzielnie przejmując połowę udziałów w funduszu. Niemcy przeżywały okres powojennego gwałtownego wzrostu gospodarczego, ich skarb z dnia na dzień wypełniał się pieniędzmi. Jeśli dodamy do tego kompleks niższości państwa pokonanego w wojnie, nie powinno dziwić, że Niemcy wyraziły gotowość wpłacenia do funduszu 30 milionów dolarów, co było drugim co do wielkości wkładem po amerykańskim. Wielka Brytania, Francja, Włochy wpłaciły po 25 milionów dolarów, a Szwajcaria, Holandia i Belgia po 10 milionów. Ponieważ Bank Anglii był odpowiedzialny za rzeczywiste sterowanie funduszem, to on wpierw dokonywał wypłat złotem ze swojego skarbca, by następnie, pod koniec miesiąca, rozliczać się proporcjonalnie ze swoimi partnerami z banków centralnych[166].

Podstawowym celem Funduszu było blokowanie wzrostu cen złota. Gdy cena złota przekraczała 35,2 dolara za uncję, Fundusz, na drodze otwartej konfrontacji, odpierał atak, uniemożliwiając pokonanie tego limitu i w konsekwencji dalszego wzrostu cen. W kwocie 35,2 dolara zawarte były koszty transportowe złota transferowanego z Nowego Jorku.

Wszystkie uczestniczące w Funduszu banki centralne złożyły obietnicę powstrzymania się od jakichkolwiek zakupów złota na londyńskiej giełdzie, a także nabywania złota z RPA, ZSRR czy innych krajów Trzeciego Świata. Stany Zjednoczone złożyły przyrzeczenie, że bez względu na okoliczności, zawsze będą naciskać na banki centralne innych państw, aby wprowadzały w życie taką samą politykę.

---

* Zwany też London Gold Pool (przyp. tłum.).

[166] Ferdinand Lips, *Gold War, The Battle Against Sound Money as Seen From the Swiss Perspective*, New York 2001, s. 52 (wyd. pol. *Złoty spisek*, tłum. M. Gawlik, Wrocław 2010, s. 54 – dalsze odniesienia do tego wydania; przyp. red.).

Cała zawartość Funduszu była w tym czasie sklasyfikowana jako ściśle poufna tajemnica finansowa, tak jak tradycyjne tajne spotkania w BIS. Wszelkie pisemne zapisy były zabronione, nie można było nawet sporządzać zwięzłych notatek na kartce papieru. Wszystkie umowy miały charakter ustny, co do złudzenia przypominało styl starego Morgana, który ustną umową i uściskiem dłoni finalizował wielkie transakcje. Ustne zobowiązania międzynarodowych bankierów posiadają jednak dużo większą moc wiążącą niż pisemne kontrakty o legalnej mocy prawnej.

W pierwszych latach swojego funkcjonowania Fundusz Złota odnosił wielkie sukcesy, które trudno było wcześniej przewidzieć. Związek Radziecki, wielki producent złota w roku 1963 doświadczył klęski urodzaju i ostrego deficytu plonów rolnych. Znalazłszy się w sytuacji bez wyjścia, rozpoczął wielką wyprzedaż złota w celu pozyskania środków na import zboża. W ostatnim kwartale 1963 roku sprzedał złoto o zdumiewającej wartości 470 milionów dolarów. Suma ta dalece przekraczała wkłady własne znajdujące się w Funduszu. W ciągu 21 miesięcy magazyn złotej amunicji Funduszu Złota eksplodował do wartości 130 milionów dolarów. Międzynarodowi bankierzy wręcz bali się pomyśleć, jak bardzo szczęście się do nich uśmiechało[167].

Intensyfikacja konfliktu wietnamskiego doprowadzała Rezerwę Federalną do nieustannego, silnego zwiększania podaży dolara, który niczym fale powodziowe błyskawicznie pożerał nadwyżki i wkłady nagromadzone w Funduszu Złota. Najszybciej zmianę sytuacji strategicznej dostrzegła Francja, jako pierwsza wycofując się z Funduszu. Co więcej, rząd francuski przyspieszył wymianę znajdujących się w jego rękach, a tracących siłę nabywczą z dnia na dzień dolarów, na złoto. W latach 1962-1966 Francja wymieniła w Rezerwie Federalnej złoto warte trzy miliardy dolarów, by następnie przetransportować je do skarbca w Paryżu.

Do końca listopada 1967 roku Fundusz w sumie stracił złoto o wartości miliarda dolarów, a jego waga zbliżała się do 900 ton. W tym czasie amerykańskiego dolara dotknął kryzys zaufania na świecie. Prezydent Johnson ostatecznie doszedł do wniosku, że czas skończyć z biernym przyglądaniem się płynącym zdarzeniom i postanowił podjąć pewne kroki. Skupił wokół siebie szerokie grono międzynarodowych bankierów pełniących funkcje doradców wysokiego szczebla. Ludzie ci bezustannie wbijali mu do głowy prostą ideę, w myśl której krótszy, choć silniejszy ból jest lepszy niż długi i lżejszy. Zgodnie z tym pomysłem, zamiast stopniowo wysysać nagromadzone przez inne kraje złoto lepiej rzucić wszystko na jedną szalę, a więc wyciągnąć całe posiadane złoto i „zatopić" nim giełdę metali w Londynie, aby raz na zawsze rozwiązać problem rosnącej ceny złota względem dolara i odbudować zaufanie świata do amerykańskiej waluty.

Prezydent Johnson zaakceptował tę niemal szaleńczą propozycję. Rezerwa Federalna zastawiła wszystkie swoje rezerwy złota – było to zdarzenie bez precedensu w historii. Dziesiątki tysięcy ton złota załadowano na statki i przetransportowano do Banku Anglii i nowojorskiego banku Rezerwy Federalnej. Wszystko

---

[167] *Ibid.*, s. 56-57.

to czyniono po to, aby dać inwestorom bolesną lekcję. Jeśli plan by się powiódł, przebieg wydarzeń wyglądałby tak: Bank Anglii wraz z nowojorskim Bankiem Rezerwy wspólnie dokonują gigantycznej wyprzedaży złota, doprowadzając do raptownej jego nadpodaży, co w efekcie ma prowadzić do zbicia jego ceny poniżej 35 dolarów za uncję. W tym momencie inwestorzy z pewnością wpadliby w panikę, w końcu ich *stop line* (linia zatrzymania strat) zostałaby przekroczona. W rezultacie nastąpiłaby jeszcze większa wyprzedaż złota. Następnie należałoby odczekać jakiś czas, aż kupcy zupełnie straciliby motywację, i rozpocząć stopniowy wykup złota po niskich cenach. I w ten oto sposób nikt nawet nie zauważyłby, że złoto powróciłoby do skarbca Rezerwy. Plan wydawał się doskonały.

W pierwszych tygodniach 1968 roku rozpoczęto realizację powyższego planu. Prezydenta Johnsona i jego współpracowników nieco przeraził fakt, że rynek całkowicie połknął wystawione na sprzedaż złoto. W ten sposób Rezerwa Federalna straciła 9300 ton złota. Dla Johnsona była to klęska – po niedługim czasie ogłosił publicznie swoją rezygnację z zamiarów reelekcji i uczestnictwa wyborach[168].

W marcu 1968 roku Fundusz Złota zbliżył się do krawędzi przepaści.

9 marca, specjalny asystent prezydenta, William Rostow, w memorandach przekazanych prezydentowi umieścił następującą uwagę:

> Wszyscy [doradcy ekonomiczni prezydenta] doszli do następującego wniosku: poprzez działania przeciwko wzrostowi cen złota należy stawić czoło obecnemu kryzysowi. Większość obecnych skłaniała się ku utrzymaniu operacji Funduszu Złota, sądząc wszakże, że koordynacja wspólnych działań z Europą jest niezmiernie trudna, podobnie jak uspokojenie rynku. Ostatecznie jednak przeważyła opinia o konieczności zamknięcia Funduszu. W poglądach zgromadzonych panował chaos, nikt nie wiedział, jak przekonać kraju niebędące członkami Funduszu do współpracy z nami; doradcy uważali, że być może należy wykorzystać tu Międzynarodowy Fundusz Walutowy. W każdym razie w ciągu 30 dni należy przedstawić czytelny zarys proponowanych kroków oraz podjąć działania. Wnioski: można dostrzec, że poglądy te zasadniczo nie różnią się od naszych. Podczas tego weekendu [BIS miał zaplanowane spotkanie w Bazylei] mamy szansę dokładniej zrozumieć plany Europejczyków.

12 marca, w innym memorandum Rostow pisał:

> Panie Prezydencie:
>
> Poniżej kilka punktów mojej opinii o sytuacji Billa Martina [prezes Rezerwy Federanej, który właśnie zakończył swój udział w konferencji w Bazylei]:
>
> Jeśli chodzi o zmianę cen złota, prawdopodobnie Brytyjczycy i Holendrzy uznają za słuszną tę opcję [utrzymanie Funduszu Złota]. Niemcy się wahają. Włosi, Belgowie i Szwajcarzy są zdecydowanie przeciw.
>
> Osiągnięto porozumienie. Wszyscy szybko dodadzą złoto o wartości 500 milionów dolarów oraz złożą zobowiązanie na kolejne 500 milionów dolarów, aby zapewnić pracę Funduszu (z punktu widzenia aktualnego tempa strat w złocie na londyńskiej giełdzie, złoto to wystarczy zaledwie na kilka dni).

---

[168] *Thinking the Unthinkable*, „Free Market Gold & Money Report", 25 kwietnia 1994.

Europejczycy uświadomili sobie, że za moment staniemy przed bardzo smutnym wyborem. Przygotowują się – wbrew swojej woli – do czasowego zamknięcia giełdy złota w Londynie, aby złoto podążało za rynkiem.

W tej sytuacji, Departament Skarbu, Departament Stanu, Rezerwa Federalna i doradcy ekonomiczni prezydenta przez cały dzień byli zajęci następującym problemem: na jakich zasadach, po ogłoszeniu zamknięcia Funduszu, poszczególne kraje będą ze sobą współpracować?

Wciąż nie znamy opinii Henry'ego Fowlera [Sekretarz Skarbu] i Billa Martina. Dziś wieczorem bądź jutro rano mamy zamiar się spotkać i wymienić opinie.

Moje osobiste odczucie – jesteśmy coraz bliżej momentu prawdy.

14 marca, w związku z problemem złota, Rostow sporządził następujący raport:

Pańscy doradcy ekonomiczni osiągnęli jednomyślność:

Obecna sytuacja nie może być kontynuowana, mamy nadzieję, że sprawy przybiorą lepszy obrót.

Musimy w ten weekend zorganizować w Waszyngtonie konferencję państw członkowskich Funduszu Złota.

Tematem dyskusji będą regulacje związane ze złotem w fazie przejściowej, dokonanie kroków, które zapewnią funkcjonowanie rynków finansowych, intensyfikacja polityki wprowadzania specjalnych praw ciągnienia.

W okresie przejściowym, wymiana wobec urzędowych banków centralnych, posiadaczy rachunków dolarowych, dokonuje się w oparciu o pierwotne ceny.

W przypadku, gdy osiągnięcie jakiegokolwiek porozumienia okaże się niemożliwe, wstrzymamy wymianę dolarów posiadanych przez banki centralne na złoto. Uczynimy to tylko na krótki okres, zaraz potem zwołamy nadzwyczajne posiedzenie.

Te kroki mogą wywołać chaos i niepokój na rynkach światowych, ale jest to jedyne rozwiązanie, które może zmusić inne kraje do zaakceptowania planu długoterminowego. Zawsze uważaliśmy, że pozwolenie na wzrost ceny złota za najgorszy z możliwych rezultatów.

Musi pan teraz podjąć decyzję, czy ma nastąpić natychmiastowe zamknięcie giełdy złota w Londynie[169].

Bez względu na charakter zastosowanych środków, ratunek Funduszu Złota przed bankructwem nie był możliwy. Ostatecznie 17 marca 1968 roku Fundusz zmarł śmiercią naturalną. Londyńska giełda złota w odpowiedzi na żądania USA została zamknięta na całe dwa tygodnie.

W czasie, gdy Rezerwa Federalna ponosiła klęskę w wielkiej bitwie o złoto, nastąpiła dramatyczna zmiana sytuacji w wojnie w Wietnamie. 30 stycznia 1968 roku wietnamscy partyzanci zaatakowali 30 prowincji i prowincjonalnych zgromadzeń w Wietnamie Południowym, rozpoczynając wielka ofensywę. Partyzantom udało się zająć kilka ważnych punktów w samym Sajgonie i bez trudu zająć starą stolicę kraju.

Kissinger uważa, że choć Wietnam Północny w wyniku tej ofensywy osiągnął

[169] Źródło: United States States Department, 1998. Foreign Relations of the United States 1964-1968, t. VIII (Washington: Government Printing Office), dokumenty 187, 188, 189.

polityczne zwycięstwo, to z militarnego punktu widzenia była to jego największa w historii klęska wojskowa, albowiem armia partyzancka porzuciła opanowaną do perfekcji strategię walki podjazdowej i za pomocą skoncentrowanych sił zaangażowała się w wojnę pozycyjną z amerykańska armią. W wyniku wielkiej przewagi ogniowej armii USA, partyzanci ponieśli ciężkie straty. Gdyby w tym momencie Amerykanie rozpoczęli wielką ofensywę przeciwko regularnym siłom Wietnamu Północnego, które właśnie utraciły parasol ochronny w postaci aktywnych oddziałów partyzanckich, dalsze losy wojny mogłyby ulec całkowitej i pomyślnej dla USA zmianie[170]. Kissingera najbardziej boli i zasmuca fakt, że Johnson odrzucił możliwość wykorzystania tej szansy. W tym czasie wielka klęska Johnsona w bitwie finansowej całkowicie odebrała mu motywację do kontynuowania wojny w Wietnamie.

Klęska na londyńskiej giełdzie złota wywołała olbrzymią panikę w kręgach amerykańskiej elity władzy. Obrońcy standardu złota weszli w ostry konflikt i zacięte debaty ze zwolennikami „głównego nurtu", domagającymi się likwidacji tego standardu. Obie strony uważały, że w tak burzliwej i niespokojnej sytuacji finansowej wojnę wietnamską należy zakończyć.

W rezultacie nastąpiła diametralna zmiana w podejściu do relacjonowania konfliktu przez wiodące amerykańskie media. 27 lutego 1968 roku Walter Cronkite „przepowiadał" klęskę Ameryki. „Wall Street Journal" zadawał pytanie: „Czy mamy do czynienia z sytuacją, kiedy pierwotne cele, znajdujące się niegdyś pod kontrolą, dotknięte są teraz całkowitym chaosem? Skoro nie jesteśmy do tego przygotowani, to czy Amerykanie gotowi są zaakceptować coraz bardziej mglisty i posępny rozwój sytuacji w konflikcie wietnamskim?". „Time" w numerze z 15 marca pisał: „W 1968 roku Amerykanie przebudzili się i zdali sobie sprawę z faktu, że osiągnięcie zwycięstwa w wojnie wietnamskiej bądź choćby doprowadzenie do sprzyjającej dla kraju sytuacji, nie leżą już w zasięgu możliwości światowej potęgi, jaką jest Ameryka". Wówczas obudzili się „uśpieni" dotąd senatorowie. Senator James Fullbright zaczął wątpić: „czy rząd ma prawo, by bez zgody Kongresu prowadzić eskalację działań wojennych?". Mike Mansfield wręcz oświadczył: „jesteśmy w błędnym miejscu, zaangażowani w błędną wojnę".

31 marca 1968 roku prezydent Johnson ogłosił wstrzymanie wszelkich bombardowań ziem na północ od dwudziestego równoleżnika; dał też do zrozumienia, że nie zamierza zwiększać liczebności amerykańskiej armii w Wietnamie. Co więcej, dodał że „naszym celem w wojnie wietnamskiej nigdy nie było unicestwienie wroga". Ogłosił też swoją rezygnację z uczestnictwa w nadchodzących wyborach i walki o reelekcję.

Podsumowując: podstawową przyczyną zakończenia wojny w Wietnamie była klęska w kampanii finansowej na giełdzie złota w Londynie, która doprowadziła elitę rządzącą do wielkich strat i finansowej zapaści.

---

[170] Kissinger, *Dyplomacja*, rozdz. 26.

Specjalne prawa ciągnienia

Eksperci walutowi raz po raz wykorzystywali kryzys dolara, by twardo powtarzać tezy, że przyczyną kryzysu walutowego był deficyt złota. Spoglądając na problem z punktu widzenia standardu złota, jest to oczywiste pomylenie skutku z przyczyną. Deficyt złota nie był źródłem kryzysu, lecz efektem niczym nieograniczonej nademisji dolara.

Podobnie jak w wypadku długotrwałego zbijania ceny srebra, głównym celem długoterminowego manipulowania przy cenie złota było doprowadzenie do sytuacji jego ostrego niedoboru. Zadziwiające było to, że gdy nadszedł kryzys, ludzie, którzy zazwyczaj stosowali zaskakujące manewry, ignorując pojawiające się sygnały alarmowe, nie byli w stanie szczerze stawić czoła naturze problemów. Po wystrzelaniu całego zapasu amunicji przez Fundusz Złota, międzynarodowi bankierzy przypomnieli sobie o zaproponowanym przez Keynesa w latach czterdziestych tzw. papierowym złocie, owym „wielkim wynalazku", który umieszczono w nowym opakowaniu, by ostatecznie otrzymać tzw. specjalne prawa ciągnienia.

Doskonale ukazał to słynny francuski ekonomista Jacques Rueff:

> Specjaliści walutowi stworzyli nową zabawkę, której celem było ukrycie prawdy o bankructwie walutowym Ameryki. Każdy z państwowych banków centralnych został przypisany specjalnej międzynarodowej rezerwie walutowej. Jednak w celu uniknięcia wybuchu inflacji, specjalne prawa ciągnienia musiały podlegać ostrej kontroli ilościowej. W ten sposób, nawet przy asyście owych praw, Stany Zjednoczone wciąż nie były zdolne do zwrotu nawet małej części swojego długu[171].

Wall Street natomiast prezentowała zupełnie odmienny, radosny obraz, ogłaszając, że jest to pierwszy modelowy przykład nowoczesnych finansów w historii: Stany Zjednoczony osiągnęły zwycięstwo dzięki papierowemu złotu.

Zastępca sekretarza skarbu Paul Volcker z uśmiechem na twarzy oświadczył mediom, że specjalne prawa ciągnienia ostatecznie udało się wprowadzić w życie. „Wall Street Journal" oznajmił, iż jest to wielki tryumf amerykańskiej myśli ekonomicznej, ponieważ zdołała ona bezpośrednio uderzyć w archaiczne poglądy głoszące, że złoto, niczym buława dowódcy, musi być głównym wskaźnikiem wartości waluty oraz doskonałym lekarstwem gospodarczym[172].

„Wall Street Journal" zapomniał dodać, że jeśli specjalne prawa ciągnienia są definiowane przez zawartość złota, oznacza to, że złoto wciąż pozostaje „głównym wskaźnikiem" dla waluty, a zatem specjalne prawa ciągnienia nie mogą być „dewaluowane".

Doskonały opis specjalnych praw ciągnienia przedstawił Donald Hoppe:

> Nadejdzie dzień, w którym zostaną one [specjalne prawa ciągnienia] potraktowane przez historyków tak samo, jak spisek z Missisipi Johna Lawa i wynikła stąd

---

171 Jacques Rueff, *The Inflationary Impact the Gold Standard Superimposes on the Bretton Woods System*, Greenwich, 1975.

172 Donald Hoppe, *How to Invest in Gold Stocks*, New York 1972, s. 181.

> „bańka mórz południowych", i razem z nim dołączone do listy wielkich „wynalazków" ludzkości. Za zdefiniowanie ich jako równych złotu przy jednoczesnym braku możliwości ich bezpośredniej wymiany na złoto powinno się przyznać patent na absurd. Każdy papierowy banknot czy inna jednostka zaufania tylko w przypadku wymiany na złoto na podstawie określonej proporcji, bez żadnych ograniczeń, może zostać określona mianem równego „ekwiwalentu" złota[173].

Ekonomista Melchior Palyi również ostro skrytykował ideę „papierowego złota":

> Te nowe rezerwy walutowe specjalnych praw ciągnienia mogą jedynie dodatkowo podrażnić nierozważny rozwój finansów i inflację. Użycie specjalnych praw ciągnienia to tryumf inflacji i tych, którzy nią sterują. Owe prawa usunęły ostatni kamień na drodze prowadzącej do całkowitej kontroli nad „światowymi walutami", gdyż w takiej sytuacji nigdy nie nastąpi ich „deficyt" na świecie[174].

Dnia 18 marca 1968 roku, Kongres USA zlikwidował regulację, która narzucała na Rezerwę Federalną przymus posiadania złota o wartości stanowiącej 25 procent wartości emitowanych dolarów. Owa akcja przecięła ostatni, obowiązkowy związek prawny pomiędzy złotem i emisją dolara.

Świat znajdował się już o krok od ujawnienia prawdy.

Rzecz jasna, plany międzynarodowych bankierów nie zawsze są realizowane gładko i bez przeszkód, osiągając wszystkie zamierzone cele. Idee Keynesa z lat czterdziestych dotyczące specjalnych praw ciągnienia jako przyszłej „światowej waluty" były trochę zbyt „awangardowe". Jednakże optymizm bankierów w tych czasach nie był całkowicie bezpodstawny. II wojna światowa właśnie się zakończyła, pojawiła się Organizacja Narodów Zjednoczonych, prototyp przyszłego „rządu światowego", powołane zostały również Międzynarodowy Fundusz Walutowy i Bank Światowy, owa para połączonych, globalnych instytucji emitujących walutę. Gdyby tylko udało się wprowadzić w tym samym czasie specjalne prawa ciągnienia jako światową walutę, byłby to kolosalny sukces. Niestety, plan nie nadążył za zachodzącymi zmianami. Schemat nowego wspaniałego świata zawarty w pracach Brytyjczyka Keynesa różnił się w wielu punktach od treści książek White'a. Nadszedł czas rządów Ameryki, która głośno o tym przypominała. W rezultacie powstał system dominacji amerykańskiego dolara. Trudno było wówczas o ciepłe przyjęcie planu Keynesa. Między partnerami zabrakło zgody. Jednocześnie międzynarodowi bankierzy nie wzięli pod uwagę potężnej fali narodowowyzwoleńczej w państwach Trzeciego Świata. Wzrost potęgi Azji również zatrząsł układem sił na świecie. Specjalne prawa ciągnienia przez cały czas swojego funkcjonowania nie przynosiły realnych wyników.

---

173 *Ibid.*

174 Melchior Palyi, *A Point of View*, „Commercial and Financial Chronicle", 24 lipca 1969.

Zmasowany atak na złoto

Nixon nie rozumiał – albo nie chciał zrozumieć – że złoto, niczym potężna zapora, jest w stanie powstrzymywać przybrane, wzburzone wody i ratować okoliczny teren przed zalaniem. Bez względu na to, jak bardzo rząd USA starał się zaradzić zaistniałej sytuacji, jego wysiłki pozostawały nieskuteczne.

Istotą problemu był fakt, że na rachunku budżetowym Ameryki pojawił się, grożący w każdej chwili eksplozją, gigantyczny deficyt. W rzeczywistości USA nie posiadały wystarczającej siły finansowej, by móc dalej utrzymać sztywny kurs wymiany dolara na złoto. Złota nie brakowało, jednak amerykański system bankowy po prostu wytworzył zbyt dużo dolarów. Tak oto John Exter z Rezerwy Federalnej opisywał historię ostatecznej bitwy o złoto jako walutę:

> 10 sierpnia 1971 roku grupa bankierów, ekonomistów i ekspertów finansowych zorganizowała w Mantoloking, nadmorskim mieście w stanie New Jersey, nieoficjalne spotkanie na temat kryzysu finansowego. Około godziny 15.00 pojawił się ogromny samochód, z którego wysiadł Paul Volcker. W owym czasie był on podsekretarzem Departamentu Skarbu USA odpowiedzialnym za międzynarodowe kwestie walutowe.
>
> Dyskutowaliśmy nad wieloma możliwymi rozwiązaniami. Jak zapewne spodziewałbyś się po mnie, opowiadałem się stanowczo za restrykcyjną polityką monetarną z podniesieniem stóp procentowych. – Zostałem jednak przegłosowany miażdżącą przewagą głosów. Inni uważali, że Fed w żadnym wypadku nie może spowalniać ekspansji kredytowej, obawiano się, iż mogłoby to spowodować recesję (...) lub coś jeszcze gorszego. Zaproponowałem podwyżkę ceny złota, a Volcker powiedział, że z pewnością miałoby to sens, jednak nie sądzi, aby udało mu się to przepchnąć w Kongresie. Rządy, zwłaszcza wiodące mocarstwa jak USA, bez względu na to, jaka jest prawda, nie lubią przyznawać się swoim obywatelom, że zdewaluowały pieniądz. Jest to dla nich po prostu zbyt kłopotliwe, a kryzys, z którym musieliśmy się wówczas zmierzyć, był dla szerokiej opinii publicznej sprawą raczej nieznaną. Nie był to ogólnonarodowy stan wyjątkowy, jak w 1933 roku, kiedy Roosevelt mógł zrobić w zasadzie wszystko, co zechciał.
>
> W pewnym momencie Volcker zwrócił się do mnie i zapytał, co ja sam zrobiłbym w takim wypadku. Powiedziałem mu, że skoro nie chce podnieść ani stopy procentowej, ani ceny złota, pozostaje mu tylko jedna alternatywa. Poradziłem zamknięcie złotego okna, ponieważ nie ma sensu wyprzedawać naszego złota po 35 dolarów za uncję. Pięć dni później Nixon zamknął złote okno[175].

15 sierpnia 1971 roku ujawniono światu ostateczną prawdę: Stany Zjednoczone nie są zdolne do dłuższego wypełniana złożonych obietnic i utrzymywania związku między dolarem i złotem. Była to kontynuacja polityki Roosevelta, który w 1933 roku odmówił uznania długu wobec własnych obywateli. Tym razem jednak odmawiano uznania długu wobec społeczności międzynarodowej.

---

175 Lips, *Złoty spisek*, s. 72–73.

Wieczorem tego samego dnia Nixon zajadle zaatakował spekulantów, oskarżając ich o chaos, który spowodowali swymi działaniami na międzynarodowym rynku finansowym. Nixon stwierdził, iż w celu ratowania dolara należy „tymczasowo" porzucić system wymiany dolara na złoto.

Kim byli wymienieni przez Nixona spekulanci? Trzeba zdać sobie sprawę, że w tamtym czasie Soros i inni gracze byli mało znaczącymi figurami, a sam rynek walutowy ograniczały regulacje z Bretton Woods. Zmiany kursów walut można było zwyczajnie zignorować. Co więcej, inwestor wcale nie mógł swobodnie wymieniać dolarów na złoto. To prawo posiadały tylko krajowe banki centralne. W tamtym okresie rolę „zadymiarza" przypisano naturalnie francuskiemu rządowi.

Gdy 15 sierpnia 1971 roku ostatnia nić łącząca dolar ze złotem została przerwana przez Nixona, nadeszła dla międzynarodowych bankierów długo oczekiwana, ekscytująca chwila. W ten sposób ludzkość po raz pierwszy w dziejach weszła w epokę wyłącznie prawnego środka płatniczego. Czym epoka ta się skończy – czy przyniesie dobrobyt i szczęście, czy też katastrofy i ruinę – o tym jeszcze za wcześnie wyrokować.

Nietrudno się domyślić, że po porzuceniu więzów złota przez świat przemysłowy Zachodu z Rezerwą Federalną w roli głównej, nastąpił okres bezprecedensowego rozwoju kredytu, a emisja waluty osiągnęła poziom pozostający poza wszelką kontrolą i była dokonywana praktycznie na życzenie. Aż do roku 2006 łączny dług rządu USA, amerykańskich firm i osób prywatnych osiągnął sumę 44 bilionów dolarów. Jeśliby dokonać wyliczeń na podstawie najniższej stopy odsetek, ich łączna kwota co roku sięga 2,2 bilionów dolarów.

Problem polega na tym, że ów dług osiągnął taki poziom, że jego zwrot przestaje być możliwy. Jednakże każdy dług przecież musi być kiedyś spłacony – jeśli nie przez dłużnika, to przez wierzyciela. Czarny scenariusz pokazuje, że w tym wypadku zwrócą go pracujący podatnicy ze wszystkich krajów świata.

„Ekonomiczny zabójca" i naftowy dolar

Dnia 6 października 1973 roku wybucha czwarta wojna na Bliskim Wschodzie. Egipt i Syria w tym samym momencie przeprowadzają atak na Izrael. Tak jak spodziewali się międzynarodowi bankierzy, w wyniku specjalnej proizraelskiej polityki USA, 16 października Iran, Arabia Saudyjska i cztery inne państwa arabskie wprowadzają do akcji „broń naftową", wspólnie ogłaszając podwyżkę cen ropy o 70 procent. Te wypadki wywarły głęboki wpływ na kształt świata w latach siedemdziesiątych.

Podczas konferencji państw arabskich, której przewodził Kuwejt, przedstawiciel Iraku twardo domagał się uznania Stanów Zjednoczonych za główny cel ataku. Proponował, by państwa arabskie dokonały konfiskaty amerykańskiej własności i środków trwałych znajdujących się na ich terenach, przeprowadzając ich nacjonalizację, a następnie zatrzymały wszystkie transporty ropy do Ameryki i wycofały wszystkie aktywa finansowe z amerykańskiego systemu bankowego. Uważano, że te kroki doprowadzą Amerykę do największego od dwudziestu dziewięciu lat kryzysu gospodarczego. Mimo że te radykalne postulaty nie zostały przyjęte, 17 października państwa arabskie osiągnęły jednomyślność, redukując wydobycie ropy o pięć procent, a ponadto wprowadzając plan dalszych redukcji wydobycia o pięć procent miesięcznie, aż do momentu, kiedy ich polityczne cele zostaną zrealizowane.

Niebawem, 19 października Nixon zażądał od Kongresu zgody na natychmiastową pożyczkę dla Izraela w wysokości 2,2 miliarda dolarów. 20 października Arabia Saudyjska i inne kraje arabskie ogłosiły całkowite wstrzymanie eksportu ropy do USA. Światowe ceny ropy poszybowały z 1,39 dolara za baryłkę w 1970 roku do 8,32 dolara za baryłkę w roku 1974. Mimo że zakaz transportu ropy potrwał jedynie pięć miesięcy, do marca 1974 roku, to rozwój wypadków potężnie wstrząsnął społeczeństwami Zachodu.

Międzynarodowi bankierzy usilnie poszukiwali planu, który zapewniłby powrót petrodolarów ze sprzedaży Stanom Zjednoczonym saudyjskiej oraz pochodzącej z innych krajów arabskich ropy. Po przeprowadzeniu dokładnych analiz, USA postanowiły zastosować strategię „dziel i rządź", aby od środka doprowadzić do podziałów i upadku eksporterów ropy naftowej z Bliskiego Wschodu. Jako główny kierunek ataku wybrano Arabię Saudyjską.

Arabia Saudyjska to duży kraj o małej, rozproszonej populacji, bogaty w ropę naftową, położony w sercu Bliskiego Wschodu, otoczony przez Iran, Syrię, Irak, Izrael i innych silnych sąsiadów. Jej defensywna siła militarna jest znikoma, a rządząca rodzina królewska odczuwa ciągły brak bezpieczeństwa. Uzyskawszy wgląd w tę sytuację, poznając słabe punkty Arabii Saudyjskiej, USA zaproponowały jej bardzo atrakcyjne warunki współpracy, starając się przyciągnąć ją w orbitę swoich wpływów. Amerykanie zaoferowali pełne wsparcie polityczne, ochronę militarną w razie potrzeby oraz pomoc technologiczną i szkolenia wojskowe, zapewniając monarchii Saudów trwanie przy władzy. Warunkiem była zgoda na rozliczanie transakcji ropą w dolarach amerykańskich oraz przymus zakupu przez Arabię Saudyjską amerykańskich obligacji rządowych za uzyskane ze sprzedaży ropy dolary. Podaż ropy dla USA miała być zapewniona, podobnie jak ruch cen, których zmiana musiała uzyskać uprzednią zgodę Amerykanów. W sytuacji, gdyby Iran, Irak, Indonezja czy Wenezuela wstrzymały dostawy ropy do USA, Arabia Saudyjska miała obowiązek zwiększyć wydobycie i pokryć w ten sposób deficyt podaży ropy. Arabia Saudyjska miała też „powstrzymywać" inne kraje i „wyperswadować" im akcje wstrzymywania dostaw ropy wymierzone przeciw USA.

Odpowiedzialny za sterowanie całą operacją był znany nam już „ekonomiczny zabójca" Perkins, który został wysłany do Arabii Saudyjskiej. Jako ekonomista w uznanej na świecie firmie inżynieryjnej, Perkins, wykorzystując całą swą kreatywność i pomysłowość, miał doprowadzić do sytuacji, w której zaistniałyby korzystne perspektywy inwestycji w gospodarkę saudyjską; warunkiem wstępnym była gwarancja, że w przetargach zwyciężą amerykańskie firmy inżynieryjne i budowlane[176].

Po długich namysłach Perkins niespodziewanie wpadł na pewien pomysł. Przemierzające ulice Rijadu, stolicy Arabii Saudyjskiej, stada owiec były skrajnie odległe od

---

[176] Por. Perkins, *Hit Man. Wyznania ekonomisty od brudnej roboty*, rozdz. 15.

smaku nowoczesności. W przypadku przeprowadzenia przebudowy miasta na wielką skalę, zaistniałaby możliwość ponownego zarobienia ogromnych sum petrodolarów. Przy tym Perkins doskonale wiedział, że ekonomiści z państw-członków OPEC głośno domagali się przeprowadzania głębokiej przeróbki wydobywanej ropy naftowej, by wykorzystując własny przemysł rafinujący, uzyskać z jej sprzedaży jeszcze wyższe zyski. Perkins znalazł rozwiązanie, które zadowoliłoby wszystkich. Punktem wyjścia był problem owiec: dochody w petrodolarach mogły zostać przeznaczone na zakup bardzo drogich i nowoczesnych amerykańskich technologii utylizacji śmieci, a także na poprawę wizerunku Rijadu, czy nowe konstrukcje, które wymagały wielkiej ilości najlepszych amerykańskich produktów. W branży przemysłowej, petrodolary mogły być użyte w procesie transportu nieprzetworzonej ropy. W branży podstawowych instalacji przerabiających surową ropę naftową możliwe było zbudowanie od podstaw gigantycznego sektora przetwórczego, otaczając go ze wszystkich stron parkami przemysłowymi, elektrowniami, systemem transformatorów i przekazywania energii elektrycznej, autostradami, rurociągami, systemem komunikacyjnym, lotniskami, portami i otaczającym to wszystko sektorem usługowym.

Plan Perkinsa został podzielony na dwie części: pierwsza to podpisywanie kontraktów na konstrukcje *hardware*, druga to kontrakty na długoterminowy serwis oraz zarządzanie. Main, Bechtel, Brown & Root, Halliburton, Stone & Weber i inne amerykańskie firmy z przeróżnych branż miały zarobić w ciągu nadchodzących kilkudziesięciu lat wielkie pieniądze.

Perkins brał również pod uwagę znacznie dalej idące konsekwencje swojego planu, takie jak ochrona kluczowych gałęzi przemysłu znajdujących się na Półwyspie Arabskim, stworzenie amerykańskich baz wojskowych, kontrakty pomiędzy przemysłami obronnymi i związane z tym kontrakty obejmujące całą pozostałą działalność, włączając w to gigantyczne kontrakty na nadzór oraz serwis. To wszystko miało doprowadzić do kolejnej fali projektów budowlanych, jak na przykład lotnisk wojskowych, baz pocisków rakietowych, centrów treningowych dla szkolenia personelu oraz innych powiązanych z tym inwestycji.

Celem Perkinsa było nie tylko zapewnienie powrotu zdecydowanej większości petrodolarów do Stanów Zjednoczonych, ale również wydanie całej sumy powstałej z naliczania odsetek od tych wielkich płatności na rzecz amerykańskich firm.

Mieszkańcy Arabii Saudyjskiej odczuwają nieskrywaną dumę w obliczu tej „modernizacji", związanej z nią budowy przemysłu i poprawianiu wizerunku miast, a inne kraje członkowskie OPEC z zazdrością spoglądają na tempo, z jakim Arabia Saudyjska stała się nowoczesnym państwem. W późniejszym okresie podobny plan zastosowano wobec innych krajów.

Całościowy pomysł i siła lobbingu Perkinsa niezmiernie uradowały wielkich decydentów siedzących poza sceną. W 1974 roku Henry Kissinger przybył do Arabii Saudyjskiej i ostatecznie potwierdził wielką politykę petrodolara.

Kołyszący się pośród wielkiej burzy dolar amerykański, który zrezygnował z ochrony gwarantowanej przez standard złota, ostatecznie znalazł azyl w postaci ropy naftowej.

Zamach na Reagana: koniec nadziei na powrót standardu złota

Mimo że w skali światowej standard złota został już całkowicie zlikwidowany, z wyjątkiem Szwajcarii i kilku innych państw, a złoto i banknoty przestały być ze sobą w jakikolwiek sposób powiązane, spokój międzynarodowych bankierów wciąż burzył fakt, że cena złota przez całe lata siedemdziesiąte nieustannie rosła. Uniemożliwienie powrotu i renesansu standardu złota stało się w takiej sytuacji priorytetowym zadaniem stojącym przed finansową elitą.

1 stycznia 1975 roku, aby udowodnić, że złoto jest zwykłym metalem i tym samym zwiększyć zaufanie ludzi wobec czysto papierowego dolara, rząd amerykański podjął decyzję o likwidacji działającego już od ponad 40 lat przepisu zakazującego obywatelom gromadzenia złota. Inne kraje poprzez obłożenie złota ciężkimi podatkami redukowały potencjalny popyt na złoto wśród swoich obywateli. Niektóre z nich pobierały wysoki pięćdziesięcioprocentowy podatek od wartości dodanej złota. Po 40 latach od zniknięcia złota Amerykanie byli z nim słabo zaznajomieni, a gdy do tego dodać kłopoty i niewygody związane z procedurą jego zakupu, uchylenie zakazu na handel złotem nie doprowadziło do żadnych przewidywanych napięć i niepokojów. Międzynarodowi bankierzy w końcu mogli pozwolić sobie na głęboki oddech. Gdy sprawujący później funkcje prezesa Rezerwy Federalnej Paul Volcker zobaczył, jak John Exter, poprzedni bankier z banku centralnego bawi się złotą monetą, nie mógł powstrzymać ciekawości i zapytał: „John, skąd masz tę złotą monetę?".

Realia „zbijania" ceny złota przez międzynarodowych bankierów wyglądają następująco. Począwszy od 1975 roku, Stany Zjednoczone, otrzymując wsparcie ze strony głównych członków Międzynarodowego Funduszu Walutowego, rozpoczęły działania na rzecz zaniżania ceny złota na światowych rynkach. Celem tego procederu było zdobycie zaufania mieszkańców wiodących państw do idei wyższości papierowego banknotu nad złotem. Sukces w tej operacji, a więc kontrolowanie ceny złota, miał zapewnić możliwość bezterminowej, nieograniczonej kontynuacji procesu nademisji papierowych banknotów.

Ekonomiści są zgodni, że po utracie popytu ze strony rządowych sfer urzędniczych, złoto zostało uznane za rzecz nieposiadającą praktycznie żadnej wartości. Niektórzy twierdzili, że cena 25 dolarów za uncję była „wewnętrzną ceną" złota.

W sierpniu 1975 roku, dokonując kolejnego ruchu na rzecz wyeliminowania wpływu złota, Stany Zjednoczone wraz z głównymi państwami przemysłowymi Zachodu zdecydowały, że rezerwy złota każdego z państw nie będą zwiększane, a Międzynarodowy Fundusz Walutowy dokona wyprzedaży 50 milionów uncji złota, tak by zbić jego cenę. Mimo to cena złota wciąż pozostawała na niezmienionym poziomie, co więcej, we wrześniu 1979 roku wzrosła do poziomu 430 dolarów za uncję. W tym czasie cena złota ponad kilkudziesięciokrotnie przewyższała swój poziom z czasu rozpadu sytemu z Bretton Woods w 1971 roku.

Amerykański Departament Skarbu w styczniu 1975 roku przeprowadził pierwszą aukcję wyprzedaży złota. W jakiś czas później wystawiana na aukcję liczba 300 tysięcy uncji złota została podwyższona do 750 tysięcy, wciąż jednak ciężko było zrównoważyć podaż z popytem kupców na złoto. Dopiero gdy w listopadzie 1978 roku Departament Skarbu ogłosił bezprecedensową w swej skali aukcję 1,5 miliona uncji złota, jego cena rynkowa nieznacznie spadła. 16 października 1979 roku amerykański Departament Skarbu ostatecznie został zmuszony do wycofania się z tej polityki, ogłaszając, iż regularne aukcje złota zostają zlikwidowane na rzecz aukcji „nadzwyczajnych".

Cena złota wynosząca 400 dolarów z uncję jest powszechnie uważana za rozsądne odbicie wartości, podlegającego od rozpoczętej w 1933 roku nademisji, amerykańskiego dolara. Taka powinna być jego stabilna, długoterminowa cena.

Jednak w 1979 roku w listopadzie wybuchł „kryzys zakładników w Iranie", który zmienił długofalowy ruch ceny złota. Zaraz po wybuchu kryzysu, Rezerwa Federalna ogłosiła decyzję o zamrożeniu znajdujących się w Ameryce irańskich rezerw złota. Ten ruch spowodował chłodną reakcję ze strony banków centralnych światowych państw: Jeśli jest możliwe zamrożenie irańskich rezerw złota, oznacza to, że znajdujące się w Ameryce złoto, będące własnością innych, nie jest bezpieczne. Dlatego też wiele krajów krok po kroku rozpoczęło skup złota, a następnie jego transport na własne terytoria. Szczególnie spanikowany Iran rozpoczął szaleńczy wykup złota na światowych rynkach. Irak nie pozostał w tyle, dołączając do szeregu wielkich kupców. Cena złota w ciągu kilku tygodni podskoczyła do poziomu 850 dolarów za uncję.

Obserwacja wszystkich tych złowrogich wydarzeń radykalnie zmieniła poglądy prezydenta Reagana. Doszedł on do wniosku, iż jedynie powrót do standardu złota może uratować amerykańską gospodarkę. W styczniu 1981 roku, podczas swojej inauguracji, Reagan zażądał od Kongresu powołania komisji do spraw złota, która miała rozpocząć prace nad analizą możliwości powrotu do standardu złota. Był to krok wprost do strefy zakazanej ustanowionej przez międzynarodowych bankierów. Dwa miesiące później, 30 marca 1981 roku, mieszkający od 69 dni w Białym Domu Reagan, został postrzelony przez pragnącego zostać gwiazdą filmową Johna W. Hinckleya. Kula minęła serce prezydenta zaledwie o centymetr. Mówi się, że niedoszły zabójca strzelał do prezydenta, by zwrócić na siebie uwagę słynnej gwiazdy filmowej Jodie Foster. Rzecz jasna, tak jak zdecydowaną większość zamachowców, którzy targnęli się na życie amerykańskich prezydentów, również tego człowieka uznano za psychicznie chorego.

Ów strzał nie tylko doprowadził do „ocknięcia się" prezydenta Reagana, ale również rozbił w pył nadzieję na powrót do standardu złota. W marcu 1982 roku, składająca się z 17 członków komisja do spraw złota stosunkiem głosów 15 do 2 zawetowała pomysł powrotu do standardu złota. Prezydent Reagan szybko uległ naciskom „słusznych opinii".

Odtąd już żaden amerykański prezydent nie ośmielił się pomyśleć o możliwości powrotu do standardu złota.

ROZDZIAŁ VIII

Niewypowiedziana wojna o pieniądz

Niczym horda wilków, stojąc na wzgórzu, wpatrujemy się w stado jeleni. Zwykło się porównywać tajlandzką gospodarkę do małego azjatyckiego tygrysa, jednak bardziej trafne jest stwierdzenie, iż w istocie przypomina ona zranioną zwierzynę łowną. Wybieramy najsłabszego osobnika, aby upewnić się, że zwarte stado pozostanie zdrowe i silne.

Eugene Linden[177]

[177] Eugene Linden, *How to Kill a Tiger*, „Time Magazine Asia", 3 listopada 1997.

Klucz do rozdziału

Jak powszechnie wiadomo, kto zdobędzie monopol podaży określonego produktu, zyskuje możliwość generowania niebotycznych zysków. Pieniądz jest towarem, którego potrzebują wszyscy ludzie, a zatem, jeśli ktoś jest zdolny do zdobycia monopolu emisji pieniądza w danym kraju, wykorzystuje to jako metodę do zagarniania niczym nieograniczonych, gigantycznych zysków. Oto powód, dla którego od kilkuset lat międzynarodowi bankierzy wytężają umysły, rozważnie przygotowują plany, gotowi na użycie wszelkich metod w celu zdobycia monopolu emisji waluty w określonym kraju. Ostateczną granicą ich dążeń jest zdobycie monopolu na emisję światowej waluty.

Aby ustabilizować kontrolę emisji światowego pieniądza, owego szczytu, na którym znajduje się punkt dowodzenia i skąd formułowane są strategie finansowe, począwszy od lat siedemdziesiątych XX stulecia bankierzy uruchomili serię środków mających na celu utrwalenie zaufania do amerykańskiego dolara, „rozczłonkowanie" gospodarek krajów rozwijających się oraz rozbicie potencjalnych konkurentów w wojnie o walutę. Ostatecznym, strategicznym celem ich działań jest kontrolowany upadek gospodarki światowej, dzięki któremu możliwe będzie ustanowienie trwałych fundamentów „rządu światowego", „światowej waluty" i „światowego podatku" pozostających pod kontrolą osi Londyn-Wall Street.

Należy mieć świadomość, że międzynarodowi bankierzy są grupą mającą bardzo specyficzne interesy. Nie okazują lojalności wobec żadnego ze światowych rządów, wręcz przeciwnie – kontrolują państwa i ich rządy. Na określonym etapie historii mogą wykorzystywać amerykańskiego dolara i siłę USA, jednakże, po zakończeniu przygotowań, w każdej chwili mogą dokonać ataku na amerykańską walutę, wywołując w ten sposób recesję porównywalną z Wielkim Kryzysem z 1929 roku, by przekonać bądź zmusić rządy narodowe do wyrzeczenia się ich suwerennych praw i wprowadzić systemy regionalnych rządów i regionalnych walut.

Uderzenie w chiński system finansowy niewątpliwie jest dla międzynarodowych grup finansowych kwestią priorytetową. Akcja przeciwko Chinom nie zależy od posiadanych możliwości, a jedynie od czasu i metod. W tym momencie więc pozostawienie spraw ich własnemu biegowi może doprowadzić do wydarzeń o katastrofalnych skutkach.

Jest prawdopodobne, że w swoim ataku finansiści zastosują strategię podobną do tej, której użyli w Japonii. Najpierw doprowadzą do powstania wielkiej bańki spekulacyjnej aktywów, wskutek czego gospodarka Chin, dzięki ich „pomocy", wejdzie w okres kilku lat wielkiej prosperity, dokładnie tak, jak to było w Japonii w latach 1985-1990. Następnie zostanie zadany bolesny, zabójczy cios z oddali, rodzaj nuklearnego ataku finansowego podważającego zaufanie świata do chińskiej gospodarki. To doprowadzi do panicznej ucieczki zagranicznego kapitału z Chin i raptownego spadku cen, dzięki czemu będzie możliwy wykup najważniejszych chińskich aktywów, doprowadzając do dezintegracji chińskiej gospodarki, w ten sposób kończąc ostatni, najtrudniejszy akt na drodze do zjednoczenia świata

1973: wojna na Bliskim Wschodzie i kontratak dolara

Wybuch wojny na Bliskim Wschodzie 6 października 1973 roku nie był przypadkowy. W maju tego samego roku, podczas obrad Klubu Bilderberg, 84 bankierów, szefów wielkich korporacji międzynarodowych oraz wybranych polityków rozważało nad problemem dotykającym ich wszystkich: zmierzającym do upadku, pozbawionym wsparcia złota amerykańskim dolarem.

David Rockefeller zabrał ze sobą na spotkanie swojego najbliższego współpracownika, Zbigniewa Brzezińskiego. Rezultatem spotkania była decyzja o konieczności odbudowy zaufania wobec dolara i odzyskania dominującej pozycji na bitewnym polu finansowym, nad którym dopiero co utracono kontrolę.

Międzynarodowi bankierzy zaproponowali zdumiewający plan: zgodę na wzrost ceny ropy o 400 procent![178]

Ten śmiały plan miał za zadanie zrealizować kilka celów: z jednej strony, ponieważ światowe transakcje ropy naftowej były rozliczane w dolarach amerykańskich, czterokrotny wzrost ceny ropy doprowadziłby do zwiększenia popytu na dolara we wszystkich krajach, co zbilansowałoby efekt uboczny likwidacji wsparcia dolara złotem i jego gwałtowną wyprzedaż. Z drugiej strony, wskutek znakomitych efektów pracy „ekonomicznych zabójców", wiele krajów Ameryki Łacińskiej oraz Azji Południowo-Wschodniej znalazło się w beznadziejnej sytuacji zadłużenia. W przypadku nagłego wzrostu ceny ropy, USA gładko przeprowadziłyby wzrost stóp procentowych, a owe zacofane gospodarczo, ale mające mnóstwo zasobów naturalnych kraje, stałyby się tłustymi owcami oczekującymi na rzeź.

Najbardziej błyskotliwym elementem tego planu było „przerzucenie winy na innych". Najpierw podjudzono Egipt i Syrię do ataku na Izrael, a następnie nastąpiło otwarte wsparcie Izraela przez Stany Zjednoczone, co spotkało się z wściekłością i oburzeniem w świecie arabskim i ostatecznie doprowadziło do wprowadzenia embarga na eksport ropy do krajów Zachodu. Cena ropy raptownie wzrosła, a całe światowe oburzenie skoncentrowało się na krajach arabskich. Międzynarodowi bankierzy z podwyższenia obserwowali walkę tygrysów, a zarazem przeliczali powracające banknoty petrodolarów. Nie tylko odwrócono spadkową tendencję amerykańskiego dolara, ponownie zdobyto dominującą pozycję na światowym polu bitwy finansowej, ale również gładko „ostrzyżono" państwa-owce Ameryki Łacińskiej, Indonezję i inne kraje. Znakomity plan został wykonany bez najmniejszego błędu.

Przyglądając się kolejnym historycznym akcjom międzynarodowych bankierów, można odkryć, że zawsze stosują „najefektywniejszy algorytm" – za każdym razem ich strategiczne akcje potrafią w tym samym czasie zrealizować co najmniej kilka celów. Nie będzie przesadą opisanie tego za pomocą chińskiego przysłowia mówiącego o „zabiciu trzech ptaków jednym kamieniem".

[178] Engdahl, *A Century*, s. 130.

Brzeziński i Kissinger – dwaj najbardziej hałaśliwi, ściśle współpracujący ze sobą oficerowie międzynarodowej finansjery – są w stanie dokładnie przewidzieć rozwój wypadków. Brzeziński tworzył plany, a Kissinger, będący swego czasu informacyjnym „carem" w administracji Nixona, bezpośrednio włączał się w sprawy administracyjne. William Engdahl w książce *A Century War* pozwala sobie na ostry komentarz:

> Kissinger stale filtrował informacje płynące do Ameryki [z Bliskiego Wschodu], włączając w to zdobyte przez amerykański wywiad informacje potwierdzające przygotowania arabskich urzędników do wojny. Działania Waszyngtonu w czasie wojny, podobnie jak i słynna powojenna „wahadłowa dyplomacja" Kissingera precyzyjnie wprowadzały w życie postanowienia podjęte na konferencji Klubu Bilderberg w maju tamtego roku. Arabskie państwa wydobywające ropę naftową stały się kozłami ofiarnymi, na których skupiła się złość świata, a anglo-amerykańskie interesy po cichu rozgrywały się za kurtyną[179].

Kuszona i przymuszana siłą przez Kissingera Arabia Saudyjska została pierwszym członkiem OPEC, który osiągnął porozumienie z USA. Wykorzystując petrodolary, Arabia Saudyjska kupowała amerykańskie obligacje rządowe i w ten sposób następował powrót petrodolarów. Później Kissinger dokonał rozstrzygającego aktu: w 1975 roku ministrowie państw OPEC wyrazili zgodę na wykorzystywanie wyłącznie dolarów amerykańskich w rozliczeniach transakcji ropą naftową. Waluta światowa weszła w epokę „standardu ropy naftowej".

Gwałtowny wzrost ceny ropy doprowadził do wzrostu popytu na dolara używanego do rozliczeń w handlu ropą. Ostatecznie dolar amerykański uzyskał silne wsparcie na międzynarodowym rynku.

W latach 1949-1970 światowa cena ropy była stabilna, wynosząc 1,9 dolara za baryłkę. W latach 1970-1973 stopniowo szła w górę, osiągając poziom trzech dolarów za baryłkę. Zaraz po wybuchu wojny 16 października 1973 roku, OPEC podniosła cenę ropy o 70 procent do 5,11 dolara za baryłkę. 1 stycznia 1974 roku cena ropy wzrosła o ponad 100 procent, do poziomu 11,65 dolara za baryłkę. Od czasu konferencji Klubu Bilderberg w maju 1973 roku do stycznia 1974 roku cena ropy, tak jak się spodziewano, wzrosła o blisko 400 procent.

W 1974 roku, nie do końca orientujący się w bieżących wydarzeniach prezydent Nixon spróbował za pośrednictwem Departamentu Skarbu wywrzeć presję na kraje OPEC, by zgodziły się na redukcję cen ropy. Jeden ze znających prawdę urzędników w swoim sprawozdaniu pisał: „Bankierzy zignorowali tę propozycję, kładąc silny nacisk na wykorzystanie polityki «powrotu petrodolarów» jako strategii pozwalającej stawić czoła rosnącym cenom ropy – to była zabójcza w skutkach decyzja".

Wydarzeniom tym towarzyszył wzrost cen ropy naftowej, który doprowadził uprzemysłowione państwa Zachodu do dwucyfrowej inflacji. Oszczędności obywa-

[179] *Ibid.*, s. 136.

teli zostały wyczyszczone, ale najgorszy los przypadł w udziale niczego nieświadomym i nieprzygotowanym państwom rozwijającym się. Tak to wyjaśnia Engdahl:

> Wzrost ceny ropy naftowej o blisko 400 procent był potężnym ciosem wymierzonym w gospodarki państw, dla których ropa była głównym surowcem energetycznym. Ponieważ większość gospodarek cierpi na deficyt ropy, nastąpiło nagłe zderzenie z nieprzewidzianym, czterystuprocentowym wzrostem kosztów importowanego surowca, któremu nie sposób było sprostać. Nie trzeba też dodawać, że koszty wykorzystywanej w rolnictwie ropy naftowej i nawozów sztucznych również poszły w górę.

W 1973 roku Indie odnotowywały pozytywny bilans handlowy, znajdując się w zdrowej sytuacji, dobrej dla rozwoju gospodarczego. W 1974 roku rezerwy walutowe Indii wynosiły 629 milionów dolarów, ale zmuszone zostały do zapłaty za importowaną ropę podwójnej ceny: miliarda 241 milionów dolarów. Na tej samej zasadzie Sudan, Pakistan, Filipiny, Tajlandia, państwa Afryki i Ameryki Południowej, kolejno znajdowały się w sytuacji deficytu w obrotach handlowych. Zgodnie ze statystykami Międzynarodowego Funduszu Walutowego, deficyt państw rozwijających się w 1974 roku osiągnął sumę 35 miliardów dolarów; wówczas była to suma astronomiczna. Nic dziwnego, że ów deficyt był dokładnie cztery razy większy niż rok wcześniej – można powiedzieć, że wzrósł on proporcjonalnie do ceny ropy naftowej.

O ile na początku lat siedemdziesiątych przemysł i handel rozwijały się dynamicznie, o tyle w latach 1974-1975 nastąpiła ich globalna atrofia i mieliśmy do czynienia z kryzysem niespotykanym od zakończenia II wojny światowej[180].

W latach siedemdziesiątych XX stulecia wiele z krajów rozwijających się, dokonując industrializacji, wpadło w głębokie uzależnienie od nisko oprocentowanych pożyczek z Banku Światowego. Niepohamowany wzrost ceny ropy naftowej pożarł większości z ich aktywów. Kraje rozwijające się stawały przed wyborem: albo zatrzymać proces industrializacji, stając się niezdolnym do zwrotu zbyt wysokich pożyczek Bankowi Światowemu, albo pożyczyć zeń jeszcze większe sumy i przeznaczyć je na zakup ropy oraz zwrot odsetek wynikłych z gigantycznego długu.

Bank Światowy, łącząc swoje wysiłki z Międzynarodowym Funduszem Walutowym, już bardzo wcześnie zastawił sieć i spokojnie czekał. Międzynarodowy Fundusz Walutowy sformułował szereg twardych warunków towarzyszących ewentualnej pomocy, ponownie zmuszając zdezorientowane, doświadczające wielkich nieszczęść kraje rozwijające się do wypicia słynnej mikstury znanej jako „cztery lekarstwa MFW", czyli: prywatyzacja kluczowych aktywów krajowych gospodarek, liberalizacja rynku kapitałowego, urynkowienie podstawowych elementów życia, liberalizacja handlu międzynarodowego. Większość z krajów, które napój ów wypiły, znalazło się w sytuacji co prawda nie śmierci, ale permanentnej choroby. Nawet te nieliczne kraje, które posiadały silny system odpornościowy,

---

[180] *Ibid.*, s. 140.

zostały doprowadzone do sytuacji, w której ich witalność znacznie ucierpiała, państwo osłabło, a ludzie zubożeli.

Kiedy kraje rozwijające się zmagały się z przeciwnościami, poszukując gdzie się da dolarów potrzebnych do zapłacenia za nadzwyczaj drogą ropę, już oczekiwały na nie kolejne, nagłe i szokujące wydarzenia.

Paul Volcker: „kontrolowany rozpad" gospodarki światowej

Volcker zajął fotel prezesa Rezerwy Federalnej dlatego, że wybrali go ludzie z Wall Street. Taka była ich cena. Wszyscy wiedzą, że jest roztropny i konserwatywny, nie wiedzą jednak, że już zaraz dokona on radykalnych zmian.

historyk Charles Geisst

W 1973 roku prezes rady nadzorczej Chase Manhattan Bank, David Rockefeller, w celu zacieśnienia związków pomiędzy kręgami finansowymi z Ameryki Północnej, Europy Zachodniej i Japonii, korzystając z sugestii i pomocy Brzezińskiego, sformował organizację znaną jako Komisja Trójstronna. Jej członkami są głównie wielcy bankierzy, przemysłowcy, znani politycy z Ameryki Północnej, Europy Zachodniej i Japonii. W Nowym Jorku, Paryżu i Tokio usytuowano centrale Komisji. Każda z tych trzech stref wybiera swojego przewodniczącego. Rzecz jasna, przewodniczącym nowojorskiej centrali jest David Rockefeller, Brzeziński zaś sprawuje funkcję jej sekretarza, prowadząc jej rutynowe operacje. Swego czasu Brzeziński blisko zaprzyjaźnił się z profesorem Uniwersytetu Columbia, Davidem Ruskiem, pochodzącym ze stanu Georgia. W czasach, gdy Kennedy i Johnson administrowali w Białym Domu, Rusk pełnił funkcję sekretarza stanu. Rusk zasugerował Brzezińskiemu zaproszenie do Komisji Trójstronnej gubernatora Georgii, Jimmy'ego Cartera, wygłaszając wiele pochwał na temat jego wizji politycznej oraz zdolności do przeforsowywania swoich rozwiązań.

Przy gorącym wsparciu ze strony Ruska, który postanowił bliżej związać ze sobą obu polityków, Brzeziński odbył dwa spotkania z Carterem, od razu dochodząc do przekonania, że ten człowiek w przyszłości może być bardzo użyteczny. Biorąc pod uwagę ówczesny status i dokonania Cartera, jego członkostwo w Komisji Trójstronnej miało nikłe szanse na powodzenie, tak więc Brzeziński osobiście zarekomendował Cartera Davidowi Rockefellerowi, wygłaszając pod jego adresem szereg komplementów. Przewodniczący Komisji Trójstronnej podjął decyzję i osobiście umieścił Cartera wśród jej członków. W ten sposób, nieznane dotąd szerzej imię i nazwisko Jimmy Carter zostało dopisane do listy amerykańskich członków jednej z najważniejszych organizacji na świecie. Był to jego zasadniczy, olbrzymi krok na drodze do Białego Domu, gdzie znalazł się pięć lat później.

Po wprowadzeniu się Cartera do Białego Domu, Brzeziński jako „człowiek, który wprowadził go do partii", od razu został mianowany prezydenckim asystentem do spraw bezpieczeństwa narodowego. W istocie reprezentował on międzynarodowych bankierów, działając w roli „regenta", w podobny sposób, jak czynił to Kissinger w epoce Nixona.

W 1978 roku zwolniło się stanowisko prezesa Rezerwy Federalnej. Nie trzeba dodawać, że z punktu widzenia międzynarodowych bankierów była to niesłychanie ważna funkcja. David Rockefeller, jako kandydata na wakat prezesa FED, zarekomendował prezydentowi Carterowi swojego podwładnego, Paula Volckera. Carter nie mógł odrzucić tego żądania.

„New York Times" twierdzi, że nominacja Paula Volckera uzyskała zgodę ze strony europejskich banków z Bonn, Frankfurtu i Szwajcarii. Na giełdzie w Nowym Jorku, która od dłuższego czasu znajdowała się w tzw. *bear market* (rynku o tendencji zniżkowej) nastąpił delikatny wzrost indeksu o 9,73 punkta, a amerykański dolar uległ wzmocnieniu na światowym rynku walutowym.

Od roku 1933, kiedy Eugene Mayer opuścił stanowisko w Rezerwie Federalnej, członkowie rodzin międzynarodowych bankierów całkowicie wycofali się z pierwszej linii finansowego frontu, znajdując dla siebie miejsce za sceną. Za każdym razem dokonywali ostrej selekcji przy wyborze prezesa nowojorskiego banku Rezerwy Federalnej, by w ten sposób kontrolować jej bieżące operacje. Volcker idealnie spełniał ich wymagania. W młodości studiował na Uniwersytetach Harvarda i Princeton. Później przybył do Londynu, gdzie kontynuował zaawansowane studia w London School of Economics. W latach pięćdziesiątych sprawował funkcję ekonomisty w nowojorskim banku Rezerwy Federalnej, by później otrzymać stanowisko, również ekonomisty, w Manhattan Chase Bank. W latach sześćdziesiątych pracował w Departamencie Skarbu, będąc jednym z głównych pomysłodawców likwidacji standardu złota w czasach Nixona. W roku 1974 został mianowany na kluczowe stanowisko prezesa nowojorskiego banku Rezerwy Federalnej, w istocie stając się osobą odpowiedzialną za całość operacji FED.

Na początku listopada 1978 roku, będący w znakomitym nastroju Volcker, wygłosił wykład na brytyjskim Uniwersytecie w Warwick. Ujawnił w nim, że „na pewnym poziomie «kontrolowany rozpad» gospodarki światowej jest rozsądnym celem na lata osiemdziesiąte"[181].

Zasadnicze pytanie w tym miejscu dotyczy tego, o czyją gospodarkę chodzi? I jak ów rozpad miałby się dokonać?

Na początku naturalnymi „kandydatami" były potężnie zadłużone kraje Trzeciego Świata, następnie Związek Radziecki i Europa Wschodnia.

Podczas swojej inauguracji Volcker podniósł błyszczący sztandar „walki ze światową inflacją", by wraz z bliskim i tajnym sojusznikiem, Wielką Brytanią, doprowadzić do ogromnego wzrostu kosztów pożyczek udzielanych w dolarach amerykańskich. Wewnętrznie oferowane odsetki bankowe IBOR (*Internal Bank*

---

[181] Fred Hirsch Memorial Lecture, Warwick University, Coventry, Anglia, 9 listopada 1978.

Offered Rate) z 11,2 procenta w 1979 roku, za jednym zamachem zostały podniesione do 20 procent w roku 1981. Podstawowa stopa odsetek była jeszcze wyższa, osiągając 21,5 procent, a w przypadku obligacji sięgnęła 17,3 procent.

W maju 1979 roku Margaret Thatcher wygrała wybory. Gdy obejmowała funkcję premiera, solennie obiecała: „Inflację należy całkowicie usunąć z gospodarki". Po miesiącu sprawowania urzędu, Thatcher podjęła decyzję i w ciągu 12 tygodni podniosła podstawową stopę odsetek z 12 do 17 procent. W tym tak krótkim czasie koszty kredytów dla wszystkich branż raptownie podskoczyły do 42 procent. Taka sytuacja nigdy dotąd nie zdarzyła się w będącym w stanie pokoju, uprzemysłowionym kraju. Premier Thatcher w ten sposób zdobyła swój przydomek „Żelazna Lady".

Pod sztandarem „walki z inflacją" gospodarka weszła w stadium ostrej recesji. Obywatele, przemysł i handel zmuszone były do ponoszenia bolesnych kosztów, podczas gdy równocześnie amerykańscy i brytyjscy bankierzy szybko zarabiali wielkie pieniądze.

Pojawiły się hasła mówiące o redukcji wydatków rządowych, obniżce podatków, liberalizacji nadzoru nad branżami gospodarczymi, rozbijaniu siły związków zawodowych itp. W uginających się pod ciężarem gigantycznych długów państwach rozwijających się zagościł chaos i rozpacz, jak gdyby gotowano się na rychłą śmierć. W tamtym okresie łączny dług krajów rozwijających się, który w czasie konferencji Klubu Bilderberg w maju 1973 roku wynosił 130 miliardów dolarów, wzrósł pięciokrotnie, osiągając w 1982 roku zdumiewającą sumę 612 miliardów dolarów. I właśnie wtedy USA i Wielka Brytania pod sztandarem „walki z inflacją" gwałtownie podniosły stopy odsetek do poziomu około 20 procent. Gigantyczny dług krajów rozwijających się został przygnieciony przez wynikające z niego przerażająco wysokie odsetki od kredytów. Los owych krajów został przypieczętowany: stały się kolejnym kęsem leżącym na bankierskiej desce do krojenia. Kompletnie nie wiedząc, jak chronić swoje interesy w wojnie finansowej, kraje Afryki, Azji i Ameryki Łacińskiej musiały za swoje zaniedbania zapłacić bolesną cenę.

Amerykański sekretarz stanu George Schultz 30 września 1982 roku, podczas swojego wystąpienia na forum ONZ, podkreślił, iż Międzynarodowy Fundusz Walutowy powinien ściśle nadzorować spłatę długów przez kraje rozwijające się, naciskał, by kraje te za pomocą towarów eksportowych „lepiej przyciągały uwagę państw Zachodu", dodając, że tylko „wolny handel" może je uratować. Poza tym, twierdził, że zwiększenie wyprzedaży surowców naturalnych może szybko pomóc w procesie spłaty i rozliczeń zaciągniętych długów.

Prezydent Meksyku Lopez Portillo wygłosił ostry, polemiczny komentarz, wskazując na fakt, iż to bankierzy z Wielkiej Brytanii i Stanów Zjednoczonych celowo stosują strategię wysokich odsetek połączoną z towarzyszącą jej niską ceną na surowce naturalne, dzięki czemu, jak „nożyczki, których dwa ostrza śmiertelnie duszą niektóre kraje rozwijające się, które w procesie budowy gospodarki osiągnęły jakieś rezultaty, odbierają innym krajom jakąkolwiek możliwość postępu". Portillo szedł nawet krok dalej, grożąc, że będzie adwokatem wstrzymania spłaty długów przez kraje rozwijające się:

Meksyk, podobnie jak inne kraje Trzeciego Świata, nie są zdolne do terminowej spłaty długów zgodnie z warunkami, które są bardzo odległe od rzeczywistej sytuacji. My, kraje rozwijające się, nie chcemy być wasalami [krajów Zachodu]. Nie możemy doprowadzić naszych krajów do paraliżu gospodarczego lub pozwolić naszym rodakom na wpadnięcie w tragiczną sytuację materialną tylko po to, by móc spłacić długi. Bez naszego udziału koszty obsługi tych długów wzrosły już ponad trzykrotnie, ale nie jesteśmy za to odpowiedzialni. Naszym celem jest likwidacja głodu, chorób, analfabetyzmu i zależności, nie zaś doprowadzenie do światowego kryzysu gospodarczego[182].

Tak się nieszczęśliwie złożyło, że dwa miesiące po wystąpieniu Portillo na forum ONZ, międzynarodowi bankierzy uznali, że należy go zastąpić kimś innym. Międzynarodowy Fundusz Walutowy jako „policja chroniąca porządek kredytowy" dokonał ingerencji w meksykańskie rozliczenia długów. Engdahl tak opisuje tę historię:

Właśnie rozpoczął się największy w nowożytnej historii proces zorganizowanego rabunku, znacznie przewyższający swoim zasięgiem działania sprzed dwóch dekad. Rzeczywista sytuacja jest całkowicie odmienna od dezinformacji rozprzestrzenianej przez media z Europy Zachodniej i USA. Zadłużone kraje spłaciły już wielokrotność zaciągniętych kredytów, a mimo to wciąż płacą krwią, spłacając długi wobec nowojorskich czy londyńskich Shylocków. Stwierdzenie, iż od sierpnia 1982 roku kraje rozwijające się nie spłacają zadłużenia, nie jest prawdziwe. Do ich głowy przystawiono pistolet i pod groźbami Międzynarodowego Funduszu Walutowego podpisują przedłożone im przez międzynarodowych bankierów umowy, określane eufemistycznie jako „plany rozwiązania problemów spłaty zadłużenia", w których z reguły uczestniczą słynny Citibank z Nowego Jorku bądź Chase Manhattan Bank[183].

Pożyczkę z MFW można uzyskać tylko wówczas, gdy występujące o nią państwo wyraża zgodę i podpisuje całą serię „specjalnych warunków", do których zaliczają się: redukcja wydatków rządowych, wzrost podatków, dewaluacja waluty. Następnie dług jest prolongowany, a kraje rozwijające się muszą dokonać spłaty „kosztów obsługi" wobec międzynarodowych bankierów, które zostają wpisane do całkowitej sumy długu.

Meksyk został zmuszony do obcięcia subsydiów rządowych na lekarstwa, artykuły spożywcze, paliwo i inne ważne produkty konsumpcyjne. W tym samym czasie miała miejsce drastyczna dewaluacja peso. Na początku 1982 roku, w wyniku reform gospodarczych podjętych przez prezydenta Portillo, kurs peso względem dolara wynosił 12:1, ale już w 1989 wartość peso spadła do poziomu 2300 peso za jednego dolara. Meksykańska gospodarka znalazła się w stanie przeprowadzanego przez międzynarodowych bankierów „kontrolowanego rozpadu".

[182] Engdahl, *A Century War*, s. 190.

[183] *Ibid.*, s. 192.

Zgodnie z danymi Banku Światowego w latach 1980-1986 setka zadłużonych państw wypłaciła międzynarodowym bankierom odsetki o łącznej wartości 326 miliardów dolarów. Do tego dochodzą zwrócone kwoty kredytów, których wartość wyniosła 332 miliardy dolarów. Podsumowując: kraje rozwijające za zaciągnięte kredyty na łączną sumę 430 miliardów dolarów (1980) wypłaciły 658 miliardów dolarów wszystkich kosztów (zwrot długu plus odsetki). Mimo to, w 1987 roku 109 zadłużonych państw wciąż było winne międzynarodowym bankierom 1,3 biliona dolarów. Naliczanie procentów dokonywało się w oparciu o tak zdumiewające podstawy, że kraje rozwijające się nigdy nie miały szansy doczekać dnia, w którym zwróciłyby cały dług. Dlatego też światowa elita finansowa oraz Międzynarodowy Fundusz Walutowy zaczęły stosować wobec zadłużonych krajów politykę spłat za pomocą bankructwa. Państwa akceptujące bankierskie „plany rozwiązania problemów spłaty zadłużenia" zostają zmuszone do sprzedaży po skrajnie niskich cenach olbrzymiej liczby aktywów takich jak wodociągi, elektrownie, gaz, linie kolejowe, telekomunikacja, ropa, banki itd.

Ludzie ostatecznie uświadomili sobie potężną, nieporównywalną z niczym, niszczycielską siłę zawartą, w przygotowywanych przez międzynarodowych bankierów gospodarczych planach „kontrolowanego rozpadu".

Światowy Bank Ochrony Środowiska: kontrola nad jedną trzecią globu

Kiedy rozwijające się kraje Afryki, Azji i Ameryki Łacińskiej głęboko wpadły w bagno zadłużenia, międzynarodowi bankierzy rozpoczęli przygotowania dla akcji o jeszcze większym zasięgu, której metody i skala przekraczają zdolności percepcyjne zwykłych ludzi. Osoby o przeciętnej inteligencji nie są w stanie domyśleć się, że „ochrona środowiska" może być punktem wyjścia do ustanawiania coraz szerszej władzy.

Jeśli nie spojrzymy na problem z historycznego punktu widzenia, nigdy nie zrozumiemy olbrzymiej siły, jaką dysponują międzynarodowe koła finansowe, potrafiące doprowadzić do tego, że ludzie widzą świat niczym przez mgłę. W sierpniu 1963 roku, na jednym z uniwersytetów na Środkowym Zachodzie USA, profesor socjologii – występujący pod fikcyjnym nazwiskiem John Doe – odebrał telefon z Waszyngtonu zapraszający go do udziału w tajnym panelu badawczym. W tym programie miało uczestniczyć 15 najlepszych wykładowców z amerykańskich uczelni wyższych. Ponieważ John Doe zainteresował się całym projektem, stawił się w wyznaczonym miejscu zwanym Iron Mountain, znajdującym się w pobliżu miasta Hudson w stanie Nowy Jork. Tam, w czasie zimnej wojny, zbudowano gigantyczne podziemne bunkry i instalacje zdolne do wytrzymania radzieckiego ataku nuklearnego. Setki central największych amerykańskich firm właśnie tam ulokowały swoje tymczasowe biura, wśród nich były między innymi New Jersey

Standard Oil, Shell, Hannover Manufactures Trust itd. W przypadku wybuchu wojny nuklearnej, Iron Mountain przejmuje funkcję najważniejszego centrum operacji handlowych w USA, aby zapewnić przetrwanie wojny amerykańskiemu systemowi handlowemu. To tam właśnie firmy przechowują najważniejsze, najbardziej poufne dokumenty i akta.

Owa tajemnicza grupa badawcza skupiła się nad pytaniem o to, jakim wyzwaniom będą musiały w przyszłości sprostać Stany Zjednoczone, jeśli świat wejdzie w erę „wiecznego pokoju". Chodziło więc o przygotowanie zawczasu odpowiedniej polityki. Praca badawcza potrwała prawie dwa i pół roku.

W 1967 roku piętnastoosobowa grupa zakończyła prace i przygotowała ściśle tajny raport. Rząd USA zażądał od jego autorów zachowania absolutnej tajemnicy. Jednak profesor John Doe poczuł, że ów raport jest niesłychanie ważny, toteż jego treść nie powinna być ukrywana przed opinią publiczną. Odszukał znanego pisarza Leonarda Lewina i przy jego pomocy w 1967 roku w wydawnictwie Dial Press opublikował książkę zatytułowaną *Report from Iron Mountain* (*Raport z Żelaznej Góry*). Książka wywołała raptowny wstrząs wśród amerykańskiej opinii publicznej. Wszyscy za wszelką cenę starali się odgadnąć tożsamość Johna Doe. W tym czasie powszechnie sądzono, iż ów raport został przygotowany na polecenie ówczesnego sekretarza obrony Roberta McNamary. McNamara był członkiem CFR, a poźniej pełnił obowiązki szefa Banku Światowego. Organizację badawczą łączono z Centrum Badawczym Hudson, którego twórcą był Herman Kahn, również członek CFR.

Wobec ujawnienia tajemnicy państwowej, asystent do spraw bezpieczeństwa narodowego prezydenta Johnsona, Rostow, błyskawicznie wszedł do akcji, by dokonać szybkiej „sterylizacji". Stwierdził, że cały raport jest czystą fikcją. W dokładnie ten sam sposób pozostający pod kontrolą członka CFR, Henry'ego Luce'a, magazyn „Time", określił raport mianem „nadzwyczajnie skonstruowanego absurdu". Czy *Report from Iron Mountain* jest prawdziwy? W amerykańskim społeczeństwie debaty na ten temat trwają aż do dziś.

Jednakże 26 listopada 1967 roku „Washington Post" w kolumnie poświęconej recenzjom książek, przedstawił *Report from Iron Mountain* czytelnikom. Autorem recenzji był znany amerykański profesor John Kenneth Galbraith, również członek CFR. Galbraith stwierdził, że posiada dostęp do informacji z pierwszej ręki, które potwierdzają autentyczność raportu, ponieważ on sam znajdował się wśród zaproszonych badaczy. Nie wziął udziału w projekcie, mimo to jednak, przez cały czas jego trwania, zasięgano u niego opinii w wielu kwestiach, jednocześnie ostrzegając go o obowiązku zachowania tajemnicy. „Jestem gotów postawić na szali moją reputację jako poręczenie dla autentyczności tego dokumentu, jestem również gotów potwierdzić, że jego wnioski są realizowane. Mam jedynie wątpliwości, czy jego udostępnienie nieprzygotowanej opinii publicznej jest rozsądną decyzją"[184]. Galbraith dwukrotnie podczas wywiadów z mediami potwierdził wiarygodność owego raportu.

[184] Herschel McLandress (pseudonim dziennikarski Galbraitha), *Book World*, „Washington Post", 26 listopada 1967.

Jakież to zdumiewające i pełne grozy, wprowadzające „elitę" w stan nerwowości, wnioski prezentuje ów raport?

Report from Iron Mountain szczegółowo ujawnia plany światowej elity dotyczące kierowania rozwojem przyszłej sytuacji na świecie. Głównym celem raportu nie jest dyskusja o tym, co słuszne, a co błędne, nie są nim też rozważania na temat praw człowieka i wolności, również takie kwestie, jak patriotyzm czy wiara religijna nie są obiektem jego zainteresowań. Jest to „czysty i obiektywny raport". Jego cel został jasno wyłożony w poniższym fragmencie:

> Kontynuacja stanu pokoju, mimo że teoretycznie prawdopodobna, jest na dłuższą metę niemożliwa. Nawet jeśli da się osiągnąć pokój, dla stabilnego społeczeństwa nie jest to wybór optymalny... wojna jest specyficznym środkiem służącym stabilizacji społecznej. Jeśli inne, alternatywne metody nie zostaną wynalezione i rozwinięte, system wojenny powinien być utrzymywany i wzmacniany[185].

Zgodnie z treścią raportu, jedynie podczas wojny lub w stanie stałego nią zagrożenia, istnieje największe prawdopodobieństwo, że naród będzie posłusznie, bez skarg wykonywał polecenia rządu. Nienawiść wobec wroga oraz strach przed podbojem powodują, że naród jest bardziej zdolny do ponoszenia ofiar i płacenia wysokich podatków. Wojna jest katalizatorem silnych nastrojów społecznych. Odczuwając miłość do ojczyzny, lojalność i ducha zwycięstwa, ludzie gotowi są na bezwarunkowe posłuszeństwo, a każdy dysydencki głos jest postrzegany jak akt zdradziecki. Inaczej dzieje się w czasie pokoju, kiedy ludzie przeciwstawiają się polityce pobierania wysokich podatków przez rząd, okazując silną niechęć wobec nadmiernego wtrącania się władzy w prywatne sprawy obywateli.

> System militarny nie jest wyłącznie koniecznym czynnikiem, dzięki któremu kraj tworzy niezależny system polityczny, jest również warunkiem, którego spełnienia nie może zabraknąć przy utrwalaniu stabilności politycznej. Bez wojny, „legalność", dzięki której rząd sprawuje władzę nad obywatelami, jest kwestionowana. Prawdopodobieństwo wojny dostarcza rządowi podstawy do wykorzystania swojej siły. Niezliczone przykłady historyczne pokazują, że zanik zagrożenia wojennego, wykorzystywanego jako element władzy politycznej, ostatecznie prowadził do upadku tej władzy. Wynika to ze wzrostu nastrojów społecznych skoncentrowanych na obronie własnych interesów, resentymentów społecznych oraz innych czynników rozpadu. Prawdopodobieństwo wojny staje się czynnikiem utrzymującym stabilność polityczną struktury i organizacji społecznej. Utrwala ono wyraźną stratyfikację społeczną i zapewnia posłuszeństwo narodu wobec rządu[186].

Jednocześnie, zdaniem autorów raportu, ponieważ tradycyjne metody wojny mają historyczne ograniczenia, dlatego też w tej sytuacji wielki program

---

185 Leonard C. Lewin, *Report from Iron Mountain: On Possibility and Desirability of Peace*, New York 1996.

186 *Ibid.*

stworzenia światowego rządu jest trudny do zrealizowania, szczególnie w epoce wojny nuklearnej. Wybuch wojny stał się trudnym do przewidzenia i wielce ryzykownym problemem. Faktem jest, że omawiane badania odbywały się zaraz po kryzysie kubańskim, trzeba więc wziąć pod uwagę, że obecne wówczas widmo wielkiej wojny nuklearnej pomiędzy USA i ZSRR z pewnością wpłynęło na nastroje i przemyślenia autorów raportu.

Zasadniczy problem polega na tym, jaką drogą podąży amerykańskie społeczeństwo w przypadku nastania ery „wiecznego pokoju"? Właśnie odpowiedzi na to pytanie poszukiwała tajna grupa badawcza. Mówiąc inaczej, naukowcy próbowali znaleźć dla Ameryki nowe rozwiązanie, zagrożenie, które mogłoby „zastąpić wojnę". Po długich i szczegółowych pracach, eksperci stwierdzili, że takie nowe rozwiązanie musi składać się z trzech elementów: (1) istnienie w gospodarce „marnotrawstwa", konsumującego przynajmniej 10 procent PKB rocznie, (2) występowanie stałego, wielkiego i wiarygodnego zagrożenia, (3) dostarczenie logicznego powodu, dla którego społeczeństwo ma obowiązek dostosowywać się do zaleceń rządu.

Jednoczesne spełnienie tych trzech postulatów nie jest sprawą łatwą. Szukając rozwiązania, eksperci najpierw wpadli na pomysł, by „wypowiedzieć wojnę biedzie". Bieda jest wystarczająco dużym problemem, jednak nie jest w stanie wywołać poczucia zagrożenia, tak więc pomysł ten szybko został porzucony. Kolejnym pomysłem była inwazja istot pozaziemskich. Było to wystarczająco przerażające, ale w latach sześćdziesiątych zupełnie niewiarygodne. Na koniec badacze wymyślili „zanieczyszczenie środowiska". Na pewnym poziomie jest to niezaprzeczalny fakt, posiada więc wysoki stopień wiarygodności i wystarczy poświęcić trochę czasu na globalną akcję propagandową, by wywołać u ludzi poczucie zagrożenia i strach porównywalny z lękiem przed zagładą świata wskutek wojny nuklearnej. Niekończący się proces zatruwania środowiska w istocie jest gospodarczym „marnotrawstwem": ludzie są zdolni do ponoszenia wysokich ciężarów podatkowych i zgody na obniżenie standardu życia, akceptując ingerencję rządu w sferę życia prywatnego. Krótko mówiąc, najbardziej racjonalnym hasłem było „ratowanie matki Ziemi".

Był to w istocie znakomity wybór!

Powołując się na naukowe opinie, szacowano, że zanieczyszczenie środowiska doprowadzi do stanu wielkiego kryzysu w świecie za około półtora pokolenia, czyli 20-30 lat. Raport przygotowano w roku 1967.

Minęło 20 lat.

We wrześniu 1987 roku czwarty World Wilderness Congres otworzył swoje obrady w Denver w stanie Kolorado. W kongresie brało udział 2000 delegatów z ponad 60 krajów. Zaskoczeni uczestnicy otrzymali tekst zatytułowany *Deklaracja z Denver*, który został dla nich zawczasu przygotowany. *Deklaracja* stwierdzała:

> W wyniku istniejącej potrzeby zbiórki kapitałów mających na celu rozszerzenie skali działalności związanej z ochroną środowiska, powinniśmy stworzyć nowy model bankowy, aby ułatwić wspólne zarządzanie międzynarodową pomocą dla środowiska oraz zasobami naturalnymi krajów otrzymujących pomoc.

Wspomniany powyżej nowy model bankowy to Światowy Bank Ochrony Środowiska.

W porównaniu z poprzednimi kongresami całkowitą nowością było uczestnictwo w nim dużej rzeszy międzynarodowych bankierów z baronem Edmundem Rothschildem na czele, Davidem Rockefellerem oraz amerykańskim sekretarzem skarbu Jamesem Bakerem. Ci, jakże zajęci ludzie, niespodziewanie znaleźli czas na to, by wziąć udział w kongresie poświęconym ochronie środowiska i przez pełne sześć dni promować ideę finansowego rozwiązania, którym było ustanowienie Banku Ochrony Środowiska.

Edmund Rothschild wygłosił mowę, w której przyrównał Bank Ochrony Środowiska do „drugiego Planu Marshalla". Jego stworzenie miało na celu „uratowanie" krajów rozwijających się z bagna zadłużenia, przy jednoczesnej ochronie stanu środowiska naturalnego[187]. A pamiętajmy, że bezpośrednio do roku 1987 całkowity dług krajów rozwijających się osiągnął kwotę 1,3 biliona dolarów.

Zasadniczą ideą leżącą u podstaw Banku Ochrony Środowiska była „wymiana długu na zasoby naturalne". Międzynarodowi bankierzy planowali udzielenie kolejnego kredytu dla kolosalnie już zadłużonych krajów rozwijających się i przeniesienie długów na rachunki do Banku Ochrony Środowiska. Kraje-dłużnicy mogłyby wykorzystać zagrożone degradacją tereny jako zastaw hipoteczny w celu otrzymania z owego banku kolejnych środków, wydłużenie terminu spłaty długów, a także możliwości skorzystania z nowych „miękkich" pożyczek. Zakreślane ręką międzynarodowych bankierów „obszary ekologiczne" rozpościerały się na terenach Ameryki Łacińskiej, Afryki oraz Azji, a ich łączna powierzchnia wynosiła 50 milionów kilometrów kwadratowych, co równało się powiększonej pięciokrotnie powierzchni Chin, zajmując 30 procent powierzchni wszystkich lądów!

W latach siedemdziesiątych zdecydowana większość z kredytów przyznawanych przez Międzynarodowy Fundusz Walutowy i Bank Światowy krajom rozwijającym się nie była udzielana pod gwarancję zastawu hipotecznego – zazwyczaj wystarczało jedynie zaufanie wobec państwa biorącego kredyt. Kiedy wybuchł kryzys związany ze spłatą zadłużenia, międzynarodowe instytucje finansowe miały problem z rozliczaniem bankructwa. Jednak po przetransferowaniu tego zadłużenia do Światowego Banku Ochrony Środowiska źle rokujące długi błyskawicznie przemieniłyby się w aktywa o bardzo wysokiej jakości. Ponieważ Światowy Bank Ochrony Środowiska jako zastaw hipoteczny wykorzystywałby grunty, tak więc gdyby dany kraj nie był w stanie spłacać zadłużenia, cała zastawiona ziemia, zgodnie z prawem, przechodziłaby na własność Banku, a kontrolujący ów bank międzynarodowi bankierzy w prosty i legalny sposób stawaliby się faktycznymi użytkownikami rozległych, żyznych terenów. Opisując to w kategoriach zjawiska zwanego ogradzaniem pól*, Światowy Bank Ochrony Środowiska może być tu uznany za absolutnego pioniera.

---

[187] *The Fourth World Wilderness Conference: Beware the bankers bearing gifts*, wywiad z Georgem Huntem.

* Mające początki w XIII wieku zjawisko polegające na odbieraniu biedocie dobrych ziem, dokonywane przez wielkich właścicieli ziemskich w Anglii i Irlandii (przyp. tłum.)

Skoro perspektywa gigantycznych zysków pojawiła się w zasięgu ręki, nie dziwi, że osobistości takie jak Rothschild i Rockefeller „wyraziły swoją troskę" i spędziły na obradach kongresu poświęconego ochronie środowiska aż sześć dni.

Brazylijski wysoki urzędnik Ministerstwa Finansów doktor Jose Pedro de Oliveira Costa, po usłyszeniu Rothschildowskiej propozycji powołania Światowego Banku Ochrony Środowiska, przez całą noc nie mógł zmrużyć oka. Doszedł do wniosku, że choć pożyczki udzielone Brazylii przez bank mogą na krótką metę okazać się pomocne, przynajmniej rozkręcając silnik gospodarki, to jednakże patrząc z dłuższej perspektywy, Brazylia nie będzie w stanie pożyczek owych zwrócić, tak więc konsekwencją całego przedsięwzięcia będzie utrata, stanowiących zabezpieczenie hipoteczne, będących klejnotem w skali globu obszarów wokół Amazonii.

Wykorzystywane jako zastaw hipoteczny zasoby naturalne nie ograniczają się wyłącznie do gruntów. Istnieją przykłady zastawiania hipoteki zasobów wodnych oraz podziemnych surowców naturalnych.

Ponieważ nazwa Światowy Bank Ochrony Środowiska była nieco prowokacyjna, ostatecznie w 1991 roku zmieniono ją na Globalny Fundusz dla Środowiska. Za zarząd nad nim odpowiedzialny jest Bank Światowy, którego największym udziałowcem jest amerykański Departament Skarbu. W ten sposób dalekosiężny plan finansistów wkracza w kolejną fazę realizacji.

Bankowa bomba atomowa: cel – Tokio

> *Japonia na arenie międzynarodowej zgromadziła już ogromny majątek, podczas gdy USA znalazły się w sytuacji bezprecedensowego zadłużenia. Militarna supremacja, którą chce zdobyć prezydent Reagan, jest jedynie mirażem, gdyż dokonuje się ona za cenę utraty pozycji światowego ekonomicznego kredytodawcy. Mimo że Japonia próbuje kontynuować cichy rozwój gospodarczy w cieniu Ameryki, to w istocie stała się już bankierem o światowej klasie. Wzrost potęgi Japonii do poziomu głównej dominującej w świecie siły finansowej jest niezmiernie niepokojącym faktem.*
>
> George Soros, 1987 rok[188]

Gdy podczas I wojny światowej Wielka Brytania straciła pozycję światowego kredytodawcy na rzecz Stanów Zjednoczonych, tym samym przestała być globalnym hegemonem, a Imperium Brytyjskie przestało istnieć. Międzynarodowi finansiści dobrze pamiętali o tym wydarzeniu. Szybki wzrost gospodarczy krajów Azji Wschodniej po zakończeniu II wojny światowej uruchomił dzwonek alarmowy w głowach bankierów z Londynu i Wall Street. Powstała konieczność podjęcia ostrych środków zapobiegawczych, gdyż każdy potencjalny rywal mógł wstrzymać i zniszczyć wszystko, co do tej pory osiągnięto w procesie tworzenia światowego rządu i światowej waluty.

[188] George Soros, *The Alchemy of Finance*, New York 1987, s. 350.

Japonia, jako pierwsza zmodernizowana azjatycka gospodarka, zarówno pod względem wzrostu gospodarczego, jak i konkurencyjności eksportowanych produktów przemysłowych oraz tempa i skali akumulacji majątku, osiągnęła poziom wywołujący u zachodnich finansistów zdumienie i jednocześnie lęk. Zacytujmy sekretarza stanu w epoce Clintona, Lawrence'a Summersa: „Japonia w roli przywódcy azjatyckiej strefy gospodarczej wzbudzała strach u większości Amerykanów, którzy sądzili, że zagrożenie ze strony tego kraju przewyższa nawet zagrożenie ze strony Związku Radzieckiego".

Po zakończeniu wojny Japonia wdrożyła plan polegający na kopiowaniu zachodnich artykułów przemysłowych i będący głównym motorem rozwoju, a następnie dokonała szybkiej obniżki kosztów produkcji, by w ostatecznej fazie przystąpić do kontrofensywy handlowej, wchodząc na rynki USA i Europy. W latach sześćdziesiątych rozpoczęła wielki proces automatyzacji w branży motoryzacyjnej, redukując ludzkie błędy do poziomu bliskiego zeru. Kryzys naftowy z lat siedemdziesiątych doprowadził do sytuacji, w której produkowane przez Amerykanów ośmiocylindrowe, paliwożerne jeepy zostały pokonane przez oszczędne i tanie samochody japońskie. Stany Zjednoczone w branży motoryzacyjnej stopniowo straciły zdolność do odpierania japońskiego ataku. W latach osiemdziesiątych dynamicznie zaczęła się rozwijać japońska branża elektroniczna. Sony, Hitachi, Toshiba i inne wielkie firmy elektroniczne przeszły od naśladownictwa do innowacyjności, w krótkim czasie opanowując technologie produkcji, z wyjątkiem centralnych procesorów, praktycznie wszystkich zintegrowanych obwodów, komputerowych układów scalonych i chipów. Wykorzystując przewagę płynącą z automatyzacji oraz taniej siły roboczej, firmy te wyrządziły wielkie straty pośród amerykańskich producentów elektroniki i komputerów. Japonia osiągnęła tak wysoki poziom rozwoju, że Ameryka została zmuszona do wykorzystywania japońskich układów scalonych do produkcji rakiet zdalnie sterowanych. W tym czasie większość Amerykanów była pewna, że wykupienie IBM czy Intela przez Hitachi, Toshibę to jedynie kwestia czasu, a amerykańscy robotnicy martwili się, że japońskie roboty ostatecznie odbiorą im „żelazną miskę"*.

Po zastosowaniu polityki wysokich odsetek na początku lat osiemdziesiątych USA i Wielka Brytania, jak można było przewidzieć, uratowały zaufanie wobec dolara, równocześnie wykorzystując szereg krajów rozwijających się z Ameryki Łacińskiej, Afryki i Azji. Jednakże polityka wysokich odsetek osłabiła siłę amerykańskiego przemysłu, doprowadzając do epoki dominacji japońskich produktów na amerykańskim rynku. I w tym właśnie momencie, gdy mieszkańcy Japonii radowali się z tego, że wreszcie Japonia może powiedzieć „nie", rozpoczęła się finansowa wojna przeciwko Krajowi Kwitnącej Wiśni.

W wrześniu 1985 roku, międzynarodowi bankierzy w końcu przystąpili do działania. Ministrowie finansów z USA, Wielkiej Brytanii, Japonii, Niemiec i Francji podpisali w nowojorskim hotelu Millenium Plaza umowę zwaną *Plaza Agreement*, której celem było ustanowienie kontrolowanej dewaluacji dolara względem innych walut. Bank Japonii pod silnym naciskiem amerykańskiego sekretarza skarbu Jamesa Bakera został zmuszony do wyrażenia zgody na aprecjację japoń-

* Chińskie określenie na pracę, która zapewnia przetrwanie na podstawowym poziomie (przyp. tłum.).

skiego jena. W ciągu kilku miesięcy od podpisania *Plaza Agreement*, jen przybrał na wartości, a jego kurs wymiany względem dolara wzrósł z 250:1 do 149:1.

W październiku 1987 roku nastąpił krach na giełdzie w Nowym Jorku. Sekretarz skarbu Baker wpłynął na japońskiego premiera Yasuhiro Nakasone, by ten pozwolił Bankowi Japonii na kontynuację polityki redukcji stóp procentowych, aby podtrzymać wrażenie, że amerykańska giełda jest atrakcyjniejsza od japońskiej, co miało przyciągnąć kapitały z tej ostatniej do Ameryki. Baker najpierw zagroził, że jeśli Partia Demokratyczna przejmie rządy, z pewnością podejmie ostre działania wymierzone w Japonię związane z problemem deficytu w obrocie handlowym pomiędzy USA i Japonią. Następnie zaś wyciągnął „marchewkę", zapewniając, że Partia Republikańska będzie nadal rządzić, a Bush senior stał będzie na straży przyjaznych stosunków między oboma krajami. Nakasone ustąpił i bardzo szybko stopa procentowa w Japonii spadła do poziomu 2,5 procenta. W japońskim systemie bankowym pojawił się nadmiar płynności, wielki tani kapitał zaczął płynąć w kierunku giełdy i rynku nieruchomości, indeks giełdy w Tokio w rocznym rozliczeniu wzrósł o ponad 40 procent, a wzrost cen nieruchomości przekroczył 90 procent. Wielka bańka finansowa zaczynała nabierać kształtów.

Tak dramatyczna zmiana kursu wymiany walut, dokonana w tak krótkim czasie, potężnie uderzyła w japońskich eksporterów, grożąc im ruiną. W celu odnalezienia remedium na rosnący kurs japońskiego jena, który prowadził do spadku eksportu i strat, korporacje rozpoczęły pobieranie nisko oprocentowanych kredytów, by kolejno wykorzystywać je do spekulacji na giełdzie. W ciągu jednej nocy, rynek pożyczek zwrotnych na żądanie Banku Japonii stał się największym światowym centrum finansowym. Do roku 1988, 10 największych światowych banków znajdowało się pod japońską kontrolą. W tym czasie, w ciągu trzech lat, japońska giełda odnotowała wzrost o 300 procent, a na rynku nieruchomości wzrosty osiągnęły jeszcze bardziej zdumiewający poziom. Rozliczając cenę w dolarach, łączna wartość nieruchomości w Tokio przekroczyła wartość wszystkich amerykańskich nieruchomości. Japoński system finansowy znalazł się w krytycznej sytuacji.

O ile nie doszłoby do pojawienia się jakiegoś zewnętrznego impulsu o niszczycielskiej sile, japońska gospodarka mogłaby, dzięki polityce łagodnego i stopniowego duszenia rynku, dokonać miękkiego lądowania. Jednakże tym, czego Japonia wówczas nie była świadoma, był fakt, iż międzynarodowi bankierzy prowadzili przeciwko niej niewypowiedzianą wojnę, atakując jej system finansowy.

Zdając sobie sprawę z potęgi japońskich finansów, bankierzy nie mogli liczyć na pewne zwycięstwo, gdyby doszło do rozgrywki na tradycyjnym, konwencjonalnym polu finansowym. By zadać japońskiemu systemowi finansowemu potężny, śmiertelny cios należało wykorzystać dopiero co opracowaną i wyprodukowaną w Stanach Zjednoczonych finansową bombę atomową: *Stock Index Futures**.

Najwcześniej, bo już w 1982 roku, na amerykańskiej Chicago Mercantile Exchange z sukcesem opracowano i przetestowano *Stock Index Futures* – tę niemającą precedensu w historii potężną broń finansową. Na samym początku

* Regulowane w gotówce kontrakty terminowe oparte o wartość indeksu poszczególnych giełd (przyp. tłum.).

Stock Index Futures były pomyślane jako narzędzie przejmowania biznesów na nowojorskiej giełdzie papierów wartościowych. Kiedy inwestorzy w Chicago sprzedawali i kupowali zaufanie wobec indeksu nowojorskiej giełdy, nie byli zobowiązani do płacenia prowizji na nowojorskiej giełdzie. Mówiąc wprost, indeks giełdowy jest liczbą, statystyką uzyskaną poprzez ważoną kalkulację dokładnych sprawozdań z rachunków skatalogowanych na giełdzie firm, natomiast *Stock Index Futures* jest zakładem o to, w jaki sposób będzie wyglądała przyszła ścieżka cen akcji spółek, umieszczonych na tej liście. Sprzedający i kupujący nie posiadają ani nie mają zamiaru fizycznego posiadania tych akcji.

Na giełdzie papierów wartościowych gra toczy się o słowo „zaufanie", więc wykorzystywana na wielką skalę wyprzedaż *Stock Index Futures* w celu zbicia ich cen i ponownego wykupu w nieunikniony sposób prowadzi do krachu giełdowego. Ten punkt został pozytywnie zweryfikowany przez krach na nowojorskiej giełdzie w październiku 1987 roku.

Japońska gospodarka w latach osiemdziesiątych przeżywała okres wielkiego wzlotu, co przyczyniło się do wytworzenia wśród Japończyków, lekceważącego wszystkich i wszystko, poczucia wyższości. Gdy indeks japońskiej giełdy osiągnął poziom tak wysoki, że żaden z rozsądnych zachodnich komentatorów nie był już w stanie tego wyjaśnić, Japończycy wciąż mieli powody wierzyć w swoją wyjątkowość. Pewien amerykański ekspert inwestycyjny przebywający w tym czasie w Japoni mówił:

> Panuje tutaj wiara o niemożliwości spadku indeksów na japońskiej giełdzie. Tak było w latach 1987, 1988, a nawet w 1989 roku. Japończycy uważają, że na ich giełdzie działa rodzaj wyjątkowych czynników, obecnych w całej japońskiej nacji i to one umożliwiają Japonii pokonanie wszystkich istniejących na świecie przepisów i regulacji.

Na tokijskiej giełdzie niesłychanie ważnym inwestorem są spółki ubezpieczeniowe. Gdy międzynarodowi bankierzy wysłali kilka banków inwestycyjnych, takich jak Morgan Stanley czy Salomon Brothers, jako główną siłę uderzeniową, której zadaniem była penetracja japońskiego rynku, w ich rękach znajdowała się ogromna ilość gotówki, dla której poszukiwali potencjalnego celu. Ich aktówki były wypchane opcjami *Stock Index Put Option*, nieznanym wówczas w Japonii nowym narzędziem finansowym. Japońskie spółki ubezpieczeniowe zainteresowały się powszechnie tym narzędziem, uznając, że Amerykanie najprawdopodobniej stracili rozum, skoro wykorzystywali gigantyczne ilości gotówki, kupując coś niemożliwego, a więc opcję wielkiego spadku na japońskiej giełdzie. W rezultacie japońscy ubezpieczyciele bardzo szybko i gładko zaakceptowali amerykańskie opcje. Obie strony czyniły zakłady na ścieżkę indeksu Nikkei: w przypadku jego spadku Amerykanie zarabiali pieniądze, a Japończycy je wypłacali, natomiast gdy indeks szedł do góry, sytuacja ulegała odwróceniu.

Prawdopodobnie nawet japońskie ministerstwo finansów nie jest w stanie policzyć, jak wiele podobnych kontraktów finansowych zostało zawartych w przeddzień wielkiego krachu na giełdzie. Ów nieodczuwalny dla nikogo, coraz potężniejszy „finansowy wirus", praktycznie bez jakiegokolwiek nadzoru, tajemniczo i podskórnie, gwałtownie rozprzestrzeniał się w atmosferze iluzorycznej prosperity.

29 grudnia 1989 roku japońska giełda osiągnęła swój historyczny szczyt. Indeks Nikkei zatrzymał się na wysokości 38 915 punktów, wielka ilość *Stock Index Put Option* w końcu zaczynała demonstrować swoją siłę. Indeks Nikkei wszedł w czas pauzy. 12 stycznia 1990 roku Amerykanie niespodziewanie zadali decydujący cios. Na amerykańskich giełdach papierów wartościowych nagle pojawiły się *Nikkei Put Warrants*, nowy instrument finansowy. Spółka Goldman Sachs wykupiła z rąk japońskich ubezpieczycieli opcje giełdowe *Stock Index Option*, a nastepnie sprzedała je Królestwu Danii. W ten sposób król Danii stał się ich oficjalnym, prawnym nabywcą, zoobowiązując się do wypłaty dywidendy wobec posiadacza *Nikkei Put Warrants*, w przypadku gdyby indeks Nikkei poszedł w dół. Król Dani pozwolił spółce Goldman Sachs jedynie na „wypożyczenie" swojej reputacji, co było niesłychanie ważne dla sprzedaży *Nikkei Stock Index Futures*. *Nikkei Put Warrants* bardzo szybko zaczęły być rozchwytywanym towarem i wielka liczba amerykańskich banków inwestycyjnych rozpoczęła przeprowadzanie identycznych operacji. Tego już dłużej japońska giełda nie była w stanie znieść. Nie upłynął miesiąc od wejścia na rynek i gorącej sprzedaży *Nikkei Put Warrants*, by jej indeksy frontalnie runęły w dół.

Krach na japońskiej giełdzie najpierw negatywnie zadziałał na branżę bankową i ubezpieczeniową, a w ostatecznej fazie na przemysł wytwórczy. Wcześniej koszt zbiórki kapitałów przez japoński przemysł na giełdzie był przynajmniej o połowę mniejszy niż jego amerykańskiego konkurenta – teraz, wraz z chwilą, gdy giełda przestała być atrakcyjna, to wszystko odeszło w przeszłość.

Na początku lat dziewięćdziesiątych japońska gospodarka wpadła w trwającą blisko kilkanaście lat recesję. Indeks giełdy spadł o 70 procent, również ceny nieruchomości przez 14 kolejnych lat konsekwentnie leciały w dół. W swojej pracy na ten temat japoński autor Yoshikawa Mototada twierdzi, że straty majątkowe wynikające z porażki Japonii w wojnie finansowej w 1990 roku są porównywalne z rezultatami klęski w II wojnie światowej.

William Engdahl tak ocenia tę katastrofę japońskich finansów:

> Żaden z krajów świata nie wspierał Reaganowskiej polityki deficytu skarbowego i ogromnych wydatków budżetowych w sposób tak pozytywny i lojalny jak dawny wróg Stanów Zjednoczonych, Japonia. Nawet Niemcy nie były skłonne bezwarunkowo spełniać żądań Waszyngtonu. Z punktu widzenia Japończyków, odpłatą za ten żarliwy i lojalny zakup przez Tokio amerykańskich obligacji skarbowych, nieruchomości i innych aktywów, była najbardziej niszczycielska katastrofa finansowa w dziejach[189].

Latem 2006 roku nowy amerykański sekretarz skarbu Henry Paulson odwiedzał Chiny. Słysząc, jak Paulson w pełnych ciepła i życzliwości słowach „gratuluje Chinom sukcesów", można było zastanawiać się, czy kiedy wiele lat temu James Baker ściskał dłoń japońskiego premiera Nakasone nie mówił mu dokładnie tego samego.

[189] Engdahl, *A Century of War*, rozdz. 11.

Soros: haker wśród bankierów

Od dłuższego czasu światowe media malują obraz George'a Sorosa jako geniusza, „chodzącego własnymi ścieżkami" bądź „osoby niezależnej, kierującej się własnymi zasadami", która niczym stado niebiańskich koni przemierza niebiosa. Takie opinie jeszcze bardziej dodają jego osobie aury tajemniczości. Mimo to Paul Krugman, żartując, stwierdził, że jedyną cechą, odróżniającą Sorosa od całej reszty jest to, że jego nazwisko, bez względu na to, czy się je czyta wprost czy wspak, zawsze brzmi tak samo.

Gdyby Soros faktycznie podążał wyłącznie własnymi drogami, opierając się wyłącznie na swoim „talencie finansowego hakera", czy byłby zdolny w pojedynkę do rzucenia wyzwania Bankowi Anglii, potężnego wstrząśnięcia niemiecką marką bądź przeczesania azjatyckich rynków finansowych?

Wydaje się, że jedynie ktoś nieskończenie naiwny mógłby uwierzyć w taką legendę.

Dwa fundusze hedgingowe Quantum Group of Funds, za pomocą których Soros penetruje światowe rynki finansowe, są zarejestrowane w raju podatkowym Curaçao, znajdującym się na Antylach Holenderskich, dzięki czemu istnieje możliwość ukrycia tożsamości głównych udziałowców funduszu oraz śladów transferów środków finansowych. Warto dodać, że Curaçao jest głównym międzynarodowym centrum „prania pieniędzy" przez handlarzy narkotyków.

W związku z prawem giełdowym Stanów Zjednoczonoych dotyczącym funduszy hedgingowych, lista udziałowców takiego funduszu, tzw. Sophisticate Investors, nie może przekraczać 99 obywateli Stanów Zjednoczonych. Soros wspiął się na wyżyny swoich możliwości, aby sprawić, iż wśród 99 bardzo bogatych udziałowców funduszu nie znajdzie się ani jeden Amerykanin. W funduszu hedgingowym Quantum Funds Soros nie jest nawet członkiem jego rady nadzorczej, a jedynie pod nazwą „doradcy inwestycyjnego" włącza się w bieżące operacje funduszu. Co więcej, Soros zgodził się pełnić obowiązki doradcy inwestycyjnego w imieniu ustanowionej przez siebie nowojorskiej spółki Soros Fund Management. W przypadku, gdy rząd amerykański zażąda od Sorosa przedstawienia szczegółowej informacji na temat działalności funduszu, ma on skuteczną wymówkę, aby tego odmówić, twierdząc, iż sprawuje jedynie funkcję doradcy inwestycyjnego.

Quantum Funds Sorosa jest wysoce skomplikowaną strukturą. W jego radzie nadzorczej znajdują się:

- Richard Katz, członek rady nadzorczej banku Rothschildów w Londynie, pełniący też funkcję CEO w mediolańskim banku rodziny Rothschildów;
- Nils Taube, partner w londyńskiej grupie bankowej St. James Place Capital, w której operacjach główną rolę odgrywa rodzina Rothschildów;
- William Lord Ress-Mogg, komentator w „The Times", również partner w kontrolowanej przez Rothschildów grupie St. James Place Capital;
- Edgar de Picciotto, najbardziej kontrowersyjna osobistość wśród udziałowców szwajcarskich prywatnych banków, określany mianem „najmądrzejszego bankiera z Genewy". Wśród „żelaznych braci" Picciotta znajduje się Edmund Safra,

wykorzystujący Republic Bank of New York. Amerykańskie organy ścigania potwierdziły związki Safry z moskiewską bankową grupą przestępczą, a ponadto szwajcarskie służby potwierdziły jego zaangażowanie w pranie brudnych pieniędzy pochodzących od handlarzy narkotyków z Turcji i Kolumbii.

W kręgu Sorosa znajdujemy poza tym takich ludzi, jak Marc Rich – znany szwajcarski inwestor, oraz Shaul Eisenberg – dostawca broni dla izraelskiego wywiadu.

Sekretne i bliskie związki Sorosa z kręgiem Rothschildów uczyniły zeń najpotężniejszego i najbardziej zakonspirowanego na świecie żołnierza owej wielkiej grupy finansowej. Rodzina Rothschildów jest nie tylko hegemonem w londyńskim City, głównym budowniczym Izraela, założycielem globalnej sieci wywiadowczej, podporą pięciu największych banków z Wall Street, nie tylko określa światowe ceny złota, ale po dziś dzień kontroluje działalność osi Londyn-Wall Street. Nikt nie wie, jak duży jest majątek Rothschildów. Kiedy Rothschildowie oraz inni międzynarodowi bankierzy kierują zainteresowanie najbogatszymi ludźmi świata na Billa Gatesa czy „boga giełdy" Warrena Buffeta, sami, z majątkiem kilkukrotnie większym, ukrywanym na szwajcarskich kontach bądź na Karaibach, czekają na okazje do kolejnych posunięć.

Soros utrzymuje nadzwyczaj bliskie stosunki ze światem amerykańskiej elity. Zainwestował 100 milionów dolarów prywatnego kapitału w słynną amerykańską firmę zajmującą się handlem bronią, Caryle Group. Dla tej korporacji pracują zarówno Bush senior, jak i dawny amerykański sekretarz skarbu James Baker oraz inne ważne osobistości. Bardzo wcześnie, bo już w latach osiemdziesiątych, Soros wraz z częścią wpływowych członków amerykańskich kręgów politycznych, takich jak na przykład Zbigniew Brzeziński, czy Madeleine Albright, założył fundusz National Endowment for Democracy (Narodowy Dar dla Demokracji). W istocie ów fundusz został ustanowiony z kapitałów dostarczonych przez CIA oraz osoby prywatne.

W porozumieniu z międzynarodową elitą finansową w latach dziewięćdziesiątych Soros doprowadzał wielokrotnie do wielkich burz na światowych rynkach finansowych. Każda z tych akcji wprowadzała w życie wcześniej ustalone strategiczne cele międzynarodowych bankierów, których fundamentem było doprowadzenie do stanu „kontrolowanego rozpadu" światowej gospodarki, aby ostatecznie zakończyć realizację planu tworzenia „rządu światowego" oraz „światowej waluty" kontrolowanej przez oś Londyn-Wall Street.

Na początku lat osiemdziesiątych finansiści wywołali stan „kontrolowanego rozpadu" gospodarek Ameryki Łacińskiej i Afryki. Pod koniec lat osiemdziesiątych z sukcesem powstrzymali wzrost potęgi finansowej Japonii. Uzyskawszy kontrolę nad sytuacją w Azji, ich priorytetem znów stała się Europa, a zwłaszcza Europa Wschodnia i obszar byłego Związku Radzieckiego.

Biorąc na swoje barki wykonanie tej misji, Soros, momentalnie, niczym kameleon zmienił kolory, stając się „sławnym dobroczyńcą". Na terenach Europy Wschodniej i byłego Związku Radzieckiego zakładał szereg fundacji. Wszystkie odpowiadały modelowi założonego przezeń w Nowym Jorku The Open Society Institute (Instytut Społeczeństwa Otwartego), promującego radykalne, pozbawione rozsądku idee wolności. Dla przykładu, Soros udzielał finansowej pomocy uczelni Central European University. Młodzi ludzie w państwach postkomunistycznych, znając z doświadczenia realny socjalizm, starali się promować ideę suwerenności, natomiast w szkole finansowanej przez Sorosa uznano ją za z natury złą i sprzeciwiającą się „idei indywidualizmu". Ekonomiczny liberalizm uznano za lekarstwo na wszystkie troski, a zdroworozsądkowe analizy zjawisk społecznych za „autokratyzm". Bardzo często głównym tematem głoszonych w tej szkole nauk były relacje między „człowiekiem i rządem". Taki styl myślenia, zawarty w treściach edukacyjnych Central European University, uzyskiwał pochwałę i poparcie ze strony CFR.

Znany amerykański komentator Gilles d'Aymery precyzyjnie opisał prawdziwe intencje Sorosa i jego międzynarodowej grupy, udzielających „żarliwej" pomocy finansowej:

> Za maską legalności oraz humanitaryzmu ludzie zawsze mogą odkryć tę samą grupę bogaczy, miliarderów, „dobroczyńców", oraz wszystkie organizacje, którym udzielają pomocy finansowej – weźmy tu choćby The Open Society Institute Sorosa, Ford Foundation, American Peace Society, National Endowment for Democracy, Human Rights Watch, Amnesty International, World Crisis Organization itd. Spośród ludzi pracujących dla tych organizacji, Soros jest najbardziej wyrazistą postacią. Przypomina wielką ośmiornicę, która wyciąga swoje macki po całą Europę Wschodnią, Azję Południowo-Wschodnią, Kaukaz oraz pozostałe postsowieckie republiki. Przy wsparciu owych organizacji, może on nie tylko modelować, ale wręcz tworzyć newsy, urabiać opinię publiczną, sprawując kontrolę nad światem i jego zasobami naturalnymi, urzeczywistniając ideę nowego wspaniałego świata *made in America*.

W procesie upadku krajów socjalistycznych w Europie Wschodniej Soros odegrał trudną do oszacowania rolę. W Polsce fundusz Sorosa istotnie przyczynił się do przejęcia władzy przez związek zawodowy NSZZ „Solidarność", a także wpływał na trzech kolejnych polskich prezydentów. Soros, wraz z profesorem Harvardu Jeffreyem Sachsem, a także poprzednim prezesem Rezerwy Federalnej Paulem Volckerem, wiceprezesem Citibanku Anno Rudingiem, wspólnie przyrządzili lekarstwo – „terapię wstrząsową", którą zaaplikowali polskiej gospodarce. Przypomnijmy, co mówił na ten temat sam Soros:

> Wziąłem pod uwagę fakt, że zmiany w systemie politycznym mogą doprowadzić do poprawy sytuacji gospodarczej. Polska była miejscem, gdzie warto było spróbować. Przygotowałem szeroki wachlarz naprawczych środków gospodarczych, których trzy podstawowe to: twarda polityka monetarna, korekta strukturalna i przegrupowanie długu. Uważałem, że równoczesna realizacja tych celów będzie łatwiejsza niż rozłożenie tego procesu w czasie. Byłem obrońcą wymiany długu makroekonomicznego na udziały[190].

[190] Soros, *Underwriting Democracy*.

Dokonywanie korekty w strukturze branż przemysłowych jest równoznaczne z przeprowadzeniem rozległej operacji na makroekonomicznym porządku gospodarczym, ale symultaniczne, celowe duszenie polityki monetarnej oznacza odmowę podania pacjentowi krwi zaraz po przeprowadzonej operacji. W takiej sytuacji końcowym efektem jest całkowita dezintegracja gospodarcza, ostra recesja w sektorze wytwórczym, bezpośredni spadek poziomu życia. Przemysł upada, firmy są zamykane bądź bankrutują. Rzesza ludzi traci miejsca pracy, pojawiają się nagłe wstrząsy i konflikty społeczne. Wówczas międzynarodowi bankierzy, za pomocą planu „zamiana długów na udziały" podczas wielkiej wyprzedaży po zredukowanych cenach, przypominającej kaszel krwią chorej gospodarki, swobodnie dokonują zakupu najważniejszych aktywów danego kraju.

Polska, Węgry, Rosja, Ukraina – wszystkie te państwa kolejno dotknęła bolesna utrata własnego majątku, co doprowadziło do tego, że od dwóch dekad ich gospodarki wciąż nie mogą odzyskać sił. Sytuacja tych państw całkowicie różni się od stanu, w jakim znajdują się małe, słabe, pozbawione możliwości oporu krajów Afryki i Ameryki Łacińskiej, albowiem zarówno Rosja, jak i kraje Europy Wschodniej dysponują w sumie potężną, trudną do zlekceważenia przez Amerykanów, siłą militarną. W takiej sytuacji mamy do czynienia w pierwszym w dziejach przypadkiem, w którym grupa dość silnych państw stała się ofiarą zorganizowanego rabunku.

Takie niszczenie ludzi i krajów za pomocą wyrafinowanych, bezkrwawych metod jest niewątpliwie najmocniejszym punktem strategii Sorosa. Ilustruje to prostą prawdę, że najskuteczniejszym sposobem unicestwienia danego kraju jest wprowadzenie w nim zamętu.

Skryty atak na europejskie waluty

Niestety, nie da się zrealizować wszystkich celów. Po wykonaniu w głównych zarysach zadania polegającego na doprowadzeniu do „kontrolowanego rozpadu" krajów byłego Związku Radzieckiego i Europy Wschodniej, dwa stare europejskie kraje, które od zawsze były wyrzucone poza rdzeń władzy, Niemcy i Francja, poczuły niezadowolenie ze swojego położenia. Gdy minęło zagrożenie z zewnątrz uosabiane przez ZSRR, Francja i Niemcy błyskawicznie wyraziły zamiar wprowadzenia wspólnej waluty, euro, by pokazać, że są gotowe działać niezależnie i, jeśli zajdzie taka potrzeba, stawić opór finansowej sile Ameryki i Wielkiej Brytanii. Powołanie do życia euro z pewnością doprowadziło do zachwiania podstawami systemu hegemonii amerykańskiego dolara. Konflikt walutowy pomiędzy osią Wall Street-Londyn a sprzymierzonymi Francją i Niemcami z dnia na dzień ulegał zaostrzeniu.

Korzeniem problemu był głęboki chaos w światowym systemie walutowym powstały po upadku systemu z Bretton Woods w 1971 roku. W systemie tym, opartym na pośrednim standardzie złota, kursy wymiany najważniejszych światowych walut pozostawały zasadniczo stabilne, a w handlu i finansach poszczególnych krajów nie występował problem ostrej nierówności. Wynikało to stąd, że kraje z deficytem budżetowym musiałyby tracić realny majątek, a cała sytuacja prowadzić do spadku zdolności kredytowych w systemach banków tych państw, co automatycznie uruchamiałoby deflację i recesję, pociągającą za sobą redukcję konsumpcji, spadek importu, zanik deficytu handlowego. Kiedy ludzie zaczynali odkładać oszczędności, rósł kapitał pozostający w dyspozycji banków, następnie wzrastał zasięg produkcji, w handlu zagranicznym pojawiał się dodatni bilans, a łączny majątek społeczny rósł. Ten wspaniały, naturalny cykl i system kontroli został wielokrotnie wypróbowany i pozytywnie zweryfikowany przez wszystkie społeczeństwa w epoce przed 1971 rokiem. Ostry deficyt budżetowy był niemożliwy do ukrycia, strategia obliczona na zabezpieczenie się przed ryzykiem niekorzystnych zmian kursów walut właściwie nie była potrzebna. Nie istniały warunki dla finansowych narzędzi pochodnych. Dzięki ograniczeniom narzuconym przez złoto, wszystkie kraje musiały szczerze i wytrwale pracować nad wytworzeniem i akumulacją majątku. I to właśnie było głównym powodem nienawiści międzynarodowych bankierów wobec złota.

Po utracie złota, pełniącego funkcję kompasu, międzynarodowy system walutowy naturalnie wszedł w fazę chaosu. Dopiero dzięki sztucznie wytworzonemu „kryzysowi naftowemu" i jego skutkom w postaci potężnego popytu na amerykańskiego dolara, a następnie rozpoczętą w 1979 roku polityką wysokich odsetek, waluta ta stopniowo ustabilizowała swoją pozycję. Stanowiący podstawową formę gromadzenia rezerw walutowych przez poszczególne państwa dolar amerykański, podobnie jak sterowanie jego ceną, znajdowały się pod pełną kontrolą osi Londyn-Wall Street. Zmuszone do zajmowania miejsc w walutowej kolejce górskiej kraje europejskie, co oczywiste, były dalekie od zadowolenia. Dlatego pod koniec lat siedemdziesiątych niemiecki minister finansów Helmut Schmidt zwrócił się do prezydenta Francji Giscard d'Estaigna z propozycją przedyskutowania kwestii ustanowienia Europejskiego Systemu Monetarnego, który pozwoliłby wyeliminować, przyprawiający ludzi o ból głowy, problem niestabilnych kursów wymiany walut w handlu pomiędzy krajami Europy.

Europejski System Monetarny zaczął działać w 1979 roku, przynosząc pozytywne wyniki. Kraje niebędące dotąd członkami EWG, kolejno okazywały zainteresowanie akcesją. Obawy, że ów system ma szanse w przyszłości przemienić się we wspólną europejską walutę, zaczęły nękać elitę z Londynu i Wall Street.

Bardzo niepokojące były, rozpoczęte w 1977 roku, ingerencje ze strony Niemiec i Francji w sprawy OPEC. Niemcy i Francja planowały dostarczyć wyznaczonym państwom eksporterom ropy naftowej, produkty high-tech, aby przyspieszyć uprzemysłowienie tych krajów. Warunkiem wymiany miało być zapewnienie przez kraje arabskie stabilnej podaży ropy naftowej oraz inwestowanie czy gromadzenie dochodów z jej sprzedaży w europejskim systemie bankowym. Od samego początku Londyn ostro przeciwstawił się francusko-niemieckiemu planowi nowego początku, a po całkowitej porażce wszystkich w tym celu poniesionych wysiłków, odmówił wstąpienia do Europejskiego Systemu Monetarnego.

W tym czasie Niemcy starały się realizować plan o dużo większej skali, jakim było zakończenie wielkiego historycznego dzieła zjednoczenia kraju. W owym momencie było jasne, że zjednoczone i potężne Niemcy ostatecznie stałyby się dominującą siłą na kontynencie europejskim. By osiągnąć swój cel, Niemcy rozpoczęły politykę zbliżenia ze Związkiem Radzieckim, przygotowując się do utrzymywania z nim łagodnej, opartej o zrozumienie dla wspólnych interesów, współpracy.

Chcąc przeciwstawić się niemieckim planom, architekci polityki z Londynu i Wall Street skonstruowali i postanowili użyć metody określanej jako „łuk kryzysu". Polegała ona na uwolnieniu siły islamskiego radykalizmu i doprowadzeniu do szerokiego konfliktu na bogatych w ropę terenach Bliskiego Wschodu, a także zamieszkiwanych przez muzułmanów południowych rubieżach ZSRR. Celem było sabotowanie współpracy pomiędzy Europą a Bliskim Wschodem oraz opóźnienie tworzenia wspólnej europejskiej waluty, a także osłabienie Związku Radzieckiego oraz przygotowanie gruntu pod amerykańską obecność militarną w Zatoce Perskiej. Jego skuteczność godna była wspomnianego już przysłowia: „zabić trzy ptaki jednym kamieniem".

Amerykański doradca do spraw bezpieczeństwa narodowego, Zbigniew Brzeziński, oraz sekretarz stanu Cyrus Vance znakomicie wywiązali się z powierzonej im misji. Na Bliskim Wschodzie nastąpił czas ostrych konfliktów: w roku 1979 wybuchła rewolucja irańska i drugi światowy kryzys naftowy. W rzeczywistości na świecie nigdy nie istniała sytuacja realnego deficytu podaży ropy naftowej. Wynosząca trzy miliony baryłek dziennie dziura w podaży, która powstała po zatrzymaniu przez Iran całego eksportu, mogła zostać pokryta bez większych problemów przez znajdujące się pod ścisłą kontrolą USA Arabię Saudyjską i Kuwejt. Jednakże magnaci naftowi i finansowi z Londynu i Wall Street pozwolili cenie ropy naftowej rosnąć – oczywiście w celu pobudzenia światowego popytu na amerykańskiego dolara. W jednej ręce trzymali przemysł naftowy, w drugiej kontrolę nad emisją dolara: czasem ruch lewą ręką pozwalał im zwiększać zyski czerpane prawą, czasem czynili odwrotnie. Oczywiście tego typu zabiegi nie mogły się inaczej skończyć niż wywróceniem świata do góry nogami.

Na innym odcinku Brzeziński perfekcyjnie zagrał „kartą chińską". W grudniu 1978 roku USA oficjalnie nawiązały stosunki dyplomatyczne z Chinami. Wkrótce potem Chiny wstąpiły do Organizacji Narodów Zjednoczonych. Ten ruch niezmiernie zirytował Związek Radziecki, który odczytał tę sytuację jako otoczenie go przez nieprzyjazne państwa. Na Zachodzie NATO, na wschodzie USA, na południu zaś „łuk kryzysów". Zmuszony do toczenia zimnej wojny Związek Radziecki nie miał wyjścia, toteż natychmiast zerwał istniejącą, choć słabą, współpracę z Niemcami.

W listopadzie 1989 roku runął Mur Berliński, a Niemcy radośnie świętowały zjednoczenie. Jednak odczucia na Wall Street były w owym czasie zgoła inne. Oto jak oceniał to amerykański ekonomista:

> W rzeczy samej, pisząc finansową historię lat dziewięćdziesiątych analitycy byli skłonni porównywać upadek Muru Berlińskiego ze wstrząsem finansowym, który niczym trzęsienie ziemi wprowadził Japonię w długi okres przerażenia. Upadek Muru oznaczał napływ kapitałów wartych setki milionów dolarów do obszaru, który przez 60 lat odgrywał mało istotną rolę na światowym rynku finansowym.

> Ponieważ Niemcy w ostatnich latach nie prowadziły wielu inwestycji w USA, największym inwestorem zagranicznym w Ameryce po 1987 roku stała się Wielka Brytania. Jednakże Amerykanie powinni pozostać czujni, gdyż w przypadku braku uzyskania wielkich rezerw z Niemiec, Wielka Brytania nie będzie w stanie prowadzić w USA polityki inwestycyjnej na wielką skalę[191].

Londyn jeszcze dosadniej wyrażał swoje uczucia. Doradcy Margaret Thatcher bili na alarm, twierdząc, że oto powstała „Czwarta Rzesza". Londyński „Sunday Telegraph" 22 lipca 1990 roku zamieścił na swoich łamach następujący komentarz:

> Przypuśćmy, że Niemcy po zjednoczeniu staną się pokojowym i przyjaznym olbrzymem. Co o tym sądzić? Postawmy kolejną hipotezę, że zjednoczone Niemcy poprowadzą i wpłyną na Rosję tak, że również ona stanie się pokojowym i przyjaznym olbrzymem. Jak to rozumieć? Otóż w rzeczywistości niebezpieczeństwo może być tylko większe. Nawet jeśli zjednoczone Niemcy z determinacją podejmą rywalizację zgodnie z naszymi zasadami, któż na tym świecie będzie mógł skutecznie powstrzymać Niemcy przed odebraniem nam przywództwa?[192]

Latem 1990 roku, w Londynie powołano do życia nową strukturę wywiadowczą, istotnie zwiększając zakres działań wywiadowczych na terenie Niemiec. Brytyjski ekspert do spraw wywiadu usilnie sugerował amerykańskim kolegom po fachu werbowanie członków byłego wywiadu NRD, którzy staliby się „aktywami" USA na terenie Niemiec.

Niemcy, wdzięczne Rosji za ostateczne wsparcie dla idei zjednoczenia, podjęły trudną decyzję o udzieleniu jej pomocy w odbudowie sparaliżowanej gospodarki. Minister skarbu Niemiec tworzył zarysy przyszłej, idealnej sytuacji w Europie: nowoczesne koleje łączące Paryż, Hanower, Berlin przechodzące przez Warszawę i Moskwę, wspólna waluta, doskonale skoordynowane gospodarki narodowe, Europa na zawsze wolna od ognia i dymu pól bitewnych – przyszłość jak ze snu.

Niestety, nie był to sen podzielany przez międzynarodowych bankierów, którzy zastanawiali się nad sposobem uderzenia w niemiecką markę i sparaliżowania idei euro, która wciąż pozostawała amorficzna. Twardo odmawiali nowym Niemcom możliwości pomyślnej przebudowy kraju.

Oto tło wydarzeń z początku lat dziewięćdziesiątych, kiedy Soros, zgodnie z planami Londynu i Wall Street, rozpoczął polowanie na brytyjskiego funta i włoskiego lira.

W 1990 roku brytyjski rząd niespodziewanie, ignorując sprzeciw ze strony londyńskiego City, podjął jawną decyzje o przystąpieniu do European Exchange Rate Mechanism (ERM – Europejski Mechanizm Kursów Walutowych). Widać było, że perspektywa zakończenia procesu stopniowego formowania euro była bardzo bliska, co wciąż niepokoiło oś Londyn-Wall Street. Międzynarodowi ban-

[191] Engdahl, *A Century of War*, rozdz. 11.

[192] *Ibid.*

kierzy przygotowali kilka strategii uderzeniowych, mając nadzieję zdusić system euro już w momencie powstania.

Po upadku Muru Berlińskiego Niemcy dokonały aktu zjednoczenia. Następujące po tym wydarzeniu gigantyczne wydatki przerosły niemieckie szacunki. Niemiecki bank centralny został zmuszony do podniesienia stóp procentowych w celu stawienia czoła nasilającej się presji inflacyjnej. Przystępująca do ERM Wielka Brytania również nie znajdowała się w dobrej kondycji gospodarczej: stopa inflacji była trzykrotnie wyższa od niemieckiej, stopa odsetek wynosiła 15 procent. Bańka gospodarcza lat osiemdziesiątych powoli zaczynała pękać.

W 1992 roku, w Wielkiej Brytanii i we Włoszech, w wyniku presji wywołanej przez deficyty budżetowe, wystąpiło wyraźne zjawisko przeszacowania wartości walut. Soros, jako pierwszy inwestor spekulacyjny, dostrzegł okazję, uruchamiając główny atak 16 września 1992 roku. Łączna wartość funtów brytyjskich, na których obniżenie kursu grał Soros, wynosiła 10 miliardów dolarów. Do godziny 19:00 Wielka Brytania ogłosiła kapitulację. W tej kampanii Soros zarobił 1,1 miliarda dolarów i jednym posunięciem usunął funta i lira z ERM. Jednak to nie był koniec. Soros wykorzystał swoje zwycięstwo do dalszych działań, zamierzając w podobny sposób zaatakować franka i markę, jednakże tym razem, w zakładzie wartym 40 miliardów dolarów, niczego nie zyskał. Fakt, że Soros miał możliwość pożyczać tak ogromne kapitały, świadczy o decydującej roli, którą zza jego pleców odegrało tu potężne i utajone imperium finansowe.

Atak na azjatyckie waluty

Na początku lat dziewięćdziesiątych oś Londyn-Wall Street doprowadziła do regresu agresywną gospodarkę japońską, rozbiła gospodarki byłego Związku Radzieckiego i krajów Europy Wschodniej, zastopowała francusko-niemiecki plan stworzenia wspólnej waluty, zaś osiadłe na mieliźnie państwa Ameryki Łacińskiej i Afryki już dawno tkwiły w ich kieszeniach. Zadowoleni z siebie bankierzy z Wall Street i Londynu, rozglądając się po świecie, dostrzegli rosnącą z dnia na dzień siłę Azji Południowo-Wschodniej z jej „azjatyckim modelem gospodarczym" – i widok ten wprawił ich w złość.

W krajach azjatyckich prowadzona przez rząd polityka wzrostu gospodarczego była sprawą fundamentalną. Do najważniejszych cech tego modelu rozwoju możemy zaliczyć: koncentrację w rękach państwa zasobów naturalnych i dokonywanie, dzięki eksportowi, przełomów w kluczowych gałęziach gospodarczych, oraz wysoką stopę oszczędności obywateli. Na początku lat siedemdziesiątych polityka ta bardzo szybko stała się popularna, a rezultatami jej wprowadzania były niespotykane dotąd w historii prosperity gospodarcze w poszczególnych krajach, raptowny wzrost poziomu życia obywateli, stabilny wzrost przeciętnego poziomu wykształcenia oraz szybka redukcja liczby ludzi żyjących poniżej poziomu biedy. Taka polityka jawnie odchodziła od „waszyngtońskich porozumień" i promowanego przez nie modelu

„gospodarki wolnorynkowej", stając się jej alternatywą, przyciągając rosnącą uwagę i zainteresowanie innych krajów rozwijających się, co powstrzymywało sformułowaną przez międzynarodowych bankierów stretegię „kontrolowanego rozpadu".

Głównym powodem i zarazem strategicznym celem wymierzonej w azjatyckie waluty wojny było zniszczenie mitu „azjatyckiego modelu rozwoju gospodarczego" poprzez doprowadzenie do ostrej dewaluacji azjatyckich walut względem dolara, aby nie tylko zbić ceny towarów importowanych do Stanów Zjednoczonych, w ten sposób sterując stopą inflacji, ale również, poprzez wyprzedaż po niskich cenach korporacjom z Europy i USA kluczowych aktywów państw azjatyckich, przyspieszyć tempo realizacji „kontrolowanego rozpadu". Oprócz tego istniał jeszcze jeden niesłychanie ważny cel: było nim pobudzenie popytu na amerykańskiego dolara w państwach Azji. Dla tych państw, które doświadczyły finansowego sztormu, rezerwy dolarowe w kluczowym momencie urosły do rangi „skarbu". Bolesna lekcja nauczyła te kraje, że nigdy nie wolno im podejmować ryzyka polegającego na rezygnacji z utrzymywania rezerw walutowych w dolarach.

W grudniu 1994 roku w głośnej książce *The Myth of Asia's Miracle* Paul Krugman, w jednym z rozdziałów poświęconych sprawom zagranicznym, zamieścił prognozę mówiącą o nieuniknionym zderzeniu się gospodarek azjatyckich z wysokim murem. Krugman sugerował, że jeśli kraje azjatyckie będą w niewystarczający sposób inwestować w podniesienie produktywności, jedynie opierając się na zwiększaniu skali produkcji, to ostatecznie może to doprowadzić je do osiągnięcia granic wzrostu. Oczywiście, ów pogląd jest słuszny, ale problemem jest fakt, że punkt startowy dla krajów azjatyckich wciąż usytuowany jest bardzo nisko, a kluczową rolę w rozwoju gospodarczym odgrywało dostosowanie środków do lokalnych warunków, wykonanie słusznych posunięć w odpowiednim czasie, kierowanie akcją zgodnie z warunkami i zmieniającą się sytuacją, możliwie najlepsze wykorzystanie własnej przewagi przy równoczesnym ominięciu własnych niedoskonałości.

Owe problemy były naturalnym zjawiskiem pojawiającym się w gospodarkach tych szybko rozwijających się krajów i mogły zostać całkiem sprawnie rozwiązane w trakcie rozwoju gospodarczego. Tak więc z punktu widzenia samych rezultatów książki Krugmana, można uznać ją za coś w rodzaju wystrzelenia racy dymnej oznajmiającej wybuch wojny z azjatyckimi walutami.

Pierwszym celem ataku międzynarodowych bankierów była Tajlandia.

Magazyn „Time" przeprowadził w owym czasie wywiad z jednym z finansowych hakerów, którzy bezpośrednio doprowadzili do radykalnej dewaluacji tajskiego bahta. Przedstawiony przezeń opis jest tyleż szczery, co okrutny:

> Niczym horda wilków, stojąc na wzgórzu, wpatrujemy się w stado jeleni. Zwykło się porównywać tajlandzką gospodarkę do małego azjatyckiego tygrysa, jednak dużo lepiej byłoby ją porównać do łownej zwierzyny. Wybieramy najsłabszego osobnika, aby upewnić się, że zwarte stado pozostanie zdrowe i silne.

Od 1994 roku, pod presją słabnącego japońskiego jena i chińskiego yuana, tajski eksport zaczął wyraźnie spadać, a związany z amerykańskim dolarem tajski baht został przez silnego dolara przewartościowany i podciągnięty do nadzwyczaj wysokiego, „pustego" poziomu. Kryzys zaczął nabierać kształtów. W czasie, gdy następował spadek eksportu, napływały olbrzymie ilości pieniędzy, prowadząc do nieustannego wzrostu cen nieruchomości i rynkowych cen akcji. W tym czasie tajlandzkie rezerwy walutowe wynosiły ponad 38 miliardów dolarów, aczkolwiek dług wobec zagranicznych wierzycieli był znacznie wyższy, osiągając 106 miliardów dolarów. Począwszy od roku 1996, wartość netto wypływającego z Tajlandii kapitału osiągnęła osiem procent jej PKB. W celu uporania się z problemem rosnącej inflacji, Bank Tajlandii został zmuszony do podniesienia stóp procentowych. Ten środek zaostrzył trudną sytuację kraju, którego poziom zadłużenia uległ pogłębieniu.

Tajlandii pozostała tylko jedna droga, czyli aktywne i szybkie udzielenie zgody na dewaluację bahta. Międzynarodowi bankierzy szacowali, że straty wiązałyby się ze znacznym podrożeniem długu dolarowego, rezerwy zagraniczne prawdopodobnie spadłyby o jakieś 10 miliardów dolarów, choć w obliczu owych strat międzynarodowy rynek finansowy z pewnością podjąłby wymagane kroki, szybko je niwelując. Jednak finansowi hakerzy doszli do wniosku, iż rząd Tajlandii z pewnością podejmie próbę desperackiej obrony bahta. W takiej sytuacji nie zamierzali poddać się bez walki.

Późniejszy przebieg wypadków w całej rozciągłości potwierdził dokładność kalkulacji finansowych hakerów. Sytuacja prezentowała się zgoła inaczej niż kryzys, z którym w przeszłości musiała zmierzyć się Japonia. Japonia posiadała olbrzymią siłę oraz wielkie rezerwy walutowe, dlatego też bezpośredni atak na japońską walutę bez wątpienia nie różniłby się niczym od uderzania jajkiem o kamień. W takiej sytuacji międzynarodowi bankierzy wykorzystali nowe finansowe bronie i narzędzia, zaadoptowali czasowy „daleki zasięg" oraz przestrzenny „super-zasięg widoczności" do przeprowadzenia uderzenia. Jego rezultat był równie skuteczny, jak nowa strategia walki lotniskowcami przeciw pancernikom podczas II wojny światowej, kiedy potężne działa japońskich pancerników nigdy nie miały szansy zaprezentować swej siły, a same okręty spoczęły na dnie morza. Natomiast w sytuacji silnej dysproporcji sił między Tajlandią a jej wrogami, jej walka do upadłego w chwili, gdy plany strategiczne zostały ujawnione, a także brak mobilności i niezbędnego w sztuce wojennej zaskoczenia, doprowadziły do klęski tego kraju. Podczas kampanii, w której finansowi hakerzy zmagali się z Tajlandią i innymi krajami Azji Południowo-Wschodniej, głównym celem ataku były waluty krajowe. Poprzez wykorzystanie długoterminowych kontraktów walutowych oraz kontraktów terminowych stworzono gigantyczne kleszcze, które w ciągu sześciu miesięcy zgniotły gospodarki Azji Południowo-Wschodniej i Korei Południowej.

Zaraz po całkowitej klęsce w starciu z finansowymi hakerami, Tajlandia popełniła kolejny błąd, wchodząc w pułapkę zastawioną przez Międzynarodowy Fundusz Walutowy. Ślepe zaufanie do „międzynarodowej organizacji" doprowadziło do przekazania cudzoziemcom prawa do rozstrzygania o kwestiach bezpieczeństwa kraju.

Gigantyczny dług jest podstawową przyczyną sprawiającą, że poszczególne kraje wpadają w głęboki kryzys. Zasadnicza logika zarządzania państwem nie różni się od logiki zarządzania sprawami rodziny. Wysoki dług nieuchronnie prowadzi do choroby gospodarki, a w przypadku całkowitego braku kontroli nad „zewnętrznym" środowiskiem finansowym, przetrwanie może opierać się tylko na przychylności fortuny. Międzynarodowi bankierzy, wytyczający kurs światowej geopolityki, mogą łatwo, w sposób nagły, doprowadzić do odwrócenia o 180 stopni panujących warunków w dotąd wiarygodnym i służącym za dogodne oparcie środowisku finansowym. Dlatego też w takich sytuacjach, jak powyższa, z całą mocą zwiększają ciężary płynące ze wzrostu zadłużenia krajów rozwijających się, co finansowi hakerzy wykorzystują do przeprowadzenia gwałtownego ataku, który zazwyczaj kończy się ich sukcesem.

Drugim ważnym powodem klęski Tajlandii w wojnie finansowej był zupełny brak świadomości ponoszonego ryzyka, a szczególnie brak mentalnego przygotowania wobec możliwości niewypowiedzianej wojny, którą rozpoczną niewidzialne i potężne siły osi Londyn-Wall Street.

Całkowicie błędna ocen głównych kierunków ataku nieprzyjaciela doprowadziła najpierw do porażki w starciu z finansowymi hakerami, a następnie do popadnięcia w niewolę Międzynarodowego Funduszu Walutowego. W podobny sposób pozostałe kraje Azji Południowo-Wschodniej powtórzyły tajlandzki proces podwójnej klęski finansowej.

Wilk kieruje się wyłącznie wilczą logiką, a w stadzie wilków istnieje podział pracy. Po rozpoczęciu polowania przez Sorosa i jemu podobnych, a działając przy zorganizowanym wsparciu szeregu wielkich banków, takich jak na przykład Citibank i spółka Goldman Sachs, ranna, leżąca na ziemi „ofiara" przekazała Międzynarodowemu Funduszowi Walutowemu kompetencje do przeprowadzenia uboju i sprzedaży. Przy stole aukcyjnym zaroiło się od niezdolnych do ukrycia własnej chciwości korporacji z USA i Europy.

Jeśli można zarobić setki milionów dolarów poprzez wykupienie firmy, podzielenie jej, przepakowanie i ponowną sprzedaż bankierom z innych firm, w takim razie podział i sprzedaż podstawowych aktywów suwerennego państwa może przynieść 10 jeśli nie 100 razy więcej zysków.

Kiedy kraje azjatyckie podjęły próbę ustanowienia własnego Funduszu Azji, by przyjść z ratunkiem znajdującym się w ciężkiej sytuacji krajom, napotkało to, co zresztą nie powinno dziwić, powszechny opór wśród krajów Zachodu. Amerykański wicesekretarz stanu Strobe Tallbot powiedział wówczas: „Sądzę, że najodpowiedniejsza do rozwiązania tego typu problemów jest instytucja o zasięgu przekraczającym granice regionów, prawdziwie światowa organizacja, nie zaś nowo uformowana grupa regionalna, albowiem owe problemy wywierają głęboki wpływ na strefę, która rozciąga się znacznie dalej, wykraczając poza granice Azji". Amerykański sekretarz skarbu Lawrence Summers na spotkaniu ze Stowarzyszeniem Japońskim w Nowym Jorku, witając swych gości, twardo oznajmiał: „Owa idea finansowej regionalizacji, oparcia się wyłącznie na regionalnej pomocy finansowej w momencie kryzysu... jest bardzo ryzykowna". Summers sugerował, że ten sposób działania może spowodować zmniejszenie zasobów, których można by użyć do walki z ewentualnym przyszłym kryzysem i osłabić zdolność do stawiania czoła „międzykontynentalnemu kryzysowi". „Oto powód, dla którego sądzimy, że kluczową rolę winien odegrać Międzynarodowy Fundusz Walutowy".

Pierwszy zastępca przewodniczącego Międzynarodowego Funduszu Walutowego, Stanley Fisher, ostrzegał, iż fundusz regionalny w niczym nie przypomina Międzynarodowego Funduszu Walutowego, bezwzględnie domagającego się od dotkniętych kryzysem państw przeprowadzenia całościowych reform gospodarczych w zmian za pomoc finansową. Fisher powiedział: „Nie sądzę, żeby stworzenie obwarowanego rozmaitymi warunkami wielkiego funduszu czy innej długoterminowej struktury mogło być teraz pomocne".

Niegdyś Japonia była wielkim orędownikiem stworzenia Funduszu Azji, jednak ugięła się pod presją osi Wall Street-Londyn. Japoński minister finansów Hiroshi Mitsuzuka oświadczył: „Międzynarodowy Fundusz Walutowy od zawsze odgrywał, wśród światowych instytucji finansowych, fundamentalną rolę, chroniąc stabilność światowych finansów. Propozycja państw Azji, by sformować własny fundusz, ma na celu ustanowienie struktury pomocniczej i komplementarnej wobec Międzynarodowego Funduszu Walutowego". Zgodnie z nowym pomysłem wyklutym w Tokio, chodziło o fundusz pozbawiony kapitałów, który miał być strukturą ratowniczą, zdolną w szybkim czasie przewidzieć niebezpieczeństwo i poprzez zaplanowany transfer kapitałów, udzielić pomocy walutom, które stały się ofiarami ataku międzynarodowych spekulantów. Kiedy idea ustanowienia Funduszu Azji została podniesiona na odbywającym się w Hongkongu corocznym szczycie Banku Światowego i Międzynarodowego Funduszu Walutowego, USA i kraje Zachodu zaczęły czujnie przyglądać się sytuacji, niepokojąc się, że pomysł ten może doprowadzić do sabotażu prac MFW.

Na zakończenie szczytu japoński premier Ryutaro Hashimoto oświadczył: „Jest mało prawdopodobne, abyśmy byli na tyle aroganccy, by sądzić, iż posiadamy zdolność do spełnienia funkcji ekonomicznej lokomotywy, doprowadzając do pełnego uzdrowienia [z kryzysu]". Stwierdził, że choć Japonia posiada pewne zasługi w udzielaniu pomocy kilku dotkniętym kryzysem państwom Azji, a nawet kontynuuje te działania, to nie może ona odegrać roli motoru, który wyciągnie azjatyckie gospodarki z ekonomicznego bagna.

Wicepremier Singapuru, Li Xian Long w rozmowie na temat Funduszu Azji stwierdził, że istnieje „moralne ryzyko w przypadku powołania Funduszu Azji i zastąpienia przezeń Międzynarodowego Funduszu Walutowego".

Idea ustanowienia przez kraje Azji własnego funduszu walutowego w celu niesienia sobie wzajemnej pomocy w czasie kryzysu była u podstaw swych bez wątpienia słuszna, jednakże spotkała się z radykalnym sprzeciwem ze strony osi Londyn-Wall Street, Japonii zaś, największej regionalnej gospodarce, znajdującej się całkowicie pod kontrolą innych, zabrakło elementarnej odwagi, siły i roztropności, by poprowadzić kraje azjatyckie do wyjścia z trudnej sytuacji gospodarczej. Fakt ten musiał niczym zimny dreszcz wstrząsnąć znajdującymi się w krytycznym położeniu, tracącymi nadzieję krajami Azji Południowo-Wschodniej. Najbardziej zastanawiający jest pogląd wyrażony przez rząd Singapuru, który nazywa „moralnym ryzykiem" elementarne prawo do udzielenia sobie wzajemnej pomocy w sytuacji, gdy dokonuje się rabunek. O jakie „moralne ryzyko" może tu chodzić? I czyja miałaby to być moralność?

Premier Malezji Mahatir bin Mohamad był tym przywódcą azjatyckim, który stosunkowo dobrze przejrzał prawdziwą naturę kryzysu. Mahatir powiedział: „Nie wiemy, skąd pochodzą ich pieniądze, nie wiemy też, kto faktycznie dokonuje transakcji, tym bardziej nie mamy pojęcia, kto za tym wszystkim stoi. Nie wiemy, czy ludzie ci po zarobieniu pieniędzy zapłacą należności podatkowe, a jeśli tak, to komu się one należą". Premier był przekonany, że w ówczesnym systemie transakcji walutowych nie ma człowieka, który wiedziałby, czy owe pieniądze napływają z odpowiednich, legalnych kanałów, czy też może ktoś po prostu „pierze brudne pieniądze". „Ponieważ nie ma nikogo, kto mógłby zadać te pytania, nie istnieje punkt, od którego można by zacząć dochodzenie. Dopóki owi ludzie przeprowadzają atak na jakiekolwiek państwo, nikt nie jest w stanie im się oprzeć. Nie ważne, czy jest to rynek walutowy, kontraktów terminowych czy papierów wartościowych – wszystkie one muszą działać zgodnie z obowiązującym systemem prawnym. Dlatego też musimy sprawować nadzór nad transakcjami walutowymi i dbać o ich przejrzystość". Po wygłoszeniu tych opinii Mahatir spotkał się z silnym atakiem, otoczony i przyciśnięty do muru przez zachodnie media. Prawdopodobnie jego szorstki i oskarżający głos niezbyt pasował do świata dyplomacji, jednak w jego pytaniu zawarte były wątpliwości i podejrzenia obecne w sercach wszystkich Azjatów.

Po spustoszeniu przez burzę finansową Korei Południowej, innego lojalnego sojusznika Ameryki w czasie zimnej wojny, kraj ten wyciągnął do USA rękę po pomoc. Ku jego zaskoczeniu, amerykańska odmowa był szybka i jednoznaczna. Z punktu widzenia międzynarodowych bankierów, bliskie relacje z Koreą Południową były jedynie niewartą uwagi pozostałością po zimnej wojnie. W gremiach rządzących USA doszło do ostrej wymiany zdań na temat pomocy dla Seulu, sekretarz stanu Madeline Albright oraz doradcy do spraw bezpieczeństwa wspólnie uważali, że należy wyciągnąć dłoń do „młodszego brata", podczas gdy reprezentujący Wall Street sekretarz skarbu Robert Rubin twardo się temu przeciwstawił, a nawet kpił, że Albright nie zna się na ekonomii. Ostatecznie Clinton posłuchał opinii sekretarza skarbu.

Z punktu widzenia Rubina, kryzys w rzeczywistości otworzył przed światem wrota koreańskiej gospodarki, czyniąc dogodną okazję do jej przejęcia. Wydał więc dyspozycje Międzynarodowemu Funduszowi Walutowemu, by postawił Korei Południowej, która z sojusznika zmieniła się w pokornego żebraka, warunki twardsze niż sugerowała praktyka i zastosował jeszcze surowsze środki. MFW pod naciskiem USA stawiał zatem coraz to nowe warunki proszącej o pomoc Korei, w tym konieczność natychmiastowego rozwiązania przez Koreę, z korzyścią dla Stanów Zjednoczonych, wszystkich sporów handlowych pomiędzy oboma krajami. Koreańczycy byli oburzeni tą sytuacją, oskarżając MFW o stawianie wygórowanych, bezzasadnych żądań w imieniu USA.

Główny ekonomista Banku Światowego Joseph Stiglitz uważał, że Korea Południowa wpadła w stan kryzysu finansowego, oraz że trwa, inspirowana przez Departament Skarbu, potężna presja na ten kraj, aby przeprowadził pełne i szybkie otwarcie swojego rynku kapitałowego. Jako szef ekonomicznych doradców Clintona, Stiglitz zdecydowanie przeciwstawił się tej brutalnej i lekkomyślnej akcji, twierdząc, że takie otwarcie nie służy interesom i bezpieczeństwu Ameryki, a jedynie bankierom z Wall Street.

Rząd koreański został zmuszony do przyjęcia wielu twardych amerykańskich warunków. Musiał między innymi udzielić zgody na zakładanie filii amerykańskich banków w Korei, a firmom zagranicznym na podniesienie limitów: zakupu udziałów w firmach znajdujących się na giełdzie z 26 do 50 procent, posiadania udziałów dla cudzoziemców jako osób prywatnych z siedmiu do 50 procent. Firmy koreańskie zostały zobowiązane do stosowania światowych zasad księgowych, a instytucje finansowe do przeprowadzania audytów przez światowe firmy księgowe. Koreański bank centralny miał działać niezależnie, zrealizowane sumy kapitałów w walucie miały być wymieniane swobodnie, system przyznawania koncesji importowych miał stać się przejrzysty, działanie korporacji wzięte pod nadzór, zaś na rynku pracy miała nastąpić reforma itd. Amerykańscy bankierzy z nieskrywaną chciwością spoglądali na koreańskie firmy, oczekując jedynie na moment, gdy Korea podpisze umowę, oni zaś będą mogli niczym drapieżne stado rozerwać ofiarę na kawałki.

Jednak międzynarodowi finansiści zlekceważyli silne poczucie narodowe Koreańczyków, które okazało się na tyle silne, by skutecznie utrudniać zagranicznym grupom realizację ich celów. Znajdując się w sytuacji izolacji i braku możliwości otrzymania pomocy, Koreańczycy rozpoczęli donację posiadanego złota i srebra na rzecz kraju. W sytuacji, gdy rezerwy walutowe zostały całkowicie zużyte, złoto i srebro, te dwa rodzaje pieniądza, bez najmniejszych przeszkód stały się akceptowaną przez zagranicznych wierzycieli formą spłaty długów. Równocześnie zaskoczeniem dla międzynarodowych bankierów okazała się dużo niższa, niż przewidywano, fala bankructw koreańskich firm i banków. Zachodnie firmy praktycznie nie zdołały wykupić żadnej z wielkich koreańskich spółek. Gdy wiosną 1998 roku Korea przechodziła najtrudniejszy okres, nadwyżka w koreańskim eksporcie błyskawicznie zaczęła znów rosnąć. Gra Wall Street została przejrzana i koreański rząd całkowicie odrzucił lekarstwa przygotowane przez Międzynarodowy Fundusz Walutowy. We wszystkich przypadkach wnioski o upadłość wielkich firm uległy zamrożeniu, rząd wszedł do akcji zdecydowanie, odpisując z sytemu bankowego „złe" długi warte od 70 do 150 miliardów dolarów. Kiedy rząd przejmował ów dług, prawo do kontroli nad bankami ponownie znalazło się w jego rękach i w ten sposób Międzynarodowy Fundusz Walutowy został wyrzucony poza odbudowywany system bankowy.

Międzynarodowi bankierzy i amerykański Departament Skarbu na próżno cieszyły się z wyników tej rozgrywki, albowiem Korea jeszcze mocniej i czytelniej pojęła absolutną konieczność poddania gospodarki rządowej kontroli. Plan połknięcia największej koreańskiej firmy informatycznej przez Microsoft spalił na panewce, osiem koreańskich lokalnych firm ostatecznie osiągnęło zwycięstwo; spalił na panewce również plan przejęcia koreańskiego KIA Motors przez Forda, którego uprzedziły lokalne firmy. Przejęcie nadzoru i zarządzania nad dwoma lokalnymi bankami przez zagraniczny bank zostało unieważnione i zastąpione nadzorem rządowym.

W ten sposób dzięki silnej i zdecydowanej interwencji rządu, koreańska gospodarka powróciła na tory silnego wzrostu.

Najbardziej zabawne w tym wszystkim jest to, że Korea niespodziewanie została uznana za modelowy przykład sukcesu ekonomicznego opartego na ratunku niesionym przez Międzynarodowy Fundusz Walutowy, który do tej pory poczytuje to za powód do chwały.

W roku 2003 Tajlandia z wyprzedzeniem spłaciła 12 miliardów dolarów długu, ostatecznie wykupując się z rąk Międzynarodowego Funduszu Walutowego. Tajski premier Thaksin Shinawatra, stojąc naprzeciw wielkiej flagi narodowej, solennie przyrzekł, że Tajlandia „nigdy więcej nie stanie się ofiarą" międzynarodowego kapitału i nigdy więcej nie będzie błagać MFW o pomoc. Rząd Tajlandii prywatnie zachęcał tajskie firmy do odmowy spłaty długów wobec międzynarodowych bankierów, co miałoby stanowić akt zemsty za plądrowanie i rabunek dokonany przez zagraniczne banki w 1997 roku. We wrześniu 2006 roku w Tajlandii miał miejsce zamach stanu, a Thaksin Shinawatra został obalony.

Przypowieść o przyszłości Chin

Rezydent osiedla Mahatir przybył do dzielnicowego Greenspana, żeby zgłosić popełnienie przestępstwa. Oświadczył, że z jego domu skradziono pewne rzeczy, a złodziejem jest prawdopodobnie recydywista nazwiskiem Soros.

Dzielnicowy Greenspan w odpowiedzi zaśmiał się: „nie możesz winić wyłącznie złodziei, powinieneś znaleźć więcej przyczyn mających związek z tobą samym. Kto kazał twojej rodzinie używać tak złych zamków, że można je swobodnie otworzyć?".

Mieszkaniec Mahatir niezadowolony powiedział: „dlaczego ten złodziej nie poszedł kraść do Chin czy Indii?".

Greenspan westchnął: „mury chińskich i indyjskich posesji są zbyt wysokie, ciężko byłoby się Sorosowi wspinać i zeskakiwać, a gdyby tak spadł i się zabił, czyż nie byłby to i mój problem?".

Przysłuchujący się tej rozmowie z ukrycia złodziej Soros zimno się uśmiechnął: „nietrudno wywiercić w ich murze kilku dziur – czyż to nie rozwiąże problemu?".

Greenspan szybko obejrzał się na wszystkie strony i ściszonym głosem powiedział: „Paulson został już wysłany do Chin. Słyszałem, że pod koniec 2006 roku będzie mógł wywiercić kilka sporych otworów".

Złodziej Soros bardzo uradował się tym, co usłyszał. Sięgnął po komórkę i zaczął wysyłać kompanom wiadomości: „Ludzie są głupi, pieniędzy jest dużo. Jak najszybciej ruszamy do Chin".

ROZDZIAŁ IX

Śmierć dolara i powrót do kursu złota

W przypadku, gdyby wszystkie pożyczki zostały zwrócone bankom, ich depozyty przestałyby istnieć, a cały obieg pieniężny uległby wyschnięciu. Ta myśl musi oszałamiać. My [Rezerwa Federalna] *całkowicie opieramy się o banki handlowe, każdy dolar w naszym obiegu, niezależnie od tego, czy w formie gotówki, czy kredytu, aby mógł zaistnieć, musi zostać przez kogoś pożyczony. Jeżeli banki handlowe [poprzez udzielanie kredytów] wytworzyłyby wystarczającą ilość pieniądza, nasza gospodarka weszłaby w stan prosperity; jeżeli by tego nie uczyniły, nasza gospodarka prawdopodobnie weszłaby w stan recesji. Bez wątpienia nie posiadamy wiecznego systemu monetarnego. Kiedy ludzie pojmują istotę całego problemu, doprowadza ich to – jak to się dzieje w wypadku Rezerwy Federalnej – do godnej pożałowania i absurdalnej bezsilności, której trudno nie zauważyć. Pieniądz jest problemem, którym ludzie powinni zająć się przede wszystkim, o którym muszą rozmyślać i który powinni badać, aby dogłębnie pojąć ten system i podjąć kroki na rzecz jego naprawy. W innym wypadku nasza współczesna cywilizacja może się rozpaść.*

Robert Humphrey, bank Rezerwy Federalnej w Atlancie[193]

[193] Cyt. za: Irving Fisher, *100% money*, London 1996, Przedmowa.

Klucz do rozdziału

Mówiąc o naturze pieniądza, możemy go podzielić na dwa rodzaje: pieniądz dłużny oraz pieniądz niebędący długiem. Pieniądz dłużny krąży dziś w prawnych systemach monetarnych głównych państw rozwiniętych. Jego zasadnicza składowa jest formowana przez „monetaryzację" zadłużenia rządowego, firm czy osób prywatnych.

Dolar amerykański jest najbardziej typowym przykładem pieniądza dłużnego. Dolar powstaje jedynie wówczas, kiedy zaciągany jest dług – i analogicznie, gdy dług zostaje zwrócony, dolar przestaje istnieć. Każdy dolar pozostający w obiegu jest kwitem oznaczającym dług, każdy kwit dłużny codziennie prowadzi do naliczania odsetek od długu, które zwiększają się zgodnie z zasadą procentu składanego. Do kogo należą te astronomiczne dochody z odsetek? Należą do systemu bankowego tworzącego dolara. Odsetki od dolara dłużnego są czymś nienależącym do „wagi" oryginalnego pieniądza, a więc wymagają wytworzenia nowego dolara dłużnego. Innymi słowy, im więcej ludzie pożyczają pieniędzy, tym więcej pieniędzy muszą pożyczać. Dług i pieniądz są ze sobą związane śmiertelną więzią. Logiczną i nieuniknioną konsekwencją tego jest wieczny wzrost długu, aż do chwili, gdy zostaje on przez ludzi całkowicie odrzucony lub gdy ciężar jego odsetek hamuje rozwój gospodarki, prowadząc do ostatecznego krachu całego systemu. Monetaryzacja długu jest jednym z najistotniejszych ukrytych czynników niestabilności nowoczesnych gospodarek, poprzez debet dokonany w przyszłości, który zaspokaja teraźniejsze potrzeby. W Chinach mamy starożytne powiedzenie, dokładnie oddające sens tego zjawiska: „zjeść ziarno przeznaczone na przyszłoroczny zasiew".

Drugi rodzaj pieniądza to pieniądz niebędący długiem, reprezentowany przez złoto i srebro. Pieniądz ten nie jest zależny od niczyich obietnic, nie jest czyjąś zaległą należnością, lecz reprezentuje owoc właśnie ukończonej ludzkiej pracy. Tego rodzaju pieniądz w sposób naturalny wyewoluował z praktyki liczącej wiele tysięcy lat historii ludzkości, nie wymaga od żadnego rządu wdrażania go przez zastosowanie siły, jest zdolny do przekraczania epok, granic jako ostateczna forma płatności.

Pośród wszystkich rodzajów pieniądza, złoto i srebro oznaczają „realne posiadanie i wykorzystanie", natomiast prawny pieniądz reprezentuje „kwit dłużny + obietnicę". Wartość tego drugiego, jego „zawartość złota", jest w sposób naturalny zróżnicowana.

Chiński yuan renminbi sytuuje się gdzieś pomiędzy tymi dwoma formami pieniądza. Mimo że w przeszłości częścią składową yuana była „monetaryzacja długu", to jest to wyłącznie nazwa: yuan wciąż jest ucieleśnieniem i miernikiem właśnie wytworzonych produktów czy zakończonych usług. Emisja yuana, w przeciwieństwie do emisji dolara, nie wymaga wykorzystywania obligacji rządowych jako zabezpieczenia i nie jest dokonywana przez prywatny bank centralny, dlatego też nie zachodzi proces wypłacania do prywatnych kieszeni gigantycznych odsetek. Z tej perspektywy renminbi w swej istocie zbliża się do złota i srebra. Równocześnie, ponieważ renminbi nie jest wsparty przez złoto czy srebro, posiada podstawową charakterystykę prawnego środka płatniczego, tak więc wymaga korekcyjnego działania rządu w celu zapewnienia jego wartości.

Dogłębne zrozumienie natury zachodnich systemów prawnego środka płatniczego, a szczególnie systemu dolara amerykańskiego, jest konieczną przesłanką dla dokonania reformy yuana w przyszłości.

System częściowych rezerw: jak powstaje inflacja

[Obecnie] *banki z natury nie są sprawiedliwe i obiektywne, nosząc w sobie grzech pierworodny. Bankierzy wykorzystują planetę. Zabranie im wszystkiego, co posiadają, przy jednoczesnym pozostawieniu prawa do tworzenia rezerw, oznacza, że wystarczy im kilka ruchów długopisem, aby wytworzyć wystarczającą ilości rezerw i wykupić wszystko, co stracili. Gdyby jednak odebrać im prawo do tworzenia rezerw, szczęście towarzyszące im w procesie tworzenia bogactwa prawdopodobnie zniknęłoby – ale moje własne szczęście również.* [Prawo do tworzenia rezerw] *należałoby zlikwidować, przyczyniając się do powstania szczęśliwszego, lepszego świata. Jeśli jednak chcecie nadal żyć jako niewolnicy bankierów i jednocześnie opłacać koszty waszej niewoli, to po prostu pozwólcie im dalej tworzyć rezerwy.*

Lord George Rowland Stanley Baring, prezes Banku Anglii (1961-1966),
drugi najbogatszy człowiek w Wielkiej Brytanii

Na początku bankierzy-złotnicy oferowali usługi polegające na „składowaniu złota". Kiedy depozytariusz przekazywał złoto bankierowi, ten dostarczał mu kwit sporządzony według standardowych reguł. Owe kwity, „bilety bankowe", pochodne złotej monety, stopniowo stawały się pośrednikiem w transakcjach dokonywanych w ramach społeczeństwa i zostały nazwane walutą.

Pierwotnie banki działały w oparciu o system całkowitych rezerw złota, który gwarantował, że w każdym momencie można było dokonać wymiany kwitów bankowych (banknotów) na złotą monetę. Głównym źródłem dochodów banków była płacona przez depozytariusza opłata za przechowywanie.

Po pewnym czasie bankierzy zauważyli, że zazwyczaj bardzo niewielu klientów-depozytariuszy przychodzi domagać się wymiany kwitów na złoto. Bankierzy, zastanawiając się nad „śpiącym" w skarbach bezczynnie złotem, zaczęli się zastanawiać, w jaki sposób można by „ożywić" owe śpiące aktywa.

W społeczeństwie zawsze jest ktoś, kto potrzebuje pieniędzy, dlatego bankierzy poinformowali tego typu osoby, że mogą one przyjść do banku, by pożyczyć potrzebne kwoty, o ile w umówionym czasie zwrócą ową sumę wraz dodatkowymi odsetkami. Kiedy ludzie przychodzili do banku, prosząc o pożyczkę, bankierzy wystawiali wiele kwitów, zwiększając ich emisję w celu udzielania pożyczek i pobierania odsetek. Dopóki nie przesadzali z liczbą emitowanych kwitów, dopóty nie wzbudzało to podejrzeń depozytariuszy. Długookresowe doświadczenie pokazywało, iż dziesięciokrotna nademisja kwitów bankowych była jeszcze bezpieczna. Ponieważ odsetki od pożyczek były przypadkową własnością powstającą z niczego, rzecz jasna, im było ich więcej, tym lepiej. Dlatego też bankierzy rozpoczęli szukanie klientów-depozytariuszy gdzie tylko się dało i w celu skuszenia ich rozpoczęli wypłacanie odsetek od składowanego w skarbcach złota, za co pierwotnie pobierali opłatę.

Kiedy zaangażowany w usługi składowania złotych monet bankier rozpoczynał udzielanie kredytów, w istocie dostarczał swoim klientom dwóch całkowicie odmiennych form usług: pierwszą było „czyste" składowanie złota, drugą „składowanie jako inwestycja". Główna cecha tej drugiej formy tkwiła w „prawie do posiadania złotej monety". W przypadku tej pierwszej usługi, depozytariusz posiadał absolutne prawo własności wobec składowanej u bankiera złotej monety, bankier zaś zmuszony był złożyć przyrzeczenie, że depozytariusz w każdej chwili może wymienić posiadane kwity na fizyczne złoto. W tym drugim wypadku, depozytariusz w określonym czasie tracił wobec składowanego złota absolutne prawo własności, a bankier przeprowadzał ryzykowną inwestycję i dopiero po jej zakończeniu i pobraniu zysków wraz z zainwestowanymi sumami, depozytariusz odzyskiwał prawo absolutnej własności.

W pierwszym przypadku składowania złotej monety wszystkie właściwe kwity bankowe „istniały realnie", czyli pokrywały całą sumę rezerw, natomiast w drugim przypadku były „depozytem inwestycyjnym". Tak więc wszystkie odpowiednie kwity bankowe były „kwitem zadłużenia + obietnicą". Drukowane przez banki kwity swoją liczbą znacznie przewyższały ilość faktycznie wykorzystywanego przez banki złota, a zatem były częścią rezerw. Ów kwit bankowy – „kwit zadłużenia + obietnica" – od momentu swoich narodzin posiadał specyficzną naturę, której zasadniczymi cechami były: wskaźnik ryzyka oraz inflacja. Ta natura zadecydowała, że tego typu kwity bankowe nie nadawały się do pełnienia funkcji pośrednika w wymianie towarów i usług w społeczeństwie i utrzymaniu podstawowej równowagi w działalności gospodarczej.

System częściowych rezerw złota od momentu narodzin targany był konfliktami toczącymi się na rozmytej i niewyraźnej granicy pomiędzy tymi dwoma oferowanymi usługami (produktami) bankowymi. Projektując kwity bankowe, bankierzy promowali „standaryzację", co niesłychanie utrudniało przeciętnemu człowiekowi oddzielenie i zrozumienie różnic pomiędzy tymi dwoma typami kwitów. Po upływie setek lat właśnie z tego powodu w krajach anglosaskich pojawił się zalew pozwów sądowych. Oburzeni i wściekli depozytariusze oskarżali bankierów, że ci, bez żadnego upoważnienia, samowolnie, wykorzystywali – traktowane przez depozytariuszy jako „powierzone na przechowanie" – złote monety do udzielania kredytów osobom trzecim. Bankierzy odpierali zarzuty, twierdząc, że mają prawo do sprawowania kontroli nad złotem depozytariuszy. Wśród tych spraw najsłynniejszy okazał się proces Foley przeciwko Hillowi i innym z 1848 roku:

> Kiedy [depozytariusz] deponuje swoje złote monety w banku, oznacza to, że nie należą one wyłącznie do niego; w tym czasie monety należą do bankiera, a ma on obowiązek do zwrotu odpowiedniej sumy złotych monet w czasie wymaganym przez depozytariusza. Deponowane w bankach i nadzorowane przez bankierów złote monety, patrząc z każdego punktu widzenia, należą do bankiera. Ma on prawo wykorzystać je podług swojej woli. Nie ma on obowiązku odpowiadać na zapytania depozytariusza, czy jego pieniądze są bezpieczne, czy w istocie nie przeprowadza ryzykownej inwestycji. Bankier nie ma obowiązku traktować zdeponowanych monet tak, jak w wypadku sprawowania powiernictwa nad cudzą własnością; ale oczywiście posiada on obowiązek w stosunku do ich liczby, ponieważ jest związany kontraktem[194].

W systemach prawnych Stanów Zjednoczonych, Wielkiej Brytanii czy Francji taki werdykt brytyjskiego sędziego stał się punktem zwrotnym w finansowej historii świata. Depozytariusze, deponując w bankach własne, ciężko zarobione pieniądze, nagle utracili ochronę prawną. Wydarzenie to w zasadniczy sposób naruszyło prawa własności obywateli. Od tego momentu w krajach anglosaskich banki całkowicie odmawiały uznania legalności „powierzanych rezerw"; rezerwy pełnej sumy złota utraciły swoją pozycję prawną, wszystkie depozyty przemieniły się w „ryzykowne inwestycje". Nastąpiło prawne ustanowienie monopolistycznej pozycji systemu częściowych rezerw.

W roku 1815, w czasie bitwy pod Waterloo, bank Rothschildów 24 godziny wcześniej niż brytyjski rząd uzyskał informacje o jej wyniku. Dzięki temu za jednym posunięciem uzyskał władzę nad brytyjskim rynkiem obligacji skarbowych, kontrolując emisję waluty w Imperium Brytyjskim. Wkrótce po tamtych wydarzeniach Rothschildowie zdobyli władzę nad emisją waluty we Francji, Austrii, Prusach i Włoszech, trzymając pod twardą kontrolą cenę złota określaną na światowych rynkach przez okres niemal 200 lat. Rothschild, Schiff, Warburg i inni żydowscy bankierzy stworzyli we wszystkich ważnych krajach sieć bankową, faktycznie tworząc pierwszy w świecie międzynarodowy system finansowy oraz międzynarodowe centrum rozliczeniowe. Tylko poprzez akces do ich sieci rozliczeniowej czeki z innych banków uzyskiwały możliwość do wejścia w ponadkrajowy obieg finansowy. Stopniowo bankierzy ci stworzyli międzynarodowy kartel bankowy. Normy obowiązujące między owymi bankierskimi rodzinami stopniowo przekształciły się w „międzynarodowe konwencje" panujące w ówczesnym świecie finansów.

Kartel bankowy był największą siłą naciskającą na ustanowienie systemu częściowych rezerw złota, stał się również jego największym beneficjentem. Wraz z upływem czasu możliwości działania owej grupy interesu stopniowo rosły i była ona w stanie nie tylko wspierać, ale również tworzyć najbardziej jej odpowiadające regulacje polityczne i prawne.

W 1913 roku, po ostatecznym ustanowieniu przez międzynarodowy kartel bankowy w Stanach Zjednoczonych „standardu" dla systemu częściowych rezerw

---

[194] Murray N. Rothbard, *The Mystery of Banking*, New York 1983, s. 61.

złota – Rezerwy Federalnej – system pełnej rezerwy złota stopniowo, w ogniu rywalizacji, został wyparty przez „złą monetę". Emitowane jeszcze w owym czasie przez rząd USA srebrne oraz złote certyfikaty można by określić mianem pozostałych przy życiu elementów systemu pełnych rezerw, mających stuprocentowe zabezpieczenia w złocie lub srebrze posiadanym przez rząd USA. Jedna uncja złota czy srebra odpowiadała określonej wartości papierowego banknotu i nawet w przypadku, gdyby wszystkie długi istniejące w systemie bankowym zostały zwrócone, na rynku wciąż, dzięki systemowi pełnej rezerwy, złote i srebrne dolary pozostałyby w obiegu, a gospodarka mogłaby normalnie funkcjonować tak, jak przed rokiem 1913, gdy ustanowiono Rezerwę Federalną.

Od roku 1913, „zły dolar" systemu częściowych rezerw Rezerwy Federalnej rozpoczął stopniowe wypieranie z rynku „dobrego pieniądza" systemu pełnych rezerw wspartego prawdziwym złotem i srebrem. Międzynarodowi bankierzy starali się doprowadzić do sytuacji, w której świat nowoczesnych finansów byłby zmonopolizowany przez system częściowych rezerw, a rząd całkowicie wypchnięty z obszaru emisji waluty. W tym celu bankierzy nie szczędzili energii w celu demonizowania złota i srebra. Ostatecznie, w latach sześćdziesiątych XX stulecia osiągnęli sukces, likwidując srebrnego dolara, a w 1971 roku przecinając ostatni związek pomiędzy dolarem i złotem. Odtąd monopol systemu częściowych rezerw stał się rzeczywistością.

Jak hartuje się dolar

Bank Rezerwy Federalnej z Nowego Jorku tak oto opisuje dolara: „dolar nie może być wymieniany na złoto bądź inne środki trwałe znajdujące się w gestii Departamentu Skarbu. Co do problemu środków trwałych, które wspierają «banknoty Rezerwy Federalnej», nie ma to rzeczywistego znaczenia, jest to jedynie formalność wymagana przy robieniu zapisów księgowych... Banki na podstawie przyrzeczenia pożyczkobiorcy o zwrocie pożyczki produkują pieniądz. Banki tworzą pieniądze poprzez monetaryzację owych prywatnych i handlowych długów".

Wyjaśnienie Banku Rezerwy Federalnej z Chicago brzmi tak:

> W Stanach Zjednoczonych, zarówno banknoty, jak i depozyty bankowe, nie mają jakiejś wewnętrznej, właściwej im wartości, tak jak artykuły handlowe. Dolar to tylko kawałek papieru, depozyt bankowy to jedynie kilka cyfr zapisu księgowego. Monety, co prawda, posiadają pewną wewnętrzną wartość, jednak jest ona z reguły niższa od ich nominału. Można zapytać, co sprawia, że owe czeki, banknoty, monety i inne narzędzia podczas zwrotu długu czy wymiany na inną walutę są akceptowane przez ludzi zgodnie z ich nominalną wartością? Otóż najważniejsze jest ludzkie zaufanie: ludzie ufają, że kiedy tylko zechcą, mogą wymienić owe pieniądze na inne aktywa finansowe czy realne produkty. Jednym z powodów, dla których tak się dzieje, są regulacje rządowe: ów „prawny środek płatniczy" musi być akceptowany[195].

[195] *Modern Money Mechanics*, Federal Reserve Bank of Chicago.

Mówiąc wprost, „monetaryzacja" długu tworzy dolara, a jego nominalna wartość z konieczności wymaga potwierdzenia i narzucenia przez zewnętrzną siłę. Jak zatem dług przekształca się w dolary? By zrozumieć szczegóły „wymiany długu na pieniądze", musimy posłużyć się szkłem powiększającym i szczegółowo przyjrzeć się funkcjonowaniu amerykańskiego systemu monetarnego.

Czytelnicy, którzy nie są specjalistami z dziedziny finansów, prawdopodobnie będą zmuszeni do kilkukrotnego przeczytania poniższych rozważań, by w pełni zrozumieć proces tworzenia pieniędzy przez Rezerwę Federalną i banki, ową fundamentalną tajemnicę handlową zachodniej branży finansowej.

Ponieważ rząd amerykański nie posiada prawa do emisji pieniądza, a jedynie prawo do emisji długu, wykorzystuje obligacje skarbowe, przekazując je jako zastaw hipoteczny do prywatnego banku centralnego Rezerwy Federalnej. Dopiero wówczas, za pośrednictwem Rezerwy bądź systemu banków handlowych następuje emisja pieniądza. Tak więc punktem wyjścia w procesie tworzenia dolara jest dług krajowy.

Pierwszy krok. Kongres wyraża zgodę na kształt i zasięg emisji obligacji skarbowych, a Departament Skarbu projektuje podział obligacji skarbowych na różnego rodzaju papiery wartościowe. Wśród nich są papiery o okresie ważności nie większym niż rok, zwane *T-Bills* (bilety skarbowe), papiery od dwóch do 10 lat, określane *T-Notes* (weksle skarbowe) oraz trzydziestoletnie *T-Bonds* (bony skarbowe). Te papiery wartościowe, o różnej stopie procentowej, w różnym czasie są sprzedawane podczas publicznej aukcji rynkowej. Na koniec Departament Skarbu przekazuje wszystkie niesprzedane obligacje skarbowe Rezerwie Federalnej. Rezerwa wszystkie je akceptuje. Następnie Rezerwa księguje na swoich rachunkach wszystkie te obligacje w rubryce *Securities Assets* (papiery wartościowe jako aktywa).

Ponieważ rząd amerykański przeznacza przyszłe wpływy podatkowe na zastaw hipoteczny, pod który dokonywana jest emisja obligacji skarbowych, dlatego też obligacje skarbowe są na świecie uznawane za „najbardziej wiarygodne aktywa". Po otrzymaniu tych aktywów przez Rezerwę Federalną, można wykorzystać je w celu wytworzenia zobowiązania do płatności – i to są właśnie drukowane przez Rezerwę banknoty Rezerwy Federalnej. Oto jak wygląda najważniejsza, kluczowa procedura „tworzenia czegoś z niczego". Za wystawianym przez Rezerwę Federalną pierwszym „pustym" czekiem nie stoi żadne wsparcie pieniężne.

Ta bardzo precyzyjna, a zarazem skrajnie nieuczciwa procedura prowadzi rząd do wzmocnienia kontroli nad podażą papierów skarbowych sprzedawanych na aukcjach. Rezerwa Federalna otrzymuje odsetki z tytułu udzielanych rządowi pożyczek, rząd zaś bardzo łatwo uzyskuje pieniądz, jednak bez ujawniania śladów wielkiego druku banknotów. Rezerwa Federalna w swych zapisach księgowych niespodziewanie osiąga całkowitą równowagę, aktywa obligacji skarbowych oraz obciążenia pieniądza wyrównują się. Cały system bankowy jest nadzwyczaj zręcznie opakowany w tę zewnętrzną skorupę.

Teraz czas na prosty i niesłychanie ważny krok, który można uznać za akt tworzenia największej niesprawiedliwości na świecie: przyszłe wpływy z podatków płaconych przez obywateli są zastawiane w prywatnym banku centralnym w zamian za „pożyczane" dolary, a ponieważ rząd pożycza pieniądze z prywatnego banku, wciąż pozostaje mu do spłacenia gigantyczna kwota odsetek. Oto dlaczego sytuacja ta jest skrajnie niesprawiedliwa:

1. Przyszłe dochody z tytułu podatków płaconych przez obywateli nie powinny być zamieniane w zabezpieczenie hipoteczne, albowiem te pieniądze nie zostały jeszcze zarobione. „Zastawianie" przyszłości w nieunikniony sposób prowadzi do dewaluacji siły nabywczej pieniądza i przynosi uszczerbek oszczędnościom obywateli.
2. Przyszłe dochody z tytułu podatków płaconych przez obywateli tym bardziej nie powinny być zastawiane w prywatnym banku centralnym, albowiem bankierzy, nie ponosząc praktycznie żadnych wydatków, niespodziewanie mogą wykorzystać przyrzeczenie o zebraniu przyszłych podatków od obywateli. Jest to typowy przykład „złapania wilka gołymi rękoma"*.
3. Rząd bez powodu jest obciążony wypłatą gigantycznych odsetek. Ich spłacenie ostatecznie staje się ciężarem dla całego narodu. Nie tylko w dziwny, ukryty, niejednoznaczny sposób zastawiona zostaje przyszłość obywateli, ale również w tym momencie konieczna jest natychmiastowa zbiórka podatków, aby dokonać spłaty odsetek, które rząd jest winien prywatnym bankom. Im większa jest emisja dolarów, tym większy jest ciężar odsetek od długu, który spłacić muszą obywatele, przez pokolenia zwracający sumę, której realnie spłacić się nie da.

Drugi krok. Po otrzymaniu i żyrowaniu przez rząd federalny wystawionych przez Rezerwę Federalną „kwitów Rezerwy Federalnej", owe magiczne czeki są ponownie deponowane w bankach Rezerwy Federalnej, by następnie momentalnie przemienić się w nową formę, „rezerw rządowych", które z kolei zostają zdeponowane na rachunkach rządowych znajdujących się w bankach Rezerwy Federalnej.

Trzeci krok.: Kiedy rząd federalny wydaje pieniądze, mnóstwo czeków federalnych formuje „pierwszą falę" pieniądza napływającą do gospodarki. Korporacje i indywidualne osoby, które otrzymały owe czeki, kolejno deponują je na swoich kontach w bankach handlowych. Owe pieniądze ponownie stają się handlowymi depozytami komercyjnymi. W tym czasie dokonuje się wśród nich proces „rozdwojenia osobowości", albowiem, z jednej strony, są one obciążeniem banku, gdyż owe pieniądze należą do właścicieli rachunków i prędzej czy później będą musiały zostać zwrócone swoim właścicielom, jednak, z drugiej strony, składają się one na bankowe „aktywa" i mogą być wykorzystane w celu przeprowadzenia inwestycji. W zapisach księgowych wszystko jest doskonale zbilansowane, te same aktywa tworzą identyczne obciążenia. Ale na tym etapie banki handlowe rozpoczynają udzielanie pożyczek na podstawie systemu częściowych rezerw, co stanowi swego rodzaju „wzmacniacz" umożliwiający tworzenie pieniędzy.

Czwarty krok. Rezerwy banków handlowych zostają na rachunku bankowym ponownie zapisane w kategorii „rezerwy bankowe". Wówczas owe rezerwy ze zwykłych aktywów bankowych błyskawicznie przeskakują do kategorii rodzących pie-

---

* Bez konieczności użycia jakichkolwiek narzędzi (przyp. tłum.).

niądze sadzonek – „rezerw pieniężnych". W systemie częściowych rezerw, Rezerwa Federalna wymaga od banków handlowych utrzymania dziesięcioprocentowych wkładów-depozytów jako „rezerwy pieniężnej" (zazwyczaj amerykańskie banki zatrzymują około jednego do dwóch procent całej sumy depozytów w gotówce oraz osiem do dziewięciu procent w skryptach dłużnych w swoich skarbcach tytułem „rezerwy pieniężnej"), a 90 procent depozytów w formie pożyczek wypływa z banków. Dlatego owe 90 procent pieniędzy jest wykorzystane przez bank do udzielania kredytów.

W tym miejscu natykamy się na pewien problem. Otóż, skoro przekazano kredytobiorcom w formie pożyczek 90 procent wkładów depozytowych, co się stanie, gdy pierwotny właściciel, depozytariusz, postanowi wypisać czek lub pobrać pieniądze?

W rzeczywistości, kiedy następuje akt udzielenia kredytu, pieniądze nie pochodzą z pierwotnych rezerw, lecz są to wytwarzane z niczego „nowe pieniądze". Te „nowe pieniądze" prowadzą do sytuacji, w której bank błyskawicznie zwiększa do 90 procent łączną sumę wykorzystywanych pieniędzy w stosunku do „starych pieniędzy" (10 procent). Różnica między „nowymi" a „starymi" pieniędzmi" polega na tym, że „nowe pieniądze" dostarczają bankom dochodów w postaci odsetek. Tak powstaje „druga fala" pieniędzy, które wpływają do gospodarki. Kiedy pieniądze „drugiej fali" wracają do banków handlowych, kreują kolejne fale „nowych pieniędzy", a ich łączna suma wykazuje trend stopniowej redukcji.

Kiedy „dwudziestokrotna fala" osiąga swój szczyt, jeden dolar długu skarbowego, poprzez bliską współpracę między Rezerwą Federalną i bankami handlowymi, zdążył wytworzyć już 10 dolarów zwiększających objętość obiegu pieniężnego. Kiedy następstwa nademisji obligacji skarbowych oraz wytwarzania pieniędzy prowadzą do zwiększenia ilości pieniądza w obiegu, która znacznie przewyższa potrzeby rozwoju gospodarczego, siła nabywcza wszystkich „starych pieniędzy" spada i to właśnie jest podstawową przyczyną inflacji. W latach 2001-2006 USA zwiększyły ilość obligacji skarbowych o trzy biliony dolarów, z czego znaczna część bezpośrednio weszła w obieg pieniężny. Dodatkowo zwiększono zakres odkupywania dawnych obligacji oraz wypłacane z ich tytułu odsetki. Negatywną konsekwencją była dramatyczna dewaluacja dolara oraz gwałtowny wzrost cen wielkiej liczby artykułów konsumpcyjnych, nieruchomości, ropy naftowej, edukacji, opieki medycznej, ubezpieczeń.

Jednakże większość z wyemitowanych obligacji skarbowych nie weszła bezpośrednio do systemu bankowego, ale została wykupiona przez zagraniczne banki centralne oraz amerykańskie instytucje nieposiadające finansowego charakteru. W tej sytuacji, nabywcy dokonali płatności już istniejącymi dolarami, a zatem nie doszło do wytworzenia nowych dolarów. Tylko w przypadku, gdy Rezerwa Federalna lub inne amerykańskie instytucje bankowe dokonują zakupu obligacji skarbowych, ów akt „kreacji" może się dokonać – i to jest powód, dla którego Ameryka tymczasowo jest zdolna do kontroli zjawisk inflacyjnych. Wszelako obligacje, czyli dług krajowy nie znajdujący się w amerykańskich rękach, prędzej czy później trzeba będzie zwrócić, poza tym istnieje obowiązek wypłaty odsetek raz na pół roku (w przypadku obligacji trzydziestoletnich) i wtedy to Rezerwa Federalna nie może uniknąć wytwarzania nowych dolarów.

Tak więc z istoty swej system częściowych rezerw wraz z systemem długu pieniężnego są głównymi sprawcami długookresowej inflacji. W systemie standardu złota, naturalnym rezultatem byłby wzrost emisji kwitów bankowych, których liczba stopniowo przekroczyłaby ilość istniejących rezerw złota, a to musiałoby doprowadzić do upadku standardu złota. W systemie z Bretton Woods takie zjawisko z pewnością doprowadziłoby system wymiany złota do krachu. Natomiast w czystym systemie prawnego środka płatniczego, ostateczną i nieuniknioną konsekwencją jest powstanie szkodliwych zjawisk inflacyjnych, co w końcowej fazie może doprowadzić do ogólnoświatowej recesji.

W systemie pieniądza dłużnego USA nigdy nie będą zdolne do zwrotu wszystkich pożyczek pochodzących ze sprzedaży obligacji skarbowych, a zwracane długi firm i osób prywatnych oznaczają zniknięcie dolarów. Łączny dług USA nie tylko nie ulegnie redukcji, ale zgodnie z lawinowym efektem narastającego procentu składanego od odsetek długu oraz naturalnym zapotrzebowaniem na pieniądz w rosnącej gospodarce, będzie nadal rósł w coraz szybszym tempie.

Rzeka amerykańskiego długu i IOU dla Azjatów

W latach osiemdziesiątych XX wieku Stany Zjednoczone dokonały emisji obligacji skarbowych na bezprecedensową skalę. Ponieważ wypłacane z ich tytułu odsetki były wysokie, obligacje te przyciągnęły rzesze inwestorów, firm i osób prywatnych niezwiązanych z sektorem bankowym. Zagraniczne banki centralne tłumnie ruszyły po zakup amerykańskich obligacji skarbowych. W ramach tego procesu istniejący dolar powracał do obiegu pieniężnego, gdzie był ponownie wykorzystywany, tak więc tworzenie nowych dolarów nie dokonywało się bardzo często.

Nadeszły lata dziewięćdziesiąte. Pokonawszy światowe konkurencyjne waluty, amerykańskie obligacje skarbowe wciąż były rozchwytywane, a ceny importowanych artykułów konsumpcyjnych, z uwagi na powszechną dewaluację walut krajów Trzeciego Świata, poszły wyraźnie w dół. W Ameryce nastał złoty czas wysokiego wzrostu gospodarczego i niskiej inflacji.

Od roku 2001 gigantyczne wydatki związane z wojną z terroryzmem, nadchodzący moment wykupu wielkiej liczby obligacji wyemitowanych w latach osiemdziesiątych oraz rosnące płatności z tytułu odsetek zmusiły USA do emisji jeszcze większej liczby obligacji skarbowych. Krótko mówiąc: nowe obligacje zastępowały stare. W latach 1913-2001, a więc w ciągu 87 lat, USA zakumulowały obligacje skarbowe o łącznej wartości sześciu bilionów dolarów. Natomiast w krótkim okresie pięciu lat (2001-2006) USA dokonały nowych emisji obligacji skarbowych o łącznej wartości około trzech bilionów dolarów, zaś dług rządu federalnego z tytułu emisji obligacji skarbowych sięgnął sumy 8,6 biliona dolarów, która rośnie z szybkością 25,5 miliarda dolarów dziennie. Wydatki rządu federalnego na spłacenie odsetek zajmują trzecią pozycję w jego budżecie, zaraz po wydatkach na opiekę zdrowotną i obronność, wynosząc blisko 400 miliardów dolarów, co stanowi 17 procent łącznych wpływów skarbowych.

Wykres 2. Dług skarbowy USA 1940-2005

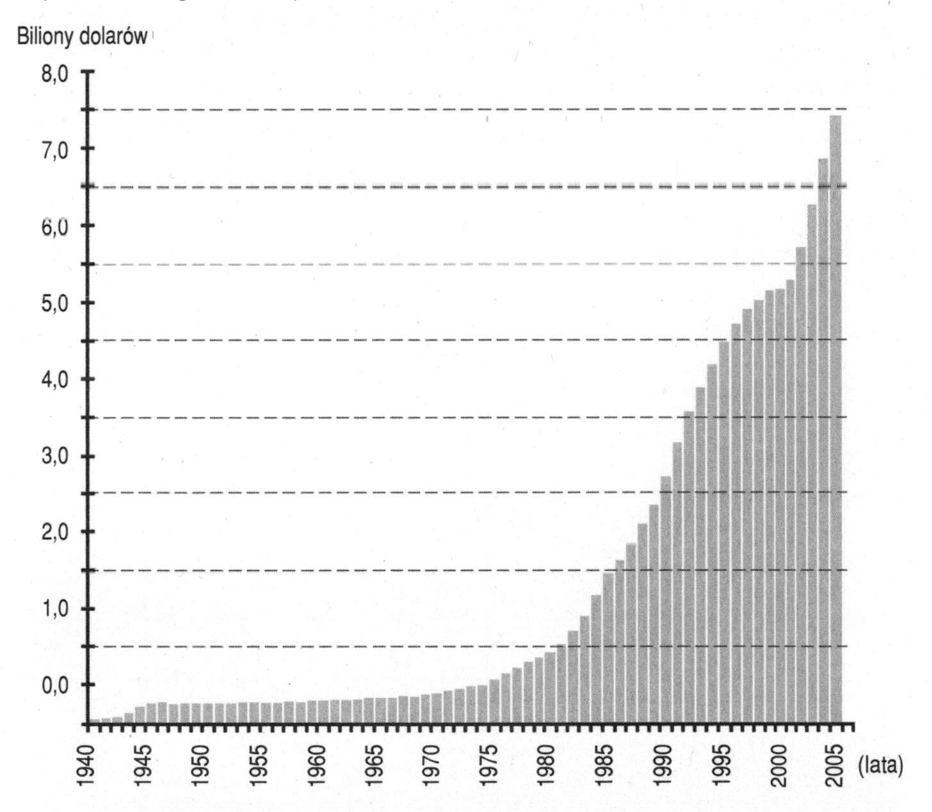

W latach 1982-1992 emisja pieniądza w USA znajdowała się w sytuacji „umiarkowanego wzrostu", którego roczna średnia stopa wynosiła około ośmiu procent. Jednak w latach 1992-2002 emisja pieniądza weszła na „drogę szybkiego ruchu", osiągając średnie tempo 12 procent rocznie. Począwszy od roku 2002, w wyniku potrzeby pokrycia kosztów wojny z terroryzmem oraz działań pobudzających balansującą na granicy recesji gospodarkę, w sytuacji, kiedy stopy procentowe zbliżyły się do najniższego poziomu od czasu zakończenia II wojny światowej, emisja pieniądza w USA osiągnęła przerażającą stopę 15 procent rocznie. Dlatego też, spoglądając z punktu widzenia nachylenia krzywej emisji amerykańskich obligacji skarbowych, nietrudno dostrzec brutalną prawdę. W takiej sytuacji decyzja Rezerwy Federalnej, wstrzymująca od marca 2006 roku publikację statystycznego raportu szerokiego pieniądza M3, nie jest ani zaskakująca, ani przypadkowa.

W historii ludzkości próżno szukać kraju o tak wielkim debecie zaciągniętym na poczet przyszłości. USA nie tylko przekraczają stan kont i posiadania swoich obywateli, ale nawet stan kont i majątku obywateli innych krajów, włączając w to ich przyszłą wypracowaną własność. Każdy zaznajomiony z giełdą papierów wartościowych potrafi bardzo łatwo przewidzieć, co w ostateczności oznacza ta ostra krzywa.

Po ataku z 11 września 2001 roku Alan Greenspan, w celu ratowania giełdy

Wykres 3. Całkowity dług rynku kredytowego

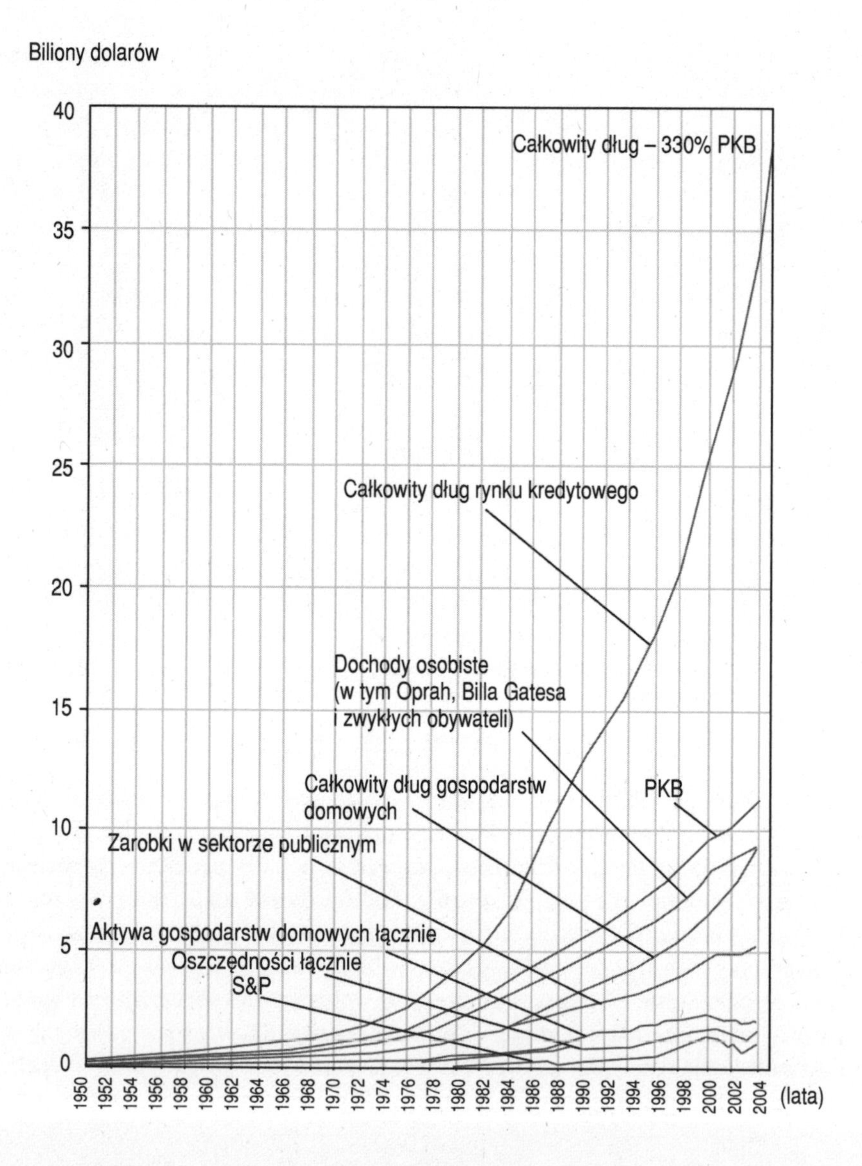

i rynku papierów wartościowych, ignorując negatywne skutki, dokonał obniżki stóp procentowych z sześciu na jeden procent, doprowadzając do eksplozji kredytów udzielanych w dolarach. W rezultacie na całym świecie doszło do sytuacji, w której dolar, niczym woda podczas klęski powodzi, rozlał się na wszystkie strony. Ludzie ostatecznie zrozumieli, że dolar to jedynie zielony, pokryty znakami i wzorkami kawałek papieru. Jednocześnie główni światowi posiadacze rezerw dolarowych gwałtownie ruszyli w kierunku nieruchomości, ropy naftowej, złota, srebra, podstawowych artykułów konsumpcyjnych i innych rzeczy niepodlegających możliwości przekształcenia przez Rezerwę Federalną. Jeden z francuskich inwestorów twierdził: „Nowojorczycy są zdolni do emisji dolarowych banknotów, lecz wyłącznie Bóg może doprowadzić do emisji złota czy ropy naftowej". Konsekwencją tych wydarzeń był wzrost ceny ropy naftowej z 22 do 60 dolarów za baryłkę. Złoto, srebro, platyna, miedź, ołów, fasola, ziarna kawy, cukier, kakao itd. w porównaniu z poziomem z 2002 roku odnotowały wzrost ceny o 120-300 procent. Kiedy ekonomiści uroczyście przysięgali, że stopa inflacji wahała się jedynie od jednego do dwóch procent, nietrudno było nie pomyśleć o słynnym stwierdzeniu Marka Twaina: na świecie są tylko trzy rodzaje kłamstwa – kłamstwa, obrzydliwe kłamstwa i dane statystyczne.

Niepokojem napawa fakt, że łączna suma amerykańskiego długu osiągnęła 44 biliony dolarów. Na ów dług składają się obligacje skarbowe rządu federalnego, rządów stanowych i lokalnych, długi międzynarodowe oraz długi osób prywatnych. Gdyby rozdzielić ten dług równo pośród Amerykanów, jego suma *per capita* wyniosłaby ponad 150 tysięcy dolarów, a poziom zadłużenia czteroosobowej rodziny wyniósłby jakieś 600 tysięcy dolarów*. Wśród długów osób prywatnych najbardziej rzucają się w oczy gigantyczne długi pochodzące z pożyczek hipotecznych na zakup domów oraz długi wynikające z zaległych płatności kartami kredytowymi. Gdyby dokonać szacunku odsetek na podstawie konserwatywnej stopy pięciu procent, 44 biliony dolarów długu pociągają za sobą konieczność corocznej spłaty 2,2 biliona dolarów z tytułu odsetek. Liczba ta odpowiada rocznemu przychodowi skarbowemu rządu federalnego. W ramach łącznej sumy długów blisko 70 procent z nich zostało „wytworzonych" po roku 1990. Obecnie USA nie posiadają zdolności do emisji wysoko oprocentowanych obligacji, jak na początku lat osiemdziesiątych, gdy ich celem było między innymi schwytanie w pułapkę państw Trzeciego Świata, albowiem sama Ameryka znajduje się w stanie potężnego obciążenia, w którym każda polityka wysokich odsetek oznacza po prostu gospodarcze samobójstwo.

„Monetaryzacja" długu, uzupełniona o potężny wzmacniacz, którym jest system częściowych rezerw, powoduje nałożenie wielkiego debetu na przyszły majątek Amerykanów. Do roku 2006 łączna suma osobistego podatku dochodowego, którą zobowiązani są zapłacić Amerykanie, jest zatrzymywana w Departamencie Skarbu tylko na chwilę, by zaraz potem zostać przelana do systemu bankowego

---

* W 2010 roku całkowity dług USA przekroczył 54 biliony dolarów, per capita wyniósł ponad 174 tysiące dolarów, a na czteroosobową rodzinę – ponad 666 tysięcy dolarów (za www.usdebtclock.org) (przyp. tłum.)

w celu spłacenia odsetek dolara dłużnego. Ani jeden dolar z łącznej sumy wpłaconych przez podatników pieniędzy z tytułu podatku dochodowego nie jest wykorzystywany przez rząd federalny. Dla przykładu, koszty edukacji pokrywane są z wpływów uzyskiwanych z podatku od własności. W całej Ameryce budowa nowych odcinków autostrad oraz remonty i przeglądy istniejących dróg pokrywane są z wpływów uzyskiwanych z podatku od paliw. Koszty operacji wojennych poza granicami kraju dokładnie równają się podatkom wpłacanym przez amerykańskie korporacje. Innymi słowy, można powiedzieć, że 300 milionów Amerykanów jest zmuszonych rokrocznie do płacenia „pośredniego podatku" bankierom. Oszczędności Amerykanów, niczym „ukryta zbiórka podatków", są zeskrobywane warstwa po warstwie przez bankierów stosujących długookresową inflację.

Bez względu na to, czy amerykańscy dłużnicy znajdą sposób na spłacenie tych obciążanych narastającym procentem składowym wierzytelności, problemem jest fakt, iż amerykański rząd od samego początku nie zamierza dokonać spłaty długów. Rząd USA jedynie dokonuje nieustannej, wiecznej emisji nowych papierów wartościowych, tak by zastąpić nimi dotychczasowe oraz spłacić wynikłe z nich nagromadzone odsetki. Ten cykl stale się powtarza. Bank Rezerwy Federalnej z Filadelfii wprost zauważa, że „z dnia na dzień coraz więcej ekspertów przyznaje, że dług krajowy jest niesłychanie użyteczny, jest nawet korzystny dla gospodarki. Sądzą oni, że wcale nie ma potrzeby jego zmniejszania".

Wygląda to tak, jak gdyby jakiś człowiek był w stanie dzięki nieustannym, coraz większym pożyczkom prowadzić luksusowe życie, nigdy nie będąc zmuszanym do zwrotu wszystkich pożyczonych pieniędzy. Idealna sytuacja, która jednak nie może zostać nigdzie urzeczywistniona. Takie „gospodarcze perpetum mobile" jest obecnie praktykowany w USA. Idee ekspertów ekonomicznych, mówiące o tym, żeby cieszyć się z możliwości oferowanych przez „piękne życie" dzięki nieustannemu zwiększaniu zadłużenia, niczym nie różnią się od twierdzeń, że dany kraj może wzbogacić się przez dodruk banknotów.

Wspomniani eksperci jednocześnie krytykują nadmiar rezerw w Azji i innych krajach, który ich zdaniem jest podstawową przyczyną utraty równowagi przez globalną strukturę gospodarczą. Te tanie, a sprzedawane jako mądrości teorie, wystarczająco pokazują, że moralność badaczy stoczyła się do zatrważająco niskiego poziomu. Kraje azjatyckie za bardzo oszczędzają? Gdzie są te nadmierne oszczędności? Te ciężko wypracowane przez dziesiątki lat oszczędności są obecnie nieustannie, poprzez zakup amerykańskich obligacji skarbowych, wsysane przez USA do bezprecedensowego w historii ludzkości „gospodarcze perpetum mobile", biorąc udział w „wielkim eksperymencie".

Nastawienie krajów azjatyckich na eksport i popyt ich gospodarek na amerykańskie obligacje skarbowe przypomina uzależnienie od narkotyków, które dostając się do ludzkiej krwi natychmiast rozprzestrzeniają się w obrębie całego organizmu. Stany Zjednoczone z radością biorą do ręki te, w rzeczywistości nigdy niespłacalne, obligacje skarbowe, by wystawić narodom Azji białe weksle *I Owe You* (Posiadam cię). Jednakże kraje Azji będą w końcu musiały sobie uświadomić, że narażanie się na groźbę nagłej i nieodwracalnej dewaluacji aktywów dolarowych po to tylko, aby uzyskać pięcioprocentowe zwroty z amerykańskich obligacji skarbowych, jest bez wątpienia mało rozsądną inwestycją.

Były amerykański sekretarz skarbu Lawrence Summers twierdził, że jeśli Chiny wstrzymają przeciętny, tygodniowy zakup wartych kilkaset milionów dolarów amerykańskich obligacji skarbowych, to amerykańska gospodarka znajdzie się w trudnej sytuacji. Jednak z uwagi na to, że w takim wypadku również chińska gospodarka uzależniona od eksportu do USA znalazłaby się w tarapatach, obie strony zdają się trwać w stanie „równowagi finansowego strachu".

Rynek instrumentów pochodnych

Jeśli każdego roku, zwiększane wskutek działania procentu składanego, wynoszące dwa biliony dolarów płatności odsetek, „wytworzone" wejdą do obiegu pieniężnego, to [illegible] z uwagi na fakt, że jedna ich część poprzez jeszcze wyższą cenę długu jest gromadzona na przyszłość, inna zaś część wypłacana w dolarach – sytuacja taka powinna powodować wzrost inflacji. I tu spotyka nas największe zaskoczenie – inflacja w USA pozostaje stosunkowo niska. Z jakim rodzajem sztuczek mamy tu do czynienia?

Tajemnica sukcesu polega na konieczności stworzenia miejsca zdolnego do absorbcji tak wielkiej ilości emitowanych nowych pieniędzy. Tym miejscem ukrywającym inflację jest rynek instrumentów pochodnych.

Dwie dekady temu łączna wartość nominalna światowych instrumentów pochodnych była bliska zeru. Do roku 2006 całkowita wartość tego rynku osiągnęła niebotyczną sumę 37 bilionów dolarów. Co więcej, prędkość i skala, z jaką ów rynek rośnie, przekraczają możliwości wyobraźni zwykłego człowieka.

Czym jest ów rynek instrumentów pochodnych? Otóż, podobnie jak dolar amerykański, jest on długiem. Te dwa elementy są po prostu opakowaniem dla długu: są jego koncentracją, kontenerem, w którym umieszcza się dług, magazynem i zarazem Himalajami długu.

Te wszystkie długi, w formie aktywów, wypełniają kombinację inwestycyjną funduszy typu hedge, a także są umieszczane w formie aktywów na kontach firm ubezpieczeniowych oraz funduszy emerytalnych. Długi podlegają więc procesowi transakcji, prolongaty, kompresji, rozciągania, wypełniania, wyciągania. Mamy tu do czynienia z czymś w rodzaju wielkiego bankietu w gigantycznym kasynie. Za niezliczonymi i skomplikowanymi formułami matematycznymi pozostaje jedynie pustka oraz dwie możliwości wyboru. Każdy kontrakt to zakład hazardowy, każdy zakład hazardowy ma tylko dwa scenariusze: zwycięstwo lub porażka.

Skoro istnieje zakład warty biliony dolarów, w takim razie, tak jak w każdym kasynie, musi istnieć bank i krupier. Kto trzyma bank? Pięć największych amerykańskich banków. Grupa ta jest nie tylko potężnym graczem, ale również prowadzi biznes, który rządzi giełdami.

Opublikowany przez amerykański Departament Skarbu raport za drugi kwartał 2006 roku dotyczący rynku instrumentów pochodnych banków handlowych wskazuje, że na 902 wszystkie banki USA, pięć największych banków, takich jak Morgan Chase, Citigroup itd. zajmuje 97 procent rynku finansowych instrumentów pochodnych, a ich udział w dochodach wynosi 94 procent. Pośród wszystkich kategorii bankowych finansowych instrumentów pochodnych, największy zasięg posiadają instrumenty typu stopy procentowej, zajmując na całym rynku 83 procent, ich wartość nominalna zaś wynosi 9,87 biliona dolarów[196].

Wśród produktów tych zdecydowaną przewagę posiadają swapy stopy procentowej. Główną cechą swapu stopy procentowej jest, w określonych ramach czasowych, wykorzystując przepływ gotówki na podstawie zmiennych stóp procentowych, dokonywanie jego wymiany na przepływ gotówki na podstawie stałej stopy procentowej. Zazwyczaj transakcje odbywają się bez udziału podstawowej sumy. Ich celem jest, za pomocą „tańszego kosztu", dokonanie symulacji działania długookresowych papierów wartościowych o stałej stopie odsetek. Najczęściej narzędzi tych używają dwie amerykańskie instytucje sponsorowane przez rząd, Freddie Mac oraz Fannie Mae. Te dwie gigantyczne spółki finansowe, poprzez emisje krótkoterminowych papierów wartościowych, wspierają finansowo trzydziestoletnie pożyczki o stałej racie odsetek na zakup nieruchomości, pomagając, przez użycie swapów stopy procentowej, w zabezpieczeniu się przed ryzykiem niekorzystnych zmian cen lub kursów.

W kwocie 98,7 biliona dolarów, którą warte są instrumenty pochodne przynoszące odsetki, bank Morgan Chase samodzielnie zajmuje dominującą pozycję, posiadając udziały warte 74 biliony dolarów. Na polu finansowym wykorzystanie dźwigni proporcji kapitałowej 10:1 do przeprowadzenia inwestycji jest już uznawane za bardzo „nieprzemyślany ruch", natomiast w przypadku dźwigni 100:1 możemy mówić o „szaleńczej" inwestycji. W latach dziewięćdziesiątych słynny fundusz hedgingowy Long Term Capital Management pod kierownictwem dwóch laureatów Nagrody Nobla z ekonomii zbudował najbardziej skomplikowany na świecie model matematyczny, mający na celu zabezpieczenie się przed ryzykiem niekorzystnych zmian cen lub kursów. Do tego celu wykorzystano najnowocześniejsze komputery. Kiedy zastosowano dźwignię proporcji kapitałowej, przy braku pełnej koncentracji, stracono wszystko, a krach całego światowego systemu finansowego był bardzo blisko. Ukryta dźwignia proporcji kapitałowej wykorzystywana przez bank Morgan Chase do inwestycji w przynoszące odsetki instrumenty pochodne wyniosła 626:1, stając się najbardziej ryzykowną inwestycją na świecie[197].

Morgan Chase faktycznie zajmuje dominującą pozycję na rynku instrumentów pochodnych, będąc partnerem praktycznie każdej firmy zabezpieczającej się przed wysokim ryzykiem niekorzystnych zmian cen lub kursów. Mówiąc inaczej, większość ludzi w okresie inwestowania pragnie zapobiec nagłemu i potężnemu

---

196 *OCC's Quarterly Report on Bank Derivatives Activities Second Quarter 2006*, US Treasury Report.

197 Adam Hamilton, *The JPM Derivatives Monster*, „Zeal Research", 2001.

wzrostowi rat odsetek w przyszłości, a bank Morgan Chase, sprzedając tego typu ubezpieczenie, składa zapewnienie, że raty odsetek gwałtownie nie wzrosną.

Jaka magiczna, kryształowa kula pozwala bankowi Morgan Chase na podejmowanie tak przerażającego ryzyka, jakim jest prognozowanie zmian stóp procentowych, a więc czegoś, o czym wiedzieć mogą jedynie Greenspan i Rezerwa Federalna i to tylko w konkretnej sytuacji? Jest tylko jedna rozsądna odpowiedź: Bank Morgan Chase jest jednym z największych udziałowców nowojorskiego banku Rezerwy Federalnej, ten bank zaś to po prostu prywatna firma. Bank Morgan Chase nie tylko jest w stanie otrzymać informacje o ruchach stóp procentowych znacznie wcześniej niż inne firmy, ale w istocie jest prawdziwym twórcą polityki zmian stóp procentowych, a znajdująca się w odległym Waszyngtonie Rada Rezerwy Federalnej jest jedynie instytucją wcielającą tę politykę w życie. Decyzje o zmianach kursu w polityce stóp procentowych nie zapadają, tak jak to sobie ludzie wyobrażają, podczas głosowań, w czasie stałych posiedzeń rady nadzorczej Rezerwy. Oczywiście, procedura głosowania odbywa się, jest obligatoryjna, ale głosujący od samego początku są odpowiednio pouczeni co do swoich posunięć przez międzynarodowych bankierów.

Dzięki temu właśnie bank Morgan Chase prowadzi stabilne, wolne od groźby straty interesy. Przypomina firmę, która posiada zdolność sterowania opadami deszczu i równocześnie prowadzi sprzedaż ubezpieczeń od powodzi. Jest oczywiste, że taka firma wie, kiedy wody przybiorą i nastąpi powódź; wie nawet, które tereny zostaną zalane. Einstein powiedział kiedyś, że Bóg nie gra w kości. Skoro Morgan Chase ma odwagę grać na rynku instrumentów pochodnych i właściwie rządzić nim, jest bardzo mało prawdopodobne, aby chciał rzucać kośćmi.

Z punktu widzenia gwałtownego rozwoju rynku instrumentów pochodnych, możliwości nadzoru znajdujące się w gestii rządu są zacofane i nieadekwatne do nowej rzeczywistości. Większość kontraktów na instrumenty pochodne jest zawieranych poza wyznaczonymi, oficjalnymi, regularnymi centrami transakcyjnymi. Nazywa się to *transakcjami pod ladą*. W systemie księgowym bardzo trudno jest dokonać porównań między konwencjonalnymi transakcjami handlowymi a transakcjami instrumentów pochodnych. Nie mówiąc już o takich kwestiach, jak naliczanie obowiązków podatkowych oraz kalkulacja obciążeń na aktywach. Ponieważ zasięg rynku instrumentów pochodnych jest nadzwyczaj szeroki, finansowa dźwignia proporcji jest postawiona bardzo wysoko, ryzyko dla partnerów jest trudne do kontroli, a nadzór ze strony rządu słaby. Można powiedzieć, że jest to zegarowa bomba atomowa dla rynku finansowego.

W wyniku bezprecedensowej prosperity na tym rynku spekulacyjnym, następuje wielkie wsysanie „wytworzonej" przez spłaty odsetek od amerykańskiego długu krajowego, astronomicznej płynności. Dopóki emisja nowych dolarów oraz powrót dolarów z zagranicy są opakowywane przez ten szybko kręcący się rynek, a prawdopodobieństwo ich wycieku na inne rynki znikome, dopóty centralny wskaźnik inflacji da się, w magiczny niemal sposób, kontrolować. Jednakże z tego samego powodu, gdy nastąpi krach na rynku instrumentów pochodnych, będziemy świadkami najostrzejszej w historii świata burzy finansowej oraz kryzysu gospodarczego.

Struktury koncesjonowane przez rząd: „Druga Rezerwa Federalna"

Wiele z instytucji finansowych praktycznie zupełnie nie rozumie ryzykownej natury emitowanych przez instytucje rządowe, krótkoterminowych papierów wartościowych. Inwestorzy błędnie sądzą, że inwestycje tych instytucji są całkowicie wolne od ryzyka kredytowego. Wynika to stąd, że zanim nadejdzie kryzys, już wcześniej pojawia się wystarczająco dużo ostrzeżeń, co daje szansę przeczekania, by kilka miesięcy później, kiedy nadejdzie termin spłaty, szybko i łatwo pozbyć się owych krótkoterminowych papierów wartościowych. Problem leży w tym, że w czasie, gdy pojawia się kryzys finansowy, papiery wartościowe instytucji rządowych, prawdopodobnie w trakcie kilku godzin bądź dni, całkowicie utracą płynność finansową. Nawet jeśli pojedynczy inwestor będzie mógł wybrać opcję wyjścia z rynku, to jeśli wszyscy inwestorzy jednocześnie rozpoczną ucieczkę, w rezultacie nie ucieknie nikt. Przypomina to sytuację masowego naporu na banki, a ponieważ krótkoterminowe papiery wartościowe opierają się o aktywa z rynku nieruchomości, nie ma możliwości ich szybkiej zamiany. Podsumowując, usilne podejmowanie próby wyprzedaży papierów wartościowych struktur koncesjonowanych przez rząd nie może zakończyć się sukcesem.

William Poole, CEO banku Rezerwy Federalnej w Saint Louis, 2005 rok[198]

Przez struktury koncesjonowane przez rząd rozumiem dwie wielkie, posiadające upoważnienie i koncesję od amerykańskiego rządu agencje: Freddie Mac i Fannie Mae. Te dwie firmy są odpowiedzialne za stworzenie wtórnego rynku pożyczek na zakup nieruchomości oraz emisję pod zastaw nieruchomości papierów wartościowych zwanych MBS (*Mortgage Backed Securities* – papiery wartościowe oparte na kredytach hipotecznych), których łączna wartość wynosi około czterech bilionów dolarów. W rzeczywistości, większa część z pożyczek na zakup nieruchomości o wartości siedmiu bilionów dolarów udzielonych przez amerykański system bankowy została następnie sprzedana tym dwóm firmom. One zaś przepakowują te długoterminowe pożyczki hipoteczne na zakup nieruchomości w papiery wartościowe MBS, by następnie dokonywać ich sprzedaży na Wall Street, zarówno amerykańskim instytucjom finansowym, jak i azjatyckim bankom centralnym. Pomiędzy emisją MBS oraz wykupem z rąk banków pożyczek hipotecznych na zakup nieruchomości istnieje korzystna dla nich różnica, która stanowi źródło dochodów dla tych dwu firm. Zgodnie z danymi statystycznymi, 60 procent amerykańskich banków posiada kapitały w postaci papierów wartościowych tych dwóch firm, których wartość przekroczyła ich kapitały bankowe o 50 procent[199].

---

198 William Poole, prezes banku Rezerwy Federalnej w Saint Louis, Speech GSE Risks 2005.

199 *Fannie Mae and Freddie Mac and the Need for GSE Reform Now*, Office of Federal Housing Enterprise Oversight (OFHEO).

Będąc spółkami akcyjnymi, Freddie Mac i Fannie Mae mają na celu generowanie zysków. Dlatego też bezpośrednie posiadanie pożyczek hipotecznych na zakup nieruchomości jest dla nich jeszcze lepszą szansą na dobry zysk. W tej sytuacji, fluktuacje stóp procentowych, przedterminowe zwroty pożyczek hipotecznych oraz ryzyko kredytowe są ponoszone wyłącznie przez te dwie struktury. Kiedy w 2002 roku Rezerwa Federalna rozpoczęła długi proces podnoszenia stóp procentowych, Freddie Mac i Fannie Mae ze swej strony zaczęły połykać i bezpośrednio umieszczać w swoich portfelach pożyczki hipoteczne na zakup nieruchomości. Ich łączna suma pod koniec 2003 roku sięgnęła 1,5 biliona dolarów.

Jako instytucje finansowe ponoszące tak ogromny ciężar zadłużenia, powinny one, po pierwsze, być niesłychanie ostrożne oraz unikać ryzyka, a najważniejszym ich zadaniem powinno być zestawianie ze sobą aktywów i nieprzekraczalnych terminów spłaty długów, gdyż inaczej fluktuacje stóp procentowych okazałyby się trudne do kontroli. Po drugie, powinny one unikać wspierania długoterminowych długów krótkookresowymi kapitalizacjami (dostarczaniem środków pieniężnych). Tradycyjną i sprawdzoną metodą jest w tym wypadku emisja długoterminowych papierów wartościowych – obligacji podlegających przedterminowemu wykupowi, tak by doprowadzić do synchronizacji pomiędzy aktywami i terminem spłaty zadłużenia, czerpiąc korzyści ze zróżnicowania. W ten sposób możliwe jest pełne uniknięcie ryzyka wynikającego z fluktuacji stóp procentowych oraz przedterminowego zwrotu zadłużenia. Jednak w rzeczywistości obie firmy głównie wykorzystywały długoterminowe stałe skrypty dłużne oraz krótkoterminowe papiery wartościowe, by pozyskać kapitały. Skala krótkoterminowych kapitalizacji osiągnęła poziom, na którym konieczne stało się cotygodniowe wypuszczanie krótkoterminowych papierów wartościowych o wartości około 300 milionów dolarów, co spowodowało, że obie firmy same wprowadziły się w sytuację wysokiego ryzyka.

Aby uniknąć ryzyka wynikającego z fluktuacji stóp procentowych, obie firmy muszą stosować skomplikowaną strategię hedgingową obliczoną na zabezpieczenie się przed ryzykiem niekorzystnych zmian cen lub kursów. W przypadku użycia długu i swapu stopy procentowej powstaje rodzaj kombinacji „krótkoterminowy dług + przyszły napływ gotówki o stałej stopie odsetek", która „dokonuje symulacji" uzyskiwania efektów z długoterminowych papierów wartościowych, wykorzystuje opcje swapowe w celu zabezpieczenia się przed ryzykiem przedterminowego zwrotu pożyczek hipotecznych. Poza tym obie firmy stosują strategię znaną jako *Imperfect Dynamic Hedging*, która oznacza „obronę punktową" przed możliwością wystąpienia w krótkim okresie gwałtownych fluktuacji stóp procentowych, oraz „zwiotczałą fortyfikację" w obliczu mało prawdopodobnego w długim okresie wstrząsu stóp procentowych. Dzięki zastosowaniu tych środków, wszystko wydaje się być silne jak stal, a zarazem koszty są nadzwyczaj niskie. Tak więc metoda wydaje się wręcz perfekcyjna.

Popychane żądzą zysków, struktury Freddie Mac i Fannie Mae dodatkowo konsumują wielkie ilości emitowanych przez siebie papierów wartościowych MBS. Na pierwszy rzut oka może wydawać się to sprzeczne z konwencjonalną logiką:

jak bowiem możliwe jest dokonywanie zakupów emitowanych przez siebie krótkoterminowych papierów wartościowych za pomocą własnych długoterminowych papierów wartościowych?

Jednak zagadkowe sytuacje posiadają własną zagadkową logikę. Freddie Mac i Fannie Mae są koncesjonowanymi przez rząd amerykański monopolistami na rynku pożyczek wtórnych pod zakup nieruchomości, a rząd ów dostarcza im pośredniego poręczenia.

Tym pośrednim poręczeniem jest udzielanie obu firmom z góry określonego wsparcia kredytowego, a więc, w razie potrzeby, tego rodzaju kredyt zawsze może być wykorzystany. Poza tym Rezerwa Federalna może udzielić dla papierów wartościowych z Freddie Mac i Fannie Mae rabatu, innymi słowy, bank centralny może bezpośrednio przeprowadzić monetaryzację ich papierów wartościowych. Od ponad półwiecza, z wyjątkiem amerykańskich obligacji skarbowych, papiery wartościowe żadnej firmy nie cieszą się tak szczególnym traktowaniem. Kiedy rynek zdobywa informacje, że papiery wartościowe emitowane przez Freddie Mac i Fannie Mae praktycznie stają się ekwiwalentem dolarów w gotówce, poziom zaufania, którym się cieszą, ustępuje jedynie obligacjom skarbowym rządu USA. Tak więc odsetki krótkoterminowych papierów wartościowych przez nie emitowanych są tylko odrobinę wyższe od odsetek naliczanych dla posiadaczy obligacji skarbowych. Skoro istnieje tak tanie źródło pozyskiwania środków finansowych, staje się oczywiste, że wciąż istnieje możliwość generowania zysków przy dokonywaniu zakupu własnych długoterminowych papierów wartościowych.

Nie będzie przesadą stwierdzenie, że na pewnym poziomie papiery wartościowe obu tych firm odgrywają rolę papierów wartościowych amerykańskiego Departamentu Skarbu, a same firmy w rzeczywistości przekształciły się w „drugą Rezerwę Federalną", dostarczając amerykańskiemu systemowi bankowemu wielkiej ilości płynności kapitałowej, szczególnie w sytuacji, gdy dla rządu nie jest wygodne ukazanie oblicza i udzielenie oficjalnej pomocy. Dlatego właśnie, po siedemnastokrotnym przeprowadzeniu podwyżek stóp procentowych, na rynku finansowym wciąż widoczny był zalew płynności kapitałowej. Okazało się bowiem, że zaabsorbowana przez Rezerwę Federalną płynność kapitałowa, w kolejnej fazie, wskutek wielkiej konsumpcji pożyczek bankowych na zakup nieruchomości przez koncesjonowane przez rząd struktury, napłynęła z powrotem do rynku finansowego. Obraz wydarzeń idealnie przypomina akcję filmu *Wojna w podziemiach**, kiedy japońskie diabły** wypompowywały wodę ze studni, by następnie przy jej pomocy zatopić wszystkie podziemne przejścia w wiosce. Sprytni partyzanci, wykorzystując ukryte kanały, odprowadzali wodę z powrotem do studni, a Japończycy zachodzili w głowę, jak głęboka może być studnia.

Arbitraż (łączona transakcja giełdowa) struktur koncesjonowanych przez rząd – czyli dokonywanie zakupu długoterminowych MBS za pomocą krótko-

* *Didao Zhan* – chiński film wojenny z 1965 roku (przyp. tłum.).

** Japońskie diabły – chodzi o żołnierzy japońskich z czasów II wojny światowej (przyp. tłum.).

terminowych papierów wartościowych wraz z przeprowadzanym przez międzynarodowych bankierów zakupem o wielokrotnej dźwigni opcji na amerykańskie obligacje skarbowe za pomocą wycofywanych z rynku japońskiej waluty środków kapitałowych o bardzo niskich kosztach transakcyjnych – sztucznie kreują obraz prosperity nienaturalnie rozchwytywanych, długoterminowych amerykańskich papierów wartościowych (obligacje skarbowe oraz trzydziestoletnie MBS), zbijając wysokość odsetek od długoterminowych papierów wartościowych. Dzięki temu obawy rynku przed długoterminową inflacją mogą wydawać się bezpodstawne, niczym zabobonny strach człowieka drżącego na myśl, że pewnego dnia niebo może runąć mu na głowę. Dlatego też zagraniczni inwestorzy, po chwili wahania, kontynuują finansowe wspieranie amerykańskiego „eksperymentu wiecznego mechanizmu gospodarczego", oddając się szalonej grze na obfitym bankiecie pogoni za zyskiem.

Jednak nawet piękne halucynacje wciąż pozostają halucynacjami. Kiedy koncesjonowane przez rząd struktury nieprzerwanie dostarczają na trwający bankiet alkohol, nieświadomie, ich własny kapitał spada do niesłychanie niebezpiecznego poziomu 3,5 procenta. W sytuacji, kiedy dźwiga się na swoich barkach warty biliony dolarów dług, tkwiąc zarazem w centrum doznającego dramatycznych wstrząsów międzynarodowego rynku odsetek, ta ilość kapitału jest na tyle niska, aby zafundować Greenspanowi chroniczną bezsenność. W swoim czasie Long Term Capital Management, niczym wszechwiedzący guru, twierdził, że to właśnie on „najlepiej rozumie gospodarkę", wykorzystuje najbardziej kompletne, najbardziej skomplikowane modele zabezpieczania się przed ryzykiem zmiany kursów. Jednak zaledwie jeden rosyjski kryzys zadłużenia sprawił, że ów darzony podziwem, idealny fundusz hedgingowy ulotnił się jak kamfora. Powstaje więc pytanie: czy oparta przede wszystkim na finansowym rynku instrumentów pochodnych strategia hedgingowa koncesjonowanych struktur rządowych w ostatecznym rozrachunku jest zdolna skutecznie przeciwstawić się nagłym, nieprzewidywalnym wydarzeniom?

„Miękka" pomoc struktur koncesjonowanych przez rząd, polegająca na mechanizmach prewencyjnych wobec nagłej zmiany krótkoterminowych stóp procentowych, obarczona jest potężnym defektem. Cytowany już William Poole z banku Rezerwy Federalnej w Saint Louis wyrażał obawy co do zdolności powstrzymywania wstrząsów stóp procentowych przez instytucje rządowe. Po przeanalizowaniu skali dziennych fluktuacji odsetek od amerykańskich obligacji skarbowych w ciągu 25 lat, doszedł do następującego wniosku:

> Podczas fluktuacji ceny obligacji skarbowych, która przekracza jeden procent, najprawdopodobniej w trzech czwartych wypadków ich absolutna wartość przekracza standardowe odchylenie 3,5. To ponad szesnastokrotnie przekracza szacunki oparte o zwyczajny model dystrybucji. Załóżmy, że w ciągu roku jest 250 dni transakcyjnych, a równie silna fluktuacja w ratach odsetek zdarza się dwukrotnie, nie zaś, jak wielu sądzi, raz na osiem lat. Normalny model dystrybucji całkowicie

błędnie ocenił ryzyko gwałtownej zmiany rat odsetek. Potężna fluktuacja o odchyleniu standardowym przekraczającym 4,5, a nawet jeszcze większym – a więc nieprzewidywane przez ludzi 7 procent – zdarza się jedenastokrotnie w ciągu 6573 dni transakcyjnych. Ta wielka fluktuacja wystarcza, aby wstrząsnąć, wywrócić, opierające się przeważnie na dźwigni finansowej, firmy. Jest jeszcze jeden punkt. Gwałtowne fluktuacje wykazują tendencje do skoncentrowanych wybuchów. Ten szczególny punkt jest niesłychanie ważny, oznacza on bowiem, że określona firma w krótkim czasie doświadcza gwałtownych wstrząsów wiele razy. W przypadku braku pełnego zabezpieczenia (strategii hedgingowej) wobec gwałtownych fluktuacji odsetek, może dojść do całkowitego upadku firmy[200].

Wykres 4. Ignorowane najnowsze zmiany w sprzedaży aukcyjnej amerykańskich obligacji skarbowych

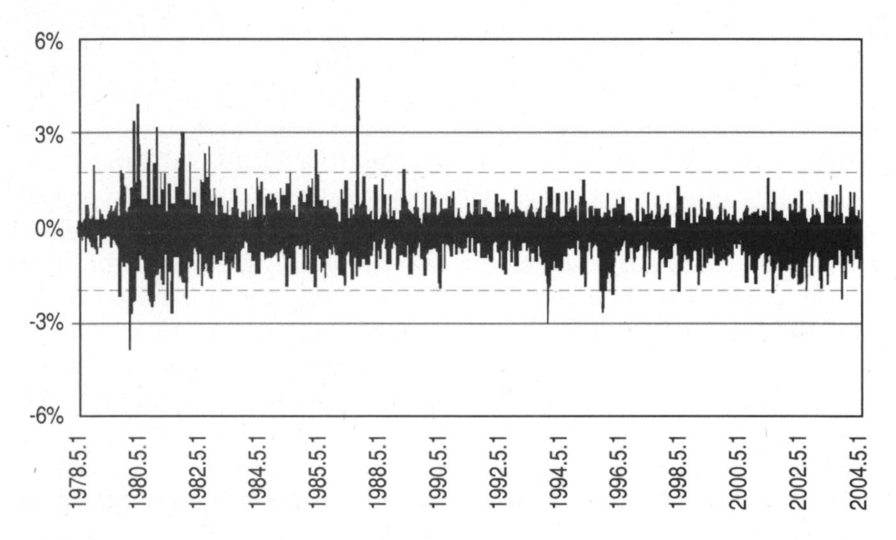

25-letnia krzywa fluktuacji rat odsetek 10-letnich obligacji skarbowych USA (1 maja 1978 do 1 maja 2004)
Źródło: William Poole (President of Federal Reserve Bank of Saint Louis) speech GSE Risks 2005
Uwaga: na wykresie przerywaną linią zaznaczone jest dodatnie lub ujemne standardowe odchylenie o wartości 3,5.

Gdyby finansowi hakerzy uderzyli w amerykańskiego dolara w chwili, gdy jednocześnie nastąpiłby atak terrorystyczny przy użyciu broni nuklearnej lub biologicznej, cena złota poszybowałyby w górę, amerykański rynek obligacji skarbowych z pewnością doświadczyłby potężnych wstrząsów, finansowe struktury rządowe znalazłyby się w poważnych tarapatach, a warty biliony dolarów dług prawdopodobnie w ciągu kilku godzin utraciłby płynność. Nawet Rezerwa Federalna spóźniłaby się z pomocą, w dodatku skala krachu byłaby ogromna i nawet, jeśli Rezerwa chciałaby nieść pomoc, to raczej nie miałaby sił, aby jej udzielić. W ostatecznej fazie 60 procent amerykańskich banków zbankrutowałoby, na

[200] William Poole, Speech GSE Risks 2005.

osłabionym rynku finansowych instrumentów pochodnych wartych 37 bilionów dolarów nastąpiłby efekt lawiny, zaś na światowych rynkach rozpocząłby się paniczna ucieczka kapitałów przed rychłą śmiercią.

Wielkie ryzyko na rynku finansowych instrumentów pochodnych, które podlega refrakcji poprzez działania koncesjonowanych struktur rządowych, jest jedynie czubkiem góry lodowej.

Robert Kiyosaki w artykule *A Taste of Debt* tak oto opisuje dzisiejszy świat „prosperity gospodarczej opartej na długu":

> Moim zdaniem, główną przyczyną przejęć firm po astronomicznych cenach jest fakt, że nie są one zakupywane za pomocą pieniędzy lub kapitałów, lecz kupowane są za dług. Moje doświadczenie podpowiada mi, że w przyszłości ktoś będzie musiał ten dług zwrócić. Ostateczny upadek imperialnej Hiszpanii nastąpił w wyniku zbytniej chciwości wojen i podbojów. Obawiam się, że dzisiejszy świat w wyniku niepohamowanego pożądania długu, koniec końców powtórzy te same, katastrofalne błędy. Jaka zatem jest moja rada? Patrząc z punktu widzenia obecnej sytuacji, możemy radośnie bawić się na wieczornych przyjęciach, ale nie pijmy za dużo i stójmy raczej w pobliżu wyjścia[201].

W kolorowym i gwarnym kasynie wszyscy koncentrują całą swą uwagę na grze o stawkę, którą jest „śmieszny pieniądz" – amerykański dolar. W tej sytuacji, każdy kto jeszcze jest trzeźwy i zachował zdolność do myślenia, zdążył już zauważyć płomyki ognia trawiące kąty wielkiej sali. Część ludzi po cichu, zachowując spokój, próbuje przecisnąć się w kierunku wąskiego wyjścia. Ognia jeszcze dobrze nie widać, wszyscy bawią się w upojeniu i nieświadomości, choć wielu zaczyna już odczuwać woń spalenizny. Rozglądają się po kątach, ktoś zaczyna cichą dyskusję. Szef kasyna w obawie, że goście odkryją pożar, wznosi wielki toast i rzuca na stół jeszcze bardziej ryzykowny i nonszalancki, pobudzający ludzką uwagę, zakład. Większość gości znów daje się pochłonąć grze toczącej się przy stole. W końcu płomyki stopniowo stają się płomieniami. Coraz więcej gości zaczyna szemrać, ktoś rzuca się do ucieczki, ale większość nie wie, co czynić. Właściciel kasyna głośno zapewnia, że obecność kilku płomyków oraz dymu jest w kasynie rzeczą normalną, chodzi bowiem o zwrócenie uwagi i przyciągnięcie do gry większej liczby chętnych, a same płomyki (inflacja) pozostają pod pełną kontrolą – i tak dzieje się od roku 1971. Komunikat właściciela uspokaja gości, którzy znów pogrążają się w hazardzie. Jednak coraz więcej ludzi tłoczy się w okolicach drzwi. W tym momencie najbardziej przerażający jest pierwszy przenikliwy krzyk...

Kiedy dochodzi do katastrofy, każdy myśli już tylko o tym, aby znaleźć wyjście. Dla Kiyosakiego wyjściem z kasyna jest złoto i srebro. W artykule *Bet on Gold not on Funny Money* pisze:

> Uważam, że złoto jest bardzo tanie. Kiedy wzrosną ceny ropy, gdyż Rosja, Wenezuela, kraje arabskie i afrykańskie nie będą chciały już dłużej akceptować naszych

---

[201] Robert Kiyosaki, *A Taste for Debt*, „Yahoo Finance Experts Column", 31 listopada 2006.

dolarów, złoto z pewnością pójdzie w górę. Obecnie wciąż mamy możliwość wykorzystywania naszych „śmiesznych pieniędzy", by płacić za towary i usługi z innych państw. Jednak świat jest coraz bardziej zmęczony i znudzony dolarem. Od wielu lat głoszę niezmienną strategię: inwestuj w prawdziwe pieniądze, a tymi są złoto i srebro. „Śmieszne pieniądze" pożyczam, aby nabyć nieruchomości. Ale kiedy tylko spadają ceny złota czy srebra, kupuję więcej tych kruszców. Jaki rozsądny inwestor nie zgodziłby się pożyczyć „śmiesznych pieniędzy", aby zakupić tak tanie prawdziwe pieniądze?[202]

Złoto: zamknięty w areszcie domowym król walut

Złoto podlega wpływom wielu destabilizujących czynników, jednym z nich są władze kilku najważniejszych państw, które próbują je destabilizować. (...) Proszę spojrzeć, co się działo w ciągu ostatnich 20 lat w polityce tych rządów w odniesieniu do złota. Nikt nie sprzedawał złota, gdy jego cena rosła do poziomu 800 dolarów za uncję. Gdyby tak się stało, byłby to dobry interes a zarazem czynnik stabilizujący sytuację. Złoto sprzedaje się wówczas, gdy jego cena sięga dna; Anglicy sprzedali swoje złoto dopiero wtedy, gdy była najniższa z możliwych. Ten właśnie czynnik – czyli rządy, które sprzedają złoto, gdy cena jest niska, lub wstrzymują sprzedaż, gdy jest wysoka – destabilizuje wszystko. Rządy powinny (...) kupować po niskiej, a sprzedawać po wysokiej cenie.

Robert A. Mundell, 1999 rok[203]

Mundell mówił o niestabilnych czynnikach towarzyszących złotu, które od 1980 roku odgrywały bardzo ważną rolę w tworzeniu strategii demonizowania złota przez międzynarodowych bankierów. Ale sterowanie ceną złota odbywa się w ścisłej tajemnicy i stanowi część realizowanego za pomocą najbardziej wyrafinowanych metod, wręcz niemożliwego do zauważenia przez przeciętnych ludzi, genialnego planu. Zdolność do efektywnego zbijania ceny złota przez 20 lat to pierwszy tego typu przypadek w historii ludzkości.

Najmniej zrozumiała była, lekkomyślnie ogłoszona przez Bank Anglii 7 maja 1999 roku, decyzja o sprzedaży połowy ze swoich rezerw złota (415 ton). Była to od czasów napoleońskich największa w historii Wielkiej Brytanii wyprzedaż złota. Owa zdumiewająca wiadomość doprowadziła słabą cenę złota na międzynarodowym rynku do szaleńczego spadku do poziomu 280 dolarów za uncję.

[202] Robert Kiyosaki, *Bet on Gold not on Funny Money*, „Yahoo Finance Experts Column", 25 lipca 2006.

[203] *Gold and the International Monetary System in a New Era*, World Gold Council Conference, Paris, 19. November 1999, London 1999, s. 47, cyt. za: Lips, *Złoty spisek*, s. 112.

Ludzie nie mogli uwierzyć. Pytali: co też Bank Anglii wyprawia? Czy to inwestycja? Nie wyglądało to na inwestycję. Gdyby chodziło o inwestowanie, bank sprzedałby złoto w 1980 roku, kiedy jego cena wynosiła 800 dolarów za uncję, by zakupić, w tym czasie przynoszące wysokie, trzynastoprocentowe zwroty, amerykańskie trzydziestoletnie obligacje skarbowe. To przyniosłoby wielkie zyski. Bank Anglii jednak twardo naciskał na sprzedaż złota w roku 1999 po cenie, która osiągnęła historycznie niski poziom 280 dolarów za uncję, by następnie dokonać inwestycji w przynoszące pięć procent zwrotów amerykańskie obligacje skarbowe. Jak widać, apele Mundella pozostały niezauważone.

Czy znaczy to, że Bank Anglii nie rozumie zasad prowadzenia interesów? Oczywiście że rozumie. Od momentu powstania w 1694 roku Bank Anglii dominował nad światowymi finansami już przeszło 300 lat. Można wręcz postawić tezę, że jest on ojcem założycielem współczesnych finansów i w swoich dziejach doświadczył już wielu sztormów. Stojąca obok niego Rezerwa Federalna to jedynie niedorosły uczeń, tak więc twierdzenie, że Bank Anglii nie rozumie zasady „kupić tanio, sprzedać drogo" jest czymś zgoła niewiarygodnym.

Bank Anglii złamał elementarne reguły działalności handlowej tylko i wyłącznie z powodu jednej rzeczy: strachu! Nie był to strach przed dalszym spadkiem ceny złota i wynikającej z tego dewaluacji wartości posiadanych przez bank rezerw. Było dokładnie odwrotnie: bank obawiał się wzrostu ceny złota. Złoto już dawno znikło bez śladu z zapisów księgowych Banku Anglii – owo złoto oznaczone w rubryce księgowej jako należność, prawdopodobnie nigdy nie zostanie odzyskane.

Szwajcarski bankier Ferdinand Lips wypowiedział kiedyś bardzo prowokującą, dającą do myślenia opinię: gdyby obywatele Wielkiej Brytanii dowiedzieli się, w jak lekkomyślny i wręcz szalony sposób bank centralny traktuje ich prawdziwe oszczędności nagromadzone przez setki lat, a więc złoto – głowy potoczyłyby się z szafotu. W istocie należałoby powiedzieć, że gdyby ludzie na świecie dowiedzieli się, w jaki sposób bankierzy z banków centralnych sterują ceną złota, największe przestępstwa finansowe w historii ludzkości wyszłyby na światło dzienne.

Gdzie podążyło złoto Banku Anglii? Okazało się, że zostało wypożyczone bankierom od metali szlachetnych – Bullion Bankers.

Oto jaki przebieg miała cała ta historia. Na początku lat dziewięćdziesiątych oś Londyn-Wall Street zadała klęskę japońskiej gospodarce i zablokowała proces tworzenia wspólnej europejskiej waluty. Mimo tej chwili chwały i blasku, nie można było nawet na moment lekkomyślnie zapomnieć o istnieniu prawdziwego wroga – złota. Trzeba wiedzieć, że dla osi Londyn-Wall Street euro czy japoński jen to jedynie powierzchowna choroba skóry, podczas gdy złoto jest śmiertelną chorobą serca. Wystarczy by złoto powróciło do gry, weszło na rynki, a cały system walut prawnych najprawdopodobniej podporządkuje się jego władzy. Mimo że złoto nie jest już międzynarodową walutą, to wciąż pozostaje największą przeszkodą ograniczającą rabunek ludzkiego majątku za pomocą inflacji stosowany przez międzynarodowych bankierów. Choć złoto bezgłośnie, bez żadnych informacji, zostało uwięzione w „areszcie domowym" poza systemem walutowym, to jego historyczna pozycja oraz fakt, iż jest symbolem prawdziwej własności i majątku, w każdej chwili może uczynić je szalenie atrakcyjnym. Gdy w świecie finansów zawieje choćby lekki wiatr, gdy tylko trawa się poruszy, ludzie mimowolnie pobiegną w kierunku złota, by zaakceptować jego trwałą protekcję. Tak więc, nawet tak potężni ludzie, jak międzynarodowi bankierzy, nie ośmielą się dokonać całkowitej likwidacji złota. Pozostaje im wyłącznie obmyślać wszelkie możliwe sposoby na zatrzymanie złota w wiecznym „areszcie domowym".

Aby tego dokonać, należy ukazać ludziom, że ów „król walut" jest słaby i bezradny. Nie tylko nie jest w stanie chronić ludzkich oszczędności, lecz również dostarczyć stabilnego wskaźnika czy przyciągnąć zainteresowania inwestorów.

Tak więc cena złota musi znajdować się pod stałą kontrolą.

Po wyciągnięciu wniosków z lekcji, którą była klęska Funduszu Złota w 1968 roku, międzynarodowi bankierzy, mając w pamięci wcześniejsze porażki, zdecydowanie nie mieli zamiaru popełniać tak naiwnego i głupiego błędu, jakim byłoby wykorzystanie złota w celu przeciwstawienia się gigantycznemu, rynkowemu popytowi. W roku 1980, stosując radykalnie wysoką, dwudziestoprocentową stopę, czasowo udało im się zbić cenę złota, a po odzyskaniu zaufania do amerykańskiego dolara, rozpoczęli potężne wykorzystywanie nowej broni, którą stanowił finansowy rynek instrumentów pochodnych.

W sztuce wojennej jest powiedzenie, że najważniejsze jest zdobycie serc – zdobycie miast jest na drugim miejscu. Międzynarodowi bankierzy głęboko rozumieją tę rację. Złoto, dolar, akcje, papiery wartościowe, nieruchomości – można nimi grać do granic możliwości, a i tak zawsze gra się ludzkim zaufaniem! A finansowe instrumenty pochodne są w istocie bronią o nadzwyczajnym zaufaniu. Po pełnym sukcesów pierwszym teście ich działania w czasie krachu giełdowego w 1987 roku, ta skuteczna broń została ponownie zastosowana na japońskiej giełdzie w 1990 roku, a jej siła rażenia, a także zniszczenia, które spowodowała, doprowadziły do powszechnej euforii w świecie międzynarodowych finansów. Jednakże użycie broni atomowej niesie za sobą dwa skutki: doraźność i gwałtowność. A wobec złota, owego rozległego i długoterminowego zagrożenia, należało zastosować wiele typów broni wymierzonych w zaufanie.

Jedną z takich metod jest „wypożyczenie" krajowych rezerw złota przez prywatny bank centralny. Na początku lat dziewięćdziesiątych XX wieku międzynarodowi bankierzy reklamowali następujące rozwiązanie: umieść złoto w skarbcu banku centralnego, nie otrzymasz żadnych odsetek z tego tytułu z wyjątkiem osadzającego się kurzu. Skoro składowanie złota wymaga ponoszenia dodatkowych wydatków, czyż nie jest lepszym rozwiązaniem „wypożyczenie" złota cieszącym się dobrą reputacją bankierom – Bullion Bankers? Odsetki są niskie, jednoprocentowe, ale jest to stabilny przychód. Tak jak można było się spodziewać, kraje Europy dość szybko wprowadziły odpowiednie regulacje.

Kim są owi Bullion Bankers? Spółka JP Morgan, jako główny międzynarodowy bank, wzięła na swoje barki ten obowiązek. Dzięki posiadanej „dobrej" reputacji, płacąc skrajnie niskie odsetki o wysokości jednego procenta, spółka JP Morgan „wypożyczała" złoto od krajowych banków centralnych, by następnie dokonywać jego sprzedaży na światowych rynkach. Uzyskane w ten sposób pieniądze przeznaczała na zakup przynoszących pięcioprocentowy zwrot amerykańskich obligacji skarbowych, w ten sposób konsumując korzystną czteroprocentową różnicę. Proceder ów nazwano *Gold Carry Trade* – handel przenośny złotem*. W ten sposób wyprzedawane złoto banków centralnych nie tylko pozwalało skutecznie zbijać rynkową cenę kruszcu, ale również umożliwiało konsumowanie różnicy w odsetkach, dodatkowo pobudzając popyt na amerykańskie obligacje skarbowe i zbijając ich długoterminowe stopy odsetek. Była to w istocie doskonała strategia – jedna strzała trafiająca w wiele celów.

Mimo to, wciąż pozostawało pewne zagrożenie. Bullion Bankers w większości podpisywali z bankami centralnymi sześciomięsięczne, krótkoterminowe kontrakty na wypożyczenie złota, a zamierzali zainwestować w długoterminowe papiery wartościowe. W przypadku, gdyby po wygaśnięciu kontraktu bank centralny zażądał zwrotu złota, bądź cena złota na rynku systematycznie by wzrastała, Bullion Bankers znaleźliby się w trudnym położeniu.

W celu „zabezpieczenia się" przed tego typu ryzykiem, „geniusze" finansowi z Wall Street zwrócili swoją uwagę na producentów złota. Bezustannie tłumaczyli im „historyczną konieczność": kurs złota w długiej perspektywie czasowej musi pójść w dół, jeśli teraz uda się ustalić na stałe przyszłą cenę złota, będzie można uniknąć przyszłych, ewentualnych strat. Poza tym międzynarodowi bankierzy mogą udzielić kredytów o racie odsetek w wysokości czterech procent, aby producenci złota mogli dalej prowadzić działania eksploracyjne oraz eksploatować nowe złoża. W istocie, ciężko było odrzucić ofertę kredytu z taką stopą odsetek, a biorąc pod uwagę fakt, że cena złota, na międzynarodowym rynku z roku na rok szła w dół, przeczekiwanie i sprzedaż po zredukowanych cenach nie były tak dobrą opcją, jak sprzedaż, wciąż pozostającego w złożach i oczekującego na wydobycie złota po dobrej cenie. Proceder ten nazywa się *Gold Forward Trade***.

Dlatego w rękach Bullion Bankers znalazła się przyszła produkcja złota, stając się zastawem za pożyczane z banków centralnych złoto. Należy uzupełnić ten obraz o prostą prawdę, iż bankierzy z banków centralnych wraz z Bullion Bankers stanowili jedną rodzinę, tak więc „kontrakty na wypożyczenie" praktycznie mogły podlegać nieograniczonej czasowo prolongacie. Bullion Bankres posiadali podwójne zabezpieczenie.

Wkrótce po wprowadzeniu tych pomysłów w życie, „genialni" bankierzy z Wall Street zaczęli reklamować nowe instrumenty pochodne, takie jak na przykład

* *Carry trade* – strategia spekulacyjna polegająca na zadłużaniu się w walucie kraju o niskiej stopie procentowej oraz lokowaniu tak uzyskanych środków w walutę kraju o wysokiej stopie. Według innej definicji, jest to zadłużanie się w walutach niskooprocentowanych i jednoczesne kupowanie instrumentów finansowych o potencjalnie wysokiej stopie zwrotu (przyp. tłum.).

** Instrument finansowy, transakcja terminowa np. na kurs walut, cenę zboża. Polega na kupnie lub sprzedaży zasobu X za Y. Kurs, po jakim zostanie dokonana transakcja oraz wielkość transakcji, zostają ustalone w dniu jej zawarcia, natomiast fizyczna dostawa zasobów musi nastąpić w ściśle określonym dniu w przyszłości (przyp. tłum.).

Spot Defered Sales, Contingent Forward, Variable Volume Forward, Delta Hedging oraz przeróżne inne opcje.

Za pośrednictwem banków inwestycyjnych, które dolewały oliwy do ognia, producenci złota wpadli w bezprecedensowe spekulacje finansowe. Poszczególne kraje, jeden za drugim, robiły debet na swojej przyszłości, zamieniając prawdopodobne ilości wszystkich rezerw złota znajdujących się pod ziemią na gotówkę, by przeprowadzić ich sprzedaż (tzw. *forwarding*). Producenci złota z Australii posunęli się nawet do sprzedaży przyszłej siedmioletniej produkcji złota. Ważny producent złota z Ghany w Afryce Zachodniej, firma Ashanti, korzystając z „doradztwa" Goldman Sachs i 16 innych banków, zakupiła do czerwca 1999 roku dwa i pół tysiąca kontraktów na finansowe instrumenty pochodne, a znajdujące się na hedgingowych rachunkach księgowych jej aktywa finansowe osiągnęły wartość 290 milionów dolarów. Komentatorzy wskazywali, że producenci złota w owych czasach bardziej niż na realnym otwieraniu nowych złóż, koncentrowali się na ryzykownych spekulacjach finansowych, w oparciu o grę słów zapewniającą o otwarciu nowych złóż kruszcu.

Kiedy producenci złota, będąc na fali, podnosili flagę „rewolucji hedgingowej", spółka Barrick Gold mogła być zaliczana do poważnych przedsięwzięć. Jednak zasięg jej działań hedgingowych bardzo wcześnie przekroczył jakiekolwiek rozsądne reguły sprawowania kontroli nad ryzykiem. Nie będzie przesadą stwierdzenie, że jej strategią finansową był hazard. Podczas sprzedaży ogromnych ilości nieistniejącego jeszcze złota, Barrick, w utajony sposób, doprowadził do fazy gwałtownej rywalizacji i zbijania cen w branży, czego naturalnym rezultatem było zniszczenie rynku. W swych rocznych raportach Barrick Gold systemowo zwodziła inwestorów, bałamucąc ich twierdzeniami, że jej skomplikowana strategia hedgingowa umożliwia jej sprzedaż złota po cenach przewyższających to, co oferował rynek. W istocie, znaczna część złota sprzedawanego na rynku przez Barrick Gold wchodziła do Bullion Bankers jako złoto „pożyczane" od poszczególnych banków centralnych. Spółka poprzez wyprzedaż na rynku owego „pożyczonego" złota generowała dochód, wykorzystywany do zakupu papierów wartościowych amerykańskiego Departamentu Skarbu, czerpiąc zyski z korzystnej różnicy kursów. To właśnie ten skomplikowany mechanizm hedgingowy był prawdziwą przyczyną nadzwyczajnych wyników. W gruncie rzeczy mieliśmy do czynienia z klasycznym oszustwem księgowym.

W wyniku koncentracji działań kilku sił, cena złota szła w dół, co odpowiadało interesom wszystkich uczestników gry. Cieszyło to producentów złota, gdyż jego cena sprzedaży została już wcześniej ustalona, a kiedy cena złota spadała, znajdujące się na ich rachunkach księgowych wartości różnego typu aktywów finansowych szły w górę, korzystając z obniżki ceny złota. W ten zaskakujący sposób producenci złota stali się wspólnikami w zbijaniu jego ceny. Faktycznie jednak uzyskiwali oni jedynie tymczasowe korzyści, podczas gdy ich długoterminowe interesy ponosiły straty.

Przewodniczący Gold Anti-Trust Action Committee, Bill Murphy określił grupę specjalnego interesu, która uderzała w światowy kurs ceny złota, mianem

„Złotego Kartelu". Do jego najważniejszych członków zaliczali się: Spółka JP Morgan, Bank Anglii, Bundesbank, Citibank, Goldman Sachs, BIS, Departament Stanu USA oraz Rezerwa Federalna.

Kiedy cena złota, w wyniku potężnego popytu na rynku, zaczyna rosnąć, banki centralne wkraczają na pierwszą linię frontu, dokonując jego wielkiej, publicznej wyprzedaży, aż do momentu, gdy przestraszeni inwestorzy podejmują decyzję o wycofaniu się z rynku.

W lipcu 1998 roku, podczas przesłuchania przed House Banking Committe Kongresu USA, Alan Greenspan oświadczył: „złoto jest innym rodzajem finansowego instrumentu pochodnego, towarem, który uczestniczy w pozarynkowych transakcjach. Inwestorzy nie są zdolni do kontroli podaży złota w przypadku, gdy jego cena pójdzie w górę, banki centralne w każdej chwili są przygotowane na wypożyczenie rezerw złota, by zwiększyć jego podaż". Innymi słowy, Greenspan oficjalnie przyznał, że gdy zachodzi taka konieczność, cena złota całkowicie znajduje się pod kontrolą banków centralnych.

W marcu 1999 roku wybuchła wojna w Kosowie i sytuacja ulegała niewielkim zmianom. Ataki powietrzne NATO nie przynosiły efektów, kurs złota pod wpływem potężnej siły nabywczej znajdował się na krawędzi przepaści. Gdyby nastąpiła utrata kontroli nad ceną złota i jej gwałtowny wzrost, Bullion Bankers zostaliby zmuszeni do odkupywania drogiego złota na światowych rynkach w celu zwrócenia go bankom centralnym. Gdyby na rynku nie występowała tak duża ilość rzeczywistych złotych wyrobów bądź już na samym początku producent złota, używający produkcji złota „przyszłości" jako zastawu, zbankrutowałby, albo też gdyby w ziemi nie znajdowały się wystarczające ilości złota, nie tylko międzynarodowi bankierzy ponieśliby ogromne straty, ale też na rachunkach księgowych rezerw złota banków centralnych z pewnością pojawiłby się ogromny deficyt. Gdyby klęska wyszła na światło dzienne, a ludzie poznali prawdziwy przebieg wydarzeń, być może faktycznie ktoś musiałby wejść na szafot. Jednak w takiej kryzysowej sytuacji, 7 maja 1999 roku Bank Anglii podjął wreszcie decyzję o wkroczeniu na pierwszą linię frontu. Gdyby tylko udało się odstraszyć i zmusić inwestorów do odwrotu, cena złota ponownie zaczęłaby spadać i wszyscy byliby zadowoleni. Nawet jeśli interwencja zakończyłaby się fiaskiem, można było złoto zaksięgować jako „zły" dług i dokonać jego sprzedaży. Ostatecznie nie pozostałyby żadne dowody: „zły" dług złota błyskawicznie zostałby sprzedany. To właśnie sprawia, że kiedy banki centralne sprzedają złoto, nigdy nie wiadomo, kto jest faktycznym kupcem.

Wojna w Kosowie zakończyła się 10 czerwca 1999 roku. Zlani zimnym potem międzynarodowi bankierzy poczuli, że tym razem gra stała się zbyt niebezpieczna, a ryzyko zbyt duże. Dochodziły do tego coraz silniejsze głosy inwestorów na rynku złota, grożących pozwami przeciwko bankom centralnym za sterowanie jego ceną. Również politycy z poszczególnych krajów zwrócili uwagę na problem kursu ceny złota i wydawało się że sprawa wejdzie na światową wokandę.

W tej sytuacji we wrześniu 1999 roku europejskie banki centralne osiągnęły tzw. Washington Agreement (Porozumienie Waszyngtońskie), nakładające limity na łączną sumę sprzedaży bądź wypożyczenia złota przez banki centralne na okres pięciu lat. Gdy ogłoszono tę wiadomość, odsetki od „wypożyczanego" złota w ciągu dosłownie kilku godzin podskoczyły z jednego do dziewięciu procent. Grający na zniżkę cen producenci złota, podobnie jak grający finansowymi instrumentami pochodnymi spekulanci, ponieśli ciężkie straty.

Ponad dwudziestoletni rynek niskich cen złota zakończył się: nadchodził rynek cen rosnących.

Rok 1999 był ważnym strategicznym punktem zwrotnym w bitwie o złoto, a jego rzeczywiste znaczenie odpowiadało roli bitwy stalingradzkiej podczas II wojny światowej. Od tego momentu próby zbijania ceny złota nie miały już szans na przejęcie strategicznej inicjatywy na polu bitwy o złoto. System prawnych walut pod przywództwem amerykańskiego dolara nieustannie ustępuje pod potężnym atakiem złota, ponosząc dotkliwe klęski, aż do chwili, gdy nastąpi ostateczny krach.

Poza polem bitwy o kontrolę cen złota, międzynarodowi bankierzy otworzyli drugi front: wojnę opinii i badań naukowych. Największym sukcesem międzynarodowych bankierów jest systematyczne pranie mózgów ekonomicznego świata. Głównym punktem zainteresowania kręgów naukowych uczyniono całkowicie oderwane od rzeczywistego świata działań gospodarczych gry matematycznymi formułami. Kiedy większość współczesnych ekonomistów wyraża wątpliwości co do użyteczności złota, międzynarodowi bankierzy muszą odczuwać wielką ulgę, że wszystko wciąż pozostaje pod kontrolą.

Ktoś naturalnie mógłby zapytać, co złego jest w systemie prawnego pieniądza? Czyż nie żyjemy w tym systemie już od ponad 30 lat? Czyż gospodarka nie rozwija się tak jak dawniej?

Były zastepca prezesa banku Rezerwy Federalnej w Nowym Jorku oraz zastępca CEO Citigroup John Exter tak odpowiedział na powyższe pytania:

> W takim systemie żaden kraj nie musiałby płacić innemu dobrym pieniądzem o trwałej wartości. Nie istnieje konieczność utrzymywania dyscypliny wymienialności. (...) Wedle nich, będziemy w stanie zapłacić za naszą ropę papierowymi dolarami, niezależnie od tego, ile ich wydrukujemy. (...) Ignoruje się pragnienie ludzi posiadania dobrego pieniądza o trwałej wartości jak złoto. W istocie odmawia się uznania złota za pieniądz i stwierdza się autorytatywnie, że jest ono takim samym zwykłym towarem jak ołów czy cynk i nie odgrywa żadnego znaczenia w systemie walutowym. Stwierdzono nawet, że Departament Skarbu nie ma żadnego interesu w posiadaniu złota i stopniowo, w miarę upływu czasu powinien się go wyzbyć, sprzedając swoje zasoby na rynku. Rozporządziwszy w ten sposób złotem, całkowicie arbitralnie nazywają pieniądzem papier, banknoty i lokaty na żądanie oraz wzywają władze monetarne do zwiększenia ilości pieniądza do absolutnie dowolnie ustalonej magicznej wartości. Choć w ich głowach owa wartość od czasu do czasu się zmienia, zalecają nawet, aby zapisać ją prawnie. Nie mówią nam, w jaki sposób stale rosnąca ilość papierów dłużnych wyrażonych w papierowym pieniądzu ma zachować funkcję utrzymania wartości pieniądza. I wydają się zupełnie nieświadomi faktu, że ciągłe podwyższanie ilości pieniądza do ustalonej przez nich magicznej wartości, pewnego dnia postawi nas przed problemem długu (...).

Keynesizm i friedmanizm to po prostu jedynie dwudziestowieczne odmiany pomysłów Johna Lawa. Obie teorie znajdują tak duże uznanie, ponieważ wskutek nieprzestrzegania dyscypliny wymienialności złota i rozmyślnego drukowania papierowego pieniądza do wartości, którą wymyślił sobie jakiś ekonomista lub polityk, uważamy, że możemy przechytrzyć naturę i dostać coś za darmo, wykluczyć cykle gospodarcze, zapewnić na całe stulecia pełne zatrudnienie i nie brać za to ekonomicznych batów. To oznacza oczywiście, że jakiś ekonomista lub rada ekonomistów, którzy służą rządowi wywodzącemu się z określonej opcji politycznej i nie ryzykują własnych pieniędzy ani zdolności do prawidłowej oceny sytuacji rynkowej, uważają, że na temat funkcjonowania gospodarki wiedzą tak dużo, iż w swej akademickiej mądrości mogą decydować, jaka polityka monetarna, fiskalna, podatkowa, handlowa, cenowa, dochodowa i wszelka inna jest najlepsza dla nas wszystkich i dzięki temu potrafią wyregulować naszą potężną gospodarkę[204].

Poza tym, jak dodaje Ferdynand Lips, ponieważ:

większość ekonomistów jest dziś kształcona przez uczniów lorda Keynesa lub przez ludzi takich jak noblista i autor słynnego podręcznika *Economics*, Paul A. Samuelson, perspektywy nie są zachęcające. W jego wydanej przez Mcgraw-Hill książce roi się od wzorów matematycznych i kolorowych tabel. Kiedy jednak czyta się jego, pozbawione wszelkich podstaw historycznych, poglądy dotyczące złota, człowiek zaczyna się dziwić, jakimż to sposobem tak powierzchowne dzieło mogło, zdaniem Szwedzkiej Akademii Nauk, zasłużyć na nagrodę Nobla. Samuelson to wyśmienity przykład, że akademicki świat XX wieku całkowicie przespał badania naukowe nad zagadnieniem pieniądza lub też z jakichś nader ważnych powodów je zignorował[205].

Sam wspomniany tu Samuelson w swoim sławnym komentarzu dotyczącym podwójnego systemu określania cen złota po roku 1968 powiedział:

Poza Międzynarodowym Funduszem Walutowym, złoto ostatecznie zostało całkowicie zmonetaryzowane. Jego cena podlega wyłącznie określaniu poprzez popyt i podaż, tak jak cena miedzi, pszenicy, srebra, soli czy innych artykułów. Jeśli któryś z przywódców plemiennych z Bliskiego Wschodu przy cenie 55 dolarów za uncję zakupi złoto, a przy cenie 68 dolarów dokona jego sprzedaży, z pewnością zarobi wiele pieniędzy. Ale jeśli zakupi je po cenie 55 dolarów za uncję, a sprzeda po cenie 38,5 dolara czy nawet 33 dolary, straci ostatnią koszulę.

Samuelson głęboko wierzył, że kiedy tylko złoto zostanie wyrzucone poza system walutowy, to popyt na nie ograniczy się do kilku branż, takich jak, na przykład, złotnictwo i jubilerstwo. Skoro po zamknięciu przez Nixona okienka ze złotem 15 sierpnia 1971 roku i upadku systemu z Bretton Woods złoto przestało być walutą, któż chciałby je kupować? Kiedy w 1973 roku Samuelson opublikował swoją makroekonomiczną teorię, twierdził że cena złota z 1972 roku wynosząca 72 dolary za

---

[204] Cyt. za: Lips, *Złoty spisek*, s. 80-81.

[205] *Ibid.*, s. 81

uncję z pewnością nie utrzyma się, a kurs ceny złota prawdobodobnie ostatecznie spadnie poniżej poziomu 35 dolarów za uncję. Profesorowi musiała „opaść szczęka", kiedy siedem lat później cena złota wzrosła do poziomu 850 dolarów za uncję*.

Na szczęście Samuelson nie jest dyrektorem funduszu hedgingowego z Wall Street. Inaczej przegrałby nie tylko swoją ostatnią koszulę.

Alarm pierwszego stopnia: Rothschildowie wycofują się z ustalania cen złota

Wszystkie źródła siły stanowiącej o hegemonii tkwią w prawie do ustalania cen i wiążą się z możliwością ich kontroli oraz dokonywania korzystnej dla siebie i niekorzystnej dla innych dystrybucji majątku. Walka o prawo do ustalania cen jest równie brutalna, pełna spisków i podstępów, jak rywalizacja o tron cesarski. Nadzwyczaj rzadko ceny są określane przez logiczne, niezakłócone, działanie wolnego rynku. Strona posiadająca przewagę zawsze, za pomocą wszelkich dostępnych metod, stara się chronić własne interesy, a proces ten w swojej istocie nie różni się niczym od wojny. Dyskutując nad problemem cen, musimy zgłębić zjawisko i logikę wojny oraz jej historyczne przykłady. Dopiero wówczas jesteśmy w stanie zbliżyć się do prawdy. Ustalanie, zmienianie i fałszowanie cen to rezultat toczącej się ostrej rywalizacji pomiędzy skonfliktowanymi stronami. Jeśli nie weźmiemy jako punktu odniesienia czynnika ludzkiego, nie uda nam się pojąć sposobu kształtowania się cen.

Ludziom stosunkowo łatwo jest zrozumieć, czemu ktoś, kto jest szefem, wydaje polecenia. Większość zazwyczaj ogranicza się do ich posłusznego wykonywania, to bowiem dyktuje im rozsądek. Kiedy jednak szef szefa poprzez kontrolę nad nim, pośrednio kontroluje wszystkich, sytuacja nie jest już tak jednoznaczna i jasna, a wraz z wchodzeniem po stopniach piramidy władzy liczba znajdujących się na coraz wyższych pozycjach osób staje się coraz mniejsza. Zdobycie prawa do ustalania cen ma dokładnie taki sam charakter: kontrola nad ceną danego produktu zawsze dokonuje się z góry w dół.

Jeśli chodzi o złoto, sytuacja jest taka sama: ten, kto zdobył kontrolę nad największym na świecie kupcem złota, ten kontroluje jego cenę. Owa kontrola oznacza, że kupcy kierujący się własnym interesem lub pragnący powstrzymać określoną siłę wpływu, aktywnie bądź biernie, akceptują instrukcje ze strony wyżej znajdującej się władzy.

Od czasu bitwy pod Waterloo w 1815 roku, kiedy rodzina Rothschildów za pomocą jednego ruchu zdobyła prawo ustalania cen złota, minęło blisko 200 lat. Obecny system ustalania cen złota został ustanowiony 12 września 1919 roku. Wówczas przedstawiciele pięciu wielkich grup finansowych zgromadzili się

---

* W 2010 oku cena uncji złota przekroczyła 1200 dolarów (przyp. tłum.).

w banku Rothschildów, gdzie cenę złota ustalono na poziomie czterech funtów, 18 szterligów i 9 gwinei, co odpowiadało siedmiu dolarom i 50 centom. Mimo że w roku 1968 walutę, w której rozliczano cenę złota, zamieniono na amerykańskiego dolara, to podstawowe standardy operacyjne pozostały te same. Uczestnikami pierwszej konferencji ustalającej cenę złota, poza Rothschildami, byli Mocatta & Goldsmith, Pixley & Abell, Samuel Montagu & Co., Sharps Wilkins. Od tego czasu rodzina Rothschildów stała się stałym gospodarzem i inicjatorem tego rodzaju spotkań. Począwszy od tego dnia, pięciu reprezentantów codziennie spotykało się w domu Rothschildów, by dyskutować nad ceną transakcyjną fizycznego złota. Wpierw przewodniczący sugerował cenę otwarcia, cena ta poprzez połączenia telefoniczne była błyskawicznie przekazywana do sal transakcyjnych, następnie przewodniczący sprawdzał, czy jest chętny na zakup lub sprzedaż oraz o jaką liczbę standardowych pasków złota o wadze 400 uncji chodzi. Liczba pasków opierała się o cenę wyjściową i cenę ostatecznie osiągniętego porozumienia między obu stronami. Przewodniczący ogłaszał wówczas aktualną cenę złota (*The London Gold Fix*).

Taki system ustalania cen złota trwał aż do roku 2004.

14 kwietnia 2004 roku rodzina Rothschildów niespodziewanie ogłosiła decyzję o wycofaniu się z londyńskiego systemu ustalania cen złota. Ta zdumiewająca wiadomość błyskawicznie wstrząsnęła światem inwestorów. Tłumacząc się, David Rothschild powiedział:

> Nasz dochód z transakcji na londyńskiej giełdzie artykułów (włączając złoto) w ciągu ostatnich pięciu lat drastycznie spadł poniżej jednego procenta naszych łącznych dochodów z tytułu obrotów handlowych. Patrząc z punktu widzenia analizy strategicznej, transakcje złotem nie zajmują już istotnej pozycji w naszej działalności handlowej, tak więc podjęliśmy decyzję o wycofaniu się z tego rynku.

Brytyjski „Financial Times" już 16 kwietnia na swoich łamach zamieścił opinię: „Tak jak mówił Keynes, [złoto], ów pokryty kurzem «barbarzyński relikt» zmierza obecnie do końca swej historycznej drogi. W obliczu wycofania się szacownych Rothschildów z rynku złota, nawet najgorętsi obrońcy złota, tacy jak Bank Francji, musieli na nowo rozważyć sens utrzymywania rezerw złota. Złoto jako towar, w który warto inwestować, jest jeszcze bliżej swego kresu".

Nie powinno zaskakiwać, że wielki brat na rynku transakcji srebrem, grupa AIG, 1 czerwca ogłosiła wycofanie się z rynku srebra, zgadzając się dobrowolnie na degradację do pozycji zwykłego kupca.

Obie sprawy są w istocie niezwykle dziwne i zastanawiające.

Czy rzeczywiście Rothschildowie tak kiepsko widzą perspektywy złota? Jeśli tak, to czemu nie wycofali się w roku 1999, kiedy kurs złota spadł do poziomu najniższego w historii, a postanowili wyjść z rynku w roku 2004, kiedy dobre czasy dla złota i srebra właśnie się rozpoczynały?

Jedną z przyczyn mógł być fakt zbliżającej się ostatecznej utraty kontroli nad cenami złota i srebra. W takim wypadku próby kontrolowania jego ceny zakończyłyby się fiaskiem, przy okazji wychodząc na światło dzienne, a wówczas kontrolerzy ceny złota zostaliby uznani za światowych wrogów publicznych. Lepiej było więc odpowiednio wcześnie oczyścić się ze wszelkich związków ze złotem. Gdyby 10 lat później nagle wystąpił wielki problem dotyczący ceny złota, nikt nie obarczałby odpowiedzialnością zań rodziny Rothschildów.

Nie możemy zapomnieć, że Rothschildowie nie tylko w przeszłości, ale również obecnie dysponują doskonale zorganizowaną, zakonspirowaną i szalenie skuteczną siecią wywiadowczą, mając dostęp do zasobów informacji, których zwykły człowiek nie ma szans poznać. Głęboka wiedza oraz umiejętność analizy i przewidywania przyszłych wydarzeń, uzupełnione o gigantyczne zasoby finansowe i skuteczne sposoby wykorzystania uzyskanych informacji, dały im możliwość praktycznej kontroli nad losami świata w ciągu minionych 200 lat.

Moment niespodziewanego wycofania się Rothschildów z rynku złota – podstawowego biznesu, w którym działali od dwóch wieków – ma bez wątpienia nadzwyczajne znaczenie.

Śmierć gospodarki opartej o bańkę spekulacyjną dolara

W ostatnim czasie ceny ropy na międzynarodowych rynkach nieustannie idą w górę. Oś Londyn-Wall Street jednogłośnie twierdzi, że jest to nieszczęście spowodowane przez wzrost chińskiej gospodarki. Twierdzenie takie nie jest niczym innym, jak próbą wywołania w społeczności międzynarodowej nastroju niechęci wobec Chin oraz zatajenia prawdy, iż przyczyną gwałtownego wzrostu cen ropy jest stymulacja popytu na amerykańskiego dolara. Obecna sytuacja jest dokładną kopią roku 1973, kiedy oś Londyn-Wall Street planowała, poprzez podniesienie cen ropy o 400 procent, pobudzenie popytu na dolara amerykańskiego, przy jednoczesnym zrzuceniu winy za powstałą sytuację na kraje Bliskiego Wschodu, wskazując na fakt wstrzymania przez nie eksportu ropy.

Ponieważ dolarowa powódź jest nie do uniknięcia, prawdopodobnie napięta sytuacja na Bliskim Wschodzie podlegać będzie eskalacji, a finałem może stać się wybuch wojny z Iranem. Bez względu na to, czy uczyni to Izrael, czy Stany Zjednoczone, doprowadzony do skrajności Iran, wykorzystując miny morskie bądź broń rakietową, dokona blokady cieśniny Ormuz, odcinając dwie trzecie światowych dostaw ropy. W ten sposób cena ropy łatwo przekroczy 100 dolarów za baryłkę*, a światowy popyt na dolara wzrośnie. Tym razem głównym winowajcą będzie Iran. Dopóki światowa opinia publiczna nie zacznie postrzegać amerykańskiego dolara w kategoriach „niezdrowej" waluty, dopóty wszystko pozostanie pod kontrolą.

Poczynając od lat siedemdziesiątych XX wieku, kiedy złoto znalazło się w „areszcie domowym", na światowych rynkach towarów oraz papierów warto-

* Cena ropy już w 2008 roku przekroczyła 100 dolarów za baryłkę, osiągając w lipcu 2008 roku pułap ponad 147 dolarów (przyp. tłum.).

ściowych wystąpiły przeciwstawne zjawiska. Rynek towarów eksplodował w latach siedemdziesiątych, natomiast rynek papierów wartościowych funkcjonował dziwnie słabo przez całą tę dekadę. W latach osiemdziesiątych rozpoczął się trwający 18 lat czas wielkich wzrostów na rynkach papierów wartościowych, podczas gdy na rynkach towarów panowała stała tendencja zniżkowa. Ale począwszy od roku 2001, ponownie perspektywa wielkich wzrostów zagościła na parkietach rynków towarowych, a w tym samym czasie giełdy akcji i papierów wartościowych, nieruchomości, rynki instrumentów pochodnych w identycznym niemal tempie szły w górę. Na pierwszy rzut oka wyglądało to na wzrost wartości aktywów dolarowych, w istocie jednak zostało spowodowane przez coraz bardziej wybuchową sytuację dolara dłużnego, a ponieważ każdy dług wymaga spłaty odsetek, gwałtowny wzrost tego długu, zgodnie z zasadą procentu składanego, był nieuniknionym rezultatem. Okazało się, że wystarczy na rynku papierów wartościowych lub towarów zwiększyć objętość zbiornika na ciecz, by móc skutecznie trawić nadmiar dolarów. Jednakże obecnie, gdy wszystkie zbiorniki zostały już szczelnie wypełnione przez katastrofalny zalew dolarów, istnieje ryzyko przelania się ich zawartości na zewnątrz.

Skąd wziąć zbiornik dość wielki, by je pomieścił? „Geniusze" z Wall Street ponownie rozpoczęli dyskusje na temat idei rynku finansowych instrumentów pochodnych o nieograniczonej objętości. Bez wytchnienia reklamowali nieskończoną liczbę nowych „produktów finansowych", nie tylko wytężając umysł w dziedzinach takich, jak pieniądz, papiery wartościowe, towary, indeksy giełdowe, kredyty, odsetki, ale – wychodząc z prawdziwie fantastycznymi pomysłami – tworzyli nowe zabawki przypominające zakłady o pogodę. Teoretycznie rzecz ujmując, mogą oni każdy dzień przyszłego roku określić jako dobry lub zły, nakleić nań metkę z ceną w dolarach i sprzedawać go na rynku; w identyczny sposób mogą potraktować każdą godzinę każdego dnia przyszłych 100 lat świata, a nawet występujące co minutę trzęsienia ziemi, wybuchy wulkanów, powodzie, susze, plagi, epidemie, wypadki samochodowe, śluby i rozwody. Wszystko to może zostać zamienione w „finansowy instrument pochodny" i podlegać transakcjom na rynkach finansowych po realnej cenie nadanej otwartym kodem. Z tego punktu widzenia rynek instrumentów pochodnych w istocie ma „niczym nieograniczoną objętość". Problem polega na tym, że przyglądając się bliżej temu pomysłowi, dostrzegamy duże podobieństwa z okresem bańki na rynku IT w 1999 roku, kiedy analitycy z Wall Street solennie przyrzekali przypisanie adresu IP każdemu ziarnku piasku na ziemi. W ten sam sposób ich ojcowie w epoce „bańki mórz południowych" narzekali, że na świecie jest zbyt dużo pieniędzy i nie ma już żadnej dobrej inwestycji, w którą można by je włożyć, w wyniku czego ktoś zaproponował osuszenie Morza Czerwonego, by sprawdzić, ile bogactwa znajduje się na jego dnie przy spoczywających tam szczątkach egipskiego faraona, który niegdyś ścigał Mojżesza i prowadzonych przezeń Żydów.

Kiedy ówcześni inwestorzy „rozpalali się", wpadając w wysoką gorączkę, burza finansowa znajdowała się bardzo blisko.

Wszystkie te dokonywane od dawna, systematyczne próby demonizowania złota jako waluty, jako „barbarzyńskiego reliktu", faktycznie skierowane są przeciwko temu, co w istocie swej jest prawdziwe i niezbędne. Metaforycznie rzecz ujmując, na złoto można spojrzeć niczym na srodze doświadczonego, cierpiącego mędrca, który wcale nie spieszy się, by ogłosić prawdę, lecz jedynie obserwuje sprawy z boku, z chłodną obojętnością. Unikając ostentacyjnej obecności i wygłaszania swoich racji, tym bardziej ukazuje swoją wyjątkowość i wartość. Mimo zniewag, szyderstw, przekleństw, nacisków, mimo zastosowania wszystkich dostępnych metod służących wyszydzeniu „fałszywego króla walut", złoto wciąż lśni swoim blaskiem, a „potężny dolar" skręcił na drogę prowadzącą ku jego kresowi.

Ludzie w końcu dostrzegli prawdę i drogę wyjścia.

W rzeczywistości, w sercach Chińczyków nigdy nie brakowało intuicyjnego rozumienia prawdziwej wartości złota. Wszelka działalność związana z pieniędzmi określana przez ludzi jest mianem topienia „złota"* (miejsce, w którym składa się oszczędności to „srebrna" branża)**, prawdziwe i warte swej ceny towary określa się mianem „prawdziwego złota i białego srebra". Kiedyś ludzie ponownie uświadomią sobie, że naturą pieniądza dłużnego jest wyłącznie notka „dług + obietnica", a tak zwane bogactwo w dolarach jest tylko „rozrośniętym do maksimum kwitem *I owe you*" oraz nieograniczoną obietnicą składaną wobec majątku. Zrozumieją również, że kwity te podlegają procesowi wiecznej dewaluacji, której szybkość zależy od stopnia chciwości stymulującego ich druk. Zdecydowana większość osób pozbawionych wiedzy o sprawach finansowych ostatecznie będzie potrafiła wykorzystać swoją intuicję oraz wiedzę potoczną, by wybrać „arkę Noego" dla odkładania swojego, wytworzonego w pocie i znoju, majątku – a będzie nią złoto i srebro. Uzbrojeni po zęby w instrumenty pochodne międzynarodowi bankierzy ostatecznie napotkają naprzeciw siebie nadchodzącą potężną oceaniczną falę społecznego sprzeciwu.

Stale rosnąca cena złota prawdopodobnie bezlitośnie popchnie w górę długoterminowe odsetki od amerykańskiego długu. A ponieważ międzynarodowi bankierzy sprzedali na rynkach finansowych warte biliony dolarów kontrakty na „ubezpieczenie odsetek", zapewniając, że długoterminowe stopy odsetek nie wzrosną, w sytuacji ich wzrostu wywołanego ceną złota, chciwość, która doprowadziła do powstania tak wielkiego ryzyka, zostanie wreszcie zdemaskowana.

Pierwszym miejscem, w które uderzy stały wzrost cen złota, będzie zabawka na finansowym rynku instrumentów pochodnych, swap stopy procentowej, superbańka warta 7,4 biliona dolarów (są to liczby podane jedynie przez amerykańskie banki handlowe). Sytuacja posiadających w swych rękach jedynie 3,5 procenta aktywów finansowych struktur koncesjonowanych przez rząd jest niezwykle niebezpieczna – są one niczym warstwy jajek ułożone jedne na drugich. Gdy cena złota gwałtownie pójdzie w górę i dojdzie do nagłych fluktuacji stóp procentowych obligacji skarbowych, słaby front zabezpieczeń przed niekorzystną zmianą kursów

* Chiński rzeczownik oznaczający finanse; przymiotnik „finansowy" to *jinrong* 金融 – pierwszy znak oznacza złoto, drugi stapianie czegoś (przyp. tłum).

** Bank w języku chińskim to *yinhang* 行, gdzie *yin* oznacza srebro, *hang* branżę (przyp. tłum.).

stóp procentowych zostanie przełamany, a ogromne ilości wartych około cztery biliony dolarów krótkoterminowych papierów wartościowych w ciągu kilku godzin lub dni całkowicie utracą płynność. W tym samym czasie w poważne kłopoty może wpaść również J.P. Morgan Chase, ów supergracz i hegemon na rynku finansowych instrumentów pochodnych oraz pochodnym rynku złota, sterujący długofalową stopą procentową i usiłujący kontrolować i powstrzymać wzrost ceny złota.

Lider na drodze do krachu, finansowy rynek instrumentów pochodnych, doprowadzi do powstania bezprecedensowej w historii paniki związanej z utratą płynności, kiedy przerażeni inwestorzy gremialnie będą starać się wyprzedać znajdujące się w ich rękach „kontrakty ubezpieczeniowe", by zamienić je na gotówkę. Wszystkie elementy składające się na bazę wzrostu dla instrumentów pochodnych – waluta, papiery wartościowe, towary, ropa naftowa, akcje – w jednej chwili zostaną „porażone prądem", a utrata płynności doprowadzi światowy rynek finansowy do paniki. Chcąc ratować tę beznadziejną sytuację, Rezerwa Federalna, niczym wielka tama na rzece Huanghe, zapewne dokona gigantycznej emisji dolarów, by stawić czoła potopowi i uniknąć katastrofy. Kiedy biliony dolarów, niczym wielkie tsunami uderzą w światową gospodarkę, pogrąży się ona w chaosie.

Minęło już ponad 30 lat od chwili, gdy w wyniku połączonych knowań i planów międzynarodowych bankierów zlikwidowano złotą walutę. W tym czasie Stany Zjednoczone zdążyły zrobić debet na 80 procent światowych rezerw. Aż do dziś Ameryka jest zmuszona do codziennego, stałego „wysysania krwi" wartych dwa miliardy dolarów rezerw od państw świata, dzięki czemu może utrzymać w ruchu swój „wieczny mechanizm gospodarczy". Szybkość wzrostu amerykańskiego długu i odsetek już dawno przekroczyła możliwości wzrostu światowej gospodarki. W dniu, kiedy wszystkie kraje dokonają wyciągnięcia „nadwyżek rezerw" złota i srebra, nastąpi globalny krach finansowy. Nadejście tego dnia nie jest już kwestią prawdopodobieństwa takiego scenariusza, ale kwestią czasu i sposobu, w jaki ów krach się dokona.

Z zewnątrz wyglądający na silny i potężny system bańki dolarowej znajdzie swoją śmierć w dwóch znakach oznaczających zaufanie*, a złoto, wybrane jako brama żywotności, unicestwi dolara.

* *Xinxin* 信心 (przyp. tłum.).

ROZDZIAŁ X

Spojrzenie w przyszłość

Tak jak wolność, złoto nigdy nie pozostaje tam, gdzie jest niedoceniane.

Justin S. Morril, 1878 rok

Klucz do rozdziału

W roku 1850 Londyn niewątpliwie był słońcem światowego systemu finansowego. W roku 1950 Nowy Jork stał się centrum globalnego bogactwa. Kto w roku 2050 zdobędzie tron hegemona międzynarodowych finansów?

Doświadczenie płynące z historii rodzaju ludzkiego pokazuje, że potęgi rosnących państw czy regionów znajdują się w stadium wzrostu dzięki kwitnącym siłom produkcyjnym, które generują ogromny majątek. W celu jego ochrony – aby podczas wymiany handlowej nie został skrycie pozyskany przez rozwodniony pieniądz innych – poszczególne kraje intensywnie działają na rzecz utrzymania w obrębie własnych granic czystego pieniądza. Przykładem mogą tu być twardo związany ze złotem dziewiętnastowieczny funt szterling czy dwudziestowieczny, arogancko spoglądający na globalną gospodarkę, wsparty o złoto i srebro dolar amerykański. Światowy majątek automatycznie zawsze podąża do miejsca, w którym jego wartość jest doceniona. Twarda i stabilna waluta ma wielką siłę pobudzania podziału pracy w społeczeństwie oraz rozsądnej redystrybucji zasobów rynkowych, dlatego też kształtuje bardziej efektywną strukturę gospodarczą, w ten sposób przyczyniając się do wytwarzania jeszcze większej ilości majątku.

Przeciwnie, kiedy okres prosperity się kończy, gdy dochodzi do obumierania sił produkcyjnych, a ogromne wydatki rządowe lub koszty wojny stopniowo opróżniają skarbiec z nagromadzonych wcześniej oszczędności, rząd z reguły rozpoczyna dewaluację pieniądza, aby, próbując uciec przed ciężarem długu, przechwycić w swoje ręce majątek obywateli. W tym czasie bogactwo nieuchronnie odpływa za granicę, w poszukiwaniu innego, dającego mu schronienie miejsca.

Na podstawie siły pieniądza najwcześniej można stwierdzić, czy dany kraj zaczyna przechodzić z okresu gospodarczej prosperity do recesji. Kiedy w 1914 roku Bank Anglii ogłosił wstrzymanie wymiany funta na złoto, wiatr wiejący w żagle Wielkiego Imperium Brytyjskiego ustał na zawsze. Kiedy w 1971 roku Nixon jednostronnie zamknął okienko ze złotem, chwała Stanów Zjednoczonych osiągnęła szczyt swojego rozwoju – nastąpił punkt zwrotny i gospodarka zaczęła staczać się w otchłań kryzysu. Siła Wielkiej Brytanii uległa szybkiemu rozproszeniu w dymie pól bitewnych I wojny światowej, Stany Zjednoczone zaś, na szczęście, leżą w tej części świata, która uniknęła ciężkich zniszczeń wskutek działań wojennych i zdołała zatrzymać epokę pomyślności ekonomicznej na trochę dłużej. Jednak w wyglądającym na świeży i pachnący niczym bukiet kwiatów domu, systematycznie trwa dolewanie oliwy do ognia trawiącego wielkie frontowe drzwi, wewnątrz zaś gigantyczny dług stopniowo opróżnia go ze sprzętów i własności.

Z historycznego punktu widzenia, każdy kraj, który próbował oszukać własność za pomocą dewaluacji pieniądza, w ostatecznym rozrachunku zostawał porzucony przez własność i majątek.

Waluta: narzędzie miary i wagi gospodarki światowej

Pieniądz jest podstawą całego obszaru zwanego gospodarką, najbardziej podstawowym środkiem, który ją waży i mierzy. Jego funkcja odpowiada tej, którą sprawują kilogramy, metry, sekundy itd., główne miary w świecie fizycznym. System pieniężny, który podlegałby codziennym wstrząsom i zmianom byłby tak samo nieprzydatny i groźny, jak zależne od zmiennych okoliczności definicje kilograma, metra czy sekundy. Gdyby miara długości w rękach inżyniera każdego dnia różniła się swoją skalą, jak byłoby możliwe wybudowanie dziesięciopiętrowego domu? Zresztą, nawet gdyby udało się postawić taki budynek, któż ośmieliłby się w nim zamieszkać? Gdyby standard pomiaru czasu podczas zawodów sportowych mógł ulegać zmianom w dowolnym momencie, w jaki sposób sportowcy mogliby porównywać wyniki osiągnięte na różnych stadionach w różnym momencie? Gdyby kupiec używał odważników, których masa ulegałaby stopniowemu skurczeniu, kto chciałby u niego robić zakupy?

Jeden z podstawowych problemów dzisiejszej światowej gospodarki polega na braku stabilnego i rozsądnego pieniężnego standardu miary i wagi. Prowadzi to do sytuacji, w której rządy nie są zdolne do precyzyjnego szacowania skali aktywności gospodarczej, firmy zmagają się z problemem oceny sensu i opłacalności długoterminowych inwestycji, a ludzie stracili bezpieczny punkt dla swoich długofalowych planów. Obecna rola pieniądza w gospodarce, sterowana arbitralnie przez bankierów, w istotny sposób zakłóca logiczną i uzasadnioną redystrybucję dóbr na rynku. Kiedy inwestorzy obliczają zyski z tytułu akcji, papierów wartościowych, nieruchomości, linii produkcyjnych czy handlu towarowego praktycznie nie mają możliwości dokonania szacunku prawdziwej raty zwrotu, albowiem jest czymś niesłychanie trudnym oszacować skalę kurczenia się siły nabywczej pieniądza.

Od roku 1971, kiedy amerykański dolar całkowicie odszedł od złota, jego siła nabywcza spadła o 94,4 procent! Dzisiejszy jeden dolar wart jest zaledwie 5,6 centa z początku lat siedemdziesiątych.

W Chinach na początku lat osiemdziesiątych tak zwane „gospodarstwo domowe o 10 tysiącach dochodu" było uznawane za znak firmowy bogactwa, ale już w latach dziewięćdziesiątych stało się jedynie średnim wskaźnikiem dochodu ludności miast. Obecnie osoba z rocznym dochodem wysokości 10 tysięcy yuanów balansuje na granicy ubóstwa.

Ekonomiści „troszczą się" wyłącznie o ceny artykułów konsumpcyjnych i poziom inflacji, ale przerażający fenomen inflacji wartości aktywów pozostaje niezauważony. Ten system pieniężny jest formą okrutnej kary wobec tych, którzy oszczędzają. To właśnie z tego powodu, mimo iż giełda i rynek nieruchomości są obarczone wysokim ryzykiem, owo zaniechanie inwestowania jest znacznie niebezpieczniejsze.

Kiedy ludzie dokonują zakupu mieszkania, wniosek do banku o udzielenie pożyczki jest jedynie zapisem o wysokości długu, na rachunku bankowym nie znajduje się bowiem tak duża ilość pieniędzy. Kiedy jednak dochodzi do aktu powstawania długu, pieniądze zostają „wytworzone" z niczego, a ów zapis podlega błyskawicznej monetaryzacji przez system bankowy, powiększając błyskawicznie podaż pieniądza. W ten sposób emitowane pieniądze w czasie rzeczywistym podnoszą przeciętny poziom cen w całym społeczeństwie, a szczególnie w dziedzinie aktywów. Krótko mówiąc: gdyby nie istniały pożyczki na zakup nieruchomości, ceny mieszkań nie mogłyby osiągnąć tak wysokiego poziomu. Banki twierdzą, że działają w celu niesienia pomocy ludziom, którzy samodzielnie nie są zdolni do udźwignięcia kosztów zakupu mieszkania, jednak rezultat jest dokładnie odwrotny. Pożyczka na zakup nieruchomości jest ekwiwalentem raptownego zrobienia debetu na przyszłym trzydziestoletnim dochodzie ludzi, a owe pieniądze z trzydziestu lat „przyszłości", już dziś w całości są emitowane, stając się walutą. Gdy ta wielka fala pieniędzy gwałtownie rośnie, muszą również rosnąć ceny mieszkań, akcji, długów itp. Po zgromadzeniu majątku, który stanowi trzydziestoletni debet na przyszłym ludzkim dochodzie, ceny mieszkań osiągają poziom, na którym ludzie nie są zdolni do ich zakupu. By „pomóc" ludziom w udźwignięciu kosztów zakupu domu, jeszcze większa ilość długu wspiera jeszcze wyższe ceny nieruchomości. Obecnie bankierzy w Wielkiej Brytanii i USA testują „nowe wspaniałe" rozwiązanie: dożywotni kredyt na zakup nieruchomości. W Wielkiej Brytanii jest reklamowana pięćdziesięcioletnia pożyczka na zakup mieszkania, w Kalifornii przygotowuje się propozycję kredytu hipotecznego na 45 lat. Jeśli próba ta zakończy się powodzeniem, jeszcze obfitsza emisja pieniądza dłużnego czekać będzie na uruchomienie, a rynek nieruchomości radośnie przywita jeszcze wspanialszą „wiosnę". Odbiorcy kredytów bankowych zostaną spętani łańcuchem długu na całe życie, ci zaś, którzy nie dokonają zakupu mieszkania, zejdą z rynku i znajdą się w niewiele lepszej sytuacji, gdyż ostatecznie ich zubożenie doprowadzi do tego, że zmuszeni będą poszukiwać sponsora, nawet jeśli ceną będzie dożywotnie nałożenie łańcuchów bankowego kredytu. A jeśli pięćdziesięcioletni ludzki dochód nadal nie będzie w stanie zadowolić bankierskiego apetytu? Być może doczekamy dnia, kiedy powstanie system „międzypokoleniowego kredytu hipotecznego na zakup nieruchomości", w którym syn będzie spłacał długi ojca.

W chwili, gdy Chiny radują się faktem posiadania wartych blisko bilion dolarów rezerw walutowych, osiem bilionów renminbi* musi zostać wyemitowane, aby dokonać zakupu owych „ciężkich amerykańskich kwitów *I owe you*". Co więcej, nowo emitowane pieniądze, jeśli w całości wejdą do systemu bankowego, zostaną powiększone sześciokrotnie, za co trzeba podziękować przybyłemu z Zachodu „skarbowi wiedzy" – systemowi częściowych rezerw. Rząd może wybrać wyłącznie nowe emisje obligacji skarbowych (bądź kwitów dłużnych banku centralnego), aby w ograniczony sposób przyciągnąć i wchłonąć ową potężną, gwałtownie wzbierającą falę emisji nowych pieniędzy. Kłopotliwy jest fakt, że obligacje skarbowe nakładają obowiązek zwrotu odsetek – któż ma je zwrócić? Otóż mają to oczywiście zrobić „pełni chwały" podatnicy.

---

* 8:1 rmb za dolara – kurs z 2006 roku. Obecnie (połowa 2010 roku) kształtuje się on na poziomie około 6,9:1 (przyp. tłum.).

Kiedy edukacja i opieka zdrowotna przechodzą „uprzedmiotowienie", w wyniku ich ostrego, pierwotnego niedoboru tych społecznych, wspólnie dzielone w całym społeczeństwie zasoby nagle zamieniają się w „zmonopolizowane aktywa", a pośród zalewu wielkiej fali pieniądza profity z nich czerpane nie mogą nie rosnąć.

Kiedy dowody transakcji między firmami zamieniają się w owe zapisy dłużne *I owe you* banki przeprowadzają wobec nich „dyskontowanie", a zapisy te, zgodnie z ustaloną zniżką, są akceptowane jako bankowe „aktywa" – w tym samym czasie następuje wytworzenie nowych pieniędzy.

Kiedy ludzie realizują płatności kartami kredytowymi, każdy podpisany kwitek staje się IOU, każdy IOU zamienia się w aktywa banku, a każdy z aktywów banku staje się nowo wyemitowanym pieniądzem. Mówiąc inaczej, za każdym pociągnięciem kartą kredytową „tworzony jest" nowy pieniądz.

Dług, dług i jeszcze raz dług. Renminbi szybko stacza się w otchłań pieniądza dłużnego

Tym, co odróżnia Chiny od Stanów Zjednoczonych jest fakt, iż nie [illegible] tak „rozwiniętego" jak amerykański rynku finansowych instrumentów pochodnych, który zdolny jest do absorpcji tych nowo emitowanych pieniędzy. Nadmiar płynności finansowej koncentruje się na rynku nieruchomości oraz giełdzie i praktycznie nie istnieje żadna skuteczna metoda na powstrzymanie występującej na tych obszarach „hiperinflacji aktywów". Podobnie jak niegdyś na japońskiej giełdzie, znów mamy do czynienia z przegrzaniem rynku, tym razem w Chinach.

Międzynarodowi bankierzy liczą więc na grę w ramach kolejnej, wytwarzającej bańkę spekulacyjną gospodarki Azji Wschodniej. Kiedy pochodząca z „wewnętrznego kręgu" lady Thatcher pogardliwie stwierdziła, że chińska gospodarka z trudem, jeśli w ogóle, osiągnie jakikolwiek sukces, nie mówiła tego z zazdrości czy w celu podniesienia alarmu – po prostu zarówno ona, jak i cały krąg, z którym jest związana, posiadają precyzyjną i głęboką wiedzę na temat skutków gospodarki napędzanej przez dług. Kiedy bańka pieniądza dłużnego urośnie do określonego poziomu, „słynni" międzynarodowi ekonomiści zaczną wiercić problem z wielu stron, a negatywne informacje o różnych problemach chińskiej gospodarki oraz poważne ostrzeżenia wypełnią ramówki serwisów informacyjnych głównych światowych mediów. Ostrzący zęby i z wolna tracący cierpliwość finansowi hakerzy nadciągną niczym horda wilków, a międzynarodowi i krajowi inwestorzy w panice rozbiegną się na wszystkie strony.

Kiedy tylko system częściowych rezerw oraz pieniądz dłużny, niczym bliźniacza para demonów, zostaną wypuszczone z zakorkowanej dotąd butelki, dokona się jeszcze ostrzejszy podział świata na biednych i bogatych. Pieniądz dłużny, solidnie wzmocniony przez funkcje systemu częściowych rezerw, doprowadzi ludzi biorących pożyczki z banków na zakup środków trwałych do „korzystania" z „zysków" aktywów podlegających procesowi gwałtownej inflacji, łapiąc ich w pułapkę długu. Ludzie pragnący, zgodnie z tradycyjnym poglądem, spędzić całe życie w wolności od długu, będą musieli ponieść i zapłacić potężną cenę za inflację środków trwałych. Po ustanowieniu „konwencji" dla monopolizacji światowych banków przez parę bliźniaczych demonów, depozytariusze utracą jakiekolwiek możliwości ochrony własnego majątku, a wielkie zwycięstwo branży bankowej zostanie przypieczętowane.

Pieniądz dłużny oraz system częściowych rezerw bez żadnych ograniczeń doprowadzają do dewaluacji pieniądza – „kwitu długu IOU + obietnicy". A jaka gospodarka może się stabilnie i harmonijnie rozwijać w sytuacji stałej dewaluacji narzędzia miary i wagi?

Czyż nie jest monstrualnym absurdem fakt, że w czasach, gdy w każdej dziedzinie wymagana jest standaryzacja, pieniężny system miary i wagi jest jej całkowicie pozbawiony?

Można mieć nadzieję, że kiedy ludzie w pełni zrozumieją naturę pieniądza dłużnego oraz systemu częściowych rezerw, a przede wszystkim jego absurdalność i niemoralność, dalsze kontynuowanie tego procederu będzie niemożliwe.

Przy braku stabilnego pieniężnego narzędzia miary zrównoważony wzrost gospodarczy nie jest możliwy, podobnie jak racjonalna redystrybucja dóbr na rynku. Podział na biednych i bogatych staje się nieunikniony, podobnie jak stopniowy odpływ społecznego majątku i jego koncentracja w branży finansowej. W takiej sytuacji zrównoważona, zdrowa, społeczna gospodarka istnieje wyłącznie jako niemająca szans na realizację fatamorgana.

*Złoto i srebro: magiczny miecz uspokajający wzburzone morze**

13 lipca 1973 roku magazyn „The Economist" opublikował zdumiewający raport dotyczący zmian statystycznych cen podczas brytyjskiej industrializacji. W latach 1664-1914, w czasie gdy funkcjonował standard złota, brytyjskie ceny w tym długim, dwustupięćdziesięcioletnim okresie, zachowywały stabilność, wykazując wręcz niewielką tendencję spadkową. W obecnym świecie, trudno znaleźć kraj zdolny do zachowania przez tak długi czas podobnych statystyk dotyczących cen. Siła nabywcza funta była zdumiewająco trwała. Jeśli w 1664 roku indeks cen (CPI) określimy na poziomie 100 punktów, to z wyjątkiem okresu wojen napoleońskich, kiedy wykracza on poza 180 punktów, znajduje się stale poniżej standardu z 1664 roku. Kiedy w 1914 roku wybuchła I wojna światowa, indeks cen w Wielkiej Brytanii znajdował się na poziomie 91 punktów. Innymi słowy, w systemie standardu złota siła nabywcza funta w 1914 roku była jeszcze większa niż jego poprzednika sprzed 250 lat.

W Ameryce funkcjonującej w oparciu o standard złota sytuacja kształtowała się bardzo podobnie. W roku 1787, w rozdziale I, ustępie 8 Konstytucji Stanów

* Miecz – *Dinghaishenzhen*. Chodzi o magiczny metal wyznaczający płytkość względnie głębokość mórz i rzek, przekuty na broń przez Sun Wu Konga, bohatera jednej z tzw. Czterech Chińskich Klasycznych Opowieści, *Podróży na Zachód Xi You J*. Potocznie – broń, potężny miecz, pręt (przyp.tłum.).

Zjednoczonych upoważniono Kongres do emisji oraz definiowania pieniądza. Ustęp 10 wyraźnie stanowił, że żaden z amerykańskich stanów nie ma prawa wykorzystywać jakiegokolwiek pieniądza pozostającego poza systemem standardu złota w celu spłaty należności i długów – w ten sposób potwierdzano konieczność wsparcia amerykańskiej waluty przez złoto. *Coinage Act* z 1792 roku ustanawiał amerykańskiego dolara jako podstawową jednostkę i miernik walutowy. Jeden dolar został precyzyjnie zdefiniowany jako odpowiednik zawartości 24,1 grama czystego srebra, 10 dolarów określono zaś jako odpowiednik 16 gramów czystego złota. Srebro stało się podstawowym progiem systemu pieniężnego dolara; proporcja cen złota do srebra wynosiła 15:1; każda próba rozwadniania czystości dolara groziła tym, którzy doprowadzali do jego dewaluacji, karą śmierci.

W roku 1800, indeks cen w Stanach Zjednoczonych kształtował się w okolicach 102,2 punktu. W roku 1913 spadł do poziomu 80,7 punktu. W epoce wielkiej industrializacji skala fluktuacji cen nie przekraczała 26 procent. W epoce standardu złota (lata 1879-1913) skala fluktuacji cen była mniejsza niż [illegible] procent. USA gwałtowanie rozwijały swoją produkcję i w ciągu 113 lat historii kraju, w trakcie których industrializacja całkowicie odmieniła jego oblicze, średnia stopa inflacji znajdowała się w okolicach zera, a średnia fluktuacja cen nie przekraczała 1,3 procent[206].

W podobny sposób działające w systemie standardu złota główne kraje europejskie, w kluczowej epoce historycznej, a więc w czasie przejścia od gospodarki opartej na rolnictwie do gospodarki przemysłowej, łączącym się z bezprecedensowym wzrostem gospodarczym, zachowały stabilność swoich walut.

– frank francuski w latach 1814-1914 (100 lat);
– gulden holenderski w latach 1816-1914 (98 lat);
– frank szwajcarski w latach 1850-1936 (86 lat);
– frank belgijski w latach 1832-1914 (82 lata);
– korona szwedzka w latach 1873-1931 (58 lat);
– marka niemiecka, w latach 1875-1914 (39 lat);
– lir włoski w latach 1883-1914 (31 lat)[207].

Nic dziwnego, że słynny austriacki ekonomista Ludwig von Mises bardzo wysoko oceniał standard złota, uznając go za największe osiągnięcie kapitalistycznej, złotej epoki zachodniej cywilizacji. Przy braku racjonalnego, stabilnego narzędzia pomiaru wartości pieniądza, gwałtowny kapitalistyczny rozwój gospodarczy i wynikłe z niego tworzenie wielkiego majątku w krajach cywilizacji Zachodu byłoby niewyobrażalne.

Srebro i złoto w procesie swojej ewolucji na rynkach doprowadziły do uformowania się wysoce stabilnego systemu cen, który wywołał swego rodzaju „kompleks" u dwudziestowiecznych „genialnych" planistów gospodarczych. Trzeba jednak podkreślić, że pozycja złota i srebra jako form pieniądza jest efektem naturalnej ewolucji – są one prawdziwym towarem w gospodarce rynkowej, uczciwym pieniądzem, na którym ludzie opierają swoje zaufanie.

[206] Lips, *Złoty spisek*, s. 23-24.

[207] *Ibid*, s. 27.

Owa miara wartości pieniądza nie mogła być modyfikowana ani przez chciwą naturę potentatów finansowych, ani przez dobrą lub złą wolę rządu, ani z uwagi na interesy i okazje „genialnych" ekonomistów. Wyłącznie naturalna, historyczna ewolucja rynku oraz pojawiające się złoto i srebro były w stanie to wykonać. Również w przyszłości jedynie złoto i srebro mogą udźwignąć tę historyczną odpowiedzialność i uczciwie chronić racjonalną dystrybucję zasobów rynkowych oraz ludzki majątek.

W swoim czasie wśród ekonomistów bardzo popularny był pogląd, wedle którego wzrost ilości złota i srebra nie jest w stanie dogonić szybkości, z którą rośnie majątek, co znaczyłoby, że w systemie standardu złota deflacja jest rzeczą nieuniknioną, a sama deflacja jest wrogiem wszystkich gospodarek. W rzeczywistości była to całkowicie błędna diagnoza oparta na nieuzasadnionych uprzedzeniach. Teza, że inflacja jest uzasadniona, została spreparowana wspólnie przez międzynarodowych bankierów i Keynesa w celu usunięcia standardu złota i w rezultacie poprzez wykorzystanie inflacji nałożenie na ludzi niewidzialnego podatku. To oni stworzyli teoretyczne podstawy do zakulisowego plądrowania i rabowania ludzkiego majątku. Społeczna praktyka i doświadczenie wynikające z losów siedemnastowiecznej Wielkiej Brytanii, Stanów Zjednoczonych i największych krajów Europy, w niekwestionowany sposób uzasadniają prawdę, że szybki i wielki wzrost gospodarczy wcale nie musi w nieunikniony sposób wiązać się z inflacją. Przeciwnie, Wielka Brytania i USA zakończyły proces industrializacji w sytuacji łagodnej deflacji gospodarczej.

Czy prawdziwym problemem jest niezdolność nadgonienia szybkości wzrostu majątku przez wzrost ilości złota i srebra, czy też raczej niemożność dogonienia wzrostu ilości pieniądza dłużnego? Czy potężna niczym powódź emisja pieniądza dłużnego jest naprawdę korzystna dla rozwoju społecznego?

„Nadwaga" waluty dłużnej i odchudzanie PKB

Model wzrostu gospodarczego oparty na wytycznej zwiększania PKB ma dokładnie taki sam charakter, jak uznanie przyrostu wagi za podstawowy cel życia mający utrzymać jednostkę w dobrej kondycji zdrowotnej. Rząd stosujący politykę deficytu budżetowego i stymulujący w ten sposób wzrost gospodarczy do złudzenia przypomina kogoś, kto stymuluje wzrost masy ciała poprzez wykonywanie zastrzyków z hormonów. Z punktu widzenia takiego porównania, pieniądz dłużny jest właśnie powstałą w wyniku zwiększania masy ciała tkanką tłuszczową.

Czy człowiek, który z uwagi na coraz większą masę nie jest w stanie się poruszać, może uchodzić za okaz zdrowia?

Istnieją dwa modele rozwoju dla gospodarki danego kraju. Jednym z nich jest akumulacja rezerw i oszczędności jako faktyczny wzrost majątku, tak by kapitały w formie złota czy srebra przeznaczyć na inwestycje, w ten sposób doprowadzając do wytworzenia jeszcze większej ilości realnego, prawdziwego majątku. Postęp ma miejsce w społeczeństwie i gospodarce, doprowadza do powstania silnych i rozwiniętych mięśni gospodarczych, mocnego szkieletu oraz zrównoważonej dystrybucji substancji odżywczych. Mimo że na widoczne efekty trzeba długo czekać, jakość wzrostu jest wysoka, a skala efektów ubocznych niewielka.

Drugim modelem jest wzrost gospodarczy uzyskiwany poprzez stymulację pieniądzem dłużnym. Kraj, firmy i osoby prywatne są w wielkim stopniu obciążone finansowo; dług po monetaryzacji dokonującej się w systemie bankowym zostaje wyemitowany jako pieniądz, prowadząc do powstania bańki poczucia posiadania majątku. Dewaluacja pieniądza jest nie do uniknięcia, redystrybucja dóbr i zasobów na rynku zostaje zaburzona, a podział na biednych i bogatych z dnia na dzień staje się coraz głębszy. Konsekwencją tego modelu jest kolosalny przyrost warstwy gospodarczego „tłuszczu". Napędzana przez dług gospodarka, niczym ciało szpikowane zastrzykami hormonalnymi, szybko rośnie. Jednakże, chociaż w krótkim okresie widać zaskakujące i liczne rezultaty, to ukryte w tym modelu efekty uboczne w ostatecznym rozrachunku doprowadzają do wystąpienia przeróżnych, połączonych komplikacji. W tej sytuacji gospodarka wymaga zastosowania coraz to nowych medykamentów, te zaś pogarszają kondycję „systemu wydalniczego" organizmu gospodarczego. Następuje więc całkowity chaos w pracy organizmu i pod sam koniec nawet lekarstwa nie są w stanie go uratować.

Zwiększenie ilości „tkanki tłuszczowej", czyli pieniądza dłużnego, w pierwszej kolejności prowadzi do podniesienia się poziomu cukru we krwi gospodarki – czyli zjawiska inflacji, szczególnie inflacji środków trwałych. Sytuacja ta w obszarze produkcji prowadzi do nadwyżek wydajności i wielkiego marnotrawstwa zasobów rynkowych, tworząc na rynku stan zaciętej wojny cen i prowadząc do spadku cen artykułów konsumpcyjnych. Powstaje sytuacja, w której inflacja pieniądza koegzystuje z deflacją artykułów konsumpcyjnych. Rodzina, jako podstawowa komórka gospodarki, znajdując się pod olbrzymią presją ze strony inflacji środków trwałych, prawdopodobnie będzie również zagrożona przez skutki redukcji zatrudnienia dokonywanej przez przeżywających zastój produkcyjny pracodawców. W takiej sytuacji spadek konsumpcyjnych możliwości i pragnień przeciętnej rodziny prowadzi do utraty aktywności przez wielką liczbę komórek składających się na gospodarczy organizm.

Kolejnym problemem tworzonym przez „tkankę tłuszczową" pieniądza dłużnego jest wysoki poziom tłuszczów w układzie krwionośnym gospodarki.

Po monetaryzacji długu, pieniądz przestaje być rzadkim i deficytowym dobrem. Jego kolejne emisje prowadzą do powodzi płynności i gromadzenia się pieniądza we wszystkich zakamarkach gospodarki. Ludzie odkrywają smutną prawdę, że, co prawda, „pieniądza" jest coraz więcej, ale okazji do inwestycji coraz mniej. W systemie standardu złota główną charakterystyką giełdy jest twarda struktura księgowa wchodzących na nią spółek, sytuacja obciążeń finansowych firm jest względnie dobra, a własne kapitały wystarczające. Wpływy firm stabilnie rosną, a dywidendy z tytułu posiadanych akcji stopniowo, z roku na rok, idą w górę. Mimo ryzyka inwestycji giełdowych, sama giełda jest solidnym rynkiem wartym inwestowania. Natomiast dziś główne giełdy współczesnego świata są już wręcz zasypane górami pieniądza dłużnego, znajdując się w sytuacji ostrego przewartościowania. Praktycznie żaden inwestor nie kieruje się chęcią otrzymania dywidendy z tytułu zakupu akcji, a całą swoją nadzieję skupia i zawierza przewidywaniom o wzroście cen akcji, specyficznej teorii „większej głupoty".

Rynek papierów wartościowych z dnia na dzień traci swoją inwestycyjną atrakcyjność, stopniowo zmieniając się w zatłoczone superkasyno. Sytuacja na rynku nieruchomości jest bardzo podobna.

Dług znacznie osłabił ścianki ekonomicznych naczyń krwionośnych, a nagromadzone w wyniku kolejnych emisji pieniądze zagęszczają gospodarczą krew, osadzając na giełdzie papierów wartościowych i rynku nieruchomości wielkie ilości kapitałów, które powodują opuchnięcie i zatkanie naczyń krwionośnych gospodarki. Chorobowy stan podniesionego ciśnienia w gospodarce jest nieunikniony.

Długotrwałe występowanie nadciśnienia potężnie zwiększa obciążenia dla serca gospodarki. A sercem tym jest wykorzystywane przez ludzi w celu wytwarzania majątku środowisko naturalne oraz społeczne zasoby.

Ciężar pieniądza dłużnego prowadzi do coraz groźniejszej sytuacji życia na ciągłym debecie. Zatrucie środowiska, wyczerpywanie się zasobów naturalnych, zniszczenie przyrody, anormalne zmiany klimatu, częste klęski żywiołowe są po prostu wydatkami zwiększającymi rosnące niczym kula śniegowa odsetki od pieniądza dłużnego. Podział na biednych i bogatych, wstrząsy gospodarcze, konflikty społeczne, plaga korupcji są bezpośrednimi zagrożeniami dla stabilnej i zdrowej gospodarki społecznej ze strony tego pieniądza.

Kiedy konsekwencje nadmiernego przyrostu „tkanki tłuszczowej" pieniądza dłużnego – takie jak osłabienie naczyń krwionośnych, wysoki poziom cukrów, nadciśnienie – prowadzą do komplikacji, cały naturalny „system wydalniczy" gospodarki przestaje działać, zachwiane zostaje pobieranie substancji odżywczych, organy wewnętrzne ulegają degradacji, zastępowanie starych elementów przez nowe nie może być kontynuowane i system odpornościowy traci siłę. W przypadku zastosowania doraźnej terapii w stylu „kiedy boli głowa, leczymy głowę, kiedy boli stopa, leczymy stopę" dochodzi do głębokiego uzależnienia od lekarstw, co jeszcze bardziej pogarsza funkcjonowanie całego organizmu.

Kiedy zrozumiemy już negatywne konsekwencje pieniądza dłużnego, musimy przystąpić do odpowiedniej modyfikacji strategii rozwoju gospodarczego. Stary model wzrostu, kierujący się wzrostem PKB opartym o podstawę, jaką jest pieniądz dłużny i deficyt budżetowy, powinien zostać zastąpiony modelem nowym, w którym społeczeństwo i harmonijny rozwój stanowią centrum, uczciwy pieniądz stanowi miernik, a akumulacja majątku stymuluje wzrost.

Stopniowa budowa stabilnego systemu chińskiego pieniądza-miary opartego o złoto i srebro, stopniowo usunie dług z obiegu pieniężnego, łagodnie poprawi proporcje rezerw bankowych, będąc główną metodą sterowania makrofinansami i prowadząc do utrzymania stopy zysków branży finansowej na średnim poziomie zysków osiąganych przez wszystkie branże w społeczeństwie. Wyłącznie całkowite wyleczenie tych dwóch przewlekłych chorób – pieniądza dłużnego oraz systemu częściowych rezerw – może zapewnić zdrowie, siłę i harmonijny rozwój społecznej gospodarki.

Wyrzucenie długu z obiegu pieniężnego bez wątpienia będzie długim i bolesnym procesem, który można by porównać do odchudzania organizmu. Zmniejszenie racji pokarmowych, regularne spożywanie posiłków, zwiększenie aktywności ruchowej – to wszystko zapewne wydawać się może trudne i przykre w porównaniu z leniwym spoczywaniem i obrastaniem w tłuszcz w ciepłych objęciach pieniądza dłużnego. Łagodna deflacja, towarzysząca temu procesowi, przypominająca poranne pływanie zimową porą, będzie testem dla ludzkiej woli i wytrzymałości. Kiedy pierwsze bóle i niewygody zostaną stopniowo przezwyciężone, aktywność i giętkość gospodarki wyraźnie się zwiększy, wzmocni się system obronny przed różnego typu atakami ze strony kryzysów gospodarczych, ulegnie złagodzeniu presja na środowisko naturalne, a redystrybucja dóbr na rynku stanie się bardziej racjonalna. Poziomy cukru, tłuszczu i ciśnienia w gospodarce ulegną poprawie, naturalny system wydalniczy organizmu gospodarczego będzie stopniowo powracał do równowagi, a samo społeczeństwo będzie bardziej harmonijne i zdrowsze.

W chwili, gdy Chiny całkowicie otwierają swój rynek finansowy, konieczne jest wyraźne dostrzeżenie plusów i minusów zachodnich systemów bankowych, skorzystanie z ich zalet i odrzucenie wad w oparciu o własną pomysłowość. Wszystkie wielkie kraje podczas swojego historycznego wzrostu muszą dokonywać twórczego wkładu w rozwój ludzkiego społeczeństwa. Chiny znajdują się na tym szczególnym, strategicznym zakręcie.

Branża finansowa: lotnictwo strategiczne gospodarki

Pozycja światowej waluty, w której gromadzone są rezerwy, stanowi ostateczną granicę dla emitowanego przez suwerenny kraj pieniądza. Waluta rezerw cechuje się z niczym nieporównywalną siłą i prestiżem, opartymi na powszechnym w świecie zaufaniu. Sytuacja ta jest niesłychanie korzystna dla gospodarki kraju, z którego waluta ta pochodzi.

Ludzie często zadają sobie pytanie, dlaczego Chiny nie mają wpływu na międzynarodowy rynek ustalania cen. Kiedy Wall Mart jest w stanie zbić stopy zysków osiąganych przez chińskie firmy do zatrważająco niskiego poziomu, ekonomiści wyjaśniają, że dzieje się tak dlatego, że jest on największym konsumentem, a poza tym reprezentuje wielki amerykański rynek konsumpcyjny, a to właśnie konsumenci mają władzę ustalania cen. Ktoś inny powie, że Wall Mart przechwycił kanały sprzedaży na amerykańskim rynku, dzięki czemu zdobył władzę ustalania cen.

A co z kopalniami żelaza? Ropą naftową? Farmaceutykami? Przemysłem lotniczym? Przemysłem informatycznym? Chiny praktycznie w każdej z tych dziedzin są jednym z największych rynków świata i również przechwyciły kanały sprzedaży na chińskim rynku. Czemu więc Chiny, skoro są największym konsumentem, zawsze są zmuszone sięgać do portfela w chwili, gdy inni gracze uznają, że ceny mają wzrosnąć? Odpowiedź jest prosta: brak władzy ustalania cen wynika z braku władzy nad własną strategią finansową.

Przez długi czas rozwój chińskiej gospodarki opierał się na kapitale zagranicznym. Gdyby nie polityka otwarcia państwa i przyciągania obcego kapitału, nie byłoby dzisiejszego sukcesu Chin. Jednak należy pamiętać, że kapitał równie dobrze może wybrać nie Chiny, lecz Indie – może wejść do danego kraju, ale może też w jednej chwili go opuścić. Tak więc strona zdolna do kontroli ruchu kapitałów faktycznie posiada władzę ustalania cen.

Światowe firmy, niezależnie od tego, czy plasują się w pierwszej setce czy pięćsetce największych przedsiębiorstw świata, bez względu na to, czy są hegemonem w branży motoryzacyjnej czy potęgą komputerową, muszą gromadzić środki finansowe. Pieniądze dla firmy są niczym powietrze i woda: nie może ich zabraknąć. W takiej sytuacji branża finansowa w stosunku do wszystkich innych branż i dziedzin w społeczeństwie pełni funkcję gospodarza. Ten, kto kontroluje przepływ pieniędzy, ten także może zadecydować o wzroście, recesji, przetrwaniu lub śmierci każdej firmy.

Międzynarodowym bankierom, którzy zmonopolizowali prawo emisji amerykańskiego dolara, wystarczyłby jeden telefon, gdyby wystąpiła potrzeba obniżenia ceny, dajmy na to, rudy żelaza przez jakąś australijską spółkę. Czy spółka nie potrzebuje środków finansowych? Gdyby nie zgodziła się na obniżkę ceny, to gdziekolwiek by się nie skierowała na międzynarodowym rynku finansowym, wszędzie napotykałaby ścianę. Mówiąc wprost, na światowym rynku papierów wartościowych spadek cen akcji bezpośrednio zmusiłby ową spółkę do błagania o litość. Maczugą branży finansów jest zdolność do odcięcia „dopływu ziarna" do każdej firmy w dowolnym momencie, aby zmusić ją do ustępstw.

Branża finansów danego kraju przypomina lotnictwo strategiczne. Pozbawione wsparcia z powietrza siły lądowe z pewnością wdałyby się w wyniszczającą i okrutną wojnę pozycyjną z innymi krajami, mogłyby wręcz podrzynać sobie gardła, unicestwiając się wzajemnie. Proponując coraz niższe ceny, zwiększałyby konsumpcję zasobów, co prowadziłoby do raptownego pogorszenia warunków pracy. Tak więc, mówiąc krótko, na światowym rynku brak władzy nad finansami oznacza brak władzy ustalania cen, to zaś decyduje o braku aktywnej władzy nad definiowaniem strategii gospodarczej kraju.

Oto właściwy powód, dla którego chińska waluta musi stać się walutą, w której przechowywane będą światowe rezerwy.

Jakie cechy musi posiadać pieniądz, by stać się dla innych krajów walutą rezerw? Pełniący te funkcje brytyjski funt i amerykański dolar na rynku światowych walut przypominały niezwykłe osobistości wybijające się z grupy „panów wojny". Odpowiedź na pytanie, dlaczego te właśnie waluty stały się walutami rezerw, jest w istocie prosta: stabilny pieniądz – miernik gospodarek Wielkiej Brytanii i USA – ukształtował system wskaźników gospodarczych, a produkcja materialna ulegała szybkiemu rozwojowi, ostatecznie stopniowo przejmując kontrolę nad światowym systemem rozrachunku handlowego. Podstawą dobrej reputacji brytyjskiego funta oraz amerykańskiego dolara było złoto i srebro. W trakcie budowy potęgi obu krajów ich sieć bankowa stopniowo rozprzestrzeniła się na cały świat, dolar i funt w sferze międzynarodowej mogły być swobodnie i wygodnie wymieniane na złoto, wygrywając bitwę o przewodnictwo na rynkach i ostatecznie przyjmując miano „twardej waluty". Po zakończeniu II wojny światowej w 1945 roku, Stany Zjednoczone posiadały 70 procent światowego złota, a sam dolar był z szacunkiem określany na świecie mianem „złotego dolara". Podsumowując: stabilna miara majątku, której dostarczał standard złota, nie tylko stanowiła gwarancję wzrostu potęgi USA i Wielkiej Brytanii, ale również była przesłanką historyczną dla pozycji dolara i funta jako walut, w których gromadzono światowe rezerwy.

W roku 1971 światowy system walutowy ostatecznie rozstał się ze złotem. Siła nabywcza walut poszczególnych krajów, która w systemie standardu złota była nie do ruszenia, zaczęła gwałtownie i nieodwracalnie topnieć. W roku 1971 uncja złota warta była 35 dolarów, a w roku 2006 osiągnęła ona cenę 630 dolarów*. W ciągu 35 lat w zestawieniu z ceną złota odnotowano następujące spadki siły nabywczej poszczególnych walut:

- lir włoski – spadek o 98,2 procent (od roku 1999 kalkulacje zmian wartości euro);
- korona szwedzka – 96 procent;
- funt brytyjski – 95,7 procent;
- frank francuski – 95,2 procent (od roku 1999 kalkulacje zmian wartości euro);
- dolar kanadyjski – 95,1 procent;
- dolar amerykański – 94,4 procent;
- marka niemiecka – 89,7 procent (od roku 1999 kalkulacje zmian wartości euro);
- japoński jen – 83,3 procent;
- frank szwajcarski – 81,5 procent.

Ostateczny krach systemu walutowego opartego na dolarze jest logiczną konsekwencją sytuacji, w której obciążony długiem dolar nie będzie już dłużej mógł być traktowany jako wsparcie. Jednak, czy w takiej sytuacji świat będzie w stanie zaufać jakiejkolwiek innej walucie dłużnej, wierząc, że wypełni swoją stabilizującą funkcję lepiej niż dolar?

Pośród wszystkich zachodnich, nowoczesnych walut dłużnych, nawet najsilniejsze i najtwardsze nie były w stanie pobić szwajcarskiego franka. Powód, dla którego cały świat darzył tę walutę sporym zaufaniem, był niesłychanie prosty: frank szwajcarski był kiedyś w 100 procentach wspierany przez złoto, mając reputację niemal identyczną jak złoto. Na niewielkim obszarze o populacji liczącej 7,2 miliona mieszkańców, bank centralny zgromadził rezerwy złota sięgające 2590 ton (1990 rok), co stanowiło osiem procent wszystkich światowych rezerw złota utrzymywanych przez banki centralne. W tym okresie ilość szwajcarskich rezerw złota ustępowała

* Obecnie cena złota waha się w granicach 1200 dolarów za uncję (przyp. red.).

jedynie rezerwom USA, Niemiec oraz Międzynarodowego Funduszu Walutowego. Kiedy w 1992 roku Szwajcaria przystąpiła do MFW, ten zabronił walutom swoich krajów członkowskich wiązania się ze złotem. Pod wpływem presji, ostatecznie Szwajcaria została zmuszona do rozwiązania związku franka ze złotem. Wskutek tej decyzji stopień wsparcia franka przez złoto zaczął ulegać stopniowej redukcji i do roku 1995 wynosił jedynie 43,2 procent. W roku 2005 w Szwajcarii pozostawało tylko 1332,1 ton złota, co i tak stanowi dwukrotność chińskich rezerw rządowych (600 ton). Jednak wraz ze zmniejszaniem wsparcia franka szwajcarskiego przez złoto, jego siła nabywcza z dnia na dzień zaczęła się kurczyć.

Japońskie rezerwy złota w roku 2005 wynosiły zaledwie 765,2 ton. W rzeczywistości Japonia mogłaby je powiększyć, jednak sprzeciwiłyby się temu Stany Zjednoczone, co wiąże się z planem ochrony dolara. Światowy ekspert w sprawach złota, szwajcarski bankier Ferdinand Lips wraz z rodziną Rothschildów stworzył w Zurychu Rothschild Bank AG, którym zarządzał przez wiele lat. W roku 1987 otworzył w Zurychu własny bank o nazwie Bank Lips AG. Lipsa można zaliczyć do „wewnętrznego kręgu" światowego imperium finansowego. W swej książce *Złoty spisek* ujawnił, że w 1999 roku podczas Światowej Rady Złota w Paryżu, jeden z pragnących zachować anonimowość japońskich bankierów poskarżył się, że dopóki amerykańska flota pacyficzna przebywa na wodach Japonii, stanowiąc „gwarancję jej bezpieczeństwa", dopóty rząd japoński musi respektować zakaz zakupu złota[208].

Obecnie Chiny posiadają bilion dolarów rezerw walutowych. Mądre, zręczne, oparte na zasadzie *know-how* wykorzystanie tego gigantycznego majątku, bezpośrednio wpłynie na los kraju w nadchodzącym wieku i nie chodzi tu bynajmniej o prosty problem rozproszenia ryzyka finansowego. Chiny powinny przede wszystkim dokładnie rozważyć sposób, w jaki mogą zdobyć inicjatywę strategiczną w nadchodzącej światowej wojnie finansowej, by w ostatecznej fazie dokonać aktu stworzenia światowego „postdolarowego systemu", zajmując w nim dominującą pozycję.

Pod koniec 2006 roku Chiny dokonują pełnego otwarcia na obszarze finansów. Międzynarodowi bankierzy od dawna już czekają w gotowości, a pozbawiona dymu i ognia wojna finansowa zbliża się nieubłaganie. Tym razem ludzie nie ujrzą zamorskich okrętów, nie usłyszą huku armat i odgłosów śmierci z pól bitewnych, a mimo to ostateczny rezultat tej wojny zadecyduje o przyszłym losie Chin. Bez względu na to, czy Chiny uświadamiają sobie faktyczny stan rzeczy, czy są gotowe, znajdują się już w stanie niewypowiedzianej wojny. Wyłącznie wyraźna i precyzyjna ocena głównych celów strategicznych i kierunku natarcia międzynarodowych bankierów pozwoli na sformułowanie i realizację właściwej kontrstrategii.

Wielkiemu wejściu międzynarodowych bankierów do Chin przyświecają dwa fundamentalne cele strategiczne: kontrola emisji chińskiej waluty oraz dokonanie „kontrolowanego rozpadu" chińskiej gospodarki, aby w końcowej fazie utworzyć, sterowany przez oś Londyn-Wall Street, rząd światowy oraz usunąć

[208] Lips, *Złoty spisek*, s. 130.

ostatnią przeszkodę na drodze do światowej waluty.

Powszechnie wiadomo, że ten, kto zdobędzie monopol podaży konkretnego produktu, ten uzyskuje zdolność do generowania niesłychanie wysokich zysków. Waluta, pieniądz to towar, którego potrzebują wszyscy, a więc ten, kto zdobędzie monopol na emisję waluty danego kraju, będzie w stanie osiągać niebotyczne zyski. To właśnie z tego powodu, od setek lat, międzynarodowi bankierzy wysilają swe umysły, bezustannie intrygują, wykorzystują wszystkie dostępne środki, by za pomocą spisków zdobywać monopol, prawo emisji waluty w danym kraju. Ich ostatecznym celem jest zdobycie monopolu emisji światowej waluty.

Mamy więc do czynienia z sytuacją, w której międzynarodowi bankierzy stoją na strategicznych pozycjach gotowi do ofensywy, natomiast chińska branża bankowa, niezależnie od dziedziny – czy to będzie teoria finansów, zasoby ludzkie, modele zarządzania, doświadczenie międzynarodowe, podstawy sztuki zawodowej, system prawny – znajduje się o kilka klas niżej w porównaniu z bawiącymi się pieniędzmi od kilkuset lat finansistami. Jeśli naszym celem jest uniknięcie całkowitej klęski, jedyną receptą jest wybór: „walczysz tak, jak chcesz, a ja walczę tak, jak ja tego chcę". Nie wolno prowadzić tej walki zgodnie z regułami przeciwnika.

To jest, w dosłownym tego słowa znaczeniu, wojna o pieniądz, a przed jej uczestnikami stoi prosty wybór: zwycięstwo lub porażka. Jeśli Chiny nie chcą zostać podbite przez „Nowe Imperium Rzymskie", muszą starać się rozbić przeciwnika tworząc nowy, racjonalny, światowy porządek walutowy.

Oto więc strategia przyszłości: „Mury są wysokie i solidne, zapasy ziarna obfite, mogę więc ogłosić się królem"*.

Wysoki mur: Trzeba postawić podwójny system obrony, *firewall*, w celu zabezpieczenia wewnętrznego kapitału, oraz tamę przeciwpowodziową chroniącą przed zalewem zagranicznego kapitału.

W chwili obecnej, kiedy międzynarodowe instytucje finansowe wdzierają się do serca chińskich finansów, Chiny nie mają już przewagi polegającej na możliwości zastosowania strategii obrony na dobrze sobie znanym, własnym terenie. Kiedy dyskutuje się o pełnym otwarciu chińskiego rynku dla zagranicznych banków, większość ludzi zwraca uwagę jedynie na przyszłą rywalizację między bankami zagranicznymi i lokalnymi o wielki tort, którym są oszczędności mieszkańców. W rzeczywistości, najniebezpieczniejszą rzeczą jest bezpośrednie wejście zagranicznych banków na obszar emisji chińskiej waluty poprzez dostarczanie pożyczek i kredytów chińskim firmom i osobom prywatnym. Zagraniczne banki poprzez system częściowej rezerwy intensywnie będą działać na rzecz rozwoju monetaryzacji długu chińskiego państwa, firm i osób prywatnych. Owe zagraniczne banki dokonają emisji „renminbi dłużnego" i poprzez czeki bankowe, bankowe kwity dłużne, karty kredytowe, pożyczki hipoteczne na zakup nieruchomości, kredyty kapitałowe dla firm, finansowe instru-

* Hasło polityczne wypowiedziane po zdobyciu Nankinu w 1356 roku przez Zhu Yuan Hanga (prostego pasterza, a następnie przywódcę antymongoloskiej rebelii) oraz po ostatecznym zwycięstwie pierwszego cesarza o oficjalnym imieniu Hongwudi z dynastii Ming (przyp. tłum.).

menty pochodne i wiele innych metod, spenetrują centrum chińskiej gospodarki.

Powiedzmy, że mamy do czynienia z sytuacją, w której od kiludziesięciu lat, z powodu opieszałości państwowych banków, średnie i małe firmy, a także osoby prywatne, spragnione są kapitałów pieniężnych. W efekcie gwałtowna powódź na chińskim rynku kredytowym wywołana przez oferujące obfity zakres usług przez z początku wspaniałomyślne zagraniczne banki, jest rzeczą łatwą do przewidzenia. Wielkic kapitały doprowadzą do ponownego uruchomienia projektów budowlanych na wielką skalę, a deflacja cen konsumpcyjnych oraz inflacja środków trwałych spowodują dalsze pogorszenie sytuacji. Ta pierwsza będzie nasączać chińską bańkę zimną wodą, podczas gdy ta druga umieści Chiny w piecu. Kiedy zdolności produkcyjne osiągną wysokie nadwyżki, a bańka aktywów stałych dramatycznie wzrośnie, międzynarodowi bankierzy rozpoczną „strzyżenie" Chińczyków. Od zawsze momentem największych zysków dla międzynarodowych bankierów jest dzień upadku gospodarki.

Jeden z Ojców Założycieli Stanów Zjednoczonych, Thomas Jefferson, w swoim słynnym ostrzeżeniu wobec świata powiedział: „jeśli naród amerykański zgodzi się na kontrolę krajowego pieniądza przez prywatne banki, owe banki, wpierw za pomocą inflacji, następnie deflacji, będą grabić własność obywateli, aż pewnego dnia, gdy ich dzieci obudzą się, spostrzegą, że ich wielki kraj zbudowany przez ojców został utracony".

Od tamtej chwili minęło 200 lat, ale ostrzeżenie Jeffersona wciąż zachowuje aktualność i zmusza do refleksji.

Po wejściu na chiński rynek banków całkowicie należących do zagranicznych udziałowców, grozi nam wielkie niebezpieczeństwo. W przeszłości chińskie banki państwowe, mimo iż popychane chęcią zysków stymulowały inflację, to jednak nie działały ze złą wolą, z premedytacją kreując deflację w celu bezlitosnego wyprania ludzi z posiadanego majątku. Od czasu powstania nowych Chin*, w kraju nigdy nie doszło do typowego wielkiego kryzys gospodarczego**, a główną tego przyczyną był brak ludzi, którzy posiadaliby obiektywną zdolność i subiektywną wolę do jego stworzenia. W sytuacji gdy międzynarodowi bankierzy weszli na chiński rynek, rzeczywistość uległa fundamentalnej zmianie.

Ochronny *firewall* dla wewnętrznego chińskiego kapitału powinien uniemożliwić zagranicznym bankom wytworzenie inflacji w celu dalszego rozdymania chińskiej bańki aktywów, by następnie, poprzez gwałtowne gromadzenie pieniądza i wytworzenie deflacji, zmusić liczne przedsiębiorstwa do upadłości, a ludzi do ogłoszenia bankructwa, na koniec zaś, za niską cenę, wynoszącą od kilku do kilkunastu procent realnej wartości, dokonać wykupu kluczowych chińskich aktywów. Ministerstwa zajmujące się nadzorem finansowym muszą ściśle i bezwzględnie kontrolować skalę i kierunki polityki kredytowej zagranicznych banków, za pomocą

* Autorowi chodzi o ustanowienie Chińskiej Republiki Ludowej w 1949 roku (przyp. tłum.).

** Oczywiście Chiny prawie do końca lat siedemdziesiątych doświadczały niemal permanentnego kryzysu, jednak wynikał on z przestrzegania zasad gospodarki komunistycznej, jego przyczyna więc była raczej ideologiczna (przyp. red.).

proporcji rezerw bankowych oraz składu dokonywać korekt makroekonomicznej polityki finansowej i zapobiegać prowadzeniu przez zagraniczne banki szeroko zakrojonej monetaryzacji chińskiego długu wewnętrznego.

Należy mieć się na baczności przed zagranicznymi bankami oraz międzynarodowymi funduszami hedgingowymi, owymi finansowymi hakerami. Kontrakty na zakup instrumentów pochodnych wszystkich firm operujących w granicach Chin muszą być raportowane odpowiednim departamentom finansowego nadzoru, w szczególności zaś wymagają uwagi kontrakty na instrumenty pochodne podpisywane przez zagraniczne banki. Należy śledzić poczynania międzynarodowych hakerów finansowych, którzy z zagranicy mogą przypuścić atak dalekiego zasięgu na chiński system finansowy. „Nuklearny" atak na japońską giełdę i rynek finansowy z 1990 roku jest lekcją, której nie można przegapić.

Tama przeciwpowodziowa, chroniąca przed zalewem kapitałów z zagranicy, musi być budowana przede wszystkim z myślą o groźbie krachu systemu dolarowego. Obarczona opiewającym na sumę 41 bilionów dolarów długiem, amerykańska gospodarka spoczywa na wysokości niczym górująca kilkadziesiąt metrów nad powierzchnią „nadziemna wisząca rzeka", podczas gdy gigantyczne wypłaty z tytułu procentu składanego długu, tworząc zalew płynności finansowej, coraz silniej atakują jej brzegi, stanowiąc straszliwe zagrożenie wobec krajów żyjących w niecce poniżej – Chin i innych państw Azji Wschodniej.

Chiny muszą podjąć nadzwyczajne działania, przygotować się na „akcję przeciwpowodziową" i ratowanie majątku obywateli. Szybka dewaluacja aktywów dolarowych nie jest już żadną formą prognozowania, ale faktem, który następuje każdego dnia. Obecna sytuacja to tylko wycieki wód powodziowych, jednakże gdy nastąpi „awaria tamy", jej konsekwencje będą trudne do wyobrażenia. Gigantyczne chińskie rezerwy walutowe znajdują się w śmiertelnym niebezpieczeństwie.

W sytuacji nagłej i potężnej międzynarodowej burzy finansowej, okiem cyklonu będzie gigantyczna bańka rynku finansowych instrumentów pochodnych oraz system dolarowy. Złoto i srebro są bezpieczną „arką Noego" dla światowego majątku. Powiększenie chińskich rezerw złota i srebra to kwestia wymagająca podjęcia natychmiastowych kroków.

Zapasy ziarna: Rząd i obywatele powinni działać wspólnie, na wielką skalę powiększając rządowe i prywatne rezerwy złota. Wszystkie kopalnie srebra i złota znajdujące się na obszarze Chin należy uznać za państwowe aktywa strategiczne i objąć ścisłą ochroną, doprowadzając do ich stopniowej nacjonalizacji. Na arenie międzynarodowej powinniśmy dokonywać zakupów i przejęć firm-producentów srebra i złota jako przyszłego dodatku do chińskich zasobów złota i srebra. Ostatecznym kierunkiem chińskiej reformy monetarnej powinno być ustanowienie, odpowiadającego chińskim realiom, wspieranego przez złoto i srebro „podwójnego systemu pieniężnego", tak by stworzyć stabilną miarę pieniężną i zakończyć etap strategicznych przygotowań głównej światowej waluty rezerw.

Mogę więc ogłosić się królem: Jest sprawą absolutnie podstawową dokładne rozważenie wszystkich problemów i ograniczeń istniejących w Chinach. Wzrost potęgi danego kraju bezdyskusyjnie zależy od jego – pozostających poza konkurencją – unikatowych zdolności innowacyjnych. Potężne państwo to takie, które posiada zdolności do produkcji wielkiej ilości nowoczesnych towarów i usług, dla których inne kraje nie mogą znaleźć substytutów, ponadto kreuje wielką liczbę, wiodących nowoczesnych technologii, rozwija naukę oraz tworzy wielkie idee i systemy wartości, które nadają kierunek rozwojowi światowej cywilizacji. Obecnie Chiny znajdują się jedynie na etapie imitacji zachodnich technologii produkcyjnych na wielką skalę, a ich zaległości w stosunku do Zachodu na polu idei oraz nauki i technologii są wciąż bardzo duże. W szczególności na obszarze myśli i kultury, występuje bardzo ostry deficyt zaufania wobec własnej tradycji, objawiający się w niezdolności do odróżnienia racjonalnych i nieracjonalnych elementów systemów Zachodu oraz brakiem moralnej odwagi do krytyki zjawisk wyraźnie absurdalnych. Dominuje strach przed wypróbowaniem rzeczy nieistniejących na Zachodzie i brak prób zbudowania odważnej strategii nowych światowych reguł. Oczywiście, wszystko to nie są problemy, które można by rozwiązać w ciągu jednej nocy. Jednak Chiny powinny stopniowo planować zmiany i powoli dokonywać postępu.

W stronę waluty światowych rezerw

Podstawą potęgi kraju jest nie tylko zdolność odgrywania wiodącej roli w światowej technologii czy w wojskowości, ale również umiejętność stworzenia i rozpowszechnienia atrakcyjnego i godnego zaufania systemu walutowego i finansowego, zdolnego stabilnie trwać wśród gwałtownych zmian międzynarodowej gospodarki. Jeśli chcemy odgrywać w przyszłości rolę podobną do tej, jaką dziś odgrywa Ameryka, spójrzmy wyłącznie na amerykańskiego dolara jako podstawę i główny filar światowego systemu finansowego. Powstaje jednak pytanie: czy międzynarodowa pozycja Stanów Zjednoczonych oraz zdolność egzekwowania przez nie własnych decyzji są w stanie przetrwać? Czy Ameryka może dziś, tak jak dawniej, pełnić funkcję „latarni dla narodów świata"?

Jako gwiazda jutra, Chiny muszą bez wahania przystąpić do budowy dojrzałego, godnego zaufania finansowego systemu pieniężnego. Niewątpliwie pieniądz jest krwią tętniącą w społecznej gospodarce. Ci, którzy dzierżą władzę nad podażą krwi, w naturalny sposób zajmują uprzywilejowane miejsce, dysponując wielką siłą. Jakaż to „krew" czyni ludzi gotowymi ruszyć po nią niczym stado kaczek do wody? Otóż przede wszystkim musi ona pochodzić ze zdrowego i kompletnego organizmu. Jeśli wewnętrzny model rozwoju gospodarczego oraz system finansowy ulegną zarażeniu odpowiednikiem nieuleczalnego wirusa HIV, czyli powracającym i zwielokrotniającym się długiem, nawet kosztowne „transfuzje" nie będą w stanie zahamować drogi ku śmierci. Pożądanym typem krwi jest krew o grupie

„0" – wyjątkowa, a zarazem posiadająca najwyższy stopień przyswajania i dlatego też budząca powszechne zaufanie.

Jakiego typu system pieniężny będzie mógł dostarczyć tego rodzaju krwi? Otóż system taki musi spełnić szereg warunków. Obecnie chińska gospodarka cechuje się uzależnieniem od wielkiego eksportu i jego wymiany na walutę zagraniczną, pojedynczą strategią nadmiernego wykupu amerykańskich obligacji skarbowych, która jest wyjątkowo niebezpieczna, gdyż coraz wyraźniej widać, że jej rezultatem może być albo ryzyko śmierci, albo bankowy „run". Efekty uboczne modelu gospodarczego opartego o uzależnienie od eksportu są zbyt duże, albowiem jego istotą jest zależność od wzrostu amerykańskiego długu, który ciągnie wzrost gospodarczy, podczas gdy dziś obywatele USA nie są już zdolni do dźwigania ogromnych obciążeń z tytułu gigantycznego zadłużenia. Kontynuacja polityki debetu na możliwościach ponoszenia ciężarów długu przez obywateli doprowadzi do jeszcze większej nierównowagi struktury chińskiego eksportu, poważnym problemem stanie się nadprodukcja, a przyszły proces dostosowawczy będzie bardzo bolesny. Rzecz jasna, końcowym rezultatem będzie przegrana obu stron.

Zagadnienie podstawowej struktury zdywersyfikowanego, sprawnie pracującego systemu pieniężnego w danym kraju jest bardzo szerokie. W niniejszej książce została przedstawiona przede wszystkim koncepcja zastosowania w różnych warunkach metali szlachetnych – złota i srebra. W trakcie tysięcy lat historii zdobyły one naturalną pozycję, ciesząc się wielkim stopniem publicznego zaufania i będąc bezkonkurencyjnymi pod względem stopnia ich akceptowalności. Nic dziwnego więc, że wsparty na złocie i srebrze system monetarny jest „skrótem" do zdobycia pozycji światowej waluty, w której przechowywane będą rezerwy.

Spójrzmy zatem na powyższą ideę, przeanalizujmy krok po kroku jej sens oraz meandry i komplikacje.

Gdyby chiński rząd i obywatele Chin co roku dokonywali zakupu złota za sumę 200 miliardów dolarów, licząc po cenie 650 dolarów za uncję, Chiny zdolne byłyby do zakupu 9500 ton złota rocznie, co jest ekwiwalentem całkowitych amerykańskich rezerw złota, wynoszących 8136 ton. W początkowym stadium kampanii, międzynarodowi bankierzy z pewnością, poprzez wykorzystanie rynku instrumentów pochodnych, usilnie obniżaliby cenę złota, a zachodnie banki centralne najprawdopodobniej wspólnie podjęłyby akcję jego wyprzedaży, co również przyczyniłoby się do czasowego spadku jego ceny. Jednak gdyby strona chińska przejrzała karty przeciwnika, zaniżona cena złota stałaby się, mimowolnie, historyczną, wspaniałomyślną pomocą udzieloną Chinom przez kraje Zachodu.

Trzeba wziąć pod uwagę, że w ciągu sześciu tysięcy lat historii ludzkiej cywilizacji całkowite wydobycie złota wyniosło tylko 140 tysięcy ton, a pełne rezerwy złota w zapisach księgowych amerykańskich i europejskich banków centralnych wynoszą tylko 21 tysięcy ton, ale rozważając sytuację lat dziewięćdziesiątych XX wieku i szalony proceder wypożyczania złota przez europejskie banki centralne, jego całkowita ilość prawdopodobnie jest znacznie niższa niż 20 tysięcy ton. Licząc po obecnej cenie, 650 dolarów za uncję, jest to mały rynek warty około 400 miliardów dolarów. Chińska nadwyżka w handlu zagranicznym jest podobnej wielkości, a więc skonsumowanie czterystumiliardowego rynku to zadania na dwa, trzy lata. Bardzo możliwe, iż amunicja banków centralnych z Ameryki i Europy zostanie w pełni zużyta w tym krótkim czasie.

Gdyby Chiny, stosując się do powyższych wytycznych, przez pięć lat gromadziły złoto, międzynarodowa cena złota z pewnością przebiłaby pancerz ustanowiony przez międzynarodowych bankierów – najwyższy limit długoterminowych odsetek dolarowych. Ludzie, nie bez satysfakcji, mieliby okazję na własne oczy ujrzeć, jak system monetarny oparty o amerykański dolar, pozornie najpotężniejszy na świecie, rozpływa się niczym góra błota.

Problemem nie jest wszakże to, czy Chiny są zdolne za pomocą złota rozbić system dolarowy, ale czy naprawdę jest to potrzebne. Problem ceny złota to dla amerykańskiego dolara sprawa życia lub śmierci, Chiny nawet nie muszą potwierdzać swoich zamiarów zakupu złota za 200 miliardów dolarów: wystarczy jedynie jeśli ujawnią prawdę o aktualnej sytuacji, a sekretarz skarbu USA oraz prezes Rezerwy Federalnej wpadną w głęboki niepokój.

Kto wie, czy trapiącego Chiny od kilkudziesięciu lat „problemu tajwańskiego" nie będzie można rozwiązać na zasadzie wykorzystania przewagi i postawienia Ameryce ultimatum: „albo Tajwan, albo dolar". Chiny naturalnie nie mogą wraz z Ameryką wzajemnie się unicestwić na polu finansowym i dopóki warunki proponowane przez USA są racjonalne, dopóty można w razie potrzeby udzielać dolarowi pomocy.

Jednak wraz ze stopniowym zwiększaniem rządowych i prywatnych zapasów złota, Chiny mogą uruchomić reformę monetarną i etapami wprowadzać złoto i srebro do systemu pieniężnego. Chiński system walutowy dokona transformacji „chińskiego yuana" na walutę opartą o standard złota, co będzie bez wątpienia wielkim wkładem w rozwój światowej gospodarki.

Wprowadzanie tego rodzaju „chińskiego yuana" można podzielić na kilka etapów. Pierwszym z nich jest emisja „obligacji skarbowych o złotych krawędziach" oraz „obligacji skarbowych o srebrnych krawędziach" przez Ministerstwo Skarbu, naliczając ich odsetki oraz podstawową wartość na podstawie fizycznego złota i srebra. Dla przykładu, stopę odsetek dla pięcioletnich „obligacji skarbowych o złotych krawędziach" można ustalić na poziomie jednego bądź dwóch procent, albowiem w sytuacji, gdy samo fizyczne złoto stanowi ostateczną formę wypłacania odsetek, jest niemal pewne, że ludzie z entuzjazmem będą nabywać produkty finansowe spełniające rzeczywiście funkcję ochrony własności.

Różnica pomiędzy przyrostem kapitału z tytułu zakupu „obligacji skarbowych o złotych krawędziach" czy „obligacji skarbowych o srebrnych krawędziach" a zwykłymi obligacjami skarbowymi zakupionymi na rynku papierów wartościowych na identyczną sumę i czas, w realny sposób odzwierciedli poziom akceptacji złota i srebra. Ta bardzo ważna liczba zostanie wykorzystana jako indeks referencyjny dla punktu testowego kolejnego etapu.

Drugi etap prac to przeprowadzenie ponownej restrukturyzacji rezerw w systemie bankowym. Niezależnie od tego czy chodzi o banki zagraniczne, czy krajowe, ich rezerwy muszą obejmować określoną z góry proporcję złota lub srebra, dzięki czemu nastąpi redukcja proporcji kwitów dłużnych w strukturze rezerw. Im większy w strukturze rezerw danego banku jest udział złota i srebra, tym większa jego szansa na uzyskanie wysokiego indeksu kredytowego. Na tej samej zasadzie, im większy udział kwitów dłużnych, tym większej redukcji podlegają zdolności kredytowe. Bank centralny powinien wstrzymać dyskontowanie (zamianę na gotówkę) dla wszystkich, pozostających poza złotem i srebrem, kwitów dłużnych. Wszystkie te kroki wzmocnią pozycję złota i srebra w chińskim systemie monetarnym oraz podniosą poziom popytu bankowego dla aktywów w złocie i srebrze. Brak rezerw złota lub srebra spowoduje ostre ograniczenie dla działalności kredytowej. Jednocześnie, system bankowy będzie stopniowo usuwał kwity dłużne z obiegu pieniężnego. Banki z pewnością będą zainteresowane otwarciem nowej dziedziny usług dla obywateli, umożliwiając im składowanie oraz handel realnym złotem i srebrem, co zaowocuje uformowaniem na terenie całego kraju obiegu rynkowego realnego złota i srebra.

Wszystkie branże gospodarcze generujące wysokie zyski – na przykład branża nieruchomości, finansowa, tytoniowa, telekomunikacja, naftowa – w płaconym podatku od działalności gospodarczej musiałyby umieścić określoną z góry proporcję złota i srebra, by w ten sposób ze swojej strony pobudzić popyt rynków na złoto i srebro.

Trzeci etap polegałby na emisji, pod zastaw całej wartości w złocie i srebrze, banknotów „chińskiego złotego yuana" oraz „chińskiego srebrnego yuana" przez Ministerstwo Finansów. Jeden yuan „złotego yuana" stałby się podstawową chińską miarą pieniężną, zgodnie z rzeczywistą sytuacją chińskich rezerw złota i srebra. Każda jednostka złotego yuana odnosiłaby się do określonej wagi czystego złota. Złoty chiński yuan miałby zastosowanie głównie w rozliczeniach wielu transakcji handlowych, transferach międzybankowych oraz podczas wielkich płatności. Powyżej określonego z góry poziomu wartości istniałaby szansa jego wymiany na realne złoto w Ministerstwie Skarbu. Chiński srebrny yuan może funkcjonować jako pieniądz pomocniczy. Każda jednostka srebrnego yuana musiałaby odpowiadać określonej wadze czystego srebra, a sam ów pieniądz miałby zastosowanie przy mniejszych płatnościach. Powyżej określonego z góry poziomu wartości również i on mógłby być wymieniany w Ministerstwie Skarbu na realne srebro. Relacja ceny złotego yuana do srebrnego yuana powinna być ogłaszana i w stałych przedziałach czasu korygowana przez bank centralny.

Zazwyczaj sądzi się, że zły pieniądz w nieunikniony sposób wyrzuca z obiegu pieniądz dobry. Aby to jednak nastąpiło, musi zostać spełniony istotny warunek, jakim jest interwencja rządu, który za pomocą środków administracyjnych i przymusu przepisów ustala równowartość dobrego i złego pieniądza. Na naturalnym rynku sytuacja jest dokładnie odwrotna: dobry pieniądz wypiera zły, albowiem na rynku nie ma ludzi, którzy chcieliby posiadać zły pieniądz.

Kiedy chiński yuan w srebrze i złocie wejdzie w obieg pieniężny, na rynku wciąż będą w obrocie oparte na długu zwykłe renminbi. Rząd musi wprowadzić przepis, że wszelkie należności podatkowe winny być regulowane złotym i srebrnym yuanem, wówczas rynek w swobodny sposób wybierze ustaloną cenę złotego i srebrnego yuana lub ustaloną cenę zwykłego renminbi, a rynek finansowy na podstawie związku popytu i podaży zadecyduje o relacji cen złotych i srebrnych yuanów wobec zwykłych renminbi. W tym samym czasie, w wyniku porównania kredytowej siły nabywczej zwykłych renminbi wypuszczanych w obieg przez banki handlowe ze złotymi i srebrnymi yuanami, nastąpi jej powolna dewaluacja. Rynek finansowy przekaże wyraźną informację o relacji cen tych dwóch form pieniądza.

W ostatecznej fazie kontrolę nad emisją złotego i srebrnego yuana musi sprawować ministerstwo finansów, a nie system banków handlowych. Powód jest prosty: wytwarzanie majątku rozpoczyna się w narodzie, tak więc prawo waluty posiada naród, a nie jakakolwiek prywatna osoba, która mogłaby zmonopolizować i zaburzyć jej emisję.

Mimo że chiński eksport wraz z wprowadzeniem nowych yuanów będzie trwale i stopniowo spadał, to w rzeczywistości będzie to jedynie konieczny etap odchudzania PKB.

Kiedy liczba emitowanych, wspartych na złocie i srebrze nowych chińskich yuanów będzie się zwiększać, pieniądz ten bez wątpienia wzbudzi zainteresowanie światowej branży finansowej. Ponieważ chiński yuan będzie mógł być swobodnie zamieniany na złoto lub srebro, stanie się najtrwalszą i najsilniejszą ze światowych walut, i w sposób naturalny przejmie funkcje „postdolara", stając się najbardziej atrakcyjną walutą do utrzymywania rezerw.

Majątek zawsze płynie do miejsc bezpiecznych – tam, gdzie rośnie jego wartość. Potężna moc wytwarzania majątku oraz stabilna waluta są w stanie uczynić z Chin światowe centrum koncentracji majątku.

POSŁOWIE

Kilka opinii na temat otwarcia chińskiego systemu finansowego

Otwarcie chińskich finansów i brak „świadomości wojennej"

Analizując niebezpieczeństwa czyhające na chińskie finanse, większość badaczy i decydentów koncentruje swą uwagę na powierzchownych zagrożeniach związanych ze „sztuką wojenną", na przykład przejęciem pakietu kontrolnych udziałów przez zagraniczny bank, chaosem operacyjnym instytucji finansowych, urynkowieniem stóp procentowych, fluktuacjom na rynku papierów wartościowych, dewaluacji rezerw walutowych, zjawiskami na rynku nieruchomości czy rynku finansowych instrumentów pochodnych, uderzeniem z zewnątrz bądź skutkami umowy z Bazylei itd. W rzeczywistości największe niebezpieczeństwo dla otwierającego się obszaru finansów ma swoje źródło w warstwie strategicznej, albowiem istotą owego otwarcia jest wojna o pieniądz. Nieświadomość tej wojny oraz brak gotowości wojennej do niej oraz gotowości do wojny stanowi obecnie największe zagrożenie dla Chin.

Przede wszystkim nie należy rozumieć otwarcia obszaru finansów w taki sam sposób, jak otwarcia jakiejkolwiek innej branży gospodarczej. Pieniądz to oczywiście pewien towar, jednak tym, co odróżnia go od innych towarów, jest fakt, iż jest on potrzebny każdej znajdującej się w społeczeństwie branży, każdej instytucji, każdemu człowiekowi. Kontrola emisji pieniądza jest zatem najwyższą ze wszystkich form monopolu.

Prawo emisji pieniądza w Chinach znajduje się pod kontrolą państwa i tylko w przypadku, gdy państwo kontroluje pieniądz, możliwe jest zapewnienie uczciwych podstaw funkcjonowania społeczeństwa. Po wejściu zagranicznych banków na teren Chin, prawo emisji pieniądza w Chinach znajdzie się w pobliżu niebezpiecznej granicy.

Zwykły człowiek przywykł sądzić, że chiński pieniądz to po prostu banknot renminbi i tylko państwo dysponuje uprawnieniem do jego druku oraz emisji. Jak więc możliwe byłoby drukowanie banknotów renminbi przez zagraniczne banki? W istocie zagraniczne banki wcale nie muszą drukować banknotów, by uzyskać zdolność do „wytwarzania" podaży pieniądza. Są one w stanie zaproponować wielką ilość skomplikowanych „innowacji", produktów finansowych oraz przy pomocy różnego typu narzędzi tworzyć dług i prowadzić do jego monetaryzacji. Mamy tu do czynienia z analogią do „płynności" pieniądza. Ów pieniądz „finansowy" ma dokładnie taką samą siłę nabywczą, jak realny pieniądz z obszaru gospodarczego. W taki właśnie sposób zagraniczne banki, niejawnie, włączą się w proces emisji chińskiego renminbi.

Kiedy łączna wartość kredytów w renminbi „wytwarzanych" przez zagraniczne banki przekroczy łączną wartość kredytów udzielaną przez krajowe banki, te pierwsze będą w stanie zbudować coś w rodzaju konstrukcji obejmującej chiński bank centralny, tym samym przejmując kontrolę nad emisją chińskiej waluty. Zagraniczne banki mają możliwości – oraz chęci – doprowadzania do fluktuacji w procesie podaży pieniądza, aby najpierw poprzez inflację, a następnie deflację przejąć majątek chińskiego narodu. Sytuacja taka przypominać będzie cykliczne, historyczne kryzysy ekonomiczne.

Rosnące w siłę zagraniczne banki wykorzystają pieniądz i transakcję uprawnień, statusu i wiedzy do położenia podwalin pod nieznane dotąd w historii Chin rządy silnego sojuszu „supergrupy specjalnego interesu". Poprzez podaż wielkiej ilości kredytów, zagraniczne banki przystąpią do nagradzania ściśle z nimi współpracujących i idących im pod każdym względem na rękę rządów lokalnych. Bankierzy ruszą na poszukiwanie obdarzonych charyzmą gwiazd nowej generacji polityków, licząc na długoterminowe polityczne zwroty z inwestycji. Poprzez fundusze na badania naukowe, będą wspierać i zachęcać do tworzenia korzystnych dla nich prac naukowych. Wykorzystując pomoc finansową dla różnych grup i sił społecznych, będą wpływać na agendę publiczną i formować, odgórnie i oddolnie, silny „główny nurt opinii publicznej". Będą żarliwie wspierać działania nowego rynku medialnego, aby odzwierciedlały one „pozytywną opinię" społeczeństwa wobec zagranicznych banków. Oferując wysokie zwroty z inwestycji, będą zachęcać istniejące struktury wydawnicze do wyboru konkretnych tematów i kierunków badawczych. Dokonają spektakularnych inwestycji w sektor opieki zdrowotnej, równocześnie w sposób systematyczny demonizując tradycyjną chińską medycynę. Na dodatek, stopniowo zaczną przenikać do sfer edukacji, systemu prawnego, a nawet sił zbrojnych. W społeczeństwie konsumpcyjnym nikt nie jest „uodporniony" na pieniądz.

Potężne zagraniczne banki poprzez działalność inwestycyjną zdobędą kontrolę nad chińską telekomunikacją, ropą naftową, transportem, przemysłem kosmicznym, przemysłem zbrojeniowym itd., które obecnie znajdują się w rękach państwa. Aktualnie brak jest regulacji prawnych zakazujących monopolom państwowym bezpośredniego zaciągania pożyczek z zagranicznych banków czy dokonywania przy ich pomocy zbiórki środków kapitałowych. Kiedy jednak zagraniczne banki staną się głównym źródłem kapitału dla przedsiębiorstw państwowych, przejmą kontrolę nad „arterią życia" tych chińskich podstawowych aktywów, będąc w stanie w każdej chwili przerwać strumień płynących doń środków finansowych i tym sposobem sparaliżować podstawowe struktury chińskiego państwa.

Zagraniczne banki wchodzą do Chin w celu zarobienia pieniędzy, ale niekoniecznie proces ten musi przebiegać zgodnie ze standardowymi zasadami.

Otwarty obszar finansów napotyka na strategiczne niebezpieczeństwa, które są daleko bardziej poważne, niż te, mające wyłącznie prosty, finansowy charakter, albowiem dotyczą wszystkich sfer chińskiego społeczeństwa. W takiej sytuacji drobny wypadek może doprowadzić do katastroficznych konsekwencji. Smutkiem napawa fakt, iż na liście podlegających ochronie państwa branż brakuje branży finansów, która przede wszystkim wymaga państwowej protekcji. Obecnie chińskie banki państwowe zupełnie nie liczą się z przeciwnikiem, z którym przyjdzie im się zmierzyć, a więc z potentatami bankowymi z Ameryki i Europy, którzy zbudowali swoje potęgi w dwustuletniej, prowadzonej w skrajnie trudnych warunkach walce. Wygląda to tak, jakby anemiczny uczeń gimnazjum stawał do walki z królem boksu. Nie trzeba mieć specjalnej wyobraźni, aby przewidzieć wynik takiego starcia.

Ponieważ ryzyko strategiczne otwarcia obszaru finansów dotyczy sytuacji globalnej, obecnie istniejące lokalne chińskie instytucje, takie jak Komisja Regulacji Bankowych, Komisja Regulacji Papierów Wartościowych i Komisja Regulacji Ubezpieczeniowych same nie są już zdolne do przyjęcia odpowiedzialności za nadzór nad pojawiającymi się, związanymi z rozlicznymi sferami, strategicznymi zagrożeniami. Moim zdaniem, należałoby stworzyć Państwową Komisję Bezpieczeństwa Finansów, która łączyłaby zadania trzech powyższych struktur i związana była z najwyższymi kręgami decyzyjnymi. Do jej zadań należałoby zaliczyć: analizę informacji finansowych, zwiększenie zakresu prac badawczych i analitycznych na temat zagranicznych banków, zaplecza ich pracowników i transferu kapitałów, zbieranie przykładów poprzednich batalii finansowych; ważne jest również stworzenie hierarchii wtajemniczenia w ramach tej komisji, aby osoby podejmujące najważniejsze decyzje były weryfikowane. Być może konieczne stanie się wprowadzenie „miękkich ograniczeń" dla zagranicznych banków. Należy też sformułować kilka scenariuszy postępowania w wypadku nagłego wpadnięcia Chin w kryzys gospodarczy i przeprowadzać ich symulację w stałych odstępach czasu.

Bezpieczeństwo finansowe Chin jest obszarem wymagającym znacznie ściślejszej kontroli i nadzoru niż strategiczna broń jądrowa. Dlatego też przed stworzeniem silnego organu nadzorującego bezpieczeństwo finansów, pełne i pospieszne otwarcie jest w istocie szalonym rozwiązaniem.

Pieniądz suwerenny czy pieniądz stabilny?

Suwerenność pieniężna jest jednym z podstawowych, integralnych praw każdego wolnego kraju, gwarantujących możliwość projektowania polityki emisji pieniądza na podstawie własnej sytuacji. Suwerenność pieniężna powinna być priorytetem wobec wszelkich zobowiązań międzynarodowych, włączając w to międzynarodowe konwencje i umowy gospodarcze, a także zagraniczne naciski polityczne. Suwerenność pieniężna powinna służyć podstawowym interesom obywateli państwa.

Utrzymanie stabilności pieniężnej jest równoznaczne z ochroną wartości pieniądza danego kraju w międzynarodowym systemie walutowym oraz dostarczaniem krajowym firmom dobrego i stabilnego środowiska dla rozwoju gospodarczego.

Obecnie bolączką Chin jest to, że można wybierać wyłącznie jedną z tych dwóch opcji: albo suwerenność pieniężna, albo stabilność pieniężna. Ochrona suwerenności obywateli napotyka na rosnącą spiralę konsekwencji, podczas gdy pogoń za ustanowieniem stabilnego kursu wymiany renminbi na dolara osłabia suwerenność pieniężną. Polityka chińska wiąże się więc dziś z motywowaną wzrostem gospodarczym koniecznością dbania o stabilność kosztem osłabienia suwerenności pieniężnej. Rezultatem tego wyboru jest fakt, iż w rzeczywistości Rezerwa Federalna w istotny sposób kontroluje podaż chińskiego pieniądza. Ponieważ Chiny przyjęły formę stabilizowania swojej waluty poprzez związanie jej z walutą amerykańską, Stany Zjednoczone, zwiększając deficyt w obrocie handlowym z Chinami, mogą zmusić chiński bank centralny do kolejnych emisji podstawowych renminbi, które, „nadymane" w bankach handlowych, prowadzą do wielokrotnie większej emisji, kreują nadmiar płynności, napędzają wzrost bańki na giełdzie i rynku nieruchomości, pogarszając warunki w chińskim środowisku finansowym. W celu zabezpieczenia się przed tego rodzaju nadmierną emisją pieniądza, rząd i bank centralny muszą emitować obligacje skarbowe i kwity dłużne, aby wchłonąć nadmiar płynności. To wszakże oznacza zwiększenie obciążeń finansowych rządu z tytułu długów. Ów dług, wraz z odsetkami, prędzej czy później trzeba będzie zwrócić.

W ten sposób ta całkowicie bierna strategia finansowa wyrządza Chinom potężne szkody. Dopóki dolar amerykański pozostaje światową walutą rezerw, dopóty Chiny nie będą w stanie zmienić tego sposobu działania. Z punktu widzenia istoty problemu, tylko promocja złota oraz powtórna monetaryzacja mogą przywrócić poszczególnym krajom wolne, uczciwe oraz harmonijne środowisko finansowe. W sytuacji dramatycznych fluktuacji na światowym rynku walutowym, cena gospodarcza, którą ponoszą poszczególne kraje, w rzeczy samej jest zbyt wysoka i bolesna, szczególnie w przypadku krajów wytwarzających materialne bogactwo. Gdyby stworzenie nowego systemu za jednym zamachem okazało się zbyt trudne, należy z całych sił wspierać dywersyfikację systemu światowych rezerw, stosując strategię „dziel i rządź".

Aprecjacja pieniądza i chaos w metabolizmie finansowym

Gdyby chcieć zilustrować negatywne skutki gwałtownej aprecjacji waluty, bez wątpienia doskonałym przykładem byłaby tu Japonia. Co prawda, długa stagnacja japońskiej gospodarki jest też rezultatem wewnętrznych, obiektywnych czynników, jednak jednym z najważniejszych jej powodów był całkowity brak gotowości Kraju Kwitnącej Wiśni na „finansową wojnę", którą nagle wznieciły Stany Zjednoczone. W 1941 roku Japonia dokonała zaskakującego, skrytego ataku na Pearl Harbor, uderzając na nieprzygotowanych, zaskoczonych Amerykanów. USA, pół wieku później, w roku 1990 dokonały odwetu w „błyskawicznej wojnie finansowej". Można powiedzieć, że obie strony wyrównały rachunki. Yoshikawa Mototada, autor książki *Klęska finansowa*, przekonuje, że biorąc pod uwagę wielkość utraconego majątku, konsekwencje japońskiej klęski w wojnie finansowej z 1990 roku są praktycznie identyczne ze skutkami porażki w II wojnie światowej.

Japonia i Chiny są typowymi przykładami gospodarek nastawionych na uczciwą pracę na rzecz wytwarzania materialnego bogactwa, sceptycznych wobec iluzorycznego bogactwa finansowego. Japońska logika jest czysta i prosta: Japończycy wytwarzali produkty o wysokiej jakości i niskiej cenie, które niczym wspierane siłą potężnego wiatru, rozchodziły się na wszystkie strony rynku. W tym czasie japońska branża bankowa należała do światowych hegemonów, dysponując największymi rezerwami walutowymi i będąc zarazem największym wierzycielem-właścicielem obligacji skarbowych. Był to niewątpliwie powód do dumy. W latach 1985-1990 japońska gospodarka wewnętrzna oraz eksport weszły w fazę bezprecedensowej prosperity. Giełda, rynek nieruchomości z roku na rok szybowały w górę. Następowało wielkie wykupywanie zamorskich aktywów, a japońska pewność siebie osiągnęła niespotykany dotąd poziom. Do wyprzedzenia Ameryki praktycznie brakowało najwyżej 10 lat. Sytuacja Japonii z tamtego okresu, a zwłaszcza radosny optymizm i kompletna nieświadomość tego, czym jest wojna finansowa, do złudzenia przypominają to, z czym mamy obecnie do czynienia w Chinach. Przy czym Chinom wciąż sporo brakuje do tego poziomu bogactwa, jakim w tamtych dniach cieszyła się Japonia.

Niepamięć o wojnie prowadzi do kryzysu. Maksyma ta – wczoraj dla Japonii, a dziś dla Chin – ma równie głębokie i istotne znaczenie.

Od momentu podpisania Porozumienia Plaza w 1985 roku kurs wymiany dolara na japońskiego jena z 1:250 w ciągu trzech miesięcy raptownie spadł do 1:200; dewaluacja dolara wyniosła 20 procent. W roku 1987 dolar zdewaluował się względem jena do poziomu 1:120. Japoński jen w krótkim okresie trzech lat podwoił swoją wartość. Była to gigantyczna zmiana w środowisku zewnętrznym dla japońskiej branży finansowej. Rezultaty potwierdzają starą prawdę, że tak wielka i raptowna zmiana otoczenia wystarczy, by doprowadzić do „wyginięcia dinozaurów".

Baronowie finansowi z Ameryki od dawna rozumieli, że zmuszenie jena do gwałtownego nabrania wartości w krótkim czasie, podobne do intensywnej kuracji hormonalnej, doprowadzi do nieuniknionej konsekwencji, którą będzie pojawienie się w japońskiej gospodarce ostrego zaburzenia jej „metabolizmu". Dalszy nacisk na Japonię, by na okres dwóch lat zobowiązała się utrzymać skrajnie niską, dwuipółprocentową stopę, jeszcze bardziej pogłębiał te negatywne skutki. Tak jak się spodziewano, japońska gospodarka, utraciwszy równowagę finansowego metabolizmu, pobudzona wielkimi ilościami hormonów, weszła w fazę szybkiego przyrostu tkanki tłuszczowej, przez co należy rozumieć giełdę, rynek nieruchomości itp. W tym samym czasie „mięśnie" branż wytwarzających materialne dobra ulegały stałej atrofii. Wystąpił połączony syndrom wysokich wskaźników gospodarczych „tłuszczów i cukrów" oraz „nadciśnienie tętnicze". Pod sam koniec system finansowy dopadły „dolegliwości serca i choroba wieńcowa". By jeszcze łatwiej stymulować i podsycać rozwój choroby, międzynarodowi bankierzy w 1987 roku w BIS (Banku Rozrachunków Międzynarodowych) opracowali i stworzyli nowe, specjalne lekarstwo skierowane przeciw Japonii – umowę z Bazylei, która wymagała od banków zaangażowanych w biznes międzynarodowy obowiązkowego utrzymywania stopy wolnych kapitałów na poziomie ośmiu procent. USA i Wielka Brytania, jako pierwsze złożyły swoje podpisy na tekście umowy, by następnie zmusić Japonię i pozostałe kraje do tego samego, grożąc, że w przeciwnym razie zostaną pozbawione zdolności do prowadzenia transakcji bankowych z tkwiącymi w centrum światowego systemu finansowego bankami z USA i Wielkiej Brytanii. W tym czasie w Japonii powszechne było zjawisko przechowywania niewielkich ilości kapitału w bankach. Wyłącznie w oparciu o ceny akcji banków, wytwarzany poza rachunkami kapitał mógł osiągnąć wymagany poziom.

Potężna zależność japońskiego systemu bankowego od cen akcji oraz rynku nieruchomości w końcu obnażyła swoje słabe punkty przed amerykańskim ostrzem wojny finansowej. 12 stycznia 1990 roku USA na nowojorskiej giełdzie wykorzystały warranty subskrypcyjne Nikkei Put Warrants, wówczas najnowszą, finansową broń nuklearną, dokonując strategicznego ataku z dużej odległości na japońską giełdę.

Choroba serca i naczyń wieńcowych systemu japońskich finansów uniemożliwiła mu wytrzymanie tak potężnego uderzenia. Ostatecznie doszło do ataku apopleksji, który przyniósł japońskiej gospodarce porażenie połowiczne na długi okres 17 lat.

Gdyby energiczni amerykańscy baroni finansowi zastosowali dziś identyczną kurację wobec Chin, różnica polegałaby tylko na tym, że kręgosłup chińskiej gospodarki jest dalece słabszy niż był w tamtym okresie szkielet jej japońskiego odpowiednika, tak więc efekty byłyby dużo poważniejsze niż czasowy paraliż. Zresztą, na długi czas przykuta do łóżka Japonia, chyba nawet bardziej niż USA, złakniona jest widoku Chin po zastosowaniu owej „leczniczej" mikstury.

Tak się nieszczęśliwie składa, iż obecnie wczesne symptomy pojawiające się w Chinach są zbieżne z sytuacją Japonii w latach 1985-1990.

Czekając na otwarcie: walka na zewnętrznych frontach

„Międzynarodowa konwencja" to szalenie popularne sformułowanie. Wydaje się że wystarczy zastosować się do reguł „międzynarodowych konwencji", aby zapanował pokój na świecie, zaś otwarcie obszaru finansów pozwoli osiągnąć stan pełni wolności, wolny od obaw i niepokojów. Słowem – czeka nas sielanka wśród pól i ogrodów. Ta romantyczna i niewinna wizja jest wszakże zdecydowanie zbyt optymistyczna.

Proces tworzenia „międzynarodowych konwencji" znajduje się pod pełną kontrolą, dzierżących monopolistyczną pozycję międzynarodowych kół finansowych. W ramach specjalnie określonych warunków istnieje wielkie prawdopodobieństwo wytworzenia i zastosowania przeciw chińskiemu sektorowi bankowemu całego zestawu blokujących, śmiertelnie zagrażających jego egzystencji „konwencji międzynarodowych". Oto skuteczna i unicestwiająca rywali broń w rękach kontrolujących monopol finansowy banków amerykańskich i brytyjskich.

Stara umowa kapitałowa z Bazylei, która umożliwiła zakończone sukcesem rozbicie japońskiego sektora finansowego, obecnie powraca w nowym przebraniu. W roku 2004 została podniesiona do rangi Nowej Ugody z Bazylei. Tak jak w przypadku poprzedniczki, istnieje możliwość wykorzystania jej zapisów na obszarze chińskich finansów, uniemożliwiając rozwój i zagraniczną ekspansję chińskiego sektora bankowego.

Niektóre kraje rozwinięte uważają, że nie tylko wszystkie znajdujące się na ich terenach zagraniczne filie banków muszą działać zgodnie z wymaganiami zapisanymi w Nowej Ugodzie, ale że również państwa, z których pochodzą owe banki, są zobowiązane do stosowania się do tych wymagań, albowiem w innym przypadku powstałaby „dziura w nadzorze". Takie regulacje bez wątpienia potężnie zwiększają koszty operacyjne banków działających poza granicami swoich krajów. Wobec Chin, które właśnie rozpoczęły marsz w stronę międzynarodowych finansów, owe regulacje nie są niczym innym, jak zastosowaniem drastycznych środków mających na celu zastopowanie ekspansji. Innymi słowy, gdyby lokalne chińskie banki nie zastosowały się do zapisów Nowej Ugody z Bazylei, oznaczałoby to zamknięcie ich filii na terenie Ameryki czy Europy. Zbudowana przez Chiny wielkim wysiłkiem zamorska sieć bankowa znajduje się w sytuacji wielkiego zagrożenia i może być zlikwidowana za jednym pociągnięciem.

Twórcy reguł gry, zajmujący dominującą pozycję reprezentanci banków z USA i Europy, mogą w prosty sposób zablokować drogę rozwoju i ekspansji Chin w świecie zamorskich finansów. Natomiast chiński krajowy sektor bankowy musi pracowicie przestrzegać, stanowiących dlań śmiertelne zagrożenie, uroczyście brzmiących „konwencji międzynarodowych". Nie istnieje nic bardziej niesprawiedliwego niż owe przepisy używane wyłącznie dla potrzeb gry. Gdy przeciwnik ma wielką przewagę, a dodatkowo nasze stopy są skrępowane sznurem, wynik gry został już przesądzony.

Przyjaźń nie może być jednostronna.

W takiej sytuacji, w swojej polityce Chiny powinny kierować się dewizą: „czekając na otwarcie: walka na zewnętrznych frontach". W sytuacji, w której pewne kraje wykorzystałyby „konwencje międzynarodowe" w celu zamykania i niszczenia zamorskich filii chińskich banków, Chiny powinny stworzyć regulacje bankowe „w chińskim stylu", ograniczające czy wręcz uniemożliwiające operacje zagranicznych banków na swoim terenie. Spoglądając wstecz na proces zdobywania dominującej pozycji w światowej branży bankowej przez banki z USA i Wielkiej Brytanii, bez trudu odkryjemy, że ustanowienie międzynarodowej sieci bankowej jest absolutnie konieczne. Chiński sektor bankowy, zamiast wdrażać międzynarodowe konwencje na gruncie lokalnym, powinien raczej przyjąć strategię wyjścia na zewnątrz i prowadzenia działań wojennych. Należy bezpośrednio przejmować europejskie i amerykańskie banki, dokonywać powiększania sieci swoich filii, budując niezależną chińską globalną sieć finansową. Tocząc wojnę, trzeba uczyć się wojny. W przypadku, gdyby plany przejęć oraz rozszerzania chińskiej sieci bankowej napotkały za granicą na silne przeszkody, czy wręcz blokadę, nie wyrządzi to Chinom szkody, jeśli w dokładnie taki sam sposób potraktują zagraniczne banki działające na ich terenie.

Naród deponujący walutę nie dorównuje narodowi deponującemu złoto

W obliczu długofalowego procesu dewaluacji dolara, wielu badaczy podniosło kwestię konieczności deponowania oszczędności przez ludzi, aby rozłożyć ryzyko utraty państwowych rezerw walutowych. Jeśli Chiny zrezygnują z obowiązkowego związania walut, a firmy będą bezpośrednio kontrolować międzynarodowe przelewy walutowe, to mimo rozłożenia ryzyka dewaluacji państwowych rezerw walutowych oraz zmniejszenia presji na nowe emisje renminbi i aprecjację jego wartości, nieuniknioną konsekwencją będzie osłabienie zdolności kontroli płynności zagranicznych rezerw walutowych przez państwo, a w konsekwencji wzrost ryzyka dla systemu finansowego. Polityka taka jest więc błędna.

Naród deponujący walutę nie dorównuje narodowi deponującemu złoto. Patrząc z dłuższej perspektywy czasowej, każda zagraniczna waluta zawsze traci wartość w stosunku do złota, jedynie prędkość dewaluacji może być różna. Jeśli chcemy utrzymać siłę nabywczą już wyprodukowanego przez Chiny gigantycznego majątku, jedyną możliwością jest zmiana systemu rezerw walutowych na system rezerwy złota i srebra. Fluktuacje międzynarodowego kursu złota w rzeczywistości są złudzeniem. Wielkie ilości rezerw w złocie skutecznie ograniczyłyby negatywne wpływy na chińską gospodarkę, a Chiny swobodnie żeglowałyby z dziesiątkami tysięcy ton złota niczym magicznym mieczem uspokajającym wzburzone morze.

Deponujący złoto naród z definicji chroni narodowy majątek. Niezależnie, czy chodzi o towary, czy o aktywa, inflacja nie jest wówczas zdolna do korodowania prawdziwej siły nabywczej posiadanej przez obywateli. Jest to podstawa wolności gospodarczej, której nie może zabraknąć w procesie budowy harmonijnego i sprawiedliwego społeczeństwa. Kiedy ludzka praca wytwarza majątek, ludzie mają prawo do indywidualnego wyboru optymalnej metody jego składowania i przechowywania.

Pośród wszystkich walut, złoto posiada największą płynność. Złoto jest nie tylko towarzyszącą ludziom przez pięć tysięcy lat, historyczną, uniwersalną dla każdej cywilizacji, rasy, obszaru, epoki czy systemu politycznego, uznaną przez wszystkich, najwyższą formą majątku, ale ma również do odegrania niesłychanie odpowiedzialną historyczną rolę – ma pełnić funkcję podstawowej miary aktywności gospodarczej w przyszłym społeczeństwie. W historii świata ludzkość czterokrotnie podjęła próbę pozbycia się złota jako podstawy systemu walutowego, próbując „wynaleźć" jakiś mądrzejszy system walutowy. Trzy wcześniejsze próby zakończyły się klęską, a obecnie doświadczamy klęski czwartej. Wrodzona ludzka chciwość raz po raz próbuje, ulegając subiektywnym pragnieniom, zmieniać i regulować obiektywne procesy gospodarcze. Jednak działania takie nie mają szans na powodzenie.

Naród deponujący złoto przeobrazi sposób traktowania świata, a wsparty na złocie „chiński yuan" zbuduje swoją pozycję na obszarze, na którym nieokiełznana chciwość pieniądza dłużnego doprowadziła do finansowego rumowiska. Będzie to dzień, w którym chińska cywilizacja swobodnie podniesie głowę.

DODATEK

Gwałtowny wzrost amerykańskiego długu i redukcja światowej płynności finansowej

Na początku sierpnia 2007 roku przez glob przeszła nagła burza deflacji płynności finansowej. Giełdy poszczególnych krajów doświadczyły gwałtownych wstrząsów, a rynek papierów wartościowych był bliski paraliżu. Banki centralne, jeden za drugim, rozpoczęły transfer gigantycznych kapitałów do systemu bankowego w celu ratowania go przed krachem zaufania. 9 i 10 sierpnia, w ciągu dwóch dni, banki centralne z Europy, USA, Kanady, Australii i Japonii wpompowały w system kapitały na łączna sumę 302 miliardów dolarów. Od czasu ataku z 11 września 2001 roku była to największa wspólna interwencja banków centralnych. Mimo tych kroków, nie udało się powstrzymać paniki na rynkach. Rezerwa Federalna została zmuszona 17 sierpnia do nagłego obniżenia stopy dyskontowej o pół punktu bazowego (5,75 procenta); dopiero wtedy rynki finansowe ostatecznie złapały równowagę. Było to już drugie wielkie trzęsienie na rynkach finansowych w roku 2007, pierwsze nastąpiło 27 lutego.

Stając w obliczu tych dwóch wielkich wstrząsów na rynkach finansowych, zarówno specjaliści, jak i dziennikarze, stopniowo uświadomili sobie, że źródłem kłopotów są amerykańskie pożyczki subprime. Jeśli jednak chodzi o rozwój sytuacji, zdania były podzielone.

Większość doszła do wniosku, że udział pożyczek subprime w amerykańskim rynku finansowym nie jest zbyt duży, a strefa ich wpływu ograniczona, co więcej, raptowne wstrząsy na rynku finansowym należy potraktować jako przesadną reakcję. Wraz ze zdecydowaną postawą banków poszczególnych państw i zakrojoną na wielką skalę akcją transferów kapitału, nastrój paniki na rynku najprawdopodobniej ulegnie szybkiemu uspokojeniu, w związku z czym jest mało prawdopodobne, by amerykańska gospodarka otrzymała potężny cios i wpadła w stan recesji. Jednak mniejszość uważała, że w przypadku problemu pożyczek subprime jak dotąd ujawniony został jedynie czubek góry lodowej, pełna prawda wciąż czeka na wyświetlenie, a pożyczki subprime są tylko jednym przewróconym elementem domina, który doprowadzi do serii silnych reakcji na pozostałych rynkach i nadejścia finansowych trzęsień o jeszcze większej mocy i sile zniszczenia. Ostatecznym rezultatem będzie globalne i gwałtowne przejście z nadmiaru płynności w stronę jej deflacji oraz potężna zmiana klimatu gospodarczego. Mówiąc inaczej, epoka lodowcowa dla światowej gospodarki jest już bardzo blisko, a organizmy gospodarcze, które nie poczyniły odpowiednich przygotowań, są skazane na wyginięcie.

Powtórki kryzysów

Jeśli spojrzymy przez szkło powiększające na powtarzające się w sierpniu 2007 roku wstrząsy na światowych rynkach finansowych oraz metodę wstrzykiwania kapitałów zastosowaną przez Rezerwę Federalną, prawdopodobnie zdołamy odkryć ślady czynników, które do owych wstrząsów doprowadziły.

1 sierpnia. Trust Szwajcarski publikuje ostrzeżenie: globalna płynność finansowa „niczym woda na pustyni bardzo szybko wyparowuje".

1 sierpnia. Dwa fundusze hedgingowe spod flagi Bear Sterns ogłaszają ochronę przed bankructwem.

2 sierpnia. Znany CEO banku kredytowego Indymac, Michael Perry, alarmuje: „rynek wtórny [papiery wartościowe od pożyczek hipotecznych MBS] znajduje się w stanie paniki, płynność została już całkowicie utracona".

3 sierpnia. Agencja ratingowa Standard & Poor's ostrzega o redukcji wskaźnika dla Bear Sterns, indeksy amerykańskiej giełdy szybko spadają.

4 sierpnia. Freddie Mac wyraża obawy, iż z powodu pożyczek subprime pojawi się jeszcze więcej problemów. „Nie powinno się było udzielać tych pożyczek".

5 sierpnia. Agencja Reutersa obawia się, że skala problemów związanych z pożyczkami subprime jest tak duża, iż prawdopodobnie będzie nadal negatywnie wpływać na Wall Street.

6 sierpnia. Niemiecki fundtrust z Frankfurtu uległ „zarażeniu" przez amerykańskie pożyczki subprime, ogłaszając wstrzymanie odkupu.

7 sierpnia. Standard & Poor's obniżają rankingi kredytowe dla 207 pożyczek hipotecznych typu ALT-A.

8 sierpnia. Pożyczki subprime i wynikłe z nich problemy przenoszą się na rynek pożyczek ALT-A. Liczba przypadków zerwania kontraktów ALT-A gwałtownie rośnie.

8 sierpnia. Wart blisko 10 miliardów dolarów fundusz hedgingowy spod flagi Goldman Sachs w ciągu tylko jednego tygodnia odnotowuje stratę w wysokości ośmiu procent.

9 sierpnia. Europejskie banki centralne dokonują największego od czasów 9/11 „wstrzyknięcia" kapitałów o sumie około 95 miliardów dolarów.

9 sierpnia. Rezerwa Federalna w ciągu jednego dnia wykonuje trzy nadzwyczajne zastrzyki kapitałowe na łączna sumę 38 miliardów dolarów.

Trzykrotne nadzwyczajne wstrzyknięcie kapitałów przez Rezerwę Federalną rozpoczęło się o godzinie 8:25, kiedy przelano 19 miliardów dolarów, posługując się metodą odkupu w ciągu trzech dni (tzw. transakcja REPO, czyli zakup na podstawie stopy referencyjnej); zabezpieczeniem dla transakcji były papiery MBS. Drugi przelew, na sumę 16 miliardów dolarów, nastąpił o godzinie 10:55. Znów posłużono się metodą odkupu w ciągu trzech dni (transakcja REPO, zabezpieczenie - papiery MBS). Po południu o godzinie 13:50 nastąpił trzeci przelew na sumę trzech miliardów dolarów (ponownie odkup w ciągu trzech dni, transakcja REPO i jako zabezpieczenie papiery MBS).

Najbardziej interesujący jest fakt, że podczas tych trzech interwencji Rezerwa Federalna wykorzystała jako zabezpieczenie papiery wartościowe MBS (*Mortgage Backed Security* - hipoteczny list zastawny), w odróżnieniu od zwykłej sytuacji, kiedy podczas odkupów na zasadzie REPO wykorzystuje się „mieszane aktywa hipoteczne".

Mówiąc prosto, tymczasowe transferowanie kapitałów do systemu bankowego oznacza otwarcie przez dealerów ważnego przez trzy dni kwitu dłużnego IOU (*I owe you*) na transakcyjnym rynku giełdowym, by potem przekazać Rezerwie Federalnej wniosek o pożyczkę dolarową. Jako struktura emitująca dolary, Rezerwa Federalna stwierdza, że uczynienie tego tylko na podstawie owego kwitu dłużnego nie jest możliwe i wymagane jest zabezpieczenie. Najlepszym zabezpieczeniem są emitowane przez Departament Skarbu obligacje skarbowe, ponieważ ich gwarancją są zbierane przez rząd podatki - a więc dopóki istnieje amerykański rząd, dopóty trwać będzie pobór podatków, czyli obligacje skarbowe będą ubezpieczone. Poza obligacjami skarbowymi mogą być akceptowane papiery wartościowe emitowane przez koncesjonowane przez rząd struktury, albowiem owe struktury również otrzymują gwarancje amerykańskiego rządu. Pozostają jeszcze Freddie Mac i Fannie Mae, dwie koncesjonowane przez rząd firmy i emitowane przez nie papiery wartościowe MBS, które także mogą być wykorzystane jako forma zabezpieczenia. 9 sierpnia na rynku panowała panika i brak gotówki, a sama Rezerwa Federalna okazywała pełną uporu postawę, oznajmiając, że możliwa jest akceptacja wyłącznie papierów MBS jako zabezpieczenia. Dealerzy z rynku papierów wartościowych wyciągnęli ze swoich sejfów papiery MBS i przekazali je Rezerwie. Wówczas Rezerwa na swoim rachunku posiadanych aktywów dokonała zapisów o otrzymaniu pewnej liczby kwitów IOU od grupy dealerów finansowych, ich wartość określono na łączną sumę 38 miliardów dolarów (nieprzekraczalny termin płatności - trzy dni, forma zabezpieczenia - papiery MBS). Następnie z rachunku obciążeń finansowych dokonano płatności 38 miliardów dolarów dla dealerów, dodając na samym końcu uwagę, że po upłynięciu trzech dni wszyscy zaangażowani dealerzy muszą dokonać wykupu użytych jako zabezpieczenia papierów MBS, a więc zwrócić Rezerwie Federalnej 38 miliardów dolarów wraz z odsetkami. Gdyby w ciągu tych trzech dni nastąpiła płatność odsetek z tytułu papierów MBS, pieniądze te powinny wrócić do dealerów finansowych.

Cały zastrzyk kapitałów Rezerwy Federalnej był ograniczony trzydniowym terminem. W chwili upłynięcia tego czasu wszystkie pieniądze zostałyby wybrane. Tak więc, ten tymczasowy zastrzyk kapitałowy miał na celu głównie poradzenie sobie ze „szczytowym momentem" powszechnej na rynku nastroju paniki, innymi słowy: „ratować tych, którzy potrzebują pomocy, a nie ratować tych, którzy są biedni".

Podczas normalnego dnia handlowego Rezerwa Federalna konsumuje trzy rodzaje papierów wartościowych, a w przypadku najmniejszego zakupu przynajmniej jeden typ – papiery MBS. Czemu więc 9 sierpnia Rezerwa zachowywała się zupełnie inaczej? Sama Rezerwa tłumaczyła to faktem, że obligacje skarbowe są swoistym azylem od niebezpieczeństwa, tak więc tego dnia inwestorzy rzucili się do panicznego ich wykupu, toteż w celu niedopuszczenia do koncentracji zasobów kapitałowych w jednym miejscu, podjęto decyzję o połknięciu papierów MBS. Do tego obrazu przyjazne media dodały jeszcze jedno zdanie: inwestorzy (szczególnie inwestorzy zagraniczni) nie powinni dojść do mylnych wniosków, że nikt nie jest zainteresowany zakupem papierów MBS.

To ostanie zdanie odsłania istotę problemu: nie chodziło tu wyłącznie o pojawienie się na światowych rynkach finansowych deflacji płynności jako źródła kryzysu, albowiem kluczową rolę odegrał tu rynek pożyczek subprime.

W celu zrozumienia tak bliskiego związku pomiędzy zastawnymi listami hipotecznymi MBS a płynnością, musimy najpierw zrozumieć istotę procesu zamiany aktywów na papiery wartościowe.

Zamiana aktywów na papiery wartościowe i nadmiar płynności

Powszechnie wiadomo, że wszystkie obecne wynalazki na rynku produktów finansowych pochodzą z czasów po likwidacji standardu złota i systemu z Bretton Woods w latach siedemdziesiątych XX wieku. Powodem jest fakt, że w ramach tego starego systemu głównym aktywem sektora finansów było złoto, a więc wszystkie pozostające w obrocie dolary musiały podlegać „wymianie banknotów na złoto", owemu żelaznemu sprawdzianowi gospodarczemu. System bankowy nie odważył się wówczas zlekceważyć kontroli tworzenia „długu innych osób", by w ten sposób wytwarzać pieniądz dłużny oraz zapobiegać nagłemu napływowi mas ludzi do banków. Dług znajdujący się pod ostrą kontrolą złota zachowywał umiarkowaną skalę.

W wyniku ograniczeń narzuconych przez standard złota, stopa inflacji w głównych państwach świata mogła być praktycznie pomijana w procesie kalkulacji ekonomicznych. Nie istniał azyl i kryjówka dla długotrwałego deficytu skarbowego oraz deficytu obrotów handlowych, a ryzyko wymiany walut było bliskie zeru. Natomiast w ciągu 30 lat po rozejściu się dolara ze złotem siła nabywcza tego pierwszego spadła o ponad 90 procent. Dla których grup społecznych dewaluacja siły nabywczej pieniądza czy też, mówiąc inaczej, inflacja jest korzystna? Kto natomiast jest największym przegranym na społecznym rynku własności?

Keynes rozumiał problem, gdy mówił: „Poprzez stały proces inflacji rządy są w stanie, w sposób tajny i korzystając z ludzkiej nieświadomości, grabić ludzki majątek. W ten sposób nie tylko grabią ludzi, ale też grabią *arbitralnie*, gdyż proces ten spycha większość ludzi w biedę, a równocześnie pozwala na bogacenie się mniejszości”[209]. W roku 1966 Alan Greenspan mówił: „W sytuacji, gdy standard złota nie istnieje, nie ma żadnego sposobu, by skutecznie chronić oszczędności przed ich pożarciem przez inflację”[210]. Austriacka szkoła ekonomiczna opisywała jedno ze źródeł inflacji, system częściowych rezerw bankowych, porównując go do przestępcy, który w ukryciu drukuje fałszywe pieniądze. W ramach systemu częściowej rezerwy, naturalną konsekwencją jest powstanie problemu wiecznych zjawisk inflacyjnych[211].

Inflacja prowadzi do dwóch negatywnych skutków: pierwszym jest dewaluacja siły nabywczej pieniądza, drugim powtórna dystrybucja majątku. Gdy wydrukowana liczba banknotów przerasta ilość towarów, naturalnie dochodzi do gwałtownego wzrostu cen. Ludzie w Chinach, którzy w roku 1949, zaraz przed ucieczką Czang Kaj Szeka na Tajwan, doświadczyli gwałtownej emisji złotych papierów wartościowych, doskonale rozumieją tę prostą zasadę. Wszelako dzisiaj ekonomiści z głównego nurtu uważają, że nie występuje konieczny związek pomiędzy emisją pieniądza oraz wzrostem cen i potrafią zaprezentować wiele liczb, by wytłumaczyć, iż ludzie mają błędne odczucia co do wzrostu cen towarów.

Powtórna dystrybucja majątku spowodowana przez zjawiska inflacyjne nie jest tak łatwo zauważalna. Wyobraźmy sobie bank, który w ramach systemu częściowej rezerwy „z niczego” wytwarza pieniądze w formie banknotów, co praktycznie jest ekwiwalentem drukowania fałszywych pieniędzy. Pierwsi odbiorcy owych „fałszywych” banknotów zaraz po ich pobraniu udają się do drogiej restauracji na obfity posiłek. Ponieważ są oni pierwszymi użytkownikami „fałszywych banknotów”, ceny artykułów na rynku zachowują niezmieniony poziom, a znajdujące się w ich rękach banknoty posiadają oryginalną siłę nabywczą. Po zaakceptowaniu „fałszywych banknotów”, właściciel restauracji wykorzystuje je do zakupu ubrań, stając się drugim w kolejności beneficjentem. W tym czasie liczba „fałszywych banknotów” w obiegu wciąż znajduje się na poziome niezaobserwowanym przez rynek, tak więc ceny artykułów nie ulegają zmianom. Jednakże w wyniku nieustannego przechodzenia „fałszywych banknotów” z rąk do rąk oraz coraz większej ich liczby w obiegu, rynek powoli zaczyna odkrywać prawdę, a ceny zaczynają stopniowo wzrastać.

[209] Keynes, *The Economic Consequences of the Peace*, s. 235.

[210] Ayn Rand, Alan Greenspan, *Capitalism: The Unknown Ideal*, New York 1986, s. 35.

[211] Murray N. Rothbard, *The Case Against the FED*, Auburn 1994, s. 39-40.

Największe kłopoty pojawiają się wówczas, kiedy w sytuacji braku czasu na dostrzeżenie nominalnej wartości banknotów ceny gwałtownie rosną, podnoszone przez sprzedawców, a znajdujące się w ich rękach pieniądze stale tracą swoją siłę nabywczą. Dla ludzi przebywających bliżej fałszywych banknotów jest to doskonała okazja do zrobienia interesu, ale dla pozostałych nieszczęście – tym większe, im dalej od fałszywych banknotów się znajdują. W obecnym systemie bankowym branża nieruchomości znajduje się stosunkowo blisko banków, dlatego też może dobrze wykorzystać nadarzającą się okazję, natomiast uczciwi ciułacze stają się największymi przegranymi.

Krótko mówiąc, proces inflacji uruchamia w społeczeństwie transfer majątku, polegający na tym, że majątek rodzin znajdujących się daleko od banków ponosi największe straty.

Kiedy zrezygnowano ze złota jako rdzenia wartości aktywów, pojęcie aktywu zostało w ukryty sposób zamienione w czysty dług. Po roku 1971 amerykański dolar z kwitu za złoto stał się czystym kwitem dłużnym. Pozbawiona ograniczenia złotem emisja dolarów dłużnych przypomina dziś ogromne stada dzikich koni galopujących poprzez granice. Ludzie pamiętają i wiedzą, że obecny dolar nie jest już tym, czym był niegdyś – ciężkim „złotym dolarem" – ale podlegającym stałej dewaluacji od 30 lat dolarowym kwitem dłużnym.

Już na początku lat siedemdziesiątych XX stulecia amerykański sektor bankowy rozpoczął handel prawami do posiadania długu, płynącymi z pożyczek hipotecznych na zakup nieruchomości, tyle że bezpośrednie kupno czy sprzedaż całej wartości pożyczki nie były łatwe. W jaki sposób dokonać standaryzacji wierzytelności o różnych wielkościach, różnych warunkach kontraktowych, różnych przedziałach czasowych, różnym stopniu zaufania, aby ułatwić przeprowadzanie transakcji? Bankierzy niejako automatycznie pomyśleli o formie papierów wartościowych, tym klasycznym już nośniku. W ten sposób w roku 1970 amerykańska instytucja Ginnie Mae (Government National Mortgage Association), jako pierwsza na świecie, dokonała emisji hipotecznych listów zastawnych MBS. Umieszczono w jednym opakowaniu wiele niezwykle do siebie podobnych długów hipotecznych, następnie opracowano standardowy certyfikat, by w kolejnym posunięciu uruchomić sprzedaż inwestorom owych certyfikatów, których dług hipoteczny stanowił zastaw, natomiast wpływy z odsetek od długów oraz ryzyko długu jednocześnie „przekazano" inwestorom. W późniejszym czasie Fannie Mae również rozpoczęła standaryzację papierów wartościowych MBS.

Należałoby stwierdzić, że MBS to wielkie odkrycie. Tak jak pojawienie się złotego i srebrnego pieniądza silnie pobudziło wymianę towarową, tak też MBS ogromnie ułatwiły transakcje wierzytelnościami hipotecznymi. Inwestorzy uzyskali możliwość łatwego zakupu standaryzowanych papierów wartościowych, podczas gdy banki mogły bardzo szybko wykreślić ze swej listy pasywów długoterminowe, opiewające na wysokie sumy, trudne do upłynnienia hipoteczne wierzytelności pochodzące z zakupu nieruchomości, a następnie, skonsumowawszy różnicę odsetek, wystawić je na sprzedaż – nawet z dołączonym ryzykiem i prawem do poboru odsetek – na koniec zaś, po zamianie na gotówkę, poszukać chętnego do zaciągnięcia kredytu, a więc kupca nieruchomości.

Z punktu widzenia branży finansowej powyższe odkrycie dawało powody do szczególnej radości. Banki rozwiązały problem upłynnienia pożyczek hipotecznych, równocześnie inwestorzy otrzymali możliwość wyboru nowych opcji inwestycyjnych, chętni na zakup nieruchomości uzyskali łatwiejszy dostęp do kredytów, a sprzedawcy nieruchomości łatwiejszej ich sprzedaży.

Ale wygoda ma swoją cenę. Kiedy system bankowy, wykorzystując metodę emisji papierów MBS, został szybko uwolniony z trzydziestoletniej pułapki pożyczek hipotecznych, przerzucił całe ryzyko na społeczeństwo. Do tego ryzyka można zaliczyć szerzej nieznane problemy zjawisk inflacyjnych.

Kiedy kupiec nieruchomości podpisuje w banku umowę kredytową, bank czyni z tego „kwitu dłużnego" aktywa, które umieszcza w swojej tabeli obciążeń finansowych jako pasywa, jednocześnie wytwarzając obciążenie o identycznej wartości. Należy zwrócić uwagę, że z perspektywy ekonomicznej, owe obciążenie równa się pieniądzom. Innymi słowy, kiedy bank udziela pożyczki, produkuje pieniądze. Tak więc, ponieważ system częściowej rezerwy pozwala bankom na wytwarzanie nieistniejących pieniędzy, owe kilkaset tysięcy nowych pieniędzy, dopiero co „stworzonych z niczego" przez bank, błyskawicznie zostaje przelane na konta firm z branży nieruchomości.

W trakcie tego procesu, w ramach systemu częściowych rezerw, istnieje możliwość „legalnego drukowania fałszywych pieniędzy". Firmy deweloperskie jako pierwsze otrzymują „fałszywe pieniądze" i to wyjaśnia, dlaczego są one w stanie tak szybko akumulować gigantyczny majątek. Kiedy firmy z branży nieruchomości zaczynają wydawać „fałszywe pieniądze", presja na podniesienie wszystkich cen, w wyniku przechodzenia „fałszywych pieniędzy" z rąk do rąk, prawdopodobnie zacznie falowo rosnąć. W wyniku tej nadzwyczajnej komplikacji mechanizmu transmisyjnego, w sferze zmiany popytu i podaży w społeczeństwie ponownie dochodzi do powiększenia przestrzeni dla wielowymiarowych zmiennych, a w psychologicznej reakcji społeczeństwa wobec pieniądza wciąż dochodzi do stosunkowo poważnego efektu opóźnienia. Wszystkie te czynniki nakładają się jeden na drugi i nic dziwnego, że sam Keynes sądził, że wśród milionów ludzi trudno znaleźć będzie choćby jedną osobę, która byłaby w stanie pojąć faktyczne źródło inflacji. W wyniku działania mechanizmu powiększania systemu częściowej rezerwy w systemie bankowym istnieje możliwość intensywnego zwiększania emisji pieniądza dłużnego. Nowe emisje w istocie muszą w dużym stopniu przekraczać faktyczne tempo wzrostu gospodarczego, co staje się źródłem nadmiernej płynności.

Tego rodzaju pieniądz z natury swej jest wydanym przez bank „rachunkiem". W ramach standardu złota ów rachunek odpowiadał bankowym rezerwom złota, natomiast w czystym systemie pieniądza dłużnego wyłącznie odpowiada on identycznej wartości długu, który wobec banku posiada ktoś inny.

Patrząc z punktu widzenia bezpośrednich skutków, papiery MBS potężnie podniosły wydajność systemu bankowego, jeśli chodzi o emisję pieniądza w formie banknotów, jednocześnie doprowadzając do nieuniknionego, poważnego problemu nadmiaru jego podaży. Ta nadwyżka pieniądza, w przypadku, gdy nie wpływa do zatłoczonej giełdy, powoduje dalszy wzrost bańki na rynku nieruchomości. Bardziej negatywnym rezultatem są „wycieki" do sfery produkcji towarów i artykułów konsumpcyjnych, prowadzące do - wywołującego wszędzie głosy niezadowolenia - wzrostu cen.

Po sukcesie MBS, postanowiono wypróbować w praktyce jeszcze śmielszy pomysł, a mianowicie ABS - papiery wartościowe oparte na sekurytyzowanych aktywach (*Asset Backed Securities*). Bankierzy rozumowali w następujący sposób: skoro istnieje przyszły, stały napływ zysków od kwot głównych wykorzystywanych jako zastaw MBS, które cieszyć się będą na rynku zainteresowaniem, można rozszerzyć ich zastosowanie i użyć wszystkich gwarantujących napływ gotówki, wykorzystywanych jako zastaw aktywów na dokładnie tej samej zasadzie, dokonując ich przemiany w papiery wartościowe. Do tego typu aktywów zaliczają się płatności z tytułu użycia kart kredytowych, pożyczki na zakup samochodów, pożyczki studenckie, pożyczki handlowe, płatności z tytułu leasingu pomieszczeń sklepowych, budynków fabrycznych, hangarów, garaży, a nawet przyszłe dochody z tytułu patentu czy praw autorskich książek itd.

Na Wall Street popularne jest powiedzenie, że jeśli istnieje przyszły napływ gotówki, należy zamienić go w papier wartościowy. W rzeczywistości, naturą innowacji finansowych jest możliwie jak najdłuższe robienie debetu, który można dziś zamienić w gotówkę.

W ostatnich latach zasięg rynku ABS szybko rośnie, od roku 2000 aż do chwili obecnej rynek ten podwoił się, osiągając zdumiewającą wartość 19,8 biliona dolarów[212]. Papiery wartościowe ABS i MBS mogą być wykorzystywane jako zastaw w przypadku pobierania pożyczek z banków; emitowane przez Freddie Mac i Fannie Mae MBS mogą być nawet formą rezerw bankowych i mają zastosowanie podczas transakcji typu REPO w Rezerwie Federalnej. Tak obfita, nowa emisja pieniędzy w naturalny sposób musi prowadzić do powstania inflacji aktywów. Jeśli inflacja oznacza cichy transfer, zmianę właściciela społecznego majątku, to w sytuacji, gdy banki tworzą krąg o promieniu równym zasięgowi udzielonych przez nie pożyczek, bez trudu odkryjemy, kto włada „serem" obywateli*.

[212] Federal Reserve Board, Flow of Funds 06.07.2007.

* Autor nawiązuje do książki *Who Moved my Cheese* autorstwa Spencera Johnsona (przyp. tłum.).

Subprime i pożyczka hipoteczna ALT-A: trujące odpadki aktywów

Po otwarciu prawie wszystkich źródeł kapitałowych dla sfinansowania pożyczki hipotecznej na zakup nieruchomości zaciągniętej przez większość zwykłych obywateli, bankierzy skupiają swój wzrok właśnie na „zwykłych ludziach". Do nich zalicza się sześć milionów biednych bądź posiadających niewielkie zdolności kredytowe Amerykanów oraz nowych imigrantów.

Amerykański rynek kredytów hipotecznych można podzielić na trzy poziomy: rynek pożyczek wysokiej jakości (*Prime Market*), rynek ALT-A oraz rynek pożyczek drugiej kategorii (*Subprime Market*). Na rynku kredytów hipotecznych wysokiej jakości funkcjonuje wysoka zdolność kredytowa (credit score znajduje się powyżej 660 punktów), dochody są stabilne i solidne, zadłużenie racjonalnie ponoszone przez dobrych klientów. Ci ludzie wybierają głównie tradycyjne trzydziesto- bądź piętnastoletnie letnie pożyczki hipoteczne o stałej stopie odsetek. Na rynku subprime indeksy zdolności kredytowej klientów znajdują się poniżej 620 punktów, występują u nich udowodnione braki w dochodach, a ich obciążenia są wyższe. Natomiast rynek pożyczek ALT-A znajduje się gdzieś pomiędzy nimi, w rozległej strefie obejmującej nie tylko główne warstwy społeczne, ludzi, których zdolność kredytowa plasuje się w przedziale 620-660 punktów, ale również istotną część klientów o zdolności kredytowej wyższej niż 660 punktów.

Wartość rynku subprime to około 20 bilionów dolarów, a wśród jego klientów około połowa nie ma zaświadczenia o stałych dochodach. Jest charakterystyczne, że z uwagi na to, że jest to rynek wysokiego ryzyka, stopa zwrotów jest stosunkowo wysoka, a jego stopy odsetek od kredytów hipotecznych są o około dwa do trzech procent wyższe od stóp bazowych.

Działające na rynku subprime firmy znacznie bardziej wykorzystują „ducha kreatywności" i śmiało wypuszczają na rynek coraz to nowe produkty kredytowe. Do względnie znanych produktów finansowych zaliczają się: Interest Only Loan, następnie, dający możliwość dokonywania przez trzy lata korekty odsetek od kredytu ARM (*Adjustable Mortgage Rate*), dający możliwość dokonywania przez pięć lat korekty odsetek od kredytu ARM oraz ARM z siedmioletnią możliwością korekty odsetek od kredytu, opcja wyboru możliwości korekt odsetek od kredytu (*Option ARMs*). Wspólną cechą tych produktów jest – w początkowej, kilkuletniej fazie zwrotu kredytu – stała i niska, spłacana co miesiąc rata odsetek. Po upłynięciu określonego czasu, presja zwrotu kredytu rośnie. Są dwa powody szczególnej popularności tych produktów finansowych. Pierwszym jest wiara ludzi w nieustanny, wieczny wzrost cen nieruchomości: sądzą oni, że w dowolnym momencie będą w stanie sprzedać nieruchomość, aby oddalić od siebie ewentualne ryzyko. Drugi powód to przekonanie o tym, że szybkość wzrostu cen nieruchomości wyprzedza wzrost obciążeń z tytułu spłaty odsetek.

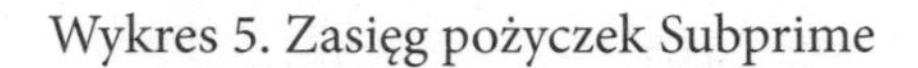
Wykres 5. Zasięg pożyczek Subprime

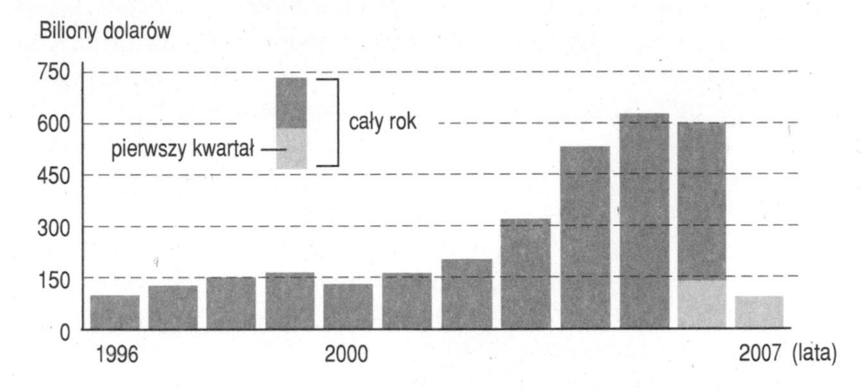

Pełna nazwa ALT-A to „pożyczki *Alternative A*". Rynek ten ma zamiar przyciągać klientów o średniej bądź dobrej zdolności kredytowej, ale całkowicie bądź częściowo pozbawionych stałego dochodu, depozytów, aktywów i innych legalnych certyfikatów i dokumentów. Powszechna jest opinia, że owe pożyczki są znacznie bezpieczniejsze od tych udzielanych na rynku subprime, a zyski obiektywne. Pożyczkobiorcy nie mają „teczek" świadczących o ich słabej zdolności kredytowej, a raty odsetek z reguły są wyższe o jeden do dwóch procent w porównaniu z rynkiem Prime Market.

Czy rzeczywiście pożyczki na rynku ALT-A są bezpieczniejsze od tych udzielanych na rynku subprime? Fakty tego nie potwierdzają.

Począwszy od roku 2003, w pogoni za wysokimi zyskami system kredytów ALT-A, tonąc w rozdętej bańce spekulacyjnej na rynku nieruchomości, utracił resztki racjonalności. Wielu pożyczkobiorców bez zaświadczenia o posiadaniu regularnych dochodów, podając całkowicie dowolne liczby, mogło uzyskać kredyt. Liczby te są często wyolbrzymiane, toteż system ALT-A został ochrzczony przez ludzi z branży mianem „pożyczek oszustów".

Ponadto struktury kredytowe z większą siłą promują produkty kredytowe o jeszcze większym ryzyku. Dla przykładu, produkt o nazwie *Interest Only Loan* jest zgodnie z trzydziestoletnim planem amortyzacji podzielony na spłaty miesięczne, jednakże w pierwszym roku kredytu można spłacać bardzo niskie odsetki od jednego do trzech procent, co więcej dokonuje się spłaty wyłącznie odsetek, a nie kwoty głównej. Następnie w drugim roku rozpoczyna się fluktuacja stóp procentowych zgodnie z sytuacją rynkową, przy czym zazwyczaj istnieje dodatkowa gwarancja, że każdego roku wzrost zwracanej co miesiąc kwoty nie może być większy niż 7,5 procent w stosunku do roku poprzedniego.

Option ARMs umożliwia pożyczkobiorcom miesięczną spłatę nawet poniżej regularnej stopy procentowej, różnica jest automatycznie wliczana do kwoty pożyczki, nazywa się to „negatywna amortyzacja". Tak więc pożyczkobiorcy każdego miesiąca po zwrocie cząstki kredytu bankowi są mu winni coraz więcej pieniędzy. Stopa odsetek dla tego kredytu, po upłynięciu z góry określonego czasu, podąża za rynkiem.

Bardzo wielu krótkoterminowych, posiadających „wysoki kredyt" spekulantów na rynku nieruchomości stwierdza, że w krótkim okresie ceny mogą wyłącznie rosnąć, toteż zawsze zdążą wymknąć się z potrzasku poprzez dokonanie sprzedaży. Więcej ludzi posiadających „przeciętny kredyt", wykorzystuje tego typu pożyczki, w efekcie biorąc na siebie koszty spłacania nieruchomości, których ceny znacznie przewyższają ich zdolności płatnicze. Ludzie myślą w następujący sposób: dopóki ceny mieszkań idą w górę, nawet w przypadku wystąpienia problemów z moimi możliwościami płatniczymi, zawsze pozostaje opcja szybkiej sprzedaży domu i zwrotu całego zaciągniętego kredytu, dodatkowo można coś jeszcze zarobić lub skorzystać z powtórnej pożyczki, wyciągnąć zarobioną różnicę i przeznaczyć ją na pilne potrzeby czy konsumpcję. Nawet w sytuacji, gdy stopy procentowe ulegają szybkiemu wzrostowi, pozostaje ostatnia linia frontu: wzrost zwracanych sum w rocznym rozliczeniu nie może przekroczyć 7,5 procenta w stosunku do roku poprzedniego. Tak więc ryzyko jest niskie, a ukryte możliwości wysokich zwrotów z inwestycji duże. Trudno nie skorzystać z takiej okazji.

Zgodnie z danymi statystycznymi, w 2006 roku z całej sumy kredytów hipotecznych w Stanach Zjednoczonych ponad 40 procent należało do produktów z rynku ALT-A i subprime, a ich całkowita wartość sięgnęła czterech bilionów dolarów (proporcje te były jeszcze wyższe niż w roku 2005). Licząc od roku 2003, suma pożyczek hipotecznych wysokiego ryzyka ALT-A oraz subprime przekroczyła 20 bilionów dolarów. Obecnie stopa niewykonalności zobowiązań przez okres ponad 60 dni przekroczyła 15 procent i bardzo szybko zbliża się do historycznego poziomu 20 procent. 2,2 miliona „ludzi subprime" jest wyrzucanych przez banki za drzwi niczym śmieci. Natomiast na rynku ALT-A stopa niewykonalności zobowiązań kształtuje się w okolicach 3,7 procent, jednak skala jej wzrostu w ostatnich czternastu miesiącach uległa podwojeniu.

Ekonomiści z głównego nurtu zlekceważyli ryzyko płynące z rynku ALT-A. Wynika to stąd, że aż do dziś jego stopa niewykonalności zobowiązań, w porównaniu z „dymiącym" rynkiem subprime, wciąż jest słabo dostrzegalna, choć ukryte w nim niebezpieczeństwo jest wielokrotnie większe niż w przypadku subprime. W umowach o pożyczki na rynku ALT-A powszechne stało się „zakopywanie" dwóch potężnych bomb zegarowych: kiedy stopy odsetek od pożyczek hipotecznych będą stale rosły, a ceny mieszkań spadały, dojdzie do eksplozji całego rynku.

W przypadku poprzednio wspomnianych *Interest Only Loan*, kiedy stopy odsetek podążają za rynkiem, wzrost miesięcznych spłat nie może przekroczyć 7,5 procent. Ta ostatnia linia frontu pozwala ludziom na posiadanie iluzorycznego poczucia bezpieczeństwa. Jednakże występują tu dwa wyjątki od reguły – podobnie jak w poprzednim wypadku, dwie potężne bomby zegarowe. Pierwszą jest „powtórne ustalenia o stałym czasie" (*5 year/10 year recast*). Co 5 lub 10 lat w ALT-A następuje ponowne automatyczne ustalenie kwot spłacanych przez pożyczkobiorców; struktura kredytująca, zgodnie z nową łączną kwotą pożyczki, nalicza miesięczne spłaty. Pożyczkobiorcy odkrywają wielki wzrost ich miesięcznych spłat, co określa się jako szok płatniczy. W efekcie funkcjonowania negatywnej amortyzacji, łączna kwota długu zaciągniętego przez pożyczkobiorcę nieustannie rośnie, a jego jedyną nadzieją jest stały wzrost cen nieruchomości, tylko dzięki temu bowiem można sprzedać dom i uwolnić się z pułapki – inaczej grozi utrata nieruchomości bądź bolesna sprzedaż z wielką startą.

Drugą bombą zegarową jest „najwyższy limit sumy kredytu". Jest zrozumiałe, że ludzie przez określony czas mogą nie zastanawiać się nad kwestią ponownego ustalenia kwoty długu, która nastąpi za kilka lat, choć w regulacjach dotyczących negatywnej amortyzacji jest pewne ograniczenie mówiące, że łączna kwota zadłużenia nie może przekroczyć od 110 do 125 procent pierwotnej kwoty pożyczki, a więc gdy tylko dotyka limitu sumy kredytu, dochodzi do automatycznego ponownego ustalenia jego sumy. Jest to bomba zegarowa wystarczająca do odebrania ludziom życia. W wyniku pokusy niskich odsetek oraz korzyści słabej presji w pierwszym roku spłacania kredytu, większość ludzi wybiera kredyt o najmniejszej z możliwych miesięcznej kwocie spłaty. Dla przykładu, jeśli co miesiąc musimy spłacać 1000 dolarów odsetek, mamy szansę wybrać opcję spłaty 500 dolarów, a pozostałe 500 dolarów odsetek zostanie automatycznie wliczone do głównej sumy kredytu. Prędkość, z jaką następuje akumulacja zadłużenia, prawdopodobnie doprowadzi do tego, że pożyczkobiorca zostanie rozerwany na kawałki przez bombę „najwyższego limitu sumy kredytu" przed upływem pięciu lat, czyli przed ponownym ustawieniem bomby kredytowej.

Skoro owe pożyczki są tak złowieszcze i ryzykowne, czemu Rezerwa Federalna nie jest skora do wejścia na scenę i ustanowienia nadzoru?

W istocie Greenspan pojawił się na scenie i to dwukrotnie. Po raz pierwszy w roku 2004, kiedy doszedł do wniosku, że struktury kredytowe oraz kupcy nieruchomości charakteryzują się zbyt dużym brakiem śmiałości i odwagi, ponieważ wciąż nie darzą sympatią produktów finansowych o wysokim ryzyku Option ARMs. Greenspan skarżył się: „Gdyby struktury kredytowe dawały nowy wybór znacznie bardziej giętkich produktów finansowych w porównaniu z obecnymi, tradycyjnymi pożyczkami o stałej stopie procentowej, to Amerykanie mogliby stąd czerpać wielkie profity. Dla tych konsumentów, którzy są gotowi na ponoszenie ryzyka zmieniających się stóp procentowych, tradycyjne trzydziestoletnie czy piętnastoletnie pożyczki o stałej stopie procentowej z pewnością są zbyt drogie"[213].

Dlatego też, jak można się było spodziewać, chętni do zakupu mieszkań stopniowo stawali się coraz bardziej odważni. Sytuacja stawała się coraz bardziej nienormalna, a ceny nieruchomości w zastraszającym tempie szły w górę.

Po 16 miesiącach Greenspan pojawił się na przesłuchaniu w komisji senackiej. Tym razem, marszcząc brwi, powiedział: „Amerykańscy konsumenci wykorzystują nowe produkty na rynku pożyczek kredytowych [wskazywał na opcję ARM] w celu ponoszenia spłat pożyczek, których nie są w stanie udźwignąć. Jest to katastrofalny w skutkach pomysł"[214].

---

[213] Alan Greenspan, *Understanding household debt obligations*, At the Credit Union National Association 2004, Governmental Conference Washington DC February 23rd 2004.

[214] Peter Coy, *The Home Loans Vexing Greenspan*, „Business Week", 10 czerwca 2005, s. 52.

Prawdopodobnie nigdy nie zrozumiemy banalnego sensu wypowiedzi Greenspana. W istocie miał on na myśli to, że jeśli Amerykanie posiadają zdolność do udźwignięcia ryzyka zmiennych stóp procentowych, co więcej, jeśli potrafią przejąć nad nim kontrolę, nie ma nic złego w wykorzystaniu ryzykownych pożyczek. Jeśli jednak za słowami nie podąża wola, lepiej nie wywoływać zamieszania. Prawdopodobnie Greenspan nie miał pojęcia o finansowym ilorazie inteligencji przeciętnych Amerykanów.

Kredyty subprime CDO: trujące aktywa

Kredyty subprime oraz ALT-A, owe dwa trujące aktywa odpadowe, osiągnęły łączną wartość 25 bilionów dolarów. Jeśli nie zostaną one usunięte z rachunków aktywów systemu bankowego, skutki będą opłakane.

Jak je usunąć? Należy zastosować to, o czym mówiliśmy poprzednio: zamianę aktywów na papiery wartościowe.

Stanowiące zastaw dla kredytów subprime papiery MBS były stosunkowo łatwe do generowania, ale trudne do wypuszczania, ponieważ inwestycje dokonywane przez wielkie amerykańskie instytucje inwestycyjne, na przykład fundusze emerytalne, ubezpieczeniowe czy rządowe, musiały spełniać określone wymogi, inwestowany produkt musiał otrzymać rangę AAA od firm ratingowych Moody lub Standard & Poor's. MBS-y kredytów subprime nie odpowiadały temu kryterium, niektóre nawet osiągając najniższą rangę inwestycyjną BBB. W ten sposób wiele dużych instytucji inwestycyjnych nie miało możliwości dokonywania ich zakupów. Ponieważ ryzyko było wysokie, podobnie jak planowane zwroty z inwestycji, banki inwestycyjne z Wall Street momentalnie dostrzegły w trujących, śmieciowych aktywach potencjalną szansę generowania wielkich zysków.

I w ten oto sposób banki inwestycyjne wkroczyły na obszar tych niebezpiecznych aktywów.

Na samym początku banki podzieliły na kilka różnych transzy, zaklasyfikowane jako „trujące odpady" papiery MBS, zgodnie z prawdopodobnym pojawianiem się stopy niewykonalności zobowiązań. To są właśnie owe instrumenty sekurytyzacji oparte na długu (*Collateralized Debt Obligations*). Te spośród nich, które mają najniższy stopień ryzyka, zwane są „wysokiej jakości CDO" (*Senior Tranche*, ich udział to około 80 procent). Bankierzy inwestycyjni misternie opakowali je, wkładając w śliczne pudełko przewiązane złotą wstążką. CDO o średnim stopniu ryzyka, „średniej jakości CDO" (*Mezzanine*, ich udział to około 10 procent), również włożono do pudełka niczym prezent i przewiązano srebrną wstążką. Najbardziej ryzykowne „zwyczajne CDO" (*Equity*, ich udział to około 10 procent) umieszczono w pudełku przewiązanym wstążką z brązu. Po przejściu przez etap tego kunsztownego strojenia w bankach inwestycyjnych z Wall Street, owe niegdyś trujące śmieciowe aktywa błyskawicznie przemieniły się w piękne, błyszczące i kuszące oko towary.

Kiedy banki inwestycyjne, niosąc w rękach misternie zapakowane pudełka z prezentami, ponownie zapukały do drzwi firm ratingowych, nawet Moody czy Standard & Poor's wpadły w osłupienie. Popisując się kunsztem retorycznym, banki inwestycyjne zareklamowały solidność i bezpieczeństwo swoich „produktów wysokiej jakości", podając liczby z ostatnich lat świadczące o rzadkich przypadkach złamania umów w tym obszarze, by następnie, za pomocą matematycznego modelu pierwszej klasy zapewnić, że przyszły współczynnik złamania umów z pewnością również będzie niezwykle niski. Nawet jeśli umowa zostanie zerwana, to ujawnione straty finansowe nastąpią tylko w transzach „zwyczajnych produktów" oraz „produktów średniej jakości", a posiadając te dwie otaczające je i chroniące linie obronne „produkty wysokiej jakości" są twarde niczym stal. Na sam koniec, poruszając kwestię pozytywnego rozwoju sytuacji na rynku nieruchomości i faktu, że pożyczkobiorcy w każdej chwili mogą wybrać opcje powtórnego kredytu, Refinance, i wyciągnąć wielką ilość gotówki lub bez trudu sprzedać nieruchomość za wysoką cenę, swobodnie podawali przykłady z życia wzięte.

W agencjach Moody, Stadard & Poor's dokładnie przeanalizowano dane z przeszłości, nie znajdując żadnych słabych punktów. W kolejnych analizach modelu matematycznego reprezentującego przyszłe tendencje też nie wykryto żadnych usterek. Prosperity na rynku nieruchomości jest faktem powszechnie znanym. Oczywiście, pracownicy w Moody, w oparciu o swoją intuicję oraz doświadczenie wielu recesji zdobyte przez kilkadziesiąt lat działalności w branży, rozumieli, że za tą przystrojoną kwiatami fasadą znajduje się pułapka, jednak równocześnie byli głęboko świadomi istniejących powiązań i potencjalnych zysków. Ponieważ z wierzchu pudełko z prezentem wyglądało bardzo atrakcyjnie, a Moody oraz Standard & Poor's chciały wyświadczyć przysługę kolegom z branży – ostatecznie wszyscy działają w obszarze finansów, a Moody i Standard & Poor's mają co jeść dzięki interesom prowadzonym z branżą banków inwestycyjnych – należało ubiec konkurencję, która mogła od razu skorzystać z przegapionej okazji. W rezultacie Moody oraz Standard & Poor's zagwarantowały „wysokiej jakości produktom" CDO najwyższą ocenę AAA.

Zadowolone banki inwestycyjne wróciły do domu.

Aby zrozumieć, o co tu chodzi, wyobraźmy sobie, że jakiś nielegalny kupiec zbiera zużyty olej z MacDonaldsów, by następnie po zwykłym przefiltrowaniu i ponownym rozlaniu, zmienić „śmieć na skarb", sprzedając go w nowych, błyszczących opakowaniach właścicielom restauracji do smażenia dań.

Banki inwestycyjne – dealerzy trujących śmieci – po otrzymaniu ratingu dla CDO, bezzwłocznie udały się do kancelarii prawnych w celu ustanowienia Special Purpose Legal Vehicle (SPV – Legalne Ciało Specjalnego Przeznaczenia). Owo „ciało" zostało zarejestrowane na Kajmanach, aby uniknąć nadzoru ze strony rządu oraz płacenia podatków. Następnie świeżo powstała firma rozpoczęła skup trujących, śmieciowych aktywów oraz emisję CDO. W ten właśnie sposób udaje się bankom inwestycyjnym, zgodnie z prawem, uniknąć odpowiedzialności za ryzykowne przedsięwzięcia „legalnego ciała".

Kto wchodził w skład owej grupy sprytnych banków inwestycyjnych? Lehman Brothers, Bearn Sterns, Merrill Lynch, Citibank, Wachovia, Deutche Bank, Bank of America itd. Największe banki na świecie.

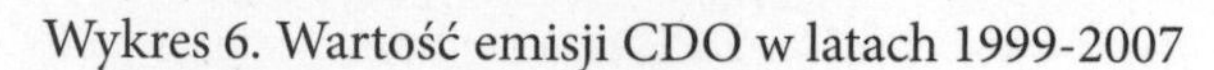
Wykres 6. Wartość emisji CDO w latach 1999-2007

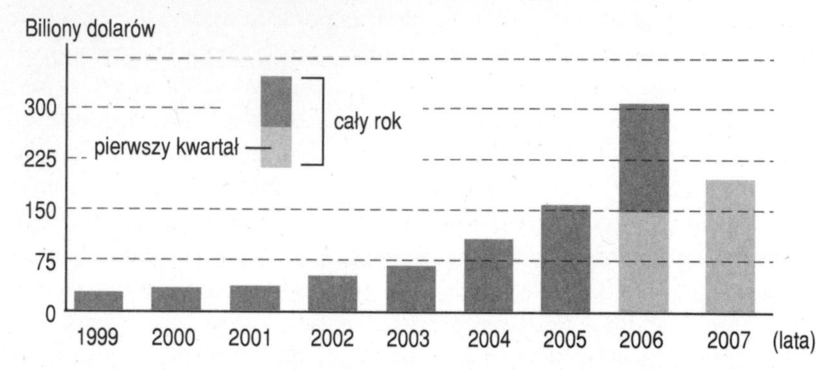

Źródło: U.S. Treasury Department; WSJ Market data Group; Inside Mortgage Finance UBS; Dealogic

Jest oczywiste, że banki inwestycyjne nie miały zamiaru utrzymywać w swoich portfelach toksycznych aktywów przez długi czas. Ich strategia polegała na szybkim wymknięciu się z pułapki. Reklama „produktów wysokiej jakości" CDO dzięki wysokiemu ratingowi AAA oraz możliwości sprzedawania towarów przez banki inwestycyjne naturalnie nie natrafiała na większe przeszkody. Klientami wyrażającymi chęć zakupu stały się przede wszystkim wielkie fundusze hedgingowe, zagraniczne struktury inwestycyjne, do których należą fundusze emerytalne, fundusze ubezpieczeniowe, fundusze edukacyjne oraz inne fundusze operujące na zlecenie rządu. W przypadku „średniej jakości CDO" oraz „zwyczajnych CDO" sprzedaż nie jest sprawą łatwą. Banki inwestycyjne usilnie szukają skutecznych rozwiązań, a Moody, Standard & Poor's raczej nie mają zamiaru żyrować tych dwóch kategorii skondensowanych trujących aktywów, zawsze bowiem pozostaje jakaś elementarna „etyka zawodowa".

Jak więc pozbyć się owych parzących ręce toksycznych aktywów? Banki inwestycyjne po długim namyśle wpadły na znakomity pomysł – utworzenie funduszu hedgingowego!

Banki inwestycyjne sięgnęły do swoich prywatnych oszczędności i po powołaniu z wielką pompą niezależnego funduszu hedgingowego, rozpoczęły proces usuwania toksycznych aktywów z rachunków obciążeń finansowych, oferując je niezależnemu funduszowi hedgingowemu, który po „wysokiej cenie" nabywał od „blisko spokrewnionych" banków inwestycyjnych owe toksyczne aktywa CDO. „Wysoka cena" zostawała zapisywana na liście aktywów funduszu jako „cena wejściowa". W ten sposób, patrząc z punktu widzenia prawa, banki inwestycyjne zakończyły proces czytelnego oddzielenia się od toksycznych aktywów.

Szczęśliwie, od roku 2002 Rezerwa Federalna tworzyła finansowe środowisko niesłychanie niskich stóp procentowych, które stymulowało gwałtowny rozrost wielkiej fali kredytów. W tak sprzyjających okolicznościach, w ciągu pięciu lat ceny nieruchomości podwoiły się. Pożyczkobiorcy na rynku subprime uzyskali łatwy dostęp do kapitałów, by w ten sposób realizować miesięczne płatności. W rezultacie stopa niewykonalności (default rate) zobowiązań stała się niższa niż pierwotne szacunki.

Wysokiemu ryzyku odpowiada możliwość wysokich zwrotów od inwestycji, a skoro wysokie ryzyko się nie ujawniło, wysokie zwroty bardzo szybko przykuły uwagę ludzi. Obroty na rynku CDO w porównaniu z innymi rynkami papierów wartościowych były umiarkowane i spokojne. „Toksyczne aktywa" rzadko zmieniały właścicieli, dlatego też nie pojawiła się żadna wiarygodna informacja cenowa, mogąca służyć jako punkt odniesienia. W tej sytuacji organa nadzorcze pozwoliły funduszom hedgingowym na wykorzystanie rezultatów wewnętrznego modelu matematycznego naliczania jako standardu dla oceny aktywów. Dla funduszów hedgingowych była to niesłychanie dobra wiadomość. Każdy z nich samodzielnie „wyliczał" przyszłe zyski. Wskutek tego stwierdzenie o dwudziestoprocentowej stopie zwrotów od inwestycji zawstydzało, obietnica trzydziestoprocentowych zysków nie dawała szans na skutecznie pokazanie się na tle innych funduszy, obiecując pięćdziesięcioprocentowe zyski trudno byłoby wejść do listy rankigowej, a stopa stuprocentowych zysków niekoniecznie posiadała atrakcyjność zauważalną dla inwestorów.

W ten sposób bardzo szybko, używający „toksycznych skondensowanych śmieciowych aktywów" CDO fundusz hedgeingowy z ogromnym powodzeniem wszedł w świat Wall Street.

Zadowolone banki inwestycyjne zaczęły spoglądać za granicę. Trudno było sobie wyobrazić, że posiadający w swoim portfelu „toksyczne skondensowane śmieciowe aktywa" fundusz hedgingowy stanie się najbardziej poszukiwanym towarem. Ponieważ stopa potencjalnych zwrotów stanowiła jego główną atrakcję, coraz więcej inwestorów pragnęło uzyskać pozycję partnerów funduszu. Wraz z napływem wielkich ilości pieniędzy, fundusz hedgingowy niespodziewanie zamienił się w maszynę do robienia pieniędzy dla banków inwestycyjnych.

Podstawowymi cechami funduszu hedgingowego jest wysokie ryzyko oraz wysokie działanie mechanizmu dźwigni. Skoro znajdujące się w jego rękach „toksyczne aktywa" CDO wydają się rosnąć, w przypadku błędnego zastosowania dźwigni finansowej o potężnej mocy można by wyrządzić szkodę reputacji głównych funduszy. Tak więc dyrektorzy funduszu udali się do banków inwestycyjnych, żądając, by hipotecznym zabezpieczeniem płatności były właśnie tak wówczas rozchwytywane na rynku, „toksyczne aktywa" CDO.

Banki inwestycyjne były niezmiernie zaskoczone sławą CDO, dlatego też z zadowoleniem, nie tracąc czasu, zaakceptowały CDO jako zabezpieczenie hipoteczne. Następnie, udzielając kredytów, kontynuowały wytwarzanie bankowych pieniędzy. Należy zwrócić uwagę, że był to już kolejny przykład wykorzystania części długu hipotecznego przez system bankowy w celu „ukrytego drukowania fałszywych pieniędzy".

Dźwignia finansowa* płatności przekazywanych jako zabezpieczenie bankom przez fundusz hedgingowy miała siłę od pięciu do piętnastu razy!

Pobrawszy pieniądze z banków, fundusz kierował się do własnych banków inwestycyjnych w celu skupowania nowych ilości CDO, a banki inwestycyjnie optymistycznie finalizowały proces „rafinacji" jeszcze większych ilości trujących śmieci MBS w CDO. W rezultacie, na drodze szybkiej sekurytyzacji aktywów, udzielające pożyczek na rynku subprime banki uzyskiwały w szybszym tempie większe ilości gotówki, by w ten sposób zwabiać do pułapki jeszcze większe rzesze chętnych na uzyskanie kredytu na rynku subprime.

Banki udzielające kredytów na rynku subprimie produkują obciążenia, banki inwestycyjne, Fannie Mae i Freddie Mac dokonują przetworzenia obciążeń i ich sprzedaży, firmy ratingowe są organami nadzoru jakości, fundusze hedgingowe magazynują obciążenia i sprzedają je na masową skalę, banki handlowe dostarczają kredytu, a fundusze emerytalne, uprawnione fundusze realizujące zlecenia rządowe, fundusze edukacyjne, fundusze ubezpieczeniowe, zagraniczni inwestorzy instytucjonalni itd. stają się ostatnimi klientami skupującymi toksyczne aktywa. Cały ów proces dotyczący produktów tej kategorii charakteryzuje się globalnym nadmiarem płynności oraz podziałem biedy i bogactwa.

W ten sposób został stworzony doskonały łańcuch produkcji toksycznych aktywów. Zgodnie z danymi Departamentu Stanu USA:

- w pierwszym kwartale 2007 roku dokonano emisji CDO o wartości 2 bilionów dolarów;
- w całym roku 2006 dokonano emisji CDO o wartości 3,1 biliona dolarów;
- w roku 2005 dokonano emisji CDO o wartości 1,51 biliona dolarów;
- w roku 2004 dokonano emisji CDO o wartości biliona dolarów.

„Zsyntetyzowane CDO": trujące śmieci o wysokim stopniu czystości

W pewnych sytuacjach, bank inwestycyjny, z powodu „etyki zawodowej" oraz w celu marketingowego zwiększenia poziomu zaufania wśród inwestorów, prawdopodobnie zatrzyma cząstkę „toksycznych aktywów". Aby takie cząstki również przyniosły zyski, banki inwestycyjne stworzyły nową skuteczną strategię.

W poprzednim paragrafie wspomnieliśmy o typowym sposobie myślenia na Wall Street: dopóki istnieje przyszły napływ gotówki, należy znaleźć sposób, by zamienić ten fakt w papier wartościowy. Obecnie, pośród „toksycznych aktywów" znajdujących się w rękach banków inwestycyjnych, wciąż nie doszło do wystąpie-

* Instrument finansowy wykorzystywany przez podmioty w celu zwiększenia zyskowności. Dźwignia finansowa ma sens wtedy, kiedy dofinansowując podmiot kapitałem obcym, możemy liczyć na zwiększenie zysków przynajmniej w stopniu pozwalającym na spłatę kosztów pozyskania kapitału. Inaczej mówiąc, podmiot osiąga korzyści z dźwigni finansowej, gdy koszt kapitałów obcych jest niższy od rentowności jego majątku (przyp. tłum.).

nia trudności związanych z brakiem wykonywania zobowiązań z tytułu umowy, a miesięczne korzyści płynące z odsetek są stabilne. Jednakże istnieje duże prawdopodobieństwo, że w przyszłości pojawi się niebezpieczeństwo. Co więc czynić? Banki muszą znaleźć w tych niesprzyjających okolicznościach drogę wyjścia, zakupić ubezpieczenie na prawdopodobne przyszłe naruszenia kontraktów, a ubezpieczeniem tym jest instrument pochodny CDS – swap na zwłokę w spłacie kredytu*.

Zanim sięgną po tego rodzaju instrument, banki powinny wpierw dokonać jego teoretycznego usystematyzowania, aby móc wyjaśnić racjonalnie jego mechanizm działania. Banki powinny podzielić dochody otrzymywane ze spłaty odsetek od CDO na dwie niezależne transze, jedną z nich byłyby koszty wykorzystania kapitału, drugą koszt naruszenia umów. Obecnie trzeba przenosić ryzyko naruszania umów na inne osoby, co generuje dodatkowe koszty.

W przypadku, gdy inwestorzy wyrażają gotowość ponoszenia ryzyka naruszeń kontraktów CDO, otrzymują wypłacaną w ratach przez banki inwestycyjne kwotę ubezpieczenia naruszeń kontraktów. Z punktu widzenia inwestorów, ów dopływ gotówki z tytułu ratalnej spłaty kwoty ubezpieczenia niewiele różni się od dopływu gotówki z tytułu zakupu zwykłych papierów wartościowych. Jest to jeden z podstawowych elementów treści kontraktów CDS. Podczas tego procesu, ponoszący ryzyko inwestorzy nie muszą dokonywać żadnych płatności kapitałowych, nie muszą też posiadać żadnych związków z ubezpieczonymi aktywami, wystarczy tylko, że ponoszą ukryte ryzyko naruszeń kontraktów CDO, by w ten sposób uzyskać wypłacaną w ratach kwotę ubezpieczenia. Ponieważ informacje nie są symetryczne, ocena ryzyka naruszenia kontraktów przez zwykłych inwestorów nie może być tak precyzyjna, jak w przypadku banków inwestycyjnych, toteż wielu ludzi skuszonych powierzchownymi możliwościami osiągnięcia wysokiej stopy zwrotów od inwestycji ignoruje ukryte ryzyko.

W tym momencie, mimo że „toksyczne aktywa" teoretycznie wciąż pozostają w rękach banków inwestycyjnych, ryzyko naruszenia kontraktów zostało już przeniesione na inne osoby. Banki inwestycyjne zachowują twarz i zarazem uzyskują realne wpływy.

Na tym etapie banki inwestycyjne byłyby w pełni usatysfakcjonowane z uzyskanych wyników, ale chciwa natura człowieka nie ma granic. Tak więc, dopóki nie dochodzi do „wpadek", gra trwa, przybierając coraz bardziej niebezpieczną i alarmującą formę.

W maju 2005 roku grupa „geniuszy finansowych" z Wall Street i londyńskiego City ostatecznie opracowała z powodzeniem nowy rodzaj, bazującego na swapie na zwłokę w spłacie kredytu, produktu: „zsyntetyzowane CDO" – aktywa skondensowanych, trujących śmieci o wysokim stopniu czystości. Celem wynalazców z banków inwestycyjnych było zintegrowanie dopływu gotówki kwot

* CDS jest umową, w ramach której jedna ze stron transakcji w zamian za uzgodnione wynagrodzenie zgadza się na spłatę długu należnego drugiej stronie transakcji od innego podmiotu – podstawowego dłużnika – w przypadku wystąpienia uzgodnionego w umowie CDS zdarzenia kredytowego (w praktyce zdarzeniem tym jest niespłacenie podstawowego długu przez podstawowego dłużnika) (przyp. tłum.).

ubezpieczenia z tytułu naruszeń kontraktów spłaty kredytu dla wierzycieli CDS, by ponownie, zgodnie z indeksami ryzyka, podzielić je i przepakować w różne pudełka na prezenty i tradycyjnie zapukać do drzwi agencji ratingowych Moody, Standard & Poor's. W Moody zapanowało długie milczenie. Wydawało się, że tym razem ustępstwa nie są możliwe. W przypadku braku wymaganej oceny, całe przedsięwzięcie spaliłoby na panewce. Sytuacja ta doprowadziła banki inwestycyjne do wściekłości.

Na obszarze „zsyntetyzowanych CDO" spółka Lehman Borthers zajmuje pozycję absolutnego, światowego lidera. Pracujący dla niej „naukowcy finansowi" w czerwcu 2006 roku wyłączyli ze „skondensowanych trujących śmieci o wysokim stopniu czystości", uchodzące za najbardziej toksyczne aktywa, „zwykłe syntetyki CDO", ów poważny światowy problem. Istota innowacji dokonanej przez spółkę polegała na tym, że akumulacja dopływu gotówki produkowanego przez aktywa „zwykłe zsyntetyzowane CDO" tworzyła rezerwowy „zbiornik kapitałów" i gdy tylko dochodziło do naruszenia kontraktu, rezerwowy zbiornik uruchamiał funkcję alarmową, która gwarantowała podaż – napływ gotówki. Ta ładnie wyglądająca, lecz w praktyce bezużyteczna metoda, odegrała rolę wzmacniacza zaufania wobec „zwykłych zsyntetyzowanych CDO". Ostatecznie Moody przyznał „skondensowanym trującym śmieciom o wysokim stopniu czystości" ocenę AAA.

Atrakcyjność inwestycji w „zsyntetyzowane CDO" osiągnęła poziom szczytowy, wabiąc ludzi, a każdy inwestor miał fałszywe uczucie, jakby nagle anioł zstąpił do ludzkiego świata. Zastanówmy się przez moment: jeśli wcześniej inwestowało się w papiery CDO, aby uzyskać dopływ gotówki, należało dostarczyć prawdziwy, niczym złoto i srebro, wkład pieniężny, a następnie być przygotowanym na ponoszenie potencjalnego ryzyka. Teraz w ogóle nie trzeba ruszać swoich pieniędzy: wciąż mogą znajdować się na giełdzie czy w innym generującym majątek miejscu, wystarczy zgoda na ponoszenie małego ryzyka, by móc otrzymywać stabilny dopływ gotówki. W porównaniu z CDS, jest to znacznie atrakcyjniejsza opcja, ponieważ ów produkt inwestycyjny otrzymał ocenę AAA wydaną przez agencje ratingowe Moody i Standard & Poor's.

Tak więc bez potrzeby wydawania pieniędzy można uzyskać stabilny dopływ gotówki. Zarazem ryzyko jest niskie, ponieważ jest to „zsyntetyzowane CDO" – produkt uzyskujący ocenę AAA. Rezultat jest łatwy do przewidzenia: znaczna część funduszy działających na rzecz rządu, funduszy emerytalnych, edukacyjnych, funduszy ubezpieczeniowych oraz ogromna liczba funduszy z zagranicy wskoczyła na ów rynek i nie naruszając nawet cząstki swoich pieniędzy, zwiększyła całkowite przychody funduszy, rzecz jasna włączając w to własne dochody, uzupełnione o wielkie nagrody i premie.

Poza wielkimi funduszami, w roli głównych nabywców „zsyntetyzowanych CDO", banki inwestycyjne widziały kochające wysokie ryzyko i wysoką stopę zwrotów fundusze hedgegindowe. Wychodząc naprzeciw potrzebom tych funduszy hedgingowych, banki stworzyły produkt z klasy „zsyntetyzowanych CDO" zwany „kuponem o zerowych odsetkach". W odróżnieniu od pozostałych „zsyntetyzowanych CDO", które nie wymagają inwestycyjnych wkładów kapitałowych, by uzyskać dostęp do regularnych dopływów gotówki (choć ich śmiertelną wadą jest konieczność ponoszenia pełnego ryzyka przez cały czas, a więc również możliwość utarty całej inwestycji), cechuje go wkład części kapitałów nominalnej wartości. Nie występuje dopływ gotówki, ale gdy czas inwestycji CDO dobiega końca, istnieje możliwość uzyskania całej, wystarczającej kwoty nominalnej wartości, lecz wpierw trzeba od niej odjąć straty z powodu naruszeń kontraktów oraz koszty. Największe ryzyko dla owego produktu, z natury klasyfikującego się do opcji, pochodziło od „ponownego początku po chaosie". Największą stratą, którą może ponieść fundusz hedgingowy, jest początkowa inwestycja części kapitałów, jednak w przypadku, gdy nie dochodzi do naruszenia kontraktów, istnieje możliwość uzyskania gigantycznych zysków. Owe „w przypadku gdy" w istocie jest bodźcem, któremu fundusz hedgingowy nie może się oprzeć. Banki inwestycyjne oczywiście dokładnie zdawały sobie sprawę i rozumiały motywy postępowania dyrektorów funduszy hedgingowych, by móc zaprojektować ów jakże „czuły i rozważny" produkt. Rola banków inwestycyjnych polega na pobudzaniu i wykorzystywaniu chciwości drugiej strony, przy czym stoją one na gruncie, na którym nigdy nie poniosą porażki, podczas gdy fundusze hegdingowe muszą liczyć na łut szczęścia.

Kreatywność i siła wyobraźni w dziedzinie finansów na Wall Street nie mają granic, poza CDO, CDS, „zsyntetyzowanymi CDO", Wall Street wynalazła na bazie CDO „CDO do kwadratu" (*CDO2 square*), „CDO sześcienne" (*CDO3 cubic*), „CDO n-te" (*CDOn*) i inne produkty.

Statystyki Fitch pokazują, że w roku 2006 rynek instrumentów pochodnych od kredytów osiągnął zdumiewające obroty około 50 bilionów dolarów. W latach 2003-2006 rynek ten eksplodował, ulegając prawie piętnastokrotnemu powiększeniu! Obecnie, fundusze hedgingowe stały się główną siłą na rynku instrumentów pochodnych od kredytu, samodzielnie zajmując 60 procent jego udziałów.

Poza tym statystyki BIS pokazują, że w roku 2006 w czwartym kwartale nastąpiła emisja „zsyntetyzowanych CDO" o wartości 920 miliardów dolarów, w pierwszym kwartale 2007 roku łączna wartość emitowanych „zsyntetyzowanych CDO" osiągnęła bilion 210 miliardów dolarów, a fundusze hedgingowe zajęły 33 procent rynku. Kto więc jest rynkowym motorem tych skondensowanych trujących śmieci o wysokim stopniu czystości? Zaskakujące jest, że są nim między innymi fundusze ubezpieczeniowe i emerytalne, inwestorzy zagraniczni, a także krajowe „konserwatywne" fundusze. Co więcej, kapitały niespodziewanie koncentrują się w najbardziej toksycznych z „zsyntetyzowanych CDO" – „zwykłych CDO[215]".

215 Gillian Tett, *Pensions Funds left vulnerable after unlikely bet on CDOs*, „Financial Times", 6 lipca 2007.

Firmy ratingowe wyceniające aktywa: wspólnik w oszustwie

Spośród wszystkich papierów MBS na rynku kredytów subprime około 75 procent uzyskało ocenę AAA, 10 procent ocenę AA, 8 uzyskało A, siedem oceniono na BB lub jeszcze niżej. Natomiast zgodnie ze stanem faktycznym, w czwartym kwartale roku 2006 stopa naruszeń kontraktów (niewykonywania spłaty zobowiązań) na rynku kredytów subprime osiągnęła 14,44 procenta, by w pierwszym kwartale roku 2007 wzrosnąć do 15,75 procent. Wraz ze zbliżającym się w latach 2007 i 2008 czasem ponownego ustalenia *interest recast* stóp odsetek od 20 bilionów dolarów, nieuniknioną konsekwencją będzie szok płatniczy na niespotykaną dotąd w historii skalę, gdyż na rynkach subprime i ALT-A z pewnością pojawi się jeszcze wyższa stopa naruszeń kontraktów. Od końca roku 2006 do połowy 2007 już około miliona instytucji z rynku pożyczek subprime zostało zmuszonych do zaprzestania działalności. Jest to tylko początek. Opublikowany przez US Mortgage Bankers Association (Amerykańskie Stowarzyszenie Bankierów Hipotecznych) raport wskazuje na duże prawdopodobieństwo wystawienia na aukcjach około 20 procent pożyczek z rynku subprime, w wyniku czego około 2,2 miliona ludzi straci swoje domy.

Zwiedzione na manowce przez firmy ratingowe Moody oraz Standard & Poor's wielkie fundusze inwestycyjne, podobnie jak organa nadzoru, kolejno wnoszą przeciwko nim pozwy do sądu. 5 lipca 2007 roku ujrzały światło dzienne informacje o starcie trzeciego co do wielkości w Ameryce Ohio Police & Fire Pension Fund. Siedem procent z łącznej sumy inwestycji tego funduszu zostało zainwestowane w rynek MBS. Prokurator stanowy z Ohio, Marc Dann, udzielił firmom ratingowym ostrej nagany, mówiąc, że firmy te „za każdym razem, formułując oceny dla hipotecznych MBS, zarabiały wielkie pieniądze. Firmy te kontynuowały wydawanie ocen AAA [dla toksycznych aktywów], tak więc w rzeczywistości są wspólnikami w oszustwie".

Powyższa ocena została wykpiona i odrzucona przez Moody. „Nasze opinie są obiektywne, co więcej, nie zmuszają nikogo do dokonywania zakupu bądź sprzedaży"[216]. Logika Moody'ego przypomina sposób myślenia krytyka filmowego: wydanie pozytywnej recenzji filmowi *Curse of the golden flower* bynajmniej nie oznacza zmuszania kogokolwiek do zakupu biletu i pójścia do kina. Innymi słowy, Moode daje do zrozumienia: my tylko tak sobie gadamy, nie bierz tego poważnie.

Natomiast rozjuszeni inwestorzy byli przekonani, że jeśli chodzi o skomplikowane, pozbawione przejrzystych informacji cenowych produkty CDO oraz „zsyntetyzowanych CDO", rynek oparł się całkowicie na zaufaniu do ocen wystawianych przez firmy ratingowe. Jakże więc można teraz wypierać się jakiejkolwiek odpowiedzialności, odmawiając zapłacenia własnych rachunków? Trzeba dodać, że bez oceny AAA, wielkie fundusze emerytalne, fundusze ubezpieczeniowe,

[216] Katie Benner, *Subprime contagion?*, „Fortune", 27 lipca 2007, s. 152.

fundusze edukacyjne, fundusze uprawnione przez rząd, zagraniczne fundusze inwestycyjne itd. nigdy nie ośmieliłyby się na tak wielki zakup tych produktów.

Wszystko zostało zbudowane na fundamencie, jakim jest rating AAA. Jeśli owa ocena jest błędna, niebezpieczeństwo grożące bilionom dolarów zainwestowanych przez fundusze jest bliskie.

W istocie wystawiona ocena uruchomiła wszystkie ogniwa gry.

W ostatnim czasie dwa fundusze hedgingowe zaangażowane w rynek subprime spod flagi Bear Sterns, jednego z pięciu wielkich banków inwestycyjnych z Wall Street, odnotowały ogromne straty. W rzeczywistości, przed pojawieniem się tych strat, wielu inwestorów oraz organa kontrolne rozpoczęły dochodzenie w sprawie procesu ustalania cen aktywów posiadanych przez banki inwestycyjne i ich fundusze hedgingowe. Financial Accounting Standards Board (Rada Norm Księgowych) zażądała obliczania wartości ceny wyjściowej aktywów w oparciu o „uczciwą cenę", nie zaś w oparciu o cenę wejściową. Żądana cena wyjściowa była rynkową ceną sprzedaży aktywów – dla przykładu, cena wykorzystywana obecnie przez banki inwestycyjne i fundusze hedgingowe na szeroką skalę jest „wyliczana" na podstawie wewnętrznych formuł matematycznych. Ponieważ transakcje papierami CDO zdarzają się niesłychanie rzadko, występuje ostry deficyt informacji o cenie rynkowej. W przypadku, gdy inwestorzy szukają informacji o cenie CDO u pięciu różnych brokerów, bardzo prawdopodobne jest uzyskanie pięciu różnych odpowiedzi. Wall Street celowo utrzymuje nieprzejrzystość na tym rynku, aby móc czerpać korzyści z pobierania wysokich opłat.

Naturalnie, w przypadku, gdy wszyscy zarabiają pieniądze, panuje ogólne zadowolenie, jednak gdy nastąpią nieprzewidziane komplikacje, walczą o dostęp do wyjścia i uciekają. W tym czasie, zazwyczaj umiarkowani i spokojni dżentelmeni Zachodu zrzucają z siebie maski i przebrania. Tak właśnie wyglądają relacje pomiędzy Merril Lynch i Bear Sterns.

Zgodnie z raportami, dwa wielkie fundusze hedgingowe z Bear Sterns na rynku subprime papierów MBS jako zabezpieczenie zaoferowały bezcenne aktywa, doprowadzając do powstania kolosalnych strat. Należałoby powiedzieć wprost, że wśród skondensowanych trujących śmieci o wysokim stopniu czystości, „zsyntetyzowanych CDO", fundusze były tą stroną, która, niestety, musiała ponieść ryzyko naruszeń kontraktów. Natomiast stroną, która dokonała transferu ryzyka, były prawdopodobnie ich własne banki inwestycyjne. Aż do 31 marca 2007 roku dwa fundusze hedgingowe Bern Sterns kontrolowały aktywa o wartości ponad 200 miliardów dolarów, w lipcu wartość aktywów obu funduszy skurczyła się o 20 procent. Dlatego właśnie ich wierzyciele kolejno rozpoczęli ucieczkę i wycofywanie kapitałów.

Największy spośród wierzycieli, Merril Lynch, wielokrotnie bezskutecznie domagał się zwrotu zadłużenia i aby przyspieszyć bieg wydarzeń, podjął próbę złamania woli przeciwnika, niespodziewanie ogłaszając początek wyprzedaży aukcyjnej wartych ponad 800 milionów dolarów, a znajdujących się w jego portfelu, instrumentów sekurytyzacji opartych na długu CLO (*Collaterized Loan*

Obligations, rodzaj CDO), funduszu hedgingowego banku Bear Sterns. Wcześniej Merril Lynch zapewniał, że przed ogłoszeniem planów restrukturyzacji kapitałowej funduszy hedgingowych Bear Sterns, nie wystawi owych aktywów na sprzedaż. Klika dni później Merril Lynch odrzucił proponowany przez Bear Sterns plan rekombinacji. Bear Sterns w następnym posunięciu zaproponował nadzwyczajny plan ratunkowy zwiększenia kapitałów o półtora miliarda dolarów, ale wciąż nie udało mu się uzyskać zgody wierzyciela. Merril Lynch przygotował na początek wyprzedaż konwencjonalnych papierów wartościowych, by potem dokonać sprzedaży odpowiednich instrumentów pochodnych. W tym samym czasie Goldman Sachs, Morgan Chase, Bank of America i inne banki odkupiły odpowiednie udziały w funduszu.

Do paniki doprowadzał fakt, że podczas aukcji można było sprawdzić cenę jedynie jednej czwartej wystawionych papierów wartościowych, a ceny wyniosły tylko od 85 do 90 procent wartości nominalnej. Była to jednak najważniejsza część, esencja aktywów AAA funduszów Bear Sterns. Skoro nawet te aktywa wysokiej jakości generowały stratę w wysokości 15 procent, wystarczyło pomyśleć o innych, trujących CDO, poniżej rankigu BBB, o których wartość nikt się nie dopytywał. Aktywa te wprost odstraszały ludzi, a pełna skala strat była niesłychanie trudna do oszacowania.

Brutalna rzeczywistość zmusiła Bear Sterns do przebudzenia, równocześnie potężnie wstrząsając Wall Street. Trzeba wiedzieć, że warte 7,5 biliona dolarów CDO jako zabezpieczenia znajdują się w formie pasywów, w tabelach obciążeń banków inwestycyjnych. Sztuczką praktykowaną obecnie przez banki jest przenoszenie tych aktywów CDO na Off Balance Sheet, gdyż na owej liście wartość wszystkich CDO może być naliczana zgodnie z modelem matematycznym, a konieczność aplikacji ceny rynkowej nie jest wymagana.

W tym czasie bankierzy z Wall Street mieli tylko jeden cel: za wszelką cenę nie dopuścić do otwartej aukcji rynkowej. W ten sposób bowiem prawdziwa wartość CDO zostałaby ujawniona, ludzie jasno dostrzegliby realną cenę tych spekulacyjnych aktywów i nie można by jej kształtować na poziomie publikowanym w raportach działu finansów – 120 czy 150 procent, ale najprawdopodobniej na poziomie 50 czy 30 procent. Gdy tylko cena rynkowa zostałaby ujawniona, wszystkie inwestujące w rynek CDO małe i duże fundusze zostałyby zmuszone do przejścia przez procedurę audytu i uzyskania ponownej weryfikacji dla listy swoich aktywów, a gigantyczne straty stałyby się niemożliwie do ukrycia. Rezultatem byłaby niespotykana burza na światowych rynkach finansowych.

Do 19 lipca dwa należące do Bear Sterns fundusze hedgingowe już nie posiadały żadnego „osadu wartości". Gigantyczne straty w wysokości 20 miliardów dolarów rozproszyły się niczym pył w ciągu kilku tygodni. Oba fundusze spod flagi Bear Sterns 1 sierpnia ogłosiły upadłość.

Kto posiada trujące aktywa? Oto jedno z najbardziej drażliwych pytań na Wall Street. Zgodnie z danymi liczbowymi, pod koniec 2006 roku fundusze hedgingowe posiadały ich 10 procent, fundusze emerytalne 18 procent, fundusze ubezpieczeniowe 19 procent, a firmy zarządzające aktywami 22 procent. Rzecz jasna, pozostają jeszcze zagraniczni inwestorzy. Są oni znaczącą siłą na rynku papierów MBS, CDS i CDO. Od roku 2003 zagraniczni inwestorzy instytucjonalni, z wielkim hukiem promują na terenie Chin przeróżne „strukturalne produkty inwestycyjne", jednak tylko niebiosa są w stanie odpowiedzieć na pytanie, ile spośród nich zostało zanieczyszczonych przez trujące aktywa.

Bank Rozrachunków Międzynarodowych ostrzega: „problemy na amerykańskim rynku pożyczek hipotecznych subprime są coraz większe i gwałtowniejsze, ale wciąż nie wiadomo, czy i jak owe kłopoty wpłyną na cały rynek kredytowy". Czy owe „nie wiadomo" oznacza ukrytą wskazówkę o prawdopodobnym krachu na rynku CDO? Łączna wartość pożyczek subprimie i ALT-A, podobnie jak zbudowanych na ich podstawie CDO, CDS oraz „zsyntetyzowanych CDO" wynosi przynajmniej 30 bilionów dolarów. Nie dziwią więc ostrzeżenia płynące z BIS: świat może doświadczyć wielkiego kryzysu na miarę recesji z lat dwudziestych i trzydziestych XX wieku. BIS dodatkowo twierdzi, że w ciągu kilku miesięcy na globalnym rynku kredytowym wystąpią tendencje wskazujące na odejście od cyklu prosperity.

Wsłuchując się w język używany przez kadrę kierowniczą Rezerwy Federalnej, twórcy polityki nie potwierdzają obaw rynków finansowych co do sytuacji na rynku pożyczek subprime i nie przewidują jej wpływu i rozszerzania się na pozostałe sektory gospodarki. Ben Bernanke pod koniec lutego 2007 oświadczył, że rynek subprimie jest kluczowym problemem, jednak brak jest oznak wskazujących na pojawianie się trudności na głównych rynkach kredytowych, a cały rynek pozostaje we względnie dobrej kondycji*. Odtąd zarówno inwestorzy, jak i kadry zarządzające, konsekwentnie unikają rozmów na temat grożącego rynkowi subprime kryzysu.

Unikanie problemów nie prowadzi do ich eliminacji. Ludzie w trakcie codziennego życia bez przerwy napotykają oznaki nadchodzącego kryzysu.

Kiedy koncesjonowane przez rząd różnego typu fundusze poniosą ciężkie straty na rynku aktywów hipotecznych, konsekwencje spadną na zwykłych obywateli, którzy odczują to tak, jakby codziennie mieli otrzymywać mandat za złamanie przepisów drogowych na sumę 3000 dolarów. Kiedy fundusze emerytalne poniosą straty, ostatecznie wszyscy będą musieli zgodzić się na podwyższenie wieku emerytalnego. Gdy starty poniosą ubezpieczyciele, opłaty za różnego typu ubezpieczenia również pójdą w górę.

Podsumowując: zasada innowacji finansowych z Wall Street polega na tym, że zwycięscy bankierzy zagarniają nagrody o astronomicznej wartości, za które płacą przegrani podatnicy i cudzoziemcy. Bez względu na to, czy jest się zwycięzcą, czy przegranym, nieuniknioną konsekwencją procesu innowacji finansowych jest to, że cykliczny i silnie zwiększający zastaw dług wytwarza gigantyczne ilości pieniądza dłużnego oraz inflację. Następuje ciche, ukryte przechwytywanie wytworzonego przez ludzi na całym świecie majątku. W takiej sytuacji nie powinny dziwić coraz głębsze podziały na biednych i bogatych.

---

* Kolejne miesiące udowodniły, jak bardzo się mylił (przyp. tłum.).

Implozja długu oraz deflacja płynności

Patrząc na podstawowe cechy amerykańskiego kryzysu na rynku subprime, można dostrzec, że jest to typowy przykład kryzysu implozji długu. Kiedy banki wytwarzają pożyczki hipoteczne, a więc wytwarzają „z niczego" pieniądze, procesy finansowe nie odbywają się tak, jak sądzą przeciętni ludzie, to znaczy, że pieniądze depozytariuszy w formie pożyczki przekazywane są pożyczkobiorcy. W istocie mamy do czynienia z wydrukowaniem w formie pieniądza i wpuszczeniem do obiegu przyszłej, jeszcze niewytworzonej pracy. Z jednej strony, pożyczki na zakup nieruchomości na wielką skalę prowadzą do wytworzenia gigantycznych ilości nowego pieniądza, a także do nieuniknionej utraty kontroli nad wzrostem cen nieruchomości oraz inflacją, z drugiej strony, bank centralny, zmagając się ze zjawiskami inflacyjnymi, zostaje zmuszony do podniesienia stóp procentowych. Obie funkcje oraz ich połączona siła owocują stopniowym zwiększaniem presji na pożyczkobiorców, a często ich załamaniem się pod ciężarem kolosalnego długu, co przejawia się we wzroście stopy niewykonalności zobowiązań kredytowych. Kolejnym zjawiskiem jest nagły spadek cen mieszkań i wychodzenie inwestorów z rynku nieruchomości. Nikt nie stawia pytań inwestycyjnych na temat papierów MBS czy CDO, na rynku obligacji oraz kwitów dłużnych raptownie pojawia się sytuacja deflacji płynności. Ten typ deflacji jest przyczyną wstrząsów CDS na rynku instrumentów pochodnych. Zastępy dyrektorów funduszów, którzy zakupili kontrakty CDS, nagle odkrywają groźbę nagłego przerwania łańcucha kapitałowego. Wówczas banki i inwestorzy zaczynają przypominać sobie o długach, a w rosnącej atmosferze ogólnej paniki i niemocy jedyną możliwością okazuje się wyprzedaż aktywów w celu zwrotu zadłużenia i ucieczki z pułapki. Tak się nieszczęśliwie składa, że kierunek i typ inwestycji większości inwestorów są pod wieloma względami identyczny, tak więc wyprzedaż w końcu zamienia się w globalną panikę.

Oto zasada rozwoju gospodarczego napędzanego przez pieniądz dłużny: dług tworzy pieniądz, pieniądz pobudza chciwość, chciwość zwiększa dług, dochodzi do implozji zadłużenia, implozja uruchamia deflację, a deflacja prowadzi do recesji!

Wielu analityków twierdzi, że sytuacja na rynku subprime to tylko „wyizolowany problem", a jego zasięg, w porównaniu z całym amerykańskim rynkiem finansowym, nie jest duży. Pogląd ten ignoruje kwestie struktury i formy rynku finansowego, na którym nie mamy do czynienia z synchronicznym, niezależnym rozwojem.

Spoglądając z perspektywy diachronicznej, można powiedzieć, że na rynku pożyczek subprime pojawiło się coś na kształt wielkiej odwróconej piramidy. Na dole piramidy znajduje się około czterech do pięciu bilionów dolarów pożyczek hipotecznych, w końcowej fazie skazanych na przemianę w „złe" długi. Owa podstawa wspiera znajdujące się powyżej, warte ponad siedem bilionów dolarów CDO. Idąc dalej ku górze, widzimy jeszcze większy, warty 50 bilionów dolarów rynek CDS. Ponad rynkiem CDS znajdują się: „zsyntetyzowane CDO", MBS, CDO po ich przekazaniu jako zabezpieczenia bankom handlowym, które jako pięcio- bądź nawet piętnastokrotna dźwignia finansowa powiększają, wspieraną przez nowe „fałszywe pieniądze", płynność. Kiedy ta niebezpieczna piramida przechyla się i targają nią wstrząsy, rezultatem może być włączenie największego na rynku instrumentów pochodnych, wartego 100 bilionów dolarów, rynku swapów stóp procentowych. Dlatego też zmiana nadmiaru płynności w deflację płynności może być tak gwałtowna. Mogą wystąpić problemy w kapitalizacji amerykańskich obligacji skarbowych oraz papierów MBS. Kiedy tylko długookresowe stopy procentowe zaczną ze stałym tempem podążać w górę, dojdzie do silnej implozji na wartym 100 bilionów dolarów rynku swapów stóp procentowych.

Z punktu widzenia korelacji w strukturze długu, gdy nagromadzone na rynku pożyczek subprime obciążenia finansowe 2,2 miliona ludzi stają twarzą w twarz z kryzysem, który zapewne wyrzuci ich na bruk, trudno oczekiwać terminowości w spłacie pożyczek na zakup samochodów, pożyczek studenckich, długów powstałych przy zakupach kartami kredytowymi i wszystkich innych form długów. Trudno też oczekiwać, że oparte o długi papiery ABS czy inne instrumenty pochodne wymkną się temu zagrożeniu. Podstawowa cecha długu jest prosta: „strata prowadzi do kolejnych strat, zysk prowadzi do kolejnych zysków". Owo zadłużenie i jego instrumenty pochodne w całym systemie bankowym zostały błędnie wymienione na zabezpieczenie, powiększone wielokrotnie powtarzalnymi derywacjami. Kiedy upada jeden dłużnik, błyskawicznie ciągnie za sobą całą grupę narzędzi długu. Gdy kilka milionów pożyczkobiorców stanie się jednocześnie niewypłacalnymi, któż przybędzie z ratunkiem? „Innowacje finansowe" nie tylko nie łagodzą ryzyka, ale w rzeczywistości, na niespotykaną dotąd skalę, tworzą bezprecedensowe, systemowe ryzyko. Gdyby w roku 1998 spółka zarządzająca długoterminowym kapitałem znalazła się w kłopotach, Rezerwa Federalna wiedziałaby, kogo z jej wierzycieli należy poinformować i zorganizować spotkanie w celu znalezienia wyjścia z sytuacji. Natomiast dziś, kiedy naruszenia kontraktów kredytowych są wzajemnie wspierane przez wielką rzeszę inwestorów, a transakcje odbywają się przy deficycie nadzoru, gdy tylko pojawi się wielka implozja astronomicznego długu, natychmiast wśród wielu połączeń nastąpią równoczesne naruszenia kontraktów, a błyskawiczna reakcja łańcuchowa sparaliżuje cały system. Posługując się metaforą, można powiedzieć, że na tradycyjnym rynku finansowym o skoncentrowanym ryzyku, zasięg połączeń ryzyka jest ogromny, a cel wyraźny, w przypadku pojawienia się „krwotoku", potentaci z banku centralnego mogą bardzo szybko podjąć skuteczne kroki i zatamować krwotok. Ale na współczesnym rynku finansowym, po rozproszeniu ryzyka na niezliczoną ilość instytucjonalnych i nieinstytucjonalnych inwestorów, gdy tylko dojdzie do nagłego „upływu krwi", oznaczać to będzie praktycznie niemożliwą do zatamowania „dyfuzyjną utratę krwi", gdyż władcy banków centralnych kompletnie nie mają pojęcia, gdzie należałoby dokonać interwencji.

Z tej perspektywy, akcja Rezerwy Federalnej oraz europejskich banków centralnych z początku sierpnia 2007 roku i bezprecedensowy zastrzyk kapitałów nagle ukazały wagę problemu. Ich reakcja nie była aktem nadgorliwości. Gdyby zabrakło pełnego wsparcia i pomocy ze strony banków centralnych, prawdopodobnie dzisiejszy rynek finansowy byłby rumowiskiem.

Przyszłość światowych rynków finansowych

Chociaż banki centralne tymczasowo opanowały kryzys, to systemowy problem implozji zadłużenia nie został w żaden sposób złagodzony. Problem oszacowania wartości wycenianych obecnie na 7,5 biliona dolarów aktywów CDO wciąż nie ujrzał światła dziennego. Poza tym, od końca roku 2007 przez rok 2008 nastąpi przekształcanie na wielką skalę spłat pożyczek hipotecznych, co może doprowadzić do wielkiego trzęsienia na rynkach finansowych. Jest mało prawdopodobne, aby po kilku kolejno następujących po sobie kataklizmach, amerykańscy konsumenci wciąż w szale radości zaciągali kredyty konsumpcyjne.

Istota problemu tkwi w napędzaniu światowej gospodarki przez pieniądz oparty na długu, którego pełny zwrot lub likwidacja oznacza kurczenie się płynności. Ponieważ popyt rynków finansowych na wysoką stopę zwrotów jest trudny do zadowolenia przez wzrost materialnej gospodarki, rynki finansowe nie są w stanie tolerować spadku wzrostu tempa płynności, nie mówiąc już o zatrzymaniu jej wzrostu bądź spadku. Natomiast implozja na rynku pożyczek subprime tłumaczy, że potencjał i zdolność Amerykanów do tworzenia debetu na przyszłości zostały całkowicie skonsumowane. W roku 2006 wartość pożyczek hipotecznych wzrosła o 1,9 biliona dolarów, a skala bazujących na długu instrumentów pochodnych uległa jeszcze większemu wzrostowi. Jeśli wydajność tego gigantycznego systemu narzędzi długu spadnie, to gdzież indziej można się udać w celu odnalezienia systemu zadłużenia o jeszcze większej skali?

Jako nowy instrument, substytut długu, „geniusze" z Wall Street pospiesznie konstruują nowy produkt, *Death Bond* – „obligacje śmierci". Istotą *Death Bond* jest wykorzystanie otrzymywanej po śmierci kwoty odszkodowania. Banki inwestycyjne odszukują ludzi z firm ubezpieczeniowych, proponując im nowy *deal*. Ubezpieczenie na życie jest wypłacane po śmierci człowieka – czemu by nie wyciągnąć go teraz, w czasie gdy ta osoba jeszcze żyje, i skutecznie wykorzystać? Praktycznie każdy, słysząc o takim pomyśle, pragnie go wypróbować. Banki inwestycyjne zintegrowały około 200 różnych polis ubezpieczenia na życie, pakując je w jedną formę aktywów typu ABS (papiery wartościowe oparte na sekurytyzowanych aktywach), której sprzedaż inwestorom odbywa się na Wall Street. Zazwyczaj osoba sprzedająca ubezpieczenie na życie może uzyskać ekwiwalent 20 do 40 procent wartości swojej polisy w gotówce, podczas gdy nabywcy *Death Bond* muszą wpłacić tę sumę oraz dokonywać miesięcznych wpłat kwoty ubezpieczenia, aż do chwili, gdy umrze ubezpieczona osoba, zaraz potem całe ubezpieczenie wraca do inwestora. Im wcześniej ubezpieczona osoba umiera, tym większe są zyski inwestora. Toteż inwestorzy z zegarkiem w ręku odliczają czas w oczekiwaniu na śmierć ubezpieczonego. Pełniące funkcję pośrednika banki inwestycyjne pobierają opłaty od pięciu do sześciu procent tytułem kosztów. Mimo tych atrakcji, rynek ten zdecydowanie nie posiada potencjału do zastąpienia rynku pożyczek hipotecznych i nawet jeśli osiągnie swój maksymalny poziom, będzie zdolny do wytworzenia narzędzi długu wartych około 1,9 biliona dolarów, co stanowi około jednej dziesiątej skali długów hipotecznych.

Jest jeszcze inny pomysł, a mianowicie spore wydłużenie ostatecznego terminu dla spłaty pożyczek hipotecznych z obecnych 30 lat na 40 czy nawet 50 lat. W ten sposób można by w wielkim stopniu zwiększyć zasięg zadłużenia i dostarczyć rynkom finansowym wystarczającej płynności.

Kiedy zabraknie posiadającego odpowiedni zasięg, rosnącego z właściwym tempem, działającego podług racjonalnych mechanizmów systemu zadłużenia, który mógłby skutecznie zastąpić sparaliżowany rynek kredytów hipotecznych, nie będzie już siły zdolnej powstrzymać nadchodzący głęboki kryzys gospodarczy.

Fakty, o których inni milczą...

Roman Konik

W obronie Świętej Inkwizycji

Książka druzgoce kłamliwą czarną legendę Świętej Inkwizycji, stworzoną przez libertynów i jakobinów doby Oświecenia, a później usilnie podtrzymywaną przez lewicowe salony Zachodu. Dzięki tej książce Polacy mogą poznać prawdę o Świętym Oficjum.

Erik von Kuehnelt-Leddihn

Ślepy tor

Autor bada nie tylko ideologię lewicy, ale przede wszystkim to, do czego ideologia ta w praktyce prowadziła. Krótko mówiąc, pisze dzieje tego, jak lewicowe słowo stawało się politycznym ciałem.

Josef Schüßlburner

Czerwony, brunatny i zielony socjalizm

Wbrew temu, co się powszechnie uważa, źródeł rasizmu, antysemityzmu i eksterminacyjnych projektów nie powinniśmy szukać u Adolfa Hitlera, lecz u jego ideowych przodków: Marksa, Engelsa i Lassalle'a. To u nich znajdujemy szczegółowo nakreślone plany stworzenia centralnie sterowanego społeczeństwa, w którym powszechną równość dałoby się uzyskać dzięki likwidacji bądź przymusowej reedukacji części obywateli.

David Limbaugh

Prześladowanie

W swojej książce, która natychmiast znalazła się na liście bestsellerów „New York Timesa", autor, znany amerykański publicysta konserwatywny, ukazuje hipokryzję głoszących poprawność polityczną liberałów, którzy – podważając, w imię „wolności" Konstytucję – dopuszczają się dyskryminowania chrześcijaństwa, krzewią w społeczeństwach wrogość wobec niego i głoszonych przezeń wartości.

E. Michael Jones

Gwiazda i Krzyż

Niezwykle interesującym wątkiem tej książki jest – kompleks judaizmu wobec chrześcijaństwa i próby konkurowania z nim czy wręcz jego zdominowania. Autor ukazuje, jak dobre początkowo stosunki Żydów z ludnością krajów europejskich stopniowo się pogarszały, prowadząc w skrajnych wypadkach do linczów i pogromów. Powody odległe były jednak od rasizmu. Michael Jones uwypukla przy tym ochronę i pomoc, jakie w ciągu wieków Żydzi znajdowali w instytucjach kościelnych.

►

WEKTORY

Nowości!

Roland Baader
Śmiercionośne myśli

W swojej książce autor tropi motywy i pobudki, które każą intelektualistom tworzyć wszelkiego rodzaju utopie, opowiadać się za społeczno-ekonomicznym kolektywizmem, popierać zawsze i wszędzie socjalizm i państwowy interwencjonizm; odsłania splot psychologiczno-polityczno-ekonomicznych interesów, jakie stoją za takimi a nie innymi wyborami ideologicznymi „klasy inteligenckiej”.

oprawa miękka,
format B 5
stron: 244

Herbert von Arnim
Europejska zmowa

Hans Herbert von Arnim
EUROPEJSKA ZMOWA
JAK URZĘDNICY UE SPRZEDAJĄ NASZĄ DEMOKRACJĘ

Rozrastająca się „Unia” połyka nie tylko niezależność narodową poszczególnych państw, tworząc zlepek wyobcowanych wobec tego wielkiego projektu nacji, ale równocześnie całkowicie pozbawia przeciętnego obywatela wpływu na rzeczywistość, odgórnie władając ponad głowami.

oprawa miękka,
format B 5
stron: 355

Guido Grandt
Czarna księga masonerii

Znany niemiecki dziennikarz proponuje poddać ruchy masońskie rutynowym, empirycznym badaniom, próbując dowiedzieć się, kim są ich uczestnicy, do jakich partii należą, jak zdobywają pieniądze.
Odpowiedzi na te pytania pokazują, że organizacje masońskie, wbrew deklaracjom, nie są wcale apolityczne. Przeciwnie, ich podstawowym celem okazuje się wywieranie zakulisowego wpływu na rządy.

oprawa miękka,
format B 5
stron: 294

Ferdinand Lips
Złoty spisek

FERDINAND LIPS
ZŁOTY SPISEK

Słowo *niezwykła* należy stosować ostrożnie. Ale ta książka jest właśnie taka i z pewnością stanie się klasyką. Opowiada nie tylko o przeszłości, teraźniejszości i przyszłości złota jako kruszcu, ale mówi także o społeczeństwie; wyraża nasze obawy i nadzieje związane ze stabilizacją i wolnością. Nareszcie zrozumieją państwo, czym naprawdę był parytet złota i dlaczego politycy wypowiedzieli mu wojnę. (...)
Harry D. Schultz

oprawa miękka,
format B 5
stron: 251

Nowości!

Warren H. Carroll
Historia Chrześcijaństwa

oprawa twarda
format A 5
stron: 610

Pięciotomowe monumentalne dzieło, poświęcone dziejom chrześcijaństwa od stworzenia świata do czasów współczesnych. Historia świata jako historia zbawienia, opowiedziana przez jednego z najlepszych autorów książek historycznych.

Damian Leszczyński, Roman Konik
CHINLANDIA
Impresje z podróży

oprawa miękka
format A 5
stron: 256
+ 12 str. ilustracji

To książka nie tyle o Chinach, ile o tym, jak przeciętny człowiek Zachodu postrzega Państwo Środka, jego mieszkańców, ich zwyczaje i kulturę. Wyposażeni w zestaw poręcznych stereotypów autorzy przyglądają się Chinom i Chińczykom, w sposób subiektywny, zabawny, a czasem zadziwiający starają się konfrontować obiegowe opinie z rzeczywistością

Roman Konik
ISCHARIOT
Średniowieczna powieść awanturnicza

oprawa miękka
format A 5
stron: 464

Ischariot to powieść drogi, jej bohaterzy jak w zwierciadle odbijają kluczowe dla XIV wieku problemy budowania *societas perfecta*. Na tle historycznych wydarzeń poznajemy świat handlu fałszywymi relikwiami, kulisy wypraw krzyżowych, tajniki medycyny średniowiecznej, alchemii, technik wojennych, a także obyczaje ruchów heretyckich i reguły życia monastycznego.

Te i inne książki do nabycia na:

www.WydawnictwoWektory.pl

Zamówienia przez internet, fax i telefon

Wydawnictwo Wektory
Bielany Wrocławskie, ul. Atramentowa 7, 55-040 Kobierzyce
tel./fax 71 33 98 222, tel. kom. 693 977 999
e-mail: info@wydawnictwowektory.pl